Y0-BXV-572

Romantisme
et crises
de la modernité

Poésie et encyclopédie
dans le *Brouillon* de Novalis

Cet ouvrage a été publié grâce à une subvention de la Fédération canadienne des Études humaines dont les fonds proviennent du Conseil de Recherches en Sciences humaines du Canada.

Walter Moser

professeur à l'Université de Montréal

Romantisme
et crises
de la modernité

Poésie et encyclopédie
dans le *Brouillon* de Novalis

Collection L'Univers des discours

Le Préambule

Données de catalogage avant publication (Canada)

Moser, Walter, 1942-

    Romantisme et crises de la modernité
    (Collection L'Univers des discours).
    Comprend des références bibliographiques.
    ISBN 2-89133-103-6

1. Novalis, 1772-1801 — Critique et interprétation.
2. Romantisme. I. Titre. II. Collection.
PT2291.Z5M67 1989   831'.6   C89-096496-3

71461

Distribution:

Québec:

    Messageries PROLOGUE,
    2975, rue Sartelon,
    Montréal H4R 1E6
    Tél.: 332-5860

France:

    Éditions DE VECCHI
    20, rue de la Trémoille
    75008 Paris
    Tél.: (1) 47204041

Belgique:

    Diffusion VANDER,
    321, Avenue des Volontaires,
    1150 Bruxelles
    Tél.: 762-9804

Suisse:

    TRANSAT
    19, route des Jeunes
    1227 Carouge (Genève)
    Tél.: 427-740

©1989. Éditions du Préambule, 160, rue Labonté, Longueuil, Québec, J4H 2P6. Tél.: (514) 651-3646

Tous droits de traduction, d'adaptation ou de reproduction par quelque procédé que ce soit, réservés pour tous pays.

Avant-propos

En 1798-99, quand Novalis, alors étudiant à l'École des Mines de Freiberg, recueillait les «matériaux pour une encyclopédistique» en vue de réaliser une «Bible scientifique», il ne faisait pas que réactiver le projet fantasmatique du Livre total. Son projet se situait à cheval entre la tradition de la poésie et celle de l'encyclopédie, il devait amener poésie et encyclopédie à une interaction dynamique de manière à transformer l'une et l'autre de ces deux traditions génériques. Son entreprise s'inscrivait en faux contre une division du travail discursif qui s'objectivait institutionnellement dans une séparation de plus en plus marquée des différents savoirs et des lieux de leur production; elle devait amorcer une redistribution intégrationniste des différents champs de discours. Philosophie, science et poésie en particulier devaient sortir de leur séparation basée sur une différenciation formelle et fonctionnelle et s'engager dans une dynamique interactionnelle sous le dénominateur commun d'une *poïesis*. Cette nouvelle pratique poétique était appelée à produire une nouvelle perception et organisation du monde, de nouveaux savoirs et possiblement induire de nouvelles pratiques sociales en vertu de la puissance performative d'un discours encyclopédique révolutionnaire.

Il est facile de constater que ce grand projet a échoué ou, du moins, que sa réalisation est restée inachevée. Mais ce n'est là qu'une demi-vérité. Il est vrai que le texte radicalement fragmentaire qui en émane, appelé «Le Brouillon général» (*Das allgemeine Brouillon*) par l'éditeur Hans-Joachim Mähl, peut paraître disproportionnellement petit

AUGUSTANA UNIVERSITY COLLEGE
LIBRARY

et insignifiant par rapport à la taille de l'entreprise. Mais une prise en considération sérieuse — descriptive, analytique et interprétative — de cet objet textuel fait apparaître une signification historique, et une importance culturelle qui dépassent de loin ses limitations matérielles et ce qui a été perçu comme sa difformité en tant qu'objet textuel. Le fait est que le texte du *Brouillon* n'a guère trouvé jusqu'à présent l'intérêt ni l'attention qu'il mérite. Cela peut être dû à son inachèvement et à la résistance qu'il oppose de ce fait à tout maniement philologique, critique et herméneutique. Cela peut être également dû à la menace réelle qu'il représentait à l'époque de son élaboration pour un ordre du discours basé sur la différenciation fonctionnelle et qui s'annonçait déjà définitivement comme dominant. Cette menace ne s'est guère affaiblie depuis lors, puisque les disciplines susceptibles d'aborder et de s'approprier le *Brouillon* comme leur objet relèvent elles-mêmes de cet ordre dominant. Que ce soient les études littéraires, la philosophie, l'histoire de l'encyclopédie, l'histoire des sciences ou encore, plus généralement, l'histoire des idées, elles peuvent au mieux produire une connaissance morcelée de cet objet; au pire elles opèrent, de par la logique de leur fonctionnement discursif même, la négation des exigences particulières inscrites dans la poésie encyclopédique de Novalis. Dès lors, comment faire pour éviter que les instruments utilisés pour décrire cet objet n'effacent sa spécificité même, pour ne pas l'assimiler, dans le travail cognitif, à un ordre du discours qu'il combattait et essayait de dépasser? Prendre cet objet au sérieux nous oblige donc à accepter la mise en question qu'il est capable d'adresser à nos instruments et habitudes de travail.

Un des objectifs de ce livre consiste à restituer à l'objet insolite qu'est le *Brouillon* de Novalis sa dimension interdisciplinaire ainsi que son importance historique d'«événement discursif». Mais on ne saurait poursuivre cet objectif sans relever le défi que cet objet lance à nos méthodes ainsi qu'au découpage de notre travail en sciences humaines. D'où la décision de procéder à deux niveaux, celui de la connaissance de l'objet historique et celui de la réflexion critique sur les instruments de travail, en explicitant la dialectique qui relie ces deux niveaux. Concrètement, cette décision a donné lieu à l'insertion de deux intermèdes — l'un plutôt théorique (chapitre II), l'autre plutôt historique (chapitre V), mais les deux débouchant sur des questions méthodologiques — dans l'exploration de cette rencontre exceptionnelle entre les traditions encyclopédique et poétique qui se réalise dans le *Brouillon*.

Il faut cependant éviter une approche idéaliste, piège que les travaux préalables sur ces deux traditions n'illustrent que trop. D'où la nécessité d'aborder la question épineuse de la constitution philologique du *Brouillon* en objet textuel. Bien que précaire, cet objet est à la base de tout travail sur le projet encyclopédique de Novalis. Cette constatation a déterminé la démarche globale: plutôt que de se lancer dans une interdisciplinarité tous azimuts, il est indiqué d'aborder le texte du *Brouillon*, dans un travail descriptif, analytique et interprétatif, à partir du cadre disciplinaire des études littéraires et d'essayer de capter sa complexité historique en élargissant progressivement le champ de la recherche au-delà des limites de cette discipline dès que les dimensions de l'objet le demandent. Car le projet encyclopédique de Novalis ne saurait connaître un traitement adéquat sans que l'objet littéraire, au sens traditionnel du terme, ne soit dépassé et intégré dans un cadre conceptuel plus vaste, celui de l'objet discursif; et les études littéraires dans la problématique plus globale de l'analyse discursive qui permet d'aborder ce qui est essentiel dans le *Brouillon*: l'interaction entre les différents savoirs et champs disciplinaires.

Quel est exactement le texte du *Brouillon*? Comment établir et éditer un texte si dispersé et fragmenté? Cet objet premier de notre étude est en fait le résultat d'une fabrication dont on examinera la logique, les difficultés, mais aussi les ruses dans le premier chapitre. Cette réflexion préliminaire sur l'objet matériel s'avère nécessaire afin d'expliciter le statut précaire du matériau textuel que le discours critique prendra en charge par la suite.

Dans le *Brouillon* arrivent à se croiser et se superposer les lignes de deux grandes traditions: le projet du Livre total et la mise en ordre encyclopédique des savoirs. En vue

9

de situer le texte de Novalis dans ces deux traditions et d'explorer leur lieu de recoupement, un travail d'approche est proposé dans deux chapitres consacrés chacun à une des composantes primordiales du *Brouillon*. La perspective génétique adoptée dans le chapitre III permet de montrer comment l'encyclopédie romantique, dans le cadre de la poétique des romantiques d'Iéna, est investi par le fantasme du Livre total. À ce stade de l'analyse, quelques documents biographiques — tirés en particulier de la correspondance entre les amis romantiques — peuvent éclairer la manière dont ce fantasme devait prendre corps. Le chapitre IV est consacré à la tradition encyclopédique. À partir d'un rappel de ses lignes de force, il sera possible d'apprécier les transformations que Novalis y opère et d'évaluer, par conséquent, l'impact de ses interventions concrètes. Ce chapitre propose également les éléments d'une réflexion plus générale sur l'encyclopédie en tant qu'idée, genre et livre.

C'est ainsi que, intégrant les diverses lignes de cette approche, à laquelle s'ajoutent les deux intermèdes mentionnés, notre objet prend de l'ampleur et s'inscrit dans une vaste problématique. Progressivement s'articulent ainsi les dimensions historique et interdiscursive de son programme expérimental de production poïétique des savoirs. Notre objet s'avère être un «objet relationnel» d'une grande complexité qui effectue activement la mise en contact de différents champs discursifs, tout en instaurant de nouvelles règles de formation qu'on proposera de considérer comme une véritable alternative historique.

Cette pratique alternative sera analysée — sélectivement — dans le chapitre VI. Mais, comme ce travail dépasse le cadre disciplinaire des études littéraires, il sera nécessaire de lui trouver un nouvel horizon conceptuel qui permette d'explorer la signification historique d'un objet d'une telle ampleur. Ce nouveau cadre est indiqué par le titre du livre: «Romantisme et crises de la modernité». Projeté sur l'horizon historique de cette problématique, le travail qu'accomplit Novalis dans son encyclopédie romantique prend sens comme participant de la première grande crise de la modernité. Il s'agit bien d'une crise, non pas de la fin de la modernité, puisque cette crise s'articule encore avec les éléments discursifs de la modernité, c'est-à-dire à l'intérieur de ce paradigme historique, tout en aspirant à le transgresser logiquement et à le dépasser historiquement. Crise de la modernité, ce travail affectant jusqu'aux règles de formation discursive — c'est dans ce sens qu'il devient événement discursif — appartient néanmoins encore à la modernité. Il représente une bifurcation à l'intérieur de la modernité. Combinant continuité et discontinuité, il propose un développement alternatif par rapport au développement dominant qui était en train de se réaliser historiquement.

La lecture attentive de cette alternative qui représente une espèce de non-lieu historique, une exploration expérimentale de nouvelles possibilités discursives qui ne sont pas (encore) devenues historiquement efficaces, prend un sens tout particulièrement actuel aujourd'hui que nous nous situons dans une autre crise de la modernité — encore de la même modernité. Impatients d'en finir avec la modernité, certains contemporains ont appelé notre crise la fin de la modernité ou la postmodernité. D'une crise à l'autre, notre regard jeté sur le romantisme, notre interprétation historique du *Brouillon* et de son potentiel critique de la modernité nous habilitera à comprendre historiquement notre propre malaise à l'égard d'une modernité qui ne veut pas finir. Pourtant, cette tâche interprétative ne saurait être abordée sans passer par un travail de description et d'analyse (chapitre VI) qui, partant des données objectives du texte, vise l'objet événementiel qu'est le *Brouillon*.

Cette étude sur le projet encyclopédique de Novalis représente donc en quelque sorte une étude de cas dans le contexte d'une analyse des transformations du discours littéraire et de ses enjeux plus généralement historiques dans une situation où la poésie s'ouvre maximalement sur les discours environnants et met en scène une interaction dynamique avec et entre ces discours. Le cas du *Brouillon* peut paraître limité, mais il pose des problèmes majeurs comme objet d'études, à commencer par le niveau philologique. Aussi, pour y faire face, ai-je eu recours au traitement automatique des textes, non pas pour confier le travail d'analyse à l'ordinateur, mais afin de manier les éléments textuels avec plus de précision et plus de célérité. En même temps la manipulation informatique des matériaux textuels permet un meilleur contrôle des intuitions interprétatives et une vérification plus exacte des hypothèses de lecture. L'enregistrement magnétique s'est fait sur la base du texte allemand établi par Hans-Joachim Mähl, tandis que les citations en français renvoient en principe à la traduction d'Armel Guerne. Malheureusement, cette traduction n'est ni complète ni toujours satisfaisante. Il a donc fallu parfois la modifier ou avoir recours à la traduction de Maurice de Gandillac, bien que celle-ci soit basée sur l'édition du texte allemand établi par Ewald Wasmuth. Aucune traduction française des œuvres de Novalis n'étant cependant complète, j'ai parfois été obligé de proposer ma propre traduction.

Un chercheur solitaire ne saurait faire face au volume de travail qui découle de la grande ouverture interdisciplinaire exigée par une recherche conçue de la sorte. Je tiens à exprimer ici ma reconnaissance à l'égard du Conseil de recherches en sciences humaines du Canada qui m'a accordé une bourse de travail et une subvention de recherche m'ayant permis de m'attaquer à la complexité de l'entreprise. Mes remerciements vont également au Comité d'attribution des fonds internes de recherche de l'Université de Montréal, dont l'aide a complété celle du CRSHC. Ce soutien matériel, qui est également un encouragement pour le chercheur, a facilité la constitution d'une équipe d'assistants. Sans leur collaboration généreuse, surtout dans la phase initiale de la recherche, ce livre n'aurait pu voir le jour. Je tiens à les en remercier tous.

Ma gratitude va également à mes collègues du Programme de littérature comparée de l'Université de Montréal. C'est dans un dialogue presque quotidien avec eux que ce travail a pris forme, s'est précisé et articulé. La communauté des chercheurs, dont parlent si souvent les textes théoriques, est ainsi devenue une réalité concrète pour moi. Ces échanges fructueux avec mes collègues, les conseils judicieux qu'ils m'ont prodigués et leurs critiques stimulantes ont favorisé l'élaboration de ce travail tout au long des années.

Liste des abréviations
et note sur la présentation des textes

ENC

Novalis, *L'Encyclopédie*, traduit et présenté par Maurice de Gandillac, préface de Ewald Wasmuth, Paris, Minuit, 1966.

OC

Novalis, *Œuvres complètes*, édition établie, traduite et présentée par Armel Guerne, Paris, Gallimard, 2 volumes, 1975.

SCH

Novalis, *Schriften*,

Volume I: *Das dichterische Werk*, édité par Paul Kluckhohn et Richard Samuel avec la collaboration de Heinz Ritter et Gerhard Schulz, revu par Richard Samuel, Darmstadt, Wissenschaftliche Buchgesellschaft, 1977.

Volume II: *Das philosophische Werk I*, édité par Richard Samuel en collaboration avec Hans-Joachim Mähl et Gerhard Schulz, revu par Richard Samuel et Hans-Joachim Mähl, Darmstadt, Wissenschaftliche Buchgesellschaft, 1981.

Volume III: *Das philosophische Werk II*, édité par Richard Samuel, en collaboration avec Hans-Joachim Mähl et Gerhard Schulz, Stuttgart, Kohlhammer Verlag, 1968. (Ce volume contient «Das allgemeine Brouillon, Materialien zur Enzyklopädistik 1798-99», pp. 206-478.)

Volume IV: *Tagebücher, Briefwechsel, Zeitgenössische Zeugnisse*, édité par Hans-Joachim Mähl et Gerhard Schulz, Darmstadt, Wissenschaftliche Buchgesellschaft, 1975.

Volume V: *Materialien und Register*, édité par Hans-Joachim Mähl et Richard Samuel, préparation des registres par Hermann Knebel, Darmstradt, Wissenschaftliche Buchgesellchaft 1988 (étant paru après l'achèvement du présent manuscrit, ce volume n'a pu être utilisé).

WBD

Novalis, *Werke, Briefe, Dokumente*, édité par Ewald Wasmuth.

Volume I: *Die Dichtungen*. Heidelberg, Lambert Schneider, 1953.

Volume II: *Fragmente I*. Heidelberg, Lambert Schneider, 1957. (Ce volume contient «Die Enzyklopädie», pp. 1-484.)

Volume III: *Fragmente II*. Heidelberg, Lambert Schneider, 1957. (Ce volume contient la postface «Bemerkungen zur Ordnung der Fragmente», pp. 467-97.)

Volume IV: *Briefe und Dokumente*. Heidelberg, Lambert Schneider, 1954.

Dans les renvois bibliographiques, ces abréviations sont suivies de l'indication du volume (en chiffres romains) et des pages (en chiffres arabes).

Les citations tirées du *Brouillon* sont précédées du numéro de l'entrée de l'édition Mähl. Pour rendre le texte plus lisible, la plupart des signes typographiques indiquant les particularités du manuscrit ne sont pas reproduits. Par contre, dans la mesure du possible, la ponctuation du texte a été rétablie dans les traductions d'après l'édition Mähl.

Chapitre I

La constitution de l'objet dans la préface d'éditeur au texte fragmenté

Mais que font les préfaces? La logique n'en est-elle que plus surprenante? Ne faudrait-il pas en reconstituer un jour l'histoire et la typologie? Forment-elles un genre? S'y regroupent-elles selon la nécessité de tel prédicat commun ou bien sont-elles autrement et en elles-mêmes partagées?

J. Derrida, *La Dissémination*, Paris, Seuil, 1972, p. 14.

Constituer l'objet en études littéraires

L'enjeu est de taille: il y va de la constitution de notre objet. De quel objet? — l'œuvre, le texte, le discours? Sont-ce là trois noms différents pour le même objet, ou s'agit-il plutôt d'objets différents? Le fait que, à première vue, ce triple choix s'offre à nous, et peut-être dans une succession qui s'ordonne historiquement, est en soi indicateur de deux choses. D'abord l'objet n'est pas donné ni immuable; il se constitue, se construit, se transforme. Ensuite, cette construction de l'objet fait elle-même partie de la discipline «études littéraires»([1]), elle a une fonction

---

([1]) Le choix de cette désignation se situe entre «critique litté-raire» et «science de la littérature» (*Literaturwissenschaft*) et devrait per-

constitutive, quoique, par un étrange oubli, les représentants de cette discipline préfèrent parfois l'ignorer et faire comme si l'objet était simplement donné, une donnée initiale[2].

Dans l'état actuel des études littéraires, cet oubli est devenu conscient et, de ce fait, l'objet d'attaques réitérées. Les critiques qui aimeraient se référer commodément à un objet tout constitué se trouvent sur le banc des accusés. Cette puissante anamnèse en ce qui a trait à la construction de l'objet s'inscrit dans de récents développements qui ont mis au premier plan de notre discipline des questions de théorie, de méthodologie et d'épistémologie. En fait, nous sortons à peine d'une période qui a vu ces questions prendre de plus en plus d'importance, acquérir de l'autonomie jusqu'au point où elles prétendaient à elles seules occuper, voire constituer tout le champ des études littéraires.

Or, la génération actuelle de critiques littéraires et d'historiens de la littérature n'est pas la première à avoir réfléchi sur la constitution de l'objet en études littéraires. Rappelons, à titre d'exemple et pour opérer une mise en perspective historique, un moment crucial dans l'évolution de la discipline où cette question faisait partie intégrante de la discipline. Il s'agit de l'élaboration parallèle de la critique philologique et de l'herméneutique générale, autour de 1800, à l'époque et sous l'égide donc de ce que, avec l'imprécision propre au regard distant, on a convenu d'appeler «l'idéalisme». Ce moment peut être vu comme la naissance moderne de notre discipline, à la fois comme savoir, comme pratique discursive et comme institution universitaire. C'est à ce moment, également, qu'appartient le principal objet concret auquel est consacré ce livre: le *Brouillon*[3] de Novalis.

---

mettre d'éviter ici la discussion de toutes les implications d'ordre épistémologique et idéologique attachées à ces deux dernières désignations de la discipline. «Études littéraires» aurait donc ici une définition minimale: la discipline qui s'attache à l'étude d'objets littéraires.

[2] Pour ce qui a trait à la question de l'objet en études littéraires, je m'inspire de l'article de Wlad Godwich «Emergent Literature and the Field of Comparative Literature», in Klayton Koelb et Susan Noakes (éds.), *The Comparative Perspective on Literature*, 1988, pp. 18-36.

Remontons donc dans l'histoire de notre discipline jusqu'à ce moment où nos prédécesseurs articulaient de manière complexe et intéressante la question de l'objet et de sa constitution. Selon Schleiermacher, critique et herméneutique se prêtent un secours réciproque. Elles se conçoivent et se pratiquent dans une interaction dialectique, ou plus précisément, selon la modalité de la *Wechselwirkung* (réciprocité active) que Theodor Haering, avec un regard sur le développement ultérieur de la dialectique chez Hegel, appelait une «proto-dialectique»[4]. Par le terme *Kritik*, Schleiermacher désigne surtout la critique philologique, une activité qui a comme objectif l'établissement des textes en vue de leur édition. L'herméneutique, de son côté, théorise l'acte de comprendre et vise, en pratique, l'interprétation des textes. Il découle de cette distinction une division du travail très nette: le critique philologique établit et édite les textes, il les constitue en objets matériels[5], que les maisons d'édition peuvent par la suite

---

[3] Le titre complet en allemand est «Das allgemeine Brouillon — Materialien zur Encyklopädistik 1798/99», in Novalis, *Schriften*, 3ᵉ vol. (Das philosophische Werk II), édité par Richard Samuel, en collaboration avec Hans-Joachim Mähl et Gerhard Schulz, Stuttgart: Kohlhammer, 1968 (*SCH*). Les traductions françaises disponibles sont celle de Maurice de Gandillac: Novalis, *L'Encyclopédie*, Paris, Minuit, 1966 (*ENC*), qui est basée sur l'édition d'Ewald Wasmuth: Novalis, *Werke, Briefe, Dokumente*, vol. III, Heidelberg, Lambert Schneider, 1957 (*WBD*); et celle d'Armel Guerne, «Grand répertoire général», in Novalis, *Œuvres complètes*, Paris, Gallimard, 1975, vol. II, pp. 219-364 (*OC*). Cette traduction suit, dans les grandes lignes, le texte établi par Samuel, Mähl et Schulz. Pour identifier le texte de Novalis, on utilisera par la suite le titre abrégé de *Brouillon*.

[4] Theodor Haering, *Novalis als Philosoph*, Stuttgart, Kohlhammer, 1954.

[5] Schleiermacher parlera de «Schrift im äusserlichen Sinn» («l'écrit au sens extérieur du terme»). Il est cité ici d'après l'édition établie par Manfred Frank et intitulée *Kritik und Hermeneutik* (Frankfurt a.M., Suhrkamp, 1977, p. 352). Cette édition, contrairement à celle de Heinz Kimmerle (Fr. D. E. Schleiermacher, *Hermeneutik*, Heidelberg, Carl Winter Verlag, 1959), est conçue de manière à maintenir intacte la réciprocité active entre les deux opérations.

rendre publics sous forme de livres. Quand ils sont suffisamment bien constitués, l'herméneute les prend en charge pour y appliquer son travail d'interprète.

Cependant, présenter cette division du travail dans l'ordre d'une simple succession, c'est réduire un état de choses très complexe à sa seule dimension chronologique: d'abord édition, ensuite interprétation. Plutôt que d'opérer cette réduction, Schleiermacher a travaillé sans répit à articuler cette complexité adéquatement, justement selon la figure de la *Wechselwirkung*: si l'interprète, pour faire son travail, a besoin d'un texte bien établi, le philologue, de son côté, ne saurait établir le texte, sans l'avoir interprété au préalable. Les deux opérations se conditionnent l'une l'autre. Il va sans dire que «philologue» et «interprète» ne sont pas nécessairement deux personnes différentes, mais désignent deux fonctions qui peuvent être assumées à tour de rôle par la même personne. La constitution de l'objet textuel dépend donc aussi fondamentalement de l'interprétation que celle-ci est basée sur la critique philologique.

Rien ne permet de croire que cette présupposition réciproque des deux opérations ne s'applique plus de nos jours. Elle est, au contraire, encore tout aussi valide qu'elle l'était autour de 1800. Seulement, la relation entre le parent moderne du critique philologique (celui qui établit les textes) et le critique-interprète (celui qui les commente) a changé. Aujourd'hui les philologues et les éditeurs forment un groupe assez restreint de spécialistes qui travaillent en quelque sorte aux étages inférieurs des études littéraires, souvent à l'écart des regards publics[6], tandis que les critiques de tout acabit — sauf philologique, puisqu'une

---

[6] Il faut partiellement corriger cette observation évidemment trop globale, car un développement récent a produit une sous-discipline qui semble remettre à la mode le maniement des manuscrits et des brouillons, opération qui relevait autrefois de la critique philologique. Il s'agit de la critique génétique. Louis Hay en donne une évaluation, partisane, il est vrai, mais non sans un certain recul historique et critique qui permet de situer l'émergence de cette sous-discipline («Le texte n'existe pas. Réflexions sur la critique génétique», in *Poétique*, 62, 1985, pp. 147-58).

connotation archaïsante a déposé de la poussière sur ce terme — représentent la majorité de ceux qui travaillent dans les beaux quartiers de la discipline et au vu de tout le monde. Le grand public tend à oublier le travail qui se fait dans les étages inférieurs, puisque l'existence des textes, en général, ne pose pas de problèmes. Ils sont matériellement disponibles, devenus des commodités facilement accessibles sur un marché inondé de produits imprimés.

Encore une fois, cette manière de présenter les choses opère une simplification inadmissible. Afin d'évoquer un aspect précis dans l'évolution de notre discipline, j'ai été obligé de passer sous silence, d'oublier trop de faits. Deux en particulier sont à mentionner ici et feront l'objet, par la suite, d'un développement en gros plan.

D'abord, il faut signaler une exception à cet oubli du processus qui constitue les textes. Il y a un type de texte dont l'établissement définitif pose tant de problèmes que sa constitution en objet à interpréter continue à occuper les interprètes eux-mêmes et non seulement les critiques philologiques. C'est le fragment. Face au texte fragmenté, l'interprète est obligé de faire *aussi* le travail du critique philologique, et vice-versa. Plus que tout autre, ce type de texte particulier dérange la division du travail esquissée. Il fait au moins apparaître, encore de nos jours et de la manière la plus explicite, l'implication réciproque des opérations à laquelle Schleiermacher a consacré des pages éclairantes. Mais peut-on, dans le cas du texte fragmenté, parler de «texte»? Le statut exceptionnel du fragment ne tient-il pas justement au fait que ce n'est pas *un* texte que le critique philologique, l'éditeur reçoit des mains d'un auteur ou recueille des circonstances historiques, mais c'est *du* texte, ce sont des matériaux textuels? Ces questions ouvrent le champ d'une réflexion sur le statut du texte fragmenté en tant qu'objet des études littéraires, réflexion qui sera menée ici en vue d'expliciter les questions théoriques et méthodologiques qui découlent du maniement des «matériaux» recueillis dans le *Brouillon* de Novalis. En même temps elle devrait permettre de circonscrire le champ de tension s'ouvrant entre les enjeux d'ordre général et la spécificité de l'objet particulier. Pour y accéder on fera un choix tactique: la lecture des préfaces d'éditeur aux textes fragmentés.

Ensuite, il faut revenir sur la question même du texte. En parlant de Schleiermacher, et avec lui des commencements modernes de notre discipline afin d'éclairer son état actuel, peut-on déjà utiliser la notion de texte comme nous avons l'habitude de le faire depuis une trentaine d'années[7]? N'est-ce pas là un anachronisme, puisque ce terme n'avait pas les mêmes acceptions, ne jouissait pas de la même faveur auprès des philologues et interprètes? Schleiermacher, par exemple, se servait des termes *Werk* (œuvre) et *Schrift* (écrit, écriture) en se référant à ce que le critique philologique établit et l'interprète commente. Dans le deuxième chapitre on abordera l'hypothèse que la notion de texte, dans les études littéraires, n'a pu acquérir sa place importante ainsi que sa popularité que corollairement à une critique menée contre la notion d'œuvre. Il a même été suggéré, assez récemment, que «texte» aurait pris — ou devrait prendre — la place d'«œuvre», témoin ce titre de Roland Barthes: «De l'œuvre au texte»[8] qu'on peut lire soit comme un constat, soit comme un programme. Que se passe-t-il dans ce geste de rebaptiser notre objet? Et quels en sont les enjeux?

Ces questions ne trouveront pas de réponses directes ni immédiates dans l'examen auquel seront soumis maintenant quelques préfaces d'éditeurs à des textes fragmentés. Mais il s'agit de les maintenir ouvertes comme l'horizon des enjeux théoriques que présentent les cas particuliers et concrets dont on traitera maintenant.

---

[7] Cf. à ce sujet les quelques rappels historiques que Louis Hay fait au début de l'article cité. Mais il faut surtout lire le texte magistral de Roland Barthes dans le tome XV de *L'Encyclopædia Universalis*: «Théorie du texte».

[8] In *Revue d'Esthétique*, XXIV, 3, (1971), pp. 225-32.

La résistance du texte fragmenté

Le fragment a fait l'objet d'une attention prolongée en études littéraires, en esthétique et en philosophie. Une différentiation typologique des textes fragmentés s'impose. Si on adopte la perspective de leur provenance ainsi que de leur genèse, il y a trois types à distinguer: D'abord le texte écrit et publié dans une forme fragmentaire, répondant aux préceptes d'une poétique du fragment; ensuite le texte inachevé et resté à l'état d'ébauche, le plus souvent pour des raisons accidentelles; finalement le texte devenu lacunaire par les ravages du temps ou par les vicissitudes de l'histoire qui nous l'a transmis à l'état de ruines. Même si elles ne sont pas toujours faciles à appliquer à des cas concrets, les différences catégorielles entre le fragment émanant d'une logique poétique, l'ébauche de texte et l'œuvre tombée en ruines paraissent assez solidement établies. Il ne s'agira cependant pas de nous engager ici dans une typologie ou dans une conceptualisation différentielle des textes fragmentés. En deçà de toutes les distinctions savantes, notre point de départ sera une évidence *prima facie* et très empirique: de tout temps, les critiques philologiques ont reconnu à certains textes le statut de fragment, et cette décision a fortement marqué l'histoire de l'édition de ces mêmes textes.

L'histoire des recueils de fragments et de leur édition montre, en fait, une forte tendance à devenir une histoire sans fin. Contrairement à ce qui se passe dans le cas de textes reconnus comme «entiers» ou achevés, on n'a jamais fini d'établir le texte fragmenté. La permanence d'un travail en quelque sorte préliminaire crée une situation tout à fait particulière puisque, dans ces cas concrets, les spécialistes de la discipline littéraire ne réussissent même pas à conclure l'opération à la fois initiale et fondamentale de la constitution de l'objet sur lequel porteront ensuite les travaux se déroulant dans le champ de sa juridiction.

Quelques cas célèbres, tirés de différents domaines et de différentes langues, s'offrent immédiatement comme témoins et illustrations de ce processus d'édition sans fin. Je n'en mentionnerai que trois: le cas des fragments d'Héraclite qui, après avoir été édités par **Schleiermacher**, entre autres, ne cessent d'occuper les critiques philologiques et, depuis que les présocratiques sont à la mode, un public bien plus large[9]. Le cas des *Pensées* de Pascal a atteint une notoriété tout à fait exemplaire dans son genre; il a donné au public les éditions les plus divergentes qu'on puisse imaginer de la «même» œuvre[10]. Finalement, le cas des aphorismes nietzschéens des années 1880 a donné lieu à des manipulations contradictoires, philologiques et politiques, sous le titre *La volonté de puissance*[11].

Ces dossiers célèbres seront mis à contribution ponctuellement pour appuyer l'analyse qui portera cependant en premier lieu sur le cas du *Brouillon* de Novalis. Un regard comparatif sur l'édition des *Journaux* de Robert Musil nous permettra de mieux dégager les grandes lignes d'une problématique, au-delà des différences importantes qui séparent par ailleurs ces deux textes et auteurs quant au genre (encyclopédie vs journal personnel), à l'époque (XVIIIe siècle vs début du XXe siècle) et à la durée de leur genèse (moins d'un an pour Novalis vs une quarantaine d'années pour Musil). Cette mise en parallèle nous obligera à faire abstraction des aspects spécifiques de chaque cas particulier en vue de faire apparaître l'invariance des questions communes et d'expliciter de la sorte les enjeux qui

---

[9] Je ne signale, parmi les livres récents sur Héraclite que celui de Jean Bollack et Heinz Wismann, *Héraclite ou la séparation*, Paris, Minuit, 1972, en renvoyant surtout à l'introduction qui traite, entre autres choses, des questions de la réception moderne d'Héraclite.

[10] Cf., parmi les voix les plus récentes, un bref aperçu sur la question par Ralph Heyndels, *La pensée fragmentée. Discontinuité formelle et question du sens (Pascal, Diderot, Hölderlin et la modernité)*, Bruxelles, Mardaga, 1985, pp.110-111. Cf. également Pascal, *Œuvres complètes*, (éd. établie par Jacques Chevalier), Paris, Gallimard (Bibliothèque de la Pléiade), 1964, pp. 1081-1088.

[11] Mazzino Montinari, un des éditeurs de Nietzsche, a fait le point sur cette question dans «Nietzsches Nachlaß von 1885 bis 1888, oder Textkritik und Wille zur Macht» (in Jörg Salaquarda (éd.), *Nietzsche*, Darmstadt, Wissenschaftliche Buchgesellschaft, 1980, pp. 323-49). Cf. également Maurice Blanchot, «Nietzsche et l'écriture fragmentaire», in *L'Entretien infini*, Paris, Gallimard, 1969, pp. 227-255

travaillent tous ces dossiers au niveau des présupposés et des implications théoriques.

Dans son «Hors livre» à *La Dissémination*, Jacques Derrida a virtuosement joué le statut précaire de la préface en tant que texte et partie surajoutée au livre, le plus souvent après coup, et pourtant mise en position initiale. Ce statut oscille entre l'extérieur et l'intérieur, le nécessaire et le superflu, le premier et le dernier, l'essentiel et l'accessoire. Plus que d'autres types de préface, celle dont l'éditeur de fragments fait précéder le résultat de son travail semble être dictée par la nécessité: elle est de rigueur, elle exécute un programme imposé par des lois génériques, elle présente un degré d'élaboration très poussé et se réfère, à titre d'explication et de justification, au travail accompli par l'éditeur. Dans la mesure où le support matériel du texte fragmentaire aura résisté à être subsumé sous les concepts de «texte» ou d'«œuvre» et sera donc resté scandaleusement visible dans sa discontinuité, l'éditeur qui aura travaillé à établir l'impossible congruence entre le concept et la chose empiriquement donnée (la fameuse liasse de papiers trouvée dans un tiroir....) se sent appelé et même obligé, après coup, à combler l'écart qui est resté malgré tous ses efforts. C'est dans la préface qu'il essaie d'accomplir son travail, c'est-à-dire de vaincre les résistances du matériau fragmenté, en conférant à l'objet constitué les prédicats de l'objet bien formé.

Dans ce sens, la préface représente une partie intégrante du travail d'éditeur. Ce n'est que dans la préface que s'achève et se complète le travail de constitution et d'édition du texte. Ou bien, dans la perspective du texte en voie de constitution: ce n'est que dans la préface de l'éditeur que la négativité de la forme fragmentaire finit par se résorber. Nous pouvons donc formuler l'hypothèse que la préface d'éditeur au texte fragmenté présente toutes les caractéristiques d'un discours d'assistance, avec la nuance, cependant, que la fonction d'assistance qu'il remplit devient une nécessité dans le cas du texte fragmenté. Ou encore, en termes négatifs: sans l'assistance préfacière de la part de l'éditeur, le texte fragmenté — même édité d'après les règles de la critique philologique — ne répond pas aux spécifications de l'objet littéraire.

L'assistance de la préface

L'édition des œuvres de Novalis, qui est considérée aujourd'hui comme l'édition standard, a été réalisée en deux étapes. Il y a d'abord eu la première version de 1929, réalisée par Paul Kluckhohn et Richard Samuel, qui a servi comme point de départ pour une nouvelle version, augmentée et entièrement retravaillée par Heinz Ritter, Gerhard Schulz et Hans-Joachim Mähl. Cette deuxième version a commencé à paraître en 1960 et a, à son tour, connu des modifications en cours de route, ce qui fait qu'on parle aujourd'hui d'une troisième édition [12]. C'est pendant cette phase de révision et d'augmentation que Hans-Joachim Mähl a établi le texte du *Brouillon* et rédigé la préface d'éditeur [13] à laquelle nous nous référons ici. En 1957, Ewald Wasmuth a proposé à son tour une édition des mêmes matériaux textuels [14], et ceci sous le titre *Encyclopédie* [15]. Ce titre est en soi indicateur d'un concept d'édition tout à fait différent de celui qui a guidé Mähl. Les préfaces (celle de Wasmuth est en réalité une postface) accompagnant ces deux éditions seront analysées ici en premier lieu.

Les *Journaux* de Robert Musil ont également donné du fil à retordre aux éditeurs, ou plutôt à l'éditeur, puisque les deux versions qui existent ont toutes deux été éditées par Adolf Frisé. Plus précisément il s'agit d'une première version qui, en 1955 [16], n'offrait au public qu'un choix

---

[12] Pour l'historique de l'édition, cf. la préface de Richard Samuel à la troisième édition (Darmstadt: Wissenschaftliche Buchgesellschaft, vol. I, pp. V-VIII.

[13] Vol. III, pp. 207-41.

[14] En réalité, il n'y a pas identité des matériaux, puisque Wasmuth, en vertu de son concept d'édition, se sentait libre de réunir des fragments que Ritter, Schulz et Mähl ont recueillis sous des rubriques différentes.

[15] Du moins est-ce là le titre de la traduction française, voir note 2 plus haut.

[16] Robert Musil, *Tagebücher, Aphorismen, Essays und Reden*, (éd. Adolf Frisé), Hamburg, Rowohlt, 1955.

limité de textes tirés des Cahiers de Musil, tandis que la deuxième version, publiée en 1976([17]), se dit complète. Elle sera suivie, en 1981, de la traduction française([18]). Philippe Jaccottet a lui-même écrit une préface à sa traduction. Même s'il s'agit là d'une préface de traducteur, et non pas d'éditeur au sens strict du terme, nous l'incluons ici dans nos considérations, car, comme on le verra, Philippe Jaccottet reprend assez fidèlement la ligne d'argumentation de Frisé.

En fait, une ligne argumentative commune se dégage de toutes ces préfaces, elle peut être reconstruite schématiquement. Cette reconstruction permettra de reconnaître la mise en chantier générique de la préface qui nous intéresse ici, et ceci au niveau de ce que la rhétorique ancienne appelait *inventio* et *dispositio*. On peut distinguer cinq étapes:

a) La justification de la préface.

Se présentant comme critique philologique, c'est-à-dire comme spécialiste de l'établissement de textes, l'éditeur tient à rendre compte des critères et des choix qui l'ont guidé dans son travail; il justifie l'existence même de la préface comme une nécessité.

b) La description du texte à l'état brut.

Il commence par la description du texte fragmenté à l'état brut, tel qu'il aurait existé avant l'intervention de l'éditeur.

c) Les difficultés de l'établissement du texte.

Il fait état des difficultés que le texte fragmenté oppose au travail d'édition, c'est-à-dire à une mise en ordre raisonnée et acceptable par le public.

d) Le moment interprétatif.

Il établit la nécessité d'une interprétation préalable au travail d'édition et discute les principes herméneutiques qu'il entend mettre en œuvre.

e) La mise en ordre du texte.

([17]) Robert Musil, *Tagebücher*, (éd. Adolf Frisé), 2 vol., Hamburg, Rowohlt, 1976.

([18]) Robert Musil, *Journaux*, (trad. Philippe Jaccottet), 2 vol., Paris, Seuil, 1981.

De cette interprétation découle la mise en ordre du texte, telle que réalisée dans l'édition que le lecteur a en main.

Les différentes étapes de ce parcours argumentatif ne sont pas explicitées ni élaborées de manière égale dans tous les cas. Dans chacune des préfaces considérées, l'enchaînement logico-chronologique connaît des inversions ou d'autres irrégularités. Dans l'ensemble, cependant, ces stations que parcourt le discours préfacier sont bien identifiables. Aussi les examinerons-nous maintenant plus en détail, une à une, tout en juxtaposant comparativement les exemples tirés de préfaces concrètes, jouant ainsi de leurs différences pour en faire ressortir la problématique générale.

La justification de la préface

Une édition de texte visant l'excellence philologique se doit d'être précédée d'une préface d'éditeur. Le travail accompli, l'éditeur doit rendre compte des principes qui ont déterminé et structuré son activité, des options auxquelles il a donné la préférence, du rejet d'autres options. Il prend position, souvent de manière polémique, contre d'autres éditions du même texte. Ce faisant, l'éditeur obéit à des règles discursives appartenant au genre qu'il pratique ainsi qu'au régime institutionnel dans lequel s'inscrit sa démarche professionnelle. Ces contraintes préfigurent implicitement les relations entre préface d'éditeur et texte édité.

Il y va d'une différentiation fondamentale entre ces deux types de texte quant à leur fonction, à leur importance et à leur statut. Objet à constituer, le texte à éditer se situe au centre de l'activité déployée, et c'est en vue de son établissement public que se fait le travail d'éditeur. Cet objectif premier conditionne la construction d'un échafaudage de textes auxiliaires: les index, les commentaires historiques, philologiques, critiques, la préface, la postface. Si la préface fait ainsi partie d'un appareil qui entoure et soutient le texte proprement dit et remplit donc une fonction d'appoint, elle n'en paraît pas moins indispensable.

Est-ce à dire que le texte à éditer, et même le texte édité, ne se suffit pas, ne «tient pas debout tout seul»([19])? C'est à dessein que j'introduis ici cette tournure métaphorique. Elle nous aidera tout au long de ces réflexions à illustrer cette relation ambivalente et, grâce au transfert sémantique qui lui est inhérent, à expliciter certains présupposés. Dans le cas du texte fragmenté à éditer, la question se fait particulièrement insistante, car elle met directement en jeu les notions même de texte et d'œuvre.

La description du texte à l'état brut et les difficultés de l'établissement du texte

C'est ce qui ressort avec netteté de la description que chaque éditeur donne dans la préface de «son» texte à l'état brut. Tel qu'il s'est présenté au regard de l'éditeur dans un premier contact, le texte fragmenté lui est apparu comme scandaleusement dénué des qualités indispensables pour rendre un quelconque objet connaissable et compréhensible, et a fortiori «éditable», car l'opération d'éditer ne va pas sans celles de connaître et de comprendre. La première perception est donc négative, sans exception. Le choc provoqué par ce premier contact sera encore plus profond s'il s'agit de la version manuscrite du texte. La difficulté du déchiffrement, c'est-à-dire de l'établissement d'un parcours de lecture représente alors une épreuve additionnelle pour l'appareil conceptuel dont est muni le critique philologique par sa formation.

Voici comment Wasmuth décrit la première impression que font les «notes» de Novalis sur le lecteur:

> Les notes qu'a laissées Novalis [...] sont de telle nature qu'on a peine à les présenter selon un ordre qui ne laisse point à désirer. [...] Devant ce désordre la plupart des lecteurs, des amis du poète, se trouvent péniblement déconcertés (pp. 7-8.).

([19]) Pour utiliser ici une formule chère à Flaubert, dans le contexte de son esthétique de l'œuvre autonome.

Traduit dans les termes d'un récit d'aventure, ce premier contact pourrait se résumer par l'épreuve du chaos. «Chaos» et «désordre» sont en effet des termes qui reviennent avec une régularité remarquable[20] dans cette phase descriptive de la préface. Décrire le chaos, comme on sait, représente un défi pour tout discours, dans la mesure où il s'agit de capter et de rendre dans et par l'ordre d'un discours un objet défini par la négation de tout ordre. Il n'est donc pas étonnant que la plupart des prédicats proposés par les préfaciers pour décrire l'état premier du texte fragmenté se regroupent sémantiquement sous les catégories de la négation et de la privation. Ceci donne lieu à deux énoncés-types:

a) le texte fragmenté
   n'est pas — un tout   il est — incomplet
            — une œuvre   — inachevé
            — un texte bien formé   — mal formé

b) le texte fragmenté
   n'est pas — ordonné   il est — désordonné
            — unifié   — dispersé
            — cohérent   — incohérent
            — continu   — discontinu

L'absence d'unité a comme corollaire l'aspect pluriel du matériau: le texte fragmenté n'est pas un texte, mais une myriade de morceaux textuels. Wasmuth parle d'une «masse de notes» (p. 9) dans laquelle «maintes formules se trouvent ainsi juxtaposées, sans lien saisissable, et renvoyant aux domaines les plus divers» (p. 7). Le texte à éditer apparaît ainsi comme un ensemble non articulé, une somme de particules juxtaposées comme par le hasard et qui ne constitue pas un tout, puisqu'elle est dépourvue de tout principe organisateur ou totalisateur. Tous les éditeurs insistent sur la nature dispersée, diversifiée et multiple de la masse textuelle, autant de prédicats indiquant tou-

---

[20] Cf. par exemple Wasmuth, p. 7; Jaccottet, p. 15; Montinari, p. 328.

jours le même manque d'unité. Ou bien encore, mettant à contribution la figure du cercle, ils constateront que le texte rayonne dans les directions les plus diverses et qu'il lui manque, par contre, un centre ou, dans les termes de Wasmuth, une idée centrale (p. 10).

Les descriptions font également ressortir l'aspect lacunaire et discontinu des matériaux. La masse de fragments auxquels l'éditeur se trouve confronté dans un premier temps rend inopérantes les notions de consistance et d'unité qui entrent dans la définition du texte bien formé. Aucune structure interne n'est repérable. Le désordre des matériaux résiste tout particulièrement à un ordonnement hiérarchique qui permettrait de résorber et de neutraliser les disparités et discontinuités matérielles en les renvoyant à un niveau logique supérieur, plus abstrait et susceptible d'opérer une unification de ce qui est dispersé et une homogénéisation de ce qui est disparate. Sur le plan du contenu, par exemple, Schleiermacher avait proposé une structuration hiérarchique des «écrits»([21]). Il distinguait *Hauptgedanke* (idée principale) et *Nebengedanken* (idées secondaires ou latérales) pour concevoir l'œuvre de manière à pouvoir subordonner son aspect pluriel et hétérogène à un niveau supérieur où règne l'unité. Un tel modèle ne semble avoir aucune prise sur la masse informe du texte fragmenté, puisqu'aucune correspondance entre le matériau brut et la structure conceptuelle ne saurait être établie.

L'hétérogénéité des matériaux met au désespoir tout particulièrement les critiques de Musil qui s'attachent à décrire le texte des *Journaux*: comment rendre compte d'un texte qui verse dans tout, est dépourvu de centre et

---

(21) On trouve cette distinction surtout dans la deuxième partie de son herméneutique (l'interprétation technique) où le principe organisateur et unificateur de tout discours (*Rede*) est dit résider dans la particularité propre (*Eigenthümlichkeit*) au sujet discourant qui fonde et garantit en dernière instance la cohérence de l'œuvre. Ce n'est donc plus tant «l'esprit de système» ou «l'esthétique classique», comme le soutient Ralph Heyndels (*op. cit.*, passim), qu'une conception unitaire du sujet par rapport à quoi se mesure la négativité de la forme fragmentaire.

d'unité et ne comporte aucun principe immanent qui permettrait de le concevoir et, par conséquent, de le traiter comme un tout[22]? Presque sans exception, les critiques ont recours à l'énumération qui se termine le plus souvent en points de suspension, indiquant par là que la liste des sujets traités par Musil n'est pas close. On trouve la même sérialité ouverte du côté de Novalis quand il s'agit de faire état de la pluralité des savoirs et disciplines figurant dans le *Brouillon*. On a beau en établir la liste de la manière la plus positive[23], elle ne sera jamais complète qu'en apparence, puisque le texte suggère une prolifération pratiquement infinie des disciplines. Dans les deux cas — Novalis et Musil — on touche ici à la capacité générative inhérente au texte[24], un principe d'ouverture quasi illimitée, que les éditeurs œuvrant avec un appareil conceptuel postulant la clôture de l'objet, ne sauront décrire que par voie négative, c'est-à-dire comme un manque ou une malformation.

Il serait certes possible d'allonger encore la liste des prédicats et des procédés négatifs dont les préfaciers se servent pour décrire l'état des textes avant leur intervention, mais les éléments recueillis ici suffisent pour faire un premier bilan. On voit émerger une configuration entièrement négative, un diagnostic de manque et d'absence. Le texte fragmenté est perçu comme manquant d'unité. Ne comportant aucun principe totalisant, il est dit dépourvu de cohérence et de continuité. Vu cette détermination négative, il soulève des questions fondamentales, à la fois théoriques et pratiques, quant à son maniement: critique, éditeur, ou simplement lecteur, comment peut-on approcher, appréhender un tel objet non-constitué?

---

[22] Cf. Walter Moser, «Musil à Paris», in *Critique*, n° 433-34, 1983, p. 468.

[23] Programmé pour compter les disciplines que Novalis a identifiées comme titres d'entrée (p. ex. ARTISTIK, COSMOLOGIE, GÉOGNOSIE, etc.), l'ordinateur a établi une liste de 99 disciplines différentes, sans compter les sous-disciplines telles que MUSIKALISCHE MATHEMATIK, MATHEMATISCHE PHYSIOLOGIE, POLITISCHE PAEDAGOGIK, etc.

[24] C'est là une des caractéristiques de «l'encyclopédistique» de Novalis. Elle sera analysée dans le chapitre IV.

Tout compte fait, ce premier constat descriptif des éditeurs trace le portrait d'un objet scandaleux, d'une monstruosité textuelle qui est bonne tout au plus à être confié à un discours tératologique. Ou encore plus radicalement: d'un non-objet. De quelque chose qui serait de la nature du textuel, sans répondre pour autant à une quelconque définition de l'objet textuel.

On constate donc une duplicité fondamentale dans le fonctionnement du discours préfacier. Il se propose, comme objet d'une description, un phénomène textuel auquel, en exécutant la description, il dénie le statut d'objet. Du moins lui refuse-t-il le statut d'objet bien formé. Et comme ce geste ambivalent reproduit la tradition du discours apophatique (définition soit par prédicats négatifs: «le texte fragmenté est informe, discontinu, désordonné, ...», soit par négation de prédicats: «le texte fragmenté n'est pas unifié, continu, consistant, ...»), il trace en quelque sorte un portrait robot de ce que serait, idéalement, l'objet bien formé. À travers ces descriptions se constituent ou se confirment — en creux, bien sûr — les notions de texte et d'œuvre qui détermineront l'action ultérieure des éditeurs ainsi que, plus généralement, la configuration de l'objet en études littéraires.

Dans ce sens, le cas du texte fragmenté devient un révélateur de l'appareil conceptuel qui est à l'œuvre dans notre discipline. Le scandale de cette masse amorphe de matériaux textuels oblige l'éditeur à expliciter — ne fût-ce que par voie négative — ce qui, le plus souvent, reste implicite dans son travail, mais aussi dans celui du critique, de l'interprète, bref dans toute manipulation d'objets littéraires. Le pathos négatif que le discours préfacier développe face à la difformité et à l'amorphisme fragmentaires est indicateur de la menace que ce non-objet représente pour les pratiques bien formées de la discipline.

Le moment interprétatif

On ne s'étonnera donc pas de voir les critiques philologiques mettre en œuvre une stratégie pour venir à bout de cette difformité monstrueuse. Cette réaction au «chaos naturel» (Wasmuth, p. 7) du texte déclenche l'étape suivante du parcours argumentatif que nous retraçons ici. Face à cette mise en cause émanant directement de son objet matériel, l'éditeur préfacier a différentes options. Il pourrait simplement nier, rejeter le texte tel que donné, le déclarer non-éditable, et tout abandonner. Alors il n'y aurait pas d'édition. Ou plutôt: il n'y aurait pas eu d'édition, car cette option, ne laissant pas de trace (ni texte édité ni préface), n'a pas d'histoire et doit rester un cas hypothétique pour nous. Les éditeurs qui nous intéressent ici ont tous opté pour le contraire, puisque, dans leurs préfaces, ils se réfèrent à un travail d'édition accompli. Il leur a donc fallu intervenir, mobiliser l'arsenal conceptuel de leur discipline pour récupérer ces matériaux textuels, et pour les ramener à l'intérieur de la pratique discursive (en leur conférant le statut de texte et d'œuvre) et de la pratique institutionnelle (produire matériellement le texte, support de l'œuvre) des études littéraires.

L'éditeur, le plus souvent à son insu, frôle ici l'aporie: comment faire de ce qui se présente comme un amas inachevé, malformé, lacunaire et dispersé un objet bien formé qui réponde aux prédicats positifs du texte et de l'œuvre? Il faut suppléer ce qui manque, combler les lacunes, effacer ce qui gêne, redresser ce qui ne tient pas debout. Mais ne nous y méprenons pas. Dans la plupart des cas, il ne s'agit pas d'interventions brutales, de manipulations violentes du matériau textuel lui-même. Il s'agit plutôt d'un jeu subtil qui s'instaure dans la relation entre l'édition et sa préface.

La tâche du discours d'assistance se concrétise maintenant. Il s'agit d'une intervention discursive qui vient de l'extérieur, nécessitant la production d'un autre texte — ici la préface — susceptible de servir de soutien et de tuteur au texte premier ([25]). Ce texte second, apportant au texte pre-

---

([25]) On rappellera ici la distinction enracinée dans la critique littéraire de langue allemande entre *Primärtexte* (l'ensemble des textes-objets de la critique littéraire) et *Sekundärtexte* (l'ensemble des textes traitant de ces objets, ayant le statut logique de méta-textes, mais ne réclamant pas le qualificatif de littéraire).

mier ce qui lui manque, lui devient ainsi indispensable, même s'il se donne à lire comme un texte auxiliaire. C'est ce qu'on peut observer en fait dans toutes les préfaces d'éditeur, bien qu'elles varient, par ailleurs, dans les choix tactiques qui font la particularité de chaque éditeur et alimentent un conflit interminable des éditions.

C'est ici que peut nous être utile une distinction proposée par Ralph Heyndels qui parle d'un «ordre de fait» comme étant opposé à un «ordre de droit» du texte[26]. En partant d'un ordre de fait manifesté par la matérialité informe des textes avant l'intervention de l'éditeur, il s'agit maintenant d'en arriver à un ordre de droit. Dans le récit du travail d'édition, on arrive ici au renversement décisif: la rédemption de l'informe par un acte efficace. En fait, ce qui se passe dans cette quatrième station du discours préfacier prend parfois l'allure d'un miracle. L'élément miraculeux apporté par l'auteur-préfacier est la notion de sens. Il l'apporte sous la forme d'un postulat: ces matériaux informes doivent avoir un sens unifiant. Si on peut trouver ce sens, leur informité deviendra une forme significative.

Le critique philologique se fera donc interprète afin d'unifier ses matériaux textuels dans l'horizon conceptuel d'un sens. Différentes stratégies d'interprétation peuvent être observées, mais elles semblent se ramener à deux types, comme le constate Montinari:

> Deux approches aux textes posthumes de Nietzsche sont possibles. Selon la première, on considère le fonds des notes manuscrites — abstraction faite de leur emploi dans l'œuvre — comme l'expression en devenir, plus ou moins unitaire, de la pensée de Nietzsche. Dans la seconde, l'accent est mis sur les intentions littéraires de Nietzsche, c'est-à-dire sur ses projets de publication, dans la mesure où ils furent exécutés: elle cherche donc à connaître les états préliminaires d'une œuvre et s'efforce de reconstruire son élaboration progressive (p. 323, traduction W.M.).

---

[26] *Op. cit.*, p. 111.

33

Par rapport aux variations que l'on observe dans les mises en exécution particulières, la dichotomie établie par Montinari peut paraître schématique, mais elle rend en réalité bien compte des deux grandes stratégies herméneutiques qui s'offrent.

Dans la première, le lieu du sens est circonscrit par les termes «le devenir», «expression unitaire de la pensée». On trouve des éléments analogues dans cette formulation de Wasmuth: «saisir la pensée de Novalis dans son ensemble» (pp. 9-10). La visée unifiante est celle d'une pensée, non pas en tant que chose constituée mais en tant qu'activité. Sous cette perspective dynamique, la pensée apparaît comme douée d'une grande capacité d'unification, d'autant plus qu'elle est attribuée à un sujet individuel, par exemple à Novalis ou à Nietzsche. L'accent peut être soit sur le processus, sur le devenir de cette pensée en mouvement (comme c'est le cas chez Montinari et Mähl), soit sur sa structuration systématique (Wasmuth), ces deux modalités ayant cependant en commun un glissement de la matérialité du texte à l'immatérialité de la pensée. C'est dans ce glissement, souvent imperceptible, que s'opère la révocation décisive du multiple dans l'Un. Cette stratégie herméneutique réactualise l'héritage de la tradition idéaliste qui conçoit le sujet littéraire en téléscopant l'instance «auteur» et l'instance «subjectivité individuelle», ce qui lui permet de référer génétiquement tout ce qui sort de la même plume d'auteur à la force créatrice et unifiante de la même intériorité subjective (ici: «la pensée»).

La deuxième stratégie est centrée sur le concept d'œuvre. Chez Montinari, elle se manifeste dans les termes «intention», «projet de publication» et «étapes préliminaires d'une œuvre». Ce n'est pas la pensée en marche mais l'œuvre en devenir qui est ici le lieu unificateur qui donne sens. De génétique, la perspective est devenue téléologique. Même si Montinari, par prudence, se limite aux cas où l'œuvre est donnée dans son achèvement et a donc dépassé le stade du projet ou du brouillon (*Veröffentlichungspläne* [...] *insofern sie ausgeführt wurden*), on constate de nouveau un glissement. Cette fois-ci il va de l'état brut du texte à un concept d'œuvre unifiant et totalisant. Le premier est à interpréter sous la perspective du second; c'est ce qui lui donnera sens. C'est aussi ce qui opère le passage de «*du texte*» à «*une œuvre*» (voire «*l'œuvre*»), le pouvoir unifiant et totalisant du concept «œuvre» se manifestant, au niveau de la langue, par le rejet du partitif avec le mot «œuvre». Wasmuth semble proposer le même choix de deux stratégies à suivre:

> En toute rigueur philologique il n'est sans doute que deux méthodes qui ne prêtent point à contestation. La première consiste à reproduire le «chaos naturel» des cahiers et des manuscrits; c'est celle qu'a adoptée Paul Kluckhohn dans son édition si précieuse pour quiconque travaille sur Novalis. [...] j'ai préféré une autre méthode, dont l'œuvre même de Novalis fournit la justification: j'ai interrogé simplement ses notes elles-mêmes pour reconstituer ses plans originaux (pp. 7-8).

Son propre choix est clair: il lira la masse de notes laissée par Novalis sur l'écran mental de l'idée de l'œuvre unique dont il est persuadé de trouver la configuration immanente sous la forme d'un projet global: «le poète n'a jamais visé qu'une seule idée» (p. 8). Ce n'est donc qu'en tant que «préludes à une œuvre» (p. 8) que ces matériaux recueillis par les éditeurs prendront sens. Et c'est l'identification du projet d'œuvre, c'est-à-dire la connaissance hypothétique de l'œuvre qui permettra à l'éditeur d'effectuer la mise en ordre du texte.

Seulement, cette œuvre n'étant pas réalisée, il faut, dans un acte interprétatif qui emprunte les voies d'une archéologie textuelle, la reconstruire comme une virtualité immanente, comme une volonté efficace mais cachée. Nécessairement, Wasmuth aura recours aux notions d'intention et de pressentiment, c'est-à-dire à des instances qui auraient précédé la mise en texte dans la chronologie génétique; comme il vise en même temps une instance hypothétique («l'œuvre») qui aurait suivi la mise en texte désordonnée, nous voyons dans sa démarche comment les deux stratégies herméneutiques (les visées de la pensée et de l'œuvre) s'articulent ensemble et reposent sur le même socle conceptuel.

Geste décisif, Wasmuth introduit la différence conceptuelle entre le manifeste et l'immanent[27], ce qui lui permet aussitôt de résoudre tous les problèmes que pose le texte informe. Tous les prédicats négatifs ne se réfèrent qu'à l'ordre du manifeste, tandis que l'immanent, catégorie ontologiquement supérieure, relève toute négativité dans la catégorie positive de l'unité. Fort de cet appareil conceptuel à toute épreuve, Wasmuth n'éprouve aucune difficulté à identifier «la pensée unique» (p. 9), «l'unique message» (p. 10), «l'idée centrale» (p. 10) comme une intériorité du texte où le sens prend son origine, et à rejeter toute difformité dans l'extériorité de l'expression (p. 9)[28].

Le reste s'ensuit comme par miracle: la saisie présumée de l'idée centrale de l'œuvre novalisienne a pour effet que le texte fragmenté s'ordonne, devient systématique, se délimite, bref perd sa monstruosité et peut désormais être édité dans un ordre conforme à la structuration de l'œuvre que Novalis aurait conçue sans l'avoir réalisée, c'est-à-dire conforme aux intentions de l'auteur. Wasmuth n'a guère de doute quant à cette conformité. Il est persuadé de détenir la clé herméneutique:

> nous savons qu'il faut chercher dans les notes qui constituent les «Premiers Essais philosophiques» les fragments d'une œuvre «systématique» [...].
>
> La division que je propose n'a rien, par conséquent, d'arbitraire, et j'irais même jusqu'à dire que, pour saisir l'ensemble de son œuvre, il faut partir des trois stades ainsi définis par Novalis lui-même... (p. 9)

---

[27] Analoguement, d'autres éditeurs préfaciers auront recours à la distinction «être vs paraître»: le texte n'est chaotique qu'en apparence, il est organisé et ordonné dans son être véritable.

[28] Dans cette manière de procéder, il est solidaire de Theodor Haering (op. cit.): il partage avec lui la visée de l'immanent comme priorité absolue. Pour Haering l'œuvre de Novalis est avant toute chose un système de pensée, tout fragment n'est pas un texte mais une pensée de Novalis. D'où l'irrespect philologique qu'il exprime pour la réalité textuelle, quand il complète et corrige les formulations de Novalis dans les citations mêmes.

Cette conviction profonde le rend aveugle au fait que le moment crucial de sa méthode — l'identification du projet d'œuvre qui doit fonder l'interprétation de tout le corpus — est en soi déjà un acte interprétatif et ne saurait, par conséquent, établir de certitude positive. Surtout ne peut-il autoriser de manière si univoque une construction d'œuvre si spéculative [29].

Certes, la position de Wasmuth, ainsi que la manipulation qu'il fait subir au texte paraissent aujourd'hui intenables, mais sont-elles, dans le fond, vraiment différentes de la solution plus «moderne» proposée dans l'édition Kluckhohn/Mähl? Il est intéressant de voir que Wasmuth croyait son entreprise entièrement différente de celle de ses concurrents. Or, s'il est vrai que, dans les deux éditions, des stratégies interprétatives différentes sont à l'œuvre, ces stratégies n'en relèvent pas moins d'un fond conceptuel commun. Convaincu que sa démarche était la bonne, Wasmuth n'a pas pu reconnaître cette ressemblance profonde. Il diminue le mérite de son prédécesseur (Kluckhohn) et de son concurrent (Samuel, plus tard Mähl), en affirmant qu'ils ne font que «reproduire le chaos naturel des cahiers et des manuscrits» (p. 7).

Dans l'édition du *Brouillon* par Mähl ceci n'est certainement pas le cas [30]. Il est vrai que Mähl était méfiant et critique à l'égard des manipulations textuelles opérées par Wasmuth [31], mais il n'a pas pour autant choisi une mise en ordre du texte selon son «chaos naturel». Certes, il a procédé de manière plus prudente, avec plus de respect que Wasmuth pour la donnée initiale du matériau textuel. Il s'est imposé une plus grande rigueur philologique. Mais cela ne l'a point empêché de poursuivre à son tour un fan-

---

[29] Cette manière de procéder offre une illustration du «mauvais» cercle herméneutique: la rencontre avec l'objet textuel est tellement déterminée par l'appareil conceptuel que l'interprétation établit un sens entièrement préfiguré. Une circularité si peu ouverte empêche la production d'un nouveau sens.

[30] Au moment où Wasmuth écrivait sa postface, cette édition n'était pas encore achevée; cf. Wasmuth, p. 7, note 2.

[31] Cf. la préface de Mähl, *SCH*, III, p. 237.

tôme — le sien s'appelle «cohérence» (*Zusammenhang*) — et d'y subordonner entièrement son travail d'édition. D'ailleurs, comment aurait-il pu échapper à ce qui émerge ici comme une contrainte profonde du travail d'éditeur! Cette contrainte consiste dans l'obligation de donner au public un texte bien formé. À l'instar de tous les éditeurs, il fait donc, lui aussi, une supposition à priori. Il pose un horizon conceptuel qui lui permettra par la suite de réduire la dispersion du matériau, de donner sens à l'informe et par là de lui faire prendre forme, l'acceptabilité de la forme s'avérant être une fonction du sens qu'elle est susceptible de manifester.

Selon Mähl, la cohérence profonde de ce texte fragmenté ne peut résider que dans la pensée productrice de l'auteur. Cette activité pensante est le lieu où tout se tient dans le moment historico-biographique de la production du *Brouillon*. Son approche se fait ainsi génétique: il s'agit de rétablir aussi rigoureusement que possible l'ordre chronologique d'écriture des 1 151 morceaux textuels dénombrés par lui, et de donner accès, de la sorte, à leur sens, puisqu'il a été établi au préalable que le sens d'un texte si morcelé ne pouvait résider que dans le mouvement progressif de la pensée individuelle de son auteur. Par conséquent, il faut reconstruire à travers le travail d'édition cette pensée en élaboration. Loin de reproduire un chaos quelconque, cette démarche suit la première des deux stratégies identifiées par Montinari.

Le récit que Mähl donne de son travail d'éditeur est de loin le plus détaillé de tous ceux que nous considérons ici. Il montre en particulier comment l'éditeur mobilise tout son savoir philologique et historique (il tient compte de données biographiques, des divers aspects graphiques du manuscrit, de traits matériels tels que papier, encre, etc.) pour le mettre au service d'une idée directrice: *gedanklicher Zusammenhang* (coérence au niveau de l'idée) et *gedankliche Verkettung* (enchaînement des idées, p. 211)([32]). Il n'est donc pas étonnant qu'il finisse par

---

([32]) Cette idée directrice n'est pas sans rappeler la théorie du sujet qui sous-tend l'herméneutique de Schleiermacher: toute œuvre, par défi-

apporter au *Brouillon* «unité» et «cohérence», justement les qualités qui semblaient manquer au texte avant l'acte interprétatif de l'éditeur: «Das allgemeine Brouillon stellt also einen einheitlichen, in sich zusammenhängenden Handschriftenkomplex dar» (p. 215).

Tout en se situant dans des camps adverses quant à leurs choix stratégiques, Wasmuth et Mähl ont donc eu le même geste pour répondre à l'urgence d'effacer l'intolérable absence d'ordre de cette «masse de notes» attribuées à Novalis. Leur interprétation des matériaux textuels à l'état brut leur a permis de les inscrire dans un horizon conceptuel tracé, en dernière instance, par les catégories de l'Un et du Tout.

Du côté des *Journaux* de Musil, la préface d'éditeur élargit encore le fonds des arguments utilisés, mais ceux-ci ne font que confirmer les enjeux conceptuels déjà identifiés. Après avoir publié une édition partielle, Frisé se reprend avec une édition complète. Dans sa préface, il aborde la question importante de la délimitation du texte. Il y répond en optant pour la totalisation matérielle: il faut que les matériaux laissés par l'auteur dans ses Cahiers soient publiés intégralement. Mais sa vraie visée va au-delà de la complétude matérielle du texte. C'est qu'il pose, lui aussi, un lieu conceptuel comme clé de l'unification et de la totalisation du texte, comme convertisseur opérant la transformation de «texte» en «œuvre». Il est confiant que la totalité du matériau textuel fera apparaître, comme par miracle, «l'homogénéité interne de toute l'entreprise»([33]). Un saut qualitatif se produira moyennant une saturation quantitative. La complétude des matériaux rendra visible un nombre de plus en plus grand de liens internes au texte. Finalement, une espèce de parousie du sens (*der Sinnbezug*) aura lieu:

Inopinément, des termes qu'on avait considérés auparavant comme isolés, se révélaient parfois être des termes-clés en

---

nition, a une cohérence interne qui se situe au niveau de la pensée individuelle de son créateur.

([33]) Adolf Frisé, *op. cit.*, p. XIV.

vertu d'un lien encore caché avec un autre texte, et permirent d'éclaircir des passages obscurs, ou d'ouvrir l'accès à une constellation de sens pas encore perçue (p. XIV, trad. W. M.).

(Vorab isoliert gesehene Stichworte erwiesen sich, in ihrer noch verborgenen Wechselbeziehung zu einem Text an anderer Stelle, verschiedentlich auf einmal als Schülsselworte, die eine Chiffre aufzulösen halfen, den Zugang zu einem noch nicht wahrgenommenen Sinnbezug erschlossen) (p. XIV).

Cette constitution additive du texte à partir d'un nombre presque illimité de fragments mènera le lecteur de surprise en surprise, et finalement à la découverte d'une cohérence systémique: «chaque note, chaque réflexion, chaque idée jetée sur le papier s'insérait comme partie dans un système s'organisant imperceptiblement» (p. XV). Cet exemple montre bien comment la question de la délimitation du texte, qui n'est apparemment que d'ordre matériel (quels écrits de Musil font partie des *Journaux*?) et quantitatif (combien de textes faut-il inclure dans les *Journaux*?), et qui ne semble activer que les dichotomies extérieur/intérieur et le plus/le moins, peut également servir d'écran sur lequel se projettent les problèmes de la conceptualisation des objets «texte» et «œuvre»([34]).

Dans sa préface à la traduction des *Journaux*, Philippe Jaccottet reprend et confirme les principes qui ont guidé Adolf Frisé lors de son établissement du texte. Il y ajoute encore l'argument de la téléologie de l'œuvre, argument qui fait écho à l'archéologie de l'intention structurante chez Wasmuth:

Tout cela constitue en fait un immense entrepôt en même temps qu'un chantier où chaque élément est conservé dans la perspective tyrannique de l'œuvre à réaliser. [...] C'est

---

([34]) Cf. à ce sujet le traitement original que Jacques Derrida donne de cette question (in *Éperons. Les styles de Nietzsche*, Paris, Flammarion et Venise, Corbo et Fiore Editori, 1976, pp. 94-110) à partir du fragment nietzschéen «Ich hab meinen Schirm vergessen».

dans cette perspective seulement que ces cahiers, nullement destinés à la publication, prennent leur sens [35].

Ici le lieu du sens n'est plus l'intériorité d'une pensée en tant que devenir ou structure, ni l'immanence d'une idée d'œuvre, mais l'œuvre à venir. Jaccottet a recours à une nouvelle forme de transcendance pour justifer la constitution des fragments en texte. Le résultat est néanmoins le même: le texte prend sens, étant désormais doué d'unité et de totalité, mais ceci de manière différée, grâce à une projection de son organisation interne sur l'émergence d'une œuvre future.

Chez Jaccottet le sens jaillit de la mise en relation qu'il opère sur le mode téléologique d'un recueil de matériaux en chantier avec l'œuvre à venir, du désordre de l'atelier avec l'ordre du produit fini qui en sortira. Cette relation prend un aspect inquiétant quand l'œuvre, n'ayant jamais été réalisée, n'a qu'une existence hypothétique que, par-dessus le marché, elle doit surtout au critique et à l'éditeur. Voilà pourquoi Montinari se limite aux cas où le projet d'œuvre est effectivement exécuté, c'est-à-dire où, comme chez Musil, l'œuvre et son chantier textuel sont tous les deux matériellement donnés. Si tel n'est pas le cas, la tentation est grande pour l'éditeur de se substituer à l'auteur et de produire lui-même l'œuvre à partir des matériaux laissés en vrac. Dans le corpus qui nous sert d'illustration ici, ce sont les aphorismes de Nietzsche et les notes dispersées de Novalis qui se prêtent à une telle manipulation à cause de l'absence textuelle de l'œuvre.

On connaît l'histoire de la production usurpée de la grande œuvre philosophique de Nietzsche — *La Volonté de puissance* — par sa sœur, Madame Förster-Nietzsche, avec la collaboration des philologues qui voulaient bien exécuter ses ordres. L'histoire du *Brouillon* est moins notoire, mais la version que nous en a donnée Wasmuth est également animée par le désir de la part de l'éditeur de

---

(35) *Op. cit.*, pp. 15-16, souligné par W.M.

parachever l'œuvre, ne fût-ce que dans sa charpente systématique dont la volonté structurante est imputée à l'auteur. Dans les deux cas, l'entreprise a soulevé des questions d'ordre éthique et même politique: qu'a-t-on le droit de faire avec le fonds de textes laissé par un auteur? Quels sont les critères pour une présentation publiquement acceptable de tels matériaux?

Dans le cas des aphorismes du dernier Nietzsche, Maurice Blanchot a dénoncé la fabrication de l'œuvre tout en nous mettant en garde contre les implications d'une telle entreprise. Ces «notes fortuites», «écrites de-ci de-là, au cours d'années traversées par des intentions les plus diverses, sans ordre et sans système»(36) ont été utilisées pour fabriquer cette «fausse grande œuvre» (p. 204) intitulée *Volonté de puissance*. La préoccupation de la sœur de Nietzsche, qui orchestrait cette falsification, était «de faire de Nietzsche un vrai philosophe [...], d'enrichir son œuvre d'un ouvrage central, où seraient venues prendre place, dans une organisation systématique, toutes ses affirmations positives» (p. 203). C'était faire tort, au nom de concepts totalisants (œuvre, ordre, système), à une manière «en principe fragmentaire» (p. 205) de penser et d'écrire. Et surtout c'était, dans la mesure où le totalisant conceptuel était devenu l'instrument du totalitaire politique, «rendre Nietzsche complice des puissances qu'il n'a cessé de combattre» (p. 209).

Comme c'est le cas chez Blanchot, un ton d'indignation accompagne souvent les descriptions que donnent les éditeurs de l'entreprise de leurs collègues, prédécesseurs et concurrents. Il y va de la manipulation, de la mutilation, de la correction indue des textes. C'est surtout Montinari qui accuse les faiseurs d'œuvre («les compilateurs Köselitz et Förster-Nietzsche», p. 335) de ne pas avoir respecté soit l'intégrité du matériau textuel soit l'intention de son auteur.

---

(36) Maurice Blanchot, *op. cit.*, p. 203. Ces formulations confirment ce qui a été dit plus haut au sujet de la description du corpus fragmenté par les éditeurs.

On trouve une prise de position analogue chez l'éditeur-traducteur français des *Œuvres complètes* de Novalis, Armel Guerne([37]). Un ton d'indignation agressive, dirigée également contre les faiseurs d'œuvres et de systèmes, lui confère une allure dramatique. Voici un extrait de la préface dont il fait précéder son édition-traduction du *Brouillon*, intitulé par lui *Le grand répertoire*:

> Ce n'est pas par hasard que Novalis est mort avant d'avoir pu mettre un ordre à ces matériaux préservés dans leur vif, qu'aucun art n'est venu freiner pour plier leur élan au bénéfice d'un ensemble. Leur dynamique se devait, pour rester tout entière, de n'obéir qu'à elle-même; et sans doute est-ce ainsi qu'ils portent mieux leur efficace. Ce désordre leur est essentiel, puisque tous convergent et fixent leurs regards, de plus près, de plus loin, vers et sur cette même unité radicale, dont ils reflètent les mille et un aspects. [...]
>
> C'est encore pourquoi il est au moins inepte, quand ce n'est pas purement criminel, de vouloir comme certains l'ont fait, non seulement corriger la mort en lui faisant sauter ses sceaux en tout cas respectables, mais encore composer avec les fragments une confiture systématique, en lisser le ciment pour ériger, rubrique par rubrique, le monument statique et pesant, mensonger au surplus, d'un système philosophique qui n'a jamais existé ni de fait, ni d'intention (p. 223).

Ironiquement, Armel Guerne mobilise autant de certitudes et d'éloquence combative pour plaider la cause du «désordre essentiel» que ses adversaires anonymes pour faire avancer celle de l'œuvre ou du système. Défendues de la sorte, les causes adverses commencent étrangement à se ressembler, la préservation du désordre et la production de l'ordre totalisant étant promues avec le même geste impératif. Malheureusement Armel Guerne, tout en se situant dans le camp opposé, reproduira également les manipula-

---

([37]) Paris, Gallimard, 1975, 2 volumes. Le *Grand répertoire général* se trouve dans le deuxième volume.

tions textuelles qu'il reproche à «certains» éditeurs. Laissant sous-entendre qu'il suit l'édition Kluckhohn([38]), il prend cependant des libertés assez surprenantes par rapport au texte, libertés qu'il justifie par des notes en bas de page:

> Treize lignes suivent, reprenant des idées maintes fois exposées ailleurs et dont la répétition n'apporte rien ici d'indispensable (p. 256).

> J'omets, ici, 29 lignes du fragment, dont le développement est purement scolaire, assez fastidieux (p. 312).

> Dix lignes [omises] où Novalis applique formellement le principe des antinomies de Kant. Pur exercice philosophique (p. 331).

Le texte du *Brouillon* est donc écourté, sinon censuré([39]) en vertu d'une interprétation préalable qui, basée sur une idée fixe de l'œuvre novalisienne, ne mettait pas moins d'arbitraire à décider de ce qui est indispensable, intéressant, etc. que «certains» critiques à construire l'œuvre ou le système.

Or, tout travail d'édition est, au sens étymologique du terme, une manipulation de texte. La question de savoir quelle manipulation est éthiquement admise et laquelle est à rejeter, dépend dans une large mesure de la base conceptuelle qui soustend les notions de texte et d'œuvre. Les exemples présentés ici en témoignent amplement.

Il est devenu bien évident aussi que le sens du texte est la clé de sa mise en ordre par l'éditeur. L'acte interprétatif auquel chaque éditeur a recours à sa manière, qu'il en parle en termes explicites ou non dans sa préface, apparaît ainsi comme une étape décisive dans l'établissement du texte.

---

(38) Cf. *OC*, II, pp. 223-224. Exceptionnellement, il suit la leçon de l'édition Wasmuth (cf. pp. 264, 269). Le nom de Hans-Joachim Mähl n'est même pas mentionné, quoique son édition a précédé celle de Guerne de plusieurs années.

(39) Ce qui n'est pas sans jeter une lumière problématique sur le titre de toute l'édition: *Œuvres complètes*.

Dans ce sens l'établissement du texte est toujours précédé de son interprétation, et dans le cas des textes fragmentés, on peut même dire que, sans interprétation préalable, le texte ne prend ni ordre ni forme. Et cette interprétation, même si elle a depuis toujours accompagné la manipulation du texte, trouvera sa propre place dans la préface. C'est dans le discours préfacier, avec son double statut de premier et de dernier, qu'elle se réalise. La préface est le lieu où s'énonce le sens de l'autre texte qui est, ou qui a été, à éditer. Elle apporte explicitement le sens au texte, après que ce sens a déjà été efficace dans la constitution du texte.

La mise en ordre du texte

La dernière étape du travail d'éditeur, la mise en ordre du matériau textuel, à laquelle renvoie et dont rend compte la dernière station du discours préfacier, est désormais entièrement déterminée. Voilà pourquoi elle s'enchaîne de manière contraignante, presqu'automatique: puisque ces morceaux dispersés se regroupent et prennent forme dans tel ou tel horizon de sens, il faut les présenter dans tel ou tel ordre. La constitution du texte en tant qu'ensemble organisé et délimité de signes est la conséquence et le complément d'un acte d'interprétation, de même que la réponse interprétative a été appelée et sa démarche déterminée par l'état brut du matériau textuel. La relation qu'on a présentée ici dans les étapes successives qu'elle parcourt dans le discours préfacier, est en réalité dialectique.

Chez Montinari l'idée directrice qui donne sens au fonds des derniers aphorismes de Nietzsche, c'est qu'ils constituent la trace d'une pensée expérimentale. Il insiste beaucoup sur cette idée: «Wichtig ist dabei, daß man den Versuchscharakter dieser Aufzeichnungen [...] nicht aus dem Auge verliert» (p. 325), et plus loin: «Nietzsches Nachlaß stellt im Ganzen einen Versuch dar» (p. 332). Par conséquent, c'est la démarche imprévisible de cette pensée en mouvement que l'édition doit documenter en présentant le texte dans cette forme expérimentale et tâtonnante. La consigne négative sera: il faut éviter de monter ces aphorismes en œuvre ou en système achevé, jusqu'à travailler activement à défaire les systèmes déjà construits[40].

Le raisonnement de Wasmuth est presque à l'opposé de celui de Montinari: puisque Novalis a voulu faire une œuvre cohérente et totale et qu'il a été possible à l'éditeur d'identifier cette intention, ainsi que la structure de ce projet d'œuvre, l'édition doit suivre ce projet aussi fidèlement que possible. L'éditeur se met donc à la place de l'auteur en réalisant ce que celui-ci aurait voulu faire. Ce programme d'édition rencontre de multiples difficultés dont on ne mentionnera ici que trois: d'abord le fait que cette présentation systématique des fragments novalisiens ne facilite point la tâche du lecteur, tout au contraire. Wasmuth s'en est rendu compte et a essayé d'y remédier:

> Pour atténuer le caractère nécessairement imparfait de l'ordre ici retenu, j'ai établi une Table alphabétique des thèmes essentiels, qui permettra de mieux saisir la pensée de Novalis dans son ensemble. Beaucoup de ses formules rayonnent dans les directions les plus variées et trouveraient aussi bien place sous une rubrique que sous une autre. elles renvoient toutes cependant à une idée centrale (pp. 9-10).

Ce recours à un deuxième système d'ordre — alphabétique celui-ci — équivaut dans une certaine mesure à un aveu d'échec pour le premier. Ensuite, il y a la difficulté d'assigner une place déterminée dans l'édifice systémique à chaque fragment textuel. La plupart des fragments sont de nature à pouvoir se loger à différents endroits, et l'assignation univoque ne peut s'opérer qu'arbitrairement. Finalement, la délimitation du texte est hautement problématique dans la mesure où Wasmuth emprunte des textes à plu-

---

[40] Ici s'enchaînerait logiquement l'analyse de l'édition elle-même, la confrontation entre le discours programmatique et légitimant de la préface et le texte édité. Mais tel n'est pas notre propos ici. Avec le choix de la mise en ordre du texte, tel qu'exposé dans la préface, se termine ce parcours du discours préfacier. La dernière étape est nécessairement concise, puisque la préface n'a pas besoin de décrire longuement l'objet que le lecteur trouvera en tournant la page: le texte édité.

sieurs recueils de fragments[41] distincts pour les réunir dans une espèce de super-texte. Justifier les limites d'un tel texte est pratiquement chose impossible: on pourrait toujours enlever ou ajouter quelques fragments. Ce dernier problème — il se situe au centre des préoccupations d'Adolf Frisé — est à peine mentionné par Wasmuth dans sa préface d'éditeur.

La préface de Mähl est travaillée par un leitmotiv presque obsédant: *Zusammenhang* (la cohérence). La cohérence du corpus doit résider dans le devenir de la pensée novalisienne qui se manifeste dans la production continue et successive de fragments. Par conséquent, cette cohérence constitue le seul principe organisateur sûr pour la mise en ordre de tous les fragments du *Brouillon*, puisqu'il renvoie à un processus qui a effectivement eu lieu, et que tout autre principe d'ordre serait d'une nature bien plus spéculative. Si on veut avoir accès à cette cohérence des fragments, il faut donc rétablir la continuité chronologique de leur genèse.

Frisé, finalement, construit la cohérence et l'unité des *Journaux* de Musil à partir d'un autre postulat: «il faut que tout se tienne». Dans son édition, ce n'est pas le tracé ininterrompu du processus génétique mais le réseau complet des jeux de renvoi internes qui garantit et révèle l'unité du texte en fragments. Il faut donc rétablir la contiguïté parfaite de tous les matériaux. Aucun morceau du puzzle ne doit manquer afin que les parcours du sens ne soient pas interrompus et que le chantier de l'œuvre puisse préfigurer de manière transparente l'œuvre à venir. La reproduction de toutes les notes quotidiennes de l'auteur du futur chef-d'œuvre confère la qualité d'un tout au bric-à-brac de son atelier. D'où la règle de ne rien retrancher de la masse informe des Cahiers, et la décision de reproduire le texte dans sa complétude matérielle.

Fin de parcours! Notre traversée du discours préfacier arrive à son terme. Chaque éditeur a établi de manière rai-

---

[41] Le traducteur, Maurice de Gandillac, en a fait l'énumération dans son «Avant-propos du traducteur français», p. 37.

sonnée la nécessité et la supériorité de sa mise en texte. Il ne reste au lecteur qu'à tourner la page pour se trouver face au texte dont il a tant été question, car, dans l'ordre du livre, la fin de la préface annonce le début du texte principal. Mais dans l'ordre du travail d'éditeur, ce texte à éditer aura précédé l'existence même du texte préfacier. La préface trouve sa raison d'être dans le renvoi à cet autre texte, à ce texte d'un autre, et ceci doublement, sinon circulairement. Car, en réalité, le parcours du discours préfacier trace une boucle, et cette boucle se ferme maintenant: le mouvement est parti du texte à l'état brut et a abouti au texte constitué. Le même texte se trouve en début et en fin de parcours, et pourtant, grâce au travail d'éditeur qui l'a rendu publiable, ce n'est plus le même texte. On dirait que le transit par le discours préfacier l'a transformé, mais, en vérité, c'est le travail d'éditeur qui a effectué ce changement. Et pourtant, sans le récit légitimant qu'offre la préface de ce travail, le miracle de faire surgir l'ordre du chaos n'aurait pu avoir lieu.

Il a donc été nécessaire, dans ce retour à soi du texte, que le mouvement de la boucle passe par l'extériorité constituée par cet autre texte qu'est la préface. Comme nous l'avons vu, sans le soutien conceptuel et herméneutique de la préface d'éditeur, le texte — même édité — ne tiendrait pas debout.

Prenons l'exemple qui sera désormais notre objet principal, le *Brouillon* tel qu'édité par Mähl. Certes, du manuscrit au texte imprimé, un travail impressionnant a été fourni, une transformation importante s'est opérée. Mais, pour le lecteur qui aborde ces 237 pages de texte, découpées en des entrées de longueur et de structure très variées, numérotées de 1 à 1 151, l'état fragmenté et hétérogène du texte n'en reste pas moins déconcertant. La fragmentation du matériau textuel ne s'est point atténuée. Ce qui transforme ce matériau en un texte, sinon en une œuvre, c'est que l'éditeur — et ceci dans sa préface — nous aura dit: ceci reproduit et documente aussi fidèlement que possible la chronologie génétique de la pensée novalisienne. C'est sur cet apport idéel, conceptuel de l'éditeur que se fondent la forme et le sens du texte et que peut s'effectuer sa métamorphose en œuvre. Et le seul lieu discursif où cet apport pouvait explicitement se faire, c'est la préface d'éditeur.

C'est donc de l'extérieur que la parole préfacière intervient pour soutenir et assister le texte édité. Cette extériorité se concrétise doublement: en occupant, dans l'économie de l'ensemble fonctionnel qu'est le livre, l'espace du «hors-livre» et en adoptant la forme temporelle de l'à posteriori. Cette fonction d'assistance est à l'œuvre dans toute préface, mais elle gagne en importance, devient une nécessité quand il s'agit d'éditer un texte fragmenté. Dans ce cas particulier, l'éditeur n'a en main, au départ, qu'un agrégat de morceaux textuels en désordre. Puisque «l'agrégat comme tel n'est pas un objet bien formé, il nous paraît hors de raison»[42]. Il revient au discours raisonné de la préface d'y apporter ordre, sens, cohérence, totalité. Ce sont ces qualités qui constituent les objets «texte» et «œuvre». Dans ce sens, le travail de l'éditeur préfacier est indispensable à la constitution du texte. C'est lui qui en prend la responsabilité. De ce fait, il en partage «l'autorité» avec l'auteur lui-même. De sorte que, si on parle du *Brouillon* de Novalis, en identifiant ainsi une des œuvres totalisantes, mais restées à l'état de fragment, dont l'auteur est Novalis, on est bien obligé de péciser, pour identifier l'auteur du texte: quel texte, celui de Wasmuth ou celui de Mähl?

---

[42] Michel Serres, *Genèse*, Paris, Grasset et Fasquelle, 1982, p. 16.

Chapitre II

Intermède théorique:
vers l'analyse discursive

Le recueil de fragments est un cas-limite, étant indubitablement de l'ordre du textuel mais n'étant pas un texte «en ordre». Dans ce sens c'est un révélateur qui permet de tester et de faire apparaître le fonctionnement normal de la pratique discursive qui prend en charge les objets «texte» et «œuvre». Notre détour par la préface d'éditeur, ainsi que l'exploration de la relation qu'elle entretient avec le texte édité se justifient donc surtout par la valeur heuristique de leur effet révélateur. Aussi sera-t-il indiqué, avant d'aborder le texte de Novalis dans sa situation historique, d'exploiter pour ainsi dire cette valeur heuristique en situant le propos à un niveau théorico-critique. Dans cet intermède il s'agit d'une part d'expliciter les enjeux d'ordre général que le chapitre précédent comporte et d'autre part d'esquisser la démarche critique qui sera à suivre dans l'analyse du *Brouillon*.

Cette traversée du discours préfacier, illustrant certains procédés de la constitution du texte, nous ramène à la question de la constitution, voire de la «fabrication» de l'objet en études littéraires. Œuvre, texte, discours — quel que soit le nom que nous décidons de donner à cet objet, le cas du recueil de fragments nous oblige à reconnaître que cet objet n'est pas donné en tant que tel. Il émerge comme le résultat d'un processus de calibrage intellectuel qui met en présence, d'un côté, un matériau, perçu comme informe, et de l'autre, un instrument conceptuel préconstruit qui offre un outillage d'idées distinctes: œuvre, sens, cohérence, système, unité... L'état initital du manuscrit fragmenté représente une donnée matérielle brute (les feuillets du manuscrit, les mots sur la page, le tracé de l'écriture sur le papier, etc.), à la fois incontournable et malléable, mais dont la perception s'inscrit toujours déjà dans un horizon conceptuel. Les deux données de base, séparées pour les besoins d'une présentation analytique, n'existent en réalité qu'inextricablement liées dans un processus interactionnel. Vu le degré de difformité du matériau fragmenté, ce processus comporte un potentiel de violence qui peut affecter l'une ou l'autre des instances préexistant à la constitution de l'objet: soit que la manipulation des concepts fasse violence aux matériaux (ce qui suscite une question d'ordre éthique), soit que les matériaux mettent les concepts à l'épreuve jusqu'à les faire éclater.

Nous avons observé jusqu'à présent le processus de la constitution de l'objet là où il est le plus matériellement tangible, dans l'établissement du texte par l'éditeur. Si on élargit maintenant l'angle de vue pour inclure l'activité de ceux qui ont été appelés les «interprètes» par opposition aux «critiques philologiques», on observe une étrange non-contemporanéité dans la manipulation des concepts-clés de part et d'autre. Face à leur tâche de produire un texte bien formé, les éditeurs s'appuient encore sans méfiance ni arrière-pensées sur une série de concepts venant en filiation directe de l'Un et du Tout; et, ce qui plus est, ils ne semblent pas avoir le choix s'ils veulent réussir dans cette tâche, c'est-à-dire établir un texte publiable. Les critiques et théoriciens littéraires, par contre, et depuis quelque temps déjà, se trouvent engagés dans une critique fondamentale de ces mêmes concepts-clés([1]). Ceci crée une ten-

---

([1]) Un exemple seulement: dans son *Archéologie du savoir*, Foucault commence par «mettre hors circuit les continuités irréfléchies par lesquelles on organise, par avance, le discours qu'on entend analyser». Lors de cette critique des «unités du discours» qu'il faut «arracher à leur

sion à l'intérieur des études littéraires, tension qu'on propose de lire ici comme indicatrice de transformations qui s'opèrent. Notre discipline présente en fait aujourd'hui une espèce de schizophrénie: dans la pratique de l'édition des textes on voit à l'œuvre une conscience critique différente de celle qui se manifeste dans les pratiques critique et interprétative. Représentant deux moments dans l'évolution de la discipline, ces deux consciences, tout en coexistant, ne sont pas contemporaines.

Concrètement, cet état de choses crée des situations intéressantes quand le critique prend son objet — tout constitué, du moins matériellement — des mains de l'éditeur pour le soumettre à son propre travail. On pourrait alors parler d'une double morale, car en partant du fait que le texte existe grâce au travail d'éditeur et en se basant sur ce texte, le critique accepte-t-il pour autant toute la conceptualisation totalisante qui a permis de constituer cet objet? Assume-t-il les implications du discours d'assistance sans lequel le texte ne tiendrait pas debout? Dans la mesure où le critique tend à «oublier» ces questions, lui qui par ailleurs se montre d'une extrême conscience critique par rapport aux «impensés» de son objet et de son propre discours, ne se rend-t-il pas complice des instruments unifiants et totalisants que l'éditeur s'est vu obligé de réactiver? Si nous acceptons le fait qu'il n'y a pas de textes édités et mis à la disposition du public sans mise en ordre, sans interprétation préalable, sans constitution d'un tout unifié, alors nous devons assumer l'éventuelle contradiction de notre position quand nous devenons «usagers» critiques des textes ainsi constitués.

Cette double morale reste souvent implicite, elle appartient à une espèce d'inconscient institutionnel. Elle n'en est pas moins une réalité dans la pratique des études littéraires et renvoie à un champ de tension qui me semble constitutif de l'état actuel de la discipline et que j'aimerais

---

quasi-évidence», il s'attaque — entre autres — à la notion d'œuvre et conclut: «L'œuvre ne peut être considérée ni comme unité immédiate, ni comme une unité certaine, ni comme une unité homogène» (pp. 36 et 37).

contribuer à expliciter ici. Il ne s'agit pas, bien sûr, d'arbitrer ou même de neutraliser le conflit possible entre critiques philologiques et interprètes, mais bien de s'installer dans ce champs de tension afin de l'articuler tout en l'illustrant. L'illustration accordera une place privilégiée au *Brouillon* de Novalis. L'articulation théorique mettra en scène le triangle conceptuel œuvre, texte, discours.

Dans cette constellation schématique à trois positions, le texte occupera la place médiane, sinon centrale. Comme on le verra, c'est sur cette position médiane et médiatrice que s'exerce une certaine attraction vers les deux autres positions qui montrent une certaine tendance à absorber la textualité. Pour la clarté de la présentation, le triangle sera décomposé en deux dichotomies (œuvre vs texte et texte vs œuvre), mais qui peuvent aussi être perçues comme deux pas successifs d'une évolution en trois étapes (de l'œuvre au texte et du texte au discours). Selon la logique de cet ordre évolutif, on pourrait métaphoriquement situer l'œuvre en amont, et le discours en aval du texte [2].

Le texte existe

Je pars du fait que ce travail, à un niveau d'évidence première et matérielle, a pour objet le texte du *Brouillon* de Novalis. Le texte existe donc, même si, avant de pouvoir faire cette affirmation, il a fallu choisir *un* texte (celui établi par Mähl) parmi *les* textes possibles (par exemple celui constitué par Wasmuth). Une décision a donc précédé cette mise au singulier de l'objet textuel. Or, avoir choisi un texte en particulier ne veut point dire le considérer comme final et définitif à tout jamais. Prétendre que l'histoire de l'édition de ce corpus fragmenté soit parvenue à son terme

---

[2] Ce qui suit n'est point inspiré par l'ambition de légiférer sur la terminologie et encore moins sur la conceptualisation en études littéraires, mais bien par la nécessité de mener une réflexion permanente sur l'usage des termes et concepts qu'on peut y observer et de les fixer provisoirement pour l'usage qui en sera fait dans ce travail.

ultime relèverait soit de l'arrogance soit de l'ignorance historique. Cela veut simplement dire qu'on accède aux arguments d'un éditeur comme étant meilleurs et plus convaincants que ceux d'un autre éditeur. Ce choix nous donne un texte concret en main qui est d'une réalité matérielle, d'une étendue finie. La preuve pratique en est que nous pouvons demander à l'ordinateur d'en découper, dénombrer, redistribuer les éléments.

Mais ce choix n'entraîne pas un arbitrage final sur le processus de l'édition, ni une limitation du potentiel de mises en ordre différentes du matériau textuel. Il nous dispense, un peu arbitrairement, il est vrai, de remonter à ce matériau dans sa forme manuscrite et de faire nos propres vérifications. Par ce choix nous faisons donc, du moins jusqu'à un certain point, confiance au travail de l'éditeur, sans pour autant assumer sans réserves tout son appareil conceptuel. Au contraire, je tiens à maintenir une distance critique à l'égard de ses choix conceptuels, surtout à l'égard de son objectif de construire une cohérence en restituant la chronologie de la pensée en mouvement de l'auteur. Sur le plan pratique, cela veut dire que j'utiliserai les 1 151 entrées textuelles telles qu'établies par Mähl, mais sans accorder de signification particulière à leur enchaînement. Je m'abstiendrai donc d'interpréter les passages entre les entrées consécutives, de lire les liens de consécution comme générateurs de sens. Une telle décision a comme conséquence que la dimension syntagmatique du texte sera moins exploitée que sa dimension paradigmatique.

Il n'en reste pas moins qu'on reconnaîtra donc ici, comme une réalité incontournable, une donnée textuelle, même si elle sera conceptuellement située au niveau le plus rudimentaire: un ensemble de signes([3]) disposés dans un ordre déterminé sur les pages d'un livre ou sur un autre

---

([3])   Ceci ouvre la possibilité d'élargir la notion de texte au-delà des signes linguistiques et de parler, par exemple, d'un texte pictural. Cette possibilité ne sera cependant guère exploitée dans ce travail.

support matériel[4]. Cette donnée initiale est à respecter philologiquement dans le sens que le matériau textuel ne peut pas être modifié *ad libitum*, mais elle se situe encore en deçà de la constitution du texte en tant qu'objet bien formé.

En amont: l'œuvre

Nous avons vu que, dans le processus de cette constitution, interviennent des éléments conceptuels qui attirent le texte du côté de l'œuvre (cohérence, homogénéité, unité, totalité, etc.), puisque ce sont justement ces éléments qui entrent dans la définition d'«œuvre». Les auteurs des préfaces analysées ont en fait maximalement rapproché, sinon télescopé «texte» et «œuvre». Ils se référaient au texte qu'ils s'étaient proposé de constituer en se servant de la notion et de l'appareil conceptuel d'«œuvre». La constitution de l'objet textuel n'a pu se faire sans l'intervention de la conceptualisation de l'œuvre. Celle-ci, à la limite, peut n'être qu'un instrument notionnel utilisé pour regrouper des matériaux textuels en leur apportant un cadre unifiant et totalisant. Il est donc concevable qu'«œuvre» n'existe que comme une idée détachée de toute réalisation textuelle. Symétriquement, le texte, à la limite, n'est que matérialité signifiante, ou, en d'autres termes, toute matérialité signifiante est de nature textuelle.

Cet état de choses se reflète dans l'usage que la langue prévoit des deux mots «œuvre» et «texte». Le partitif qui est parfaitement admissible avec «texte»: «c'est *du* texte», «manipuler *du* texte», ne l'est que difficilement avec «œuvre». On dit «c'est une œuvre», «manipuler une œuvre». Ceci indique, du côté de «texte», l'idée d'une quantité divisible, tandis que, du côté d'«œuvre», est impliquée l'idée

---

[4] Cette spécification permet d'inclure également l'enregistrement éléctronique des textes, bien que la version éléctronique d'un texte soulève des problèmes à peine abordés encore dans la recherche, et qui portent en particulier sur l'identité entre les textes imprimés et leurs manipulations électroniques.

d'une qualité unifiante dans l'objet ainsi désigné. L'œuvre identifie donc un objet qui est plutôt de l'ordre de l'idée et peut exister exclusivement «dans la tête» d'un auteur ou d'un critique, tandis que le texte est toujours «sur le papier» ou sur un autre support matériel. Ceci permettra à Novalis par exemple, comme on le verra, de développer l'idée, sinon le fantasme de l'Œuvre totale et du Livre global et de n'en réaliser textuellement qu'une infime partie.

«Texte» présente donc l'avantage par rapport à «œuvre» de nous obliger à considérer la matérialité de notre objet. Mais cet avantage peut se tourner en son contraire si on cède à la tentation de faire de cette matérialité un objet exclusif, positivement donné et immuable dans sa factualité sous le regard cognitif de l'analyste. Ce positivisme a été pratiqué par une certaine philologie de la deuxième moitié du XIXe siècle et, à nouveau mais de manière différente, par certains structuralistes après la deuxième guerre mondiale. La solidité d'un tel objet ne s'obtient qu'au prix d'une mise en suspens de trop d'aspects jugés essentiels ici: la qualité signifiante des matériaux([5]) et leur insertion dans un contexte de production et de réception, c'est-à-dire leur participation à un processus historique susceptible de les transformer.

Aussi est-ce pour des raisons historiques qu'on maintiendra dans ce travail la notion d'œuvre pour désigner un objet différent de celui identifié par «texte». La différence entre ces deux notions, et partant entre les deux objets qu'elles permettent de manipuler, est nécessaire pour la connaissance du *Brouillon*. Je ne suivrai donc pas de manière indifférenciée la critique des «unités du discours». Autant les arguments épistémologiques de cette critique me paraissent convaincants, autant j'estime que cette critique définit exclusivement le moment actuel de notre discipline, et ne peut pas être globalement projetée sur tous les objets historiques, à moins de les assimiler à notre actualité. Nous ne saurions, par un décret dont les raisons sont enracinées

---

([5])   Ceci dans le sens de la sémiotique peircienne selon laquelle la relation à l'utilisateur ou la fonction interprétante est partie intégrante de la définition du signe.

dans cette actualité, éliminer le concept d'œuvre globalement, avec projection dans le passé et dans l'avenir, sans
effacer du même geste l'altérité historique et l'histoire tout
court. Limiter de la sorte un usage par trop triomphaliste,
voire impérialiste de la fonction critique, ce n'est pas,
cependant, plaider la cause de l'historisme positiviste dont
la critique ne paraît que trop fondée[6], mais s'opposer à
une certaine tendance anhistorique inhérente à la critique
épistémologique.

Le fait que, dans la foulée de la critique de la métaphysique, un concept totalisant ait perdu son efficacité
cognitive[7] ne devrait pas nous empêcher de décrire ses
fonction et opérativité dans un corpus historique. En d'autres termes et plus concrètement: j'éviterai, dans l'analyse
du *Brouillon*, de recourir à la notion d'œuvre comme concept opératoire, mais je ne renoncerai pas pour autant à
décrire la manière spécifique dont ce concept est efficace
dans le projet encyclopédique de Novalis, ainsi que dans le
texte qui nous transmet ce projet.

En aval: le discours

«Texte» a encore connu un autre développement tout
aussi indicateur du fait que «cela bouge» en études littéraires, mais qui pointe dans une autre direction, celle où se
situe l'objet «discours». À mon avis, c'est dans cette direction que se joue l'avenir de la discipline. C'est cette direction aussi qu'adoptera l'orientation historico-théorique de

---

[6]   On trouve une formulation relativement récente de cette critique dans l'ouvrage de Hans-Georg Gadamer, *Vérité et méthode. Les
grandes lignes d'une herméneutique philosophique*, Paris, Seuil, 1976.

[7]   Il faudrait d'ailleurs limiter la généralité d'une telle affirmation. Sa validité est aujourd'hui assez solidement établie dans la critique
académique. Mais, si l'on se tourne du côté de la critique journalistique et
vers d'autres discours que notre société tient sur des objets esthétiques, ce
propos est à nuancer, car il est évident que la notion d'œuvre est loin
d'avoir disparu de tous ces discours.

ce travail. Dans cette visée, il pourra, tout en présentant une analyse concrète, contribuer à articuler les transformations que subissent aujourd'hui les études littéraires.

Dans les annnées '60, sous l'influence du structuralisme et de la linguistique comme science pilote, l'étude des textes a pris une tournure scientifique. La textologie a conféré au texte la respectabilité d'un objet scientifique en lui donnant la consistance conceptuelle d'une entité logico-grammaticale. Entrent dans la constitution de cet objet-idéal les concepts de structure, système, cohérence, consistance, unité et, de manière plus implicite, totalité, mais aussi générativité. Le texte reçoit sa propre grammaire, devient un programme à exécuter, une matrice générative. Dans cette orientation on construit l'objet «texte» sur la base d'une conceptualité qui rappelle de nouveau l'unité totalisante de l'œuvre. Mais elle aimerait également capter une nouvelle dimension: la générativité, la possibilité de produire de nouveaux textes à partir d'une formule immanente. Dans ce nouveau contexte, la notion de texte entame un déplacement décisif: du produit vers la production, de l'objet matériel vers le processus.

Indubitablement, dans le développement de la textologie, la notion centrale de texte a subi l'attraction vers celle de discours qui, de facture plus récente [8], s'est d'ailleurs développée parallèlement. Peut-être faudrait-il plutôt parler d'une convergence des deux notions dans un intérêt cognitif qui visait de moins en moins la factualité matérielle de l'objet que sa nature de processus. On peut considérer comme symptomatique de cette tendance l'évolution de la textologie dans la tradition germanophone des années '70. On y observe une transformation en quelque sorte

---

[8]   Il faudrait préciser: en tant que terme spécialisé, tel que développé à l'intérieur des sciences du langage. L'usage de «discours» peut s'observer depuis longtemps dans d'autres domaines ainsi que dans le langage courant. L'histoire du terme, de même que ses recoupements avec d'autres termes techniques (p. ex. en français «parole», en allemand *Rede*) sont encore largement inexplorés.

AUGUSTANA UNIVERSITY COLLEGE
LIBRARY

interne de la notion de texte, qui va de la *Textlinguistik* à la *Textpragmatik*, en passant par la *Texttheorie*([9]).

En France, on a pu assister à un développement analogue, bien qu'inséré dans une tradition différente. L'enjeu consistait à déjouer les idéalismes et à tenir en échec toute conceptualisation unifiante-totalisante de l'objet. «Texte» se rapprochait alors de «discours» par une insistance sur son aspect dynamique qui permettait de le subordonner à des notions comme «processus», «acte», «événement». Dans un nouvel usage qu'on faisait du mot «texte» et qui s'appuyait, entre autres, sur les écrits de Julia Kristeva et de Roland Barthes, on parlait alors du travail du texte, de la productivité du texte.

Dans les dernières décennies, la notion de texte a donc connu une pulsation sémantique des plus vastes, ce qui ne facilite pas son maniement en tant que concept et objet scientifique. La solution radicale pour arrêter cette pulsation consisterait à renoncer tout à fait à cette notion et à la remplacer par d'autres. C'est, à toutes fins pratiques, ce qu'a fait Michel Foucault, surtout dans *L'Archéologie du savoir* où il ne retient, de la configuration triangulaire de l'objet dont il est question ici, que le discours. «Œuvre» est rejeté par lui pour avoir proposé et véhiculé une totalisation trompeuse qui ne trouve aucun appui dans le matériau même. Foucault est moins explicite sur la notion de

---

([9]) Toute chronologie qu'on voudrait imposer à cette transformation ne correspondrait que très schématiquement à l'apparition consécutive des publications dans ce domaine, les différents courants se chevauchant plutôt que de se succéder. Néanmoins, il est possible, en prenant quelques titres (l'évolution en question s'y inscrit symptomatiquement), de retracer ce qui est présenté ici comme une évolution. Ces titres sont choisis un peu au hasard, mais ils ont en commun d'avoir paru dans la collection à grande diffusion UTB (*Uni-Taschenbücher*) et attestent donc en même temps la pénétration de ces transformations, du moins en milieu universitaire: Tamara Silman, *Probleme der Textlinguistik*, Heidelberg, Quelle & Meyer, 1974; Heinrich F. Plett, *Textwissenschaft und Textanalyse*, Heidelberg, Quelle & Meyer, 1975; Siegfried J. Schmidt, *Textheorie*, München, Fink, 1976; Dieter Breuer, *Einführung in die pragmatische Texttheorie*, München, Fink, 1974; Karlheinz Stierle, *Text als Handlung*, München, Fink, 1975.

texte, mais son silence équivaut à un rejet. Avec cette notion il rejette, me semble-t-il, les méthodes empiriques et scientifiquement linguistiques dont il prend grand soin de détacher sa propre démarche[10]. Il en résulte que, s'il a dans une certaine mesure mené une discussion sur les méthodes, et plus précisément sur leurs implications, il ne nous a cependant pas laissé de méthode, mais seulement, dans ses monographies, des applications de l'analyse discursive à sa façon.

On aura compris que je n'ai pas l'intention de renoncer à la notion de texte, mais plutôt de lui assigner un champ restreint, bien que central à certains égards, entre «œuvre» et «discours». Attaché à la notion de texte, sera maintenu également un souci de précision philologique, ce qui implique un maniement empirique du matériau textuel. Mais la visée principale de ce travail est l'analyse de quelque chose dont le texte n'est que la matière première ou, plus exactement, l'enregistrement matériel. Je préfère, pour marquer la différence de cet objet, retenir la dénomination «discours», plutôt que d'élargir ou de déplacer la notion de texte.

Quiconque décide d'analyser «le discours» se rend vite à l'évidence qu'il s'est proposé un objet multiforme, hétérogène et complexe[11]. Pour ne pas dire un objet impossible à articuler scientifiquement[12]. Aussi préférerai-je

---

[10] C'est ce qui ressort de sa conclusion, ou plutôt postface en guise de dialogue fictif à *L'Archéologie du savoir*, pp. 259-275.

[11] Cf. à titre d'illustration, les pages que Dominique Maingueneau consacre à la «Polysémie du terme 'discours'» dans son ouvrage *Initiation aux méthodes de l'analyse du discours* (Paris, Hachette, 1976, pp. 11-16).

[12] C'est ce que semble reconnaître Denise Maldidier dans l'avant-propos à un numéro spécial de *Langages* (n° 81, mars 1986) intitulé «Analyse de discours, nouveaux parcours»: «Car c'est par une phase d'expérimentation que l'analyse de discours passe — nécessairement — aujourd'hui. Comme si aux frontières de diverses disciplines, notamment l'histoire, la sociologie, la philosophie, elle éclatait en domaines spécifiques. Comme si l'unité de l'objet discursif pensé dans les années 1970-1975 se démultipliait en objets particuliers, tout en intégrant des objets nouveaux» (p. 5).

ici mettre «discours» au pluriel, aborder alors plus concrètement telle ou telle pratique discursive, tout en maintenant l'expression au singulier avec l'article déterminé «le
discours» pour désigner le concept en question. Il n'est
donc pas étonnant qu'on enregistre une multitude de définitions de «discours» et qu'on observe bien des manières
divergentes, sinon discordantes, de pratiquer l'analyse
discursive.

Plutôt que de décrire de manière énumérative le Babel
dont la tour à construire s'appellerait «analyse discursive»,
il sera plus utile, en vue de mieux situer l'objet «discours»,
d'évoquer quelques éléments du récit de ce Babel. Il faut en
fait reconnaître que beaucoup de chemins mènent au discours et que, en réalité, l'ouverture vers ce nouvel objet
s'est faite à partir de positions scientifiques très diverses.
Dans ce sens, «discours» a eu la force d'attraction d'un
rassembleur conceptuel qui promettait, avec plus ou moins
de précision, la possibilité d'une intégration interdisciplinaire.

L'historiographie, reconnaissant la matérialité et de
ses documents et de sa propre pratique, a pu espérer trouver en «discours» la possibilité de l'articuler. La philosophie, de même, a été amené à penser sa propre réalisation
en tant que discours. Dans un domaine plus spécialisé, la
philosophie du langage a développé deux notions qui, chacune à sa façon, permettent de penser l'interaction entre le
faire et le dire: «acte de langage» et «jeu de langage». Les
psychanalystes, ayant toujours privilégié l'énoncé verbal
comme le lieu d'inscritpion des phénomènes psychiques
analysés par eux, se sont intéressés aux conditions et aux
mécanismes de production de ces énoncés. La critique épistémologique, ayant réussi à discréditer les vieux piliers conceptuels des sciences humaines, a dû se tourner vers de
nouveaux concepts qui rendraient possibles de nouveaux
types de connaissances. Après avoir appris a maîtriser sa
propre construction de l'objet «langue», la linguistique
s'est mise à rapatrier ce que, du côté de la parole, il y avait
de linguistique et qui risquait de tomber en-dehors de sa
jurisdiction; elle s'est mise à théoriser, conceptualiser et
analyser le faire langagier dans des domaines spécifiques

qui chevauchent l'analyse discursive: analyse de l'énonciation, analyse conversationnelle, pragmatique linguistique. Les études littéraires, finalement, après avoir longtemps cherché à doter leur objet d'une qualité intrinsèque,
la «littérarité», ont fini par découvrir l'hétérogénéité de
l'objet littéraire et la possibilité de l'articuler comme une
relation interactionnelle avec d'autres pratiques discursives.

Tous ces développements, à peine esquissés ici, témoignent ensemble d'une crise globale affectant les sciences
humaines, mais il serait faux d'y voir un effort concerté en
vue d'élaborer l'analyse discursive. On affirmerait, avec
plus de prudence, que les dynamiques internes de ces disciplines ont nécesssairement abouti à l'élaboration de l'analyse discursive, que ce serait encore excessif. Néanmoins,
chacune de ces disciplines a pu rencontrer, dans le périmè-
tre le plus ouvert de son développement interne, l'objet
«discours» comme un horizon conceptuel à la fois intérieur
et extérieur, ce qui a pu produire un effet certain de convergence. Cependant, comme les représentants de chaque
discipline étaient mus par des intérêts particuliers visant à
faire avancer et transformer leur propre discipline, chacun
apportait à ce possible objet commun un éclairage différent. Cela explique en partie pourquoi ces convergences
n'ont pas nécessairement mené à l'articulation d'un objet
unique et global, susceptible d'intégrer tous ces intérêts et
perspectives divergentes. Quand l'intégration a au contraire été forcée pour produire un super-objet «discours»,
on a été obligé après coup de découvrir les difficultés et les
illusions d'une telle construction ([13]).

À ces difficultés d'une entreprise commune s'ajoute
un élément moins métaphoriquement babélien: l'inscription nationale de cette construction, qui ne manque pas de
tons nationalistes. Il est hors de doute qu'une conjoncture
spécifiquement française de la fin des années '60 a permis

([13]) Voilà pourquoi pour paraphraser le titre du n° 81 de *Langages*, de «nouveaux parcours» de l'analyse de discours sont à tracer
aujourd'hui.

un effort concerté en «analyse de discours»([14]). Il n'y a rien d'étonnant, par conséquent, que ceux qui ont contribué à cet effort s'auto-constituent en «école française de l'analyse du discours»([15]). Ce qui est étonnant, par contre, c'est qu'ils ne semblent guère prendre acte du fait que l'analyse discursive se pratique également dans d'autres pays, dans des versions sensiblement différentes, par exemple en RFA([16]), et que le dialogue entre ces traditions nationales, pour s'articuler, doit se chercher une terre d'exil, par exemple le Canada([17]).

L'importance de l'intervention de Michel Foucault dans ce domaine tient à deux raisons: d'abord il a alterné théorie et discussion de méthode([18]) avec des monogra-

---

([14]) Pour ce qui est de la dénomination, le groupe réuni autour de Michel Pêcheux semble avoir donné la préférence à «analyse de discours». Mais «analyse du discours» est très courant également, de même que «analyse discursive». J'utiliserai ici ces trois dénominations sans les différentier.

([15]) Cf. Dominique Maingueneau, *Genèses du discours*, Bruxelles, Mardaga, 1984, p. 5. La note 3 de cette page contient plusieurs références bibliographiques ayant trait à cette question. Dans son avant-propos au numéro spécial de *Langages* sur «Analyse de discours, nouveaux parcours», Denise Maldidier semble, par implication logique, limiter l'étendue géographique de l'analyse du discours à la seule France: «Il va de soi que nous n'avons pas l'exclusivité en matière d'analyse de discours et que d'autres équipes en France travaillent dans ce domaine» (p. 5).

([16]) Il faut mentionner «l'analyse générative du discours» de Jürgen Link, présentée, illustrée et discutée dans son ouvrage *Elementare Literatur und generative Diskursanalyse*, München, Fink, 1983 et l'analyse discursive d'orientation lacanienne proposée par exemple dans le recueil présenté par Friedrich Kittler et Horst Turk, *Urszenen, Literaturwissenschaft als Diskursanalyse und Diskurskritik*, Frankfurt a.M., Suhrkamp, 1977. Ces ouvrages reflètent une réception et discussion active des développements français dans leur domaine.

([17]) Témoin, le livre d'Antonio Gómez-Moriana, *La subversion du discours rituel*, Montréal, Le Préambule, 1985, dans lequel l'auteur engage les «écoles» française et allemande à dialoguer au sujet des textes de la littérature espagnole.

([18]) En particulier dans *Les mots et les choses, L'archéologie du savoir* et *L'ordre du discours*.

phies représentant des applications concrètes([19]) dans lesquelles il a fait ressortir les liens étroits entre pratique discursive et pratique institutionnelle. Ensuite, il est venu à l'analyse discursive à partir de plusieurs domaines simultanément et réussit ainsi à intégrer les perspectives de la philosophie, de l'histoire, de l'épistémologie et de l'anthropologie([20]). Cette exceptionnelle stature d'une contribution individuelle lui vaudra un poids certain dans l'orientation intellectuelle de ce travail. Je ne le suivrai cependant pas dans la conception synthétique, sinon exclusive qu'il a de l'univers discursif. Même s'il n'a cessé de postuler un domaine extérieur au discours, il n'a pas vraiment essayé d'articuler cet «extra-discursif», ce qui l'a, conséquemment, empêché de prêter une attention suffisante à formuler les liens entre le discursif et l'extra-discursif. Par implication, cet état de choses peut donner l'impression que son choix de privilégier le discursif relève d'un «idéalisme discursif»([21]) qui consisterait à réduire les pratiques sociales aux pratiques discursives([22]).

Malgré la grande divergence des intérêts et des projections, des conceptualisations et des méthodes, des «écoles» et des attaches institutionnelles, il se dégage de l'objet envisagé, ainsi que de son analyse, une espèce d'unité de mire.

([19]) Par exemple dans *La naissance de la clinique, Histoire de la folie* et *Surveiller et punir.*

([20]) J'estime que sa théorie implicite et explicite du pouvoir et de ses mises en pratique dans le discours, de par sa généralité, a une dimension nettement anthropologique.

([21]) J'emprunte cette expression, tout en l'adaptant à la problématique discursive, à David Savan, «Toward a Refutation of Semiotic Idealism», in RS/SI, n° 3 (1983), pp. 1-8.

([22]) Le danger d'une telle réduction a déjà été évoqué par Régine Robin (dans *Histoire et linguistique*, Paris, Colin, 1973). Deleuze, par contre, est très explicite pour absoudre Foucault de tout soupçon de réductionnisme: «Foucault dit qu'il y a des relations discursives entre l'énoncé discursif et le non-discursif. Mais il ne dit jamais que le non-discursif soit réductible à un énoncé, et soit un résidu ou une illusion. La question du primat est essentielle: l'énoncé a le primat [...]. Mais jamais primat n'a signifié réduction» (*op. cit.*, p. 57).

Elle consiste dans la volonté de concevoir et de manipuler un objet suffisamment complexe pour appréhender le faire langagier globalement dans ses régularités et dans ses transformations. Il s'agit donc d'articuler ensemble langue, texte, contexte, situation et sujet, et ceci dans les deux versants communicatifs de la production et de la réception. Et pour indiquer que le bord extérieur de cet objet complexe est flou par définition, on n'a qu'à soulever la question des frontières à tracer entre l'analyse discursive et l'analyse institutionnelle, un partage extrêmement difficile à faire étant donné les larges zones de recoupement qui existent.

Notre travail est solidaire et participe de cette construction d'objet, mais en la prenant moins comme un programme positivement établi qui serait à exécuter que comme une visée générale: c'est vers la concrétisation du domaine d'objet ainsi esquissé que j'aimerais pouvoir avancer. Cependant, plutôt que de m'engager dans l'opération abstraite et spéculative de construire un tel super-objet en théorie, ou d'élaborer un modèle qui tienne compte de toutes les complexités et qui, instrument heuristique, risque pourtant d'usurper la place de l'objet lui-même, je préfère tracer une configuration d'objet purement intentionnelle à partir du lieu institutionnel concret d'où s'énonce ce travail, les études littéraires. Ce faisant, je tente d'inscrire la visée de l'objet discursif, qui dépasse les limites de toute discipline particulière, dans l'évolution de ma propre discipline de départ.

L'objet «discours» et l'analyse discursive sont envisagés ici dans l'espoir suivant:

1) Tenir en échec deux tendances extrêmes en études littéraires, le positivisme textuel et les idéalismes de tout acabit. Ce sont deux attitudes opposées à l'égard du matériau textuel donné. La première lui attribue une consistance et une autonomie matérielles ou formalisables absolues. La deuxième va jusqu'à le nier pour trouver, en le traversant comme un espace négatif, en le rejetant comme un contenant après usage, la substance précieuse à laquelle il donne accès: la pensée, l'idée, le vécu, le monde affectif, etc.

2) Réarticuler une dimension historique qui ne soit pas histoire des idées (du moins pas celle qui présuppose que les idées, au-delà des textes, ont une vie historique propre et autonome); qui ne se réduise pas à la mise en chronologie d'œuvres littéraires, de leur production ainsi que de leur réception; qui ne soit d'emblée intégrée et soumise à un des grands récits[23] qui ont déterminé la pensée de l'histoire en Occident (p. ex. les récits chrétien, hegelien, marxiste).

3) Redéfinir la spécificité de l'usage littéraire du langage en ouvrant le champ littéraire sur d'autres champs discursifs afin d'en arriver à une définition interactionnelle. On renoncerait ainsi d'entrée de jeu à vouloir fixer une «littérarité» comme qualité intrinsèque et atemporelle de tout objet littéraire, et on viserait plutôt à décrire, dans des situations changeantes, la configuration mobile du faire langagier identifié comme «littéraire» et «poétique».

Tous ces «espoirs», trouveront-ils une réalisation dans la visée discursive du travail à accomplir? Du moins, cette orientation trace-t-elle un horizon positif à des déterminations ou motivations qui, naturellement, se formulent sur le mode négatif, comme la volonté de dépasser un état de fait. Il est à souhaiter qu'elle dégage une énergie orientée suffisamment forte pour nous permettre de faire quelques pas dans la concrétisation de l'objet intentionnel.

Vers l'analyse discursive

Dans l'esprit de cette visée générale, une définition de l'objet «discours» peut être avancée: le discours est l'usage socialement réglé des signes. Il s'agit, bien sûr, d'une définition minimale, à laquelle fera pendant une définition du texte du même genre: le texte est l'enregistrement matériel d'un acte ou événement discursif.

---

[23] J'emprunte cette expression à Jean-François Lyotard, *La condition postmoderne. Rapport sur le savoir*, Paris, Minuit, 1979.

Il est évident que ces définitions ne sont pas faites pour fonder une méthode. Et c'est à dessein, car il importe en ce moment de notre développement théorique, de retarder une plus grande articulation analytique de l'objet «discours». Il est préférable que le contact cognitif avec l'objet textuel ne soit pas complètement préfiguré par une grille analytique. Sinon une machine méthodologique s'enclencherait qui risquerait d'être unilatérale et de préjuger des caractéristiques de l'objet concret.

Je ne suivrai donc pas ici une «école», de manière partisane, ni une seule méthode, de manière fidèle et rigoureuse. Je n'emprunterai pas une voie méthodologique toute tracée, afin que ce travail ne se réduise pas à une défense et illustration d'une méthode particulière. Je m'appuierai plutôt, de manière quelque peu éclectique, sur des éléments de méthode et de procédés disponibles en constituant de la sorte un parcours méthodologique, certes un peu bricolé et n'obéissant à aucune orthodoxie, mais avec l'espoir de créer la possibilité d'un dialogue entre des méthodes qui ne se parlent guère.

Aussi, à la place d'un exposé méthodologique, est-il indiqué d'esquisser ici quelques tensions concrètes qui traversent le champ conceptuel de la discursivité.

Texte vs discours

Au départ on se trouve devant le paradoxe de n'avoir que le texte, ou mieux encore, du texte en main tout en cherchant à connaître l'objet «discours». Le texte n'est pas le discours, mais il n'y a d'accès cognitif au discours que par le texte. C'est ce qui a amené Gilles Deleuze, dans son livre sur Foucault, à parler du paradoxe de l'énoncé, à partir de cette citation sybilline: «L'énoncé est à la fois non visible et non caché»[24]. En déterminant la spécificité de

---

[24] *L'archéologie du savoir*, p. 143. La structure logique de cette formulation coïncide avec celle qu'utilisait Robert Musil dans son roman *L'Homme sans qualités*, par exemple dans ce titre de chapitre «La constellation du frère et de la sœur, ou: ni séparés, ni réunis» (Paris, Seuil,

«l'énoncé», objet discursif, Foucault est obligé de nier les deux termes d'une opposition afin de dégager une troisième possibilité qui définit son nouvel objet. Si l'énoncé était «visible», il coïnciderait avec l'objet des sciences du langage et serait alors susceptible de formalisation. Si, par contre, il était «caché» — adoptant de la sorte un mode d'existence immanent ou transcendant — il deviendrait l'objet d'une quête de sens et donnerait lieu à une interprétation. Deleuze nous rappelle que formalisation et interprétation étaient Scylla et Charybde entre lesquels Foucault naviguait.

Or, sans adopter l'objet foucaldien «énoncé»[25], sa conceptualisation difficile peut nous aider ici à maintenir ouverte la différence entre «texte» et «discours». Car, s'il est vrai, comme dit Deleuze, que «nous sommes bien forcés de partir de mots, de phrases, de propositions»[26] — et j'ajouterais: de matériaux textuels — l'objet discursif ne se réduit pourtant pas à ces objets linguistiques. En même temps, il faut éviter de penser la relation texte-discours comme une simple immanence ou transcendance: le discours n'est pas dans ou derrière ou encore au-delà du texte. Il est essentiellement lié à la matérialité textuelle. Il ne s'agit pas non plus d'une simple reconstruction historiste de l'acte discursif qui aurait précédé ce qui est appelé ici l'enregistrement textuel. Même si son articulation s'avère difficile, il est important de maintenir ouvert l'espace d'une tension entre «texte» et «discours».

1957, vol. IV, p. 140, le texte allemand dit: «Das Sternbild der Geschwister. Oder die Ungetrennten und Nichtvereinten», *Gesammelte Werke*, Hamburg, Rowohlt, 1978, vol. IV, p. 1 337). Dans les deux cas il s'agit de créer une possibilité logique qui n'a pas d'existence selon la loi de l'exclusion réciproque des deux termes opposés (*tertium non datur*): visible/caché chez Foucault et séparé/réuni chez Musil.

[25] Chez Foucault, le maniement à la fois conceptuel et opératoire d'«énoncé» me paraît si engagé dans le jeu logico-tactique qui consiste à éviter les grilles et les pièges des méthodes existantes, qu'il en devient très évasif et ne se prête guère à un usage analytique, à moins qu'on veuille entièrement adopter le point de vue et la démarche de Foucault, ce qui n'est pas le cas ici.

[26] *Op. cit.*, p. 25.

Ordre du discours vs pratique discursive

La notion de discours connaît une bifurcation interne qui lui attribue deux modes d'être ou deux niveaux de réalité différents. D'un côté il y a le discours comme un ensemble de règles ou de régularités structurantes, ce que Foucault, dans sa leçon inaugurale au Collège de France, a appelé «l'ordre du discours». Ce système de règles est de nature transindividuelle et a un mode d'existence virtuel. Du point de vue du locuteur individuel, il est le plus souvent intériorisé, inconscient, et agit à la fois comme une contrainte et comme un conditionnement de sa production discursive effective. Il délimite la zone du dicible, tout en statuant, à l'intérieur de cette zone, sur la bonne formation et l'adéquation de tout faire discursif. En d'autres termes, il y a à tout moment, dans toute société, un ordre implicite mais effectif qui réglemente qui, en quel lieu, et dans quelles circonstances peut tenir quel type de discours sur quel objet [27].

De l'autre côté on trouve le discours en tant qu'acte ou événement ponctuel et singulier, et toujours matériellement réalisé. Le choix des termes «acte» ou «événement» pour désigner le discours *in actu* renvoie à deux manières différentes de concevoir le sujet du discours. L'acte peut être attribué à une instance-sujet (individuelle ou collective) qui entend contrôler le faire discursif et en assumer la responsabilité, tandis que l'événement dissout cette instance en un «on» ou «cela» [28].

---

[27] Brigitte Schlieben-Lange utilise une formule analogue dans son livre *Traditionen des Sprechens, Elemente einer pragmatischen Sprachgeschichtsschreibung* (Stuttgart, Kohlhammer, 1983). De manière générale, ce livre qui propose de traiter la question pragmatique de manière historique, m'a aidé à conceptualiser mon travail sur Novalis.

[28] De manière générale l'analyse discursive comporte une tendance inhérente à développer une attitude critique à l'égard de la forme individualiste et autonome du sujet. Dans sa perspective, le fonctionnement discursif est premier et produit la configuration de l'instance-sujet, et non pas inversement. Ceci est tout particulièrement le cas dans l'œuvre de Foucault qui ne manque pas une occasion pour critiquer explicitement

En prenant «discours» au sens de «système de règles de formation», on creuse l'écart entre texte et discours. Par contre, on le réduit au minimum en insistant sur la réalisation singulière du système de règles.

Cette articulation interne de la notion de discours introduit dans sa conceptualisation les dichotomies virtuel vs effectif et, dans une certaine mesure [29], la métaphore épistémique surface vs profondeur. Dominique Maingueneau a raison d'y reconnaître «un des avatars du couple langue/parole» [30]. Mais si on voulait vraiment appliquer une terminologie saussurienne, le discours en tant que système virtuel (formation discursive, chez Maingueneau) serait la langue de la parole, et le discours comme acte/ événement singulier serait alors la parole par rapport à cette langue de la parole, donc en quelque sorte une parole

---

la forme idéaliste et individualiste du sujet. Sur une base lacanienne, Kittler et Turk articulent une critique analogue. Habermas par contre, tout en développant sa propre version du concept «discours», a tenté de réhabiliter la forme d'un sujet rationaliste et transparent à lui-même (p. ex. in «Vorbereitende Bemerkungen zu einer Theorie der kommunikativen Kompetenz», in J. Habermas et N. Luhmann, *Theorie der Gesellschaft oder Sozialtechnologie*, Frankfurt a.M., Suhrkamp, 1971, pp. 101-41.

[29] Avec des réserves de notre part, car le primat des choses réellement dites, tel que l'établit Foucault (*Archéologie du savoir*, p. 143), est important. Il postule qu'il n'y a que de la «surface» en analyse discursive, ou du moins qu'il faut partir strictement du matériau historique tel qu'il nous est donné (l'archive). C'est une manière de tenir en échec les immanences et les transcendances qui voudraient se loger dans la métaphore de la profondeur. Le refus de la «profondeur» discursive peut contribuer également à neutraliser les fantasmes de pouvoir cognitif de tous ceux qui, s'installant en profondeur, au lieu conceptuellement le plus puissant, désirent dominer tout ce qui se situe par rapport à eux dans un aval transformationnel. En fait, cette attitude de domination cognitive a certaines affinités avec la conceptualisation générativiste-transformationniste dont l'analyse du *Brouillon* de Novalis mettra à jour des embryons historiques. Il me semble que la version générative de l'analyse discursive, telle que proposée et pratiquée par Jürgen Link (*Elementare Literatur und generative Diskursanalyse*), n'est pas insensible à cette tentation de domination cognitive.

[30] *Op. cit.*, p. 10.

au deuxième degré. Autant renoncer à une telle terminologie, étant donné surtout le risque qu'elle comporte de scinder l'objet «discours» en deux.

Une réflexion analogue s'appliquerait au couple compétence/performance qui pose des problèmes du même ordre. Aussi l'éviterai-je ici[31]. Je parlerai plutôt de maîtrise discursive en me référant au fait qu'un sujet (individuel ou collectif) a appris, c'est-à-dire intériorisé les règles d'un certain comportement discursif et les manie de manière adéquate.

Il importe, avant toute chose, de reconnaître que cette tension interne existe, qu'elle est même constitutive de la notion de discours. Il est possible, dans la démarche analytique de privilégier l'un ou l'autre des deux pôles, mais on ne peut réduire l'un à l'autre sans amputer une partie intégrante de l'objet. Dans ce sens je suis en accord avec Maingueneau pour n'user du «terme discours [que] pour référer à la relation même qui unit les deux concepts précédents [scil. formation discursive et surface discursive]»[32].

Ceci étant dit, il n'est pas moins vrai que le processus cognitif de l'analyse est orienté. Il va d'un pôle à l'autre. Il part, rappelons-le, du texte en tant qu'enregistrement matériel du faire discursif; il vise donc en premier lieu l'événement discursif singulier pour avancer par la suite vers la connaissance du système de régularités et de contraintes qui a conditionné cet événement. Cette dernière étape présuppose que l'objet ponctuel soit dépassé et qu'un corpus plus vaste ait été pris en considération. En réalité, il s'agit plutôt d'un mouvement de va-et-vient, voire d'un processus dialectique dans lequel l'hypothèse d'un système de règles — quelque intuitive quelle soit — précède et conditionne la connaissance de l'acte/événement singulier, de même que les choses réellement dites donnent seules accès à la connaissance du système de règles.

---

[31] Contrairement à Maingueneau qui parle d'une «compétence discursive» (*op. cit.*, pp. 45-79), cependant sans utiliser le deuxième terme du couple.

[32] *Op. cit.*, p. 10.

Pratique discursive vs législation discursive

Toute pratique discursive est conditionnée, rendue possible et même prédéterminée — fût-ce de manière négative — par des règles de formation. Ces règles sont efficaces de manière implicite et inconsciente. Elles ne deviennent «visibles» et conscientes qu'en cas de transformation, et plus spécifiquement de transgression.

Peu de textes explicitent thématiquement ces règles de formation. Il y en a cependant qui ont pour objectif d'énoncer ces règles et de statuer sur l'ordre du discours. Dans ces textes, référence directe est faite au bon fonctionnement discursif. Ils remplissent une fonction qu'on appellera ici, moyennnant une métaphore juridique, la législation discursive [33], et instaurent donc par là un devoir-être de la pratique discursive.

Il y a des législateurs discursifs très célèbres, par exemple Lavoisier qui statue en 1787, en collaboration avec Berthollet, Fourcroy et Guyton de Morveau, sur la nouvelle nomenclature à utiliser en chimie. Dans la plupart des cas, cependant, un texte, ou un auteur — comme c'est d'ailleurs le cas chez Lavoisier — ne se limite pas à la seule fonction législative. Souvent l'activité de légiférer discursivement n'intervient que marginalement dans un texte ou n'occupe qu'une partie assignée d'avance, par exemple l'introduction d'un ouvrage.

Tout acte de législation discursive est à son tour pratique discursive, mais cette relation ne saurait être inversée. Cette asymétrie entre les deux termes nous met en garde de les rabattre l'un sur l'autre; il ne faudrait pas confondre l'intention déclarée ou la norme décrétée par un auteur avec sa propre pratique. Ce n'est qu'en maniant séparé-

---

[33] Dans la mesure où on voudrait donner à ce terme la valeur et la précision d'un acte de langage, il faudrait évidemment distinguer entre des actes de législation discursive valides et invalides. Signalons dès maintenant que la validité de tout acte de législation discursive se trouve être suspendue du moment que cet acte s'accomplit à l'intérieur d'un texte littéraire.

ment ces deux instances qu'il est possible de faire apparaître la tension qui s'installe souvent entre les règles explicitement formulées et les règles qui régissent effectivement une pratique. Une tension plus ou moins accentuée règne toujours entre pratique et législation discursives, qu'il s'agisse d'une législation à tendance conservatrice débordée par une pratique en évolution ou d'une législation utopique qui se propose de changer une pratique qui ne bouge cependant pas. Dans les deux cas, cette tension est indicatrice de transformations historiques qui sont en train de s'opérer[34]. C'est là un indice important pour qui s'intéresse aux changements historiques du discours, mais on ne saurait le repérer sans distinguer clairement les deux termes de cette dichotomie interne au discours.

Pour les trois dichotomies qui articulent l'objet «discours», il s'avère donc important de maintenir les tensions esquissées. Supprimer un des deux termes en faveur de l'autre entraînerait, dans tous les cas, une réduction unilatérale de la complexité de l'objet. De même, la dissociation des deux termes, créant à la limite deux objets autonomes, ferait éclater le champ objectal du discours et nous ferait manquer l'objet envisagé.

Le choix du corpus

La notion d'archive semble faire l'unanimité des représentants de l'analyse discursive qui y voient concrétisée la possibilité de penser et de disposer les «choses dites» autrement que selon les lignes et partages institutionnelle-

---

(34) On pourrait rapprocher le changement historique des formations discursives du processus de changement de paradigme en histoire des sciences tel que l'a analysé Thomas S. Kuhn dans *The Structure of Scientific Revolutions* (Chicago, University of Chicago Press, 1962). Une massive thématisation des règles discursives ainsi que l'apparition de nombreux législateurs discursifs accompagnée de discussions, sinon de disputes seraient alors indicatrices du fait qu'une formation discursive est entrée dans une phase qui correspond à la crise d'un paradigme scientifique.

ment établis. Ils sont, cependant, loin d'être d'accord sur sa définition. Tout en paraissant indispensable, l'archive fait problème. C'est ce qui ressort des «Nouveaux parcours» de l'analyse de discours proposés en hommage à Michel Pêcheux par des représentants de l'école française d'analyse de discours[35]. Mais la difficulté transparaît déjà dans une des premières conceptualisation d'«archive» dans *L'Archéologie du savoir* où Foucault fait subir une série de transformations à ce terme sur l'enclume de sa forge terminologique qui ne cesse d'imprimer des formes changeantes, tantôt négatives (l'archive n'est pas...) tantôt positives (l'archive est...), aux termes travaillés. L'archive est fortement marquée, chez Foucault, par la double face du discours qui est à la fois «événement» et «chose», énoncé et énonçabilité[36]. Mais elle renvoie toujours à un vaste ensemble de choses dites *et* à un système complexe qui en régit l'apparition. Par la suite, «archive» a pu être réduit à ne désigner plus qu'un ensemble de choses écrites, ou plus spécifiquement encore, imprimées. Cette réduction engage Jacques Guilhaumou et Denise Maldidier à entamer une critique de la notion d'archive à partir de cette constatation: «L'archive dans laquelle l'analyse de discours classique découpait ses corpus provenait de séries textuelles imprimées, déjà répertoriées et analysées par les historiens»[37].

Quelle que soit la définition d'«archive», il s'agit de découper un corpus dans l'archive. Pour notre travail aussi cette opération a été décisive, d'où la nécessité d'expliciter les critères et les considérations qui y sont intervenus. Pour commencer il est essentiel de maintenir la différence et la distance entre les deux termes. Si le corpus est un ensemble délimité d'événements, donné dans sa matérialité textuelle, l'archive, par contre, est posée comme un ensemble d'évé-

---

[35] Numéro spécial de la revue *Langages*.

[36] Cf. *L'Archéologie du savoir*, p. 170.

[37] «Effets de l'archive. L'analyse de discours du côté de l'histoire», in *Langages* 81, 1986, p. 43.

nements discursifs, avec ses règles constitutives, dont il est postulé qu'il soit donné, mais dont la réalisation matérielle fait problème. Cet ensemble comprend tout ce qui a été dit et écrit dans une société, culture, civilisation ou époque donnée[38]. Mais «il est évident qu'on ne peut décrire exhaustivement l'archive d'une société, d'une culture ou d'une civilisation; pas même sans doute l'archive de toute une époque. [...] En sa totalité, l'archive n'est pas descriptible; et elle est incontournable en son actualité. Elle se donne par fragments, régions et niveaux...»[39].

L'archive échappant à la description dans sa totalité, il faut donc faire un choix pour limiter le terrain et délimiter un objet concret et maniable. Ce terrain, c'est le corpus; il se constitue moyennant une sélection raisonnée d'un ou de plusieurs fragments de l'archive. Le choix du *Brouillon* comme corpus n'est pas typique dans le cadre de l'analyse discursive où le corpus, le plus souvent, est constitué de séries d'énoncés qui traversent le seuil des signatures, des époques, des champs discursifs, des institutions ou encore des positions sociales[40], et qui permettent de faire apparaître des régularités, ou alors leur émergence ou transformation.

Aux prises avec un objet — le discours — remarquablement hétérogène et ouvert, sans délimitation nette par rapport à son extérieur, on est en mal de justification pour

---

[38] D'autres unités seraient concevables: région géographique, groupe social, institution, signature d'auteur, etc.

[39] *Archéologie du savoir*, p. 171.

[40] Deux exemples seulement pour illustrer ceci: les «symboles collectifs» à grande circulation et appartenant à ce que Jürgen Link appelle la «littérature élémentaire» (*Elementare Literatur und generative Diskursanalyse, op. cit.*, pp. 48-72); chez Jacques Guilhaumou et Denise Maldidier, par contre, le corpus du «thème de la subsistance» tel qu'il est réalisé dans des événements discursifs, dans un contexte historico-politique très précis (Révolution française) (dans *Langages* 81, p. 44). Cf. aussi ce que dit Gilles Deleuze au sujet du choix du corpus chez Foucault: «Les mots, les phrases et les propositions retenus dans le corpus doivent être choisis autour des foyers de pouvoir (et de résistance) mis en jeu par tel ou tel problème» (*op. cit.*, p. 26).

découper un objet d'études concret, à moins que ce ne soit en fonction d'une problématique spécifique et à partir d'intérêts particuliers qui guident la recherche. Dans ce sens, le choix du *Brouillon* comme «terrain d'investigation»([41]) trouve des justifications surtout stratégiques:

a) Rappelons que l'intérêt qui guide notre recherche émane des études littéraires, bien qu'il ne soit rattaché à cette discipline que de façon excentrique. Il s'agit de travailler dans les marges de la discipline, de la décentrer en abordant son objet, le texte littéraire, en quelque sorte de l'extérieur pour l'ébranler dans sa trop grande évidence à soi. Il fallait donc trouver un texte qui ne soit que tangentiellement littéraire — ou poétique — et dont l'appartenance au champ littéraire fasse problème. Un texte répondant à ces spécifications nous oblige à explorer les zones limitrophes de la littérature et nous met en position privilégiée pour observer les pulsations et instabilités de ce champ en fonction de ses interactions avec d'autres champs, en particulier avec les sciences et la philosophie.

b) Il en découle le primat accordé au corpus textuel bien circonscrit et relativement stable, ce qui relègue l'établissement de séries au second plan. La réflexion qui a présidé à ce choix est la suivante: en m'installant dans un lieu textuel délimité et fixe, je pourrai d'autant mieux observer les séries discursives qui le traversent et le constituent jusqu'à un certain point. Le *Brouillon* est un texte qui se situe au carrefour de bien des discours et qui nous permet ainsi de nous mettre à l'écoute de toute l'archive dont il fait partie et d'enregistrer, à la manière d'un sismographe, toute la mobilité qui se manifeste dans le système discursif autour de 1800.

c) De toute évidence, le *Brouillon* n'appartient en exclusivité à aucun champ discursif constitué. Il résiste à toute attribution univoque, échappe à toute classification. C'est un texte hybride à plusieurs égards, dans lequel se croisent plusieurs identités et s'articulent plusieurs frontières:

([41]) Cf. Dominique Maingueneau, *op. cit.*, p. 16.

— il se situe à cheval entre littérature et science, entre poésie et philosophie;

— il véhicule un certain héritage ou éthos des Lumières tout en étant entièrement porté par l'élan du premier romantisme;

— il se veut encyclopédique (inventaire et système des connaissances humaines) et encyclopédistique (méthode de l'encyclopédie) à la fois;

— en lui s'articulent œuvre et texte fragmenté;

— il combine le projet d'une œuvre totalisante et systématique avec une écriture contingente au jour le jour.

Une description attentive de ce corpus nous engagera automatiquement dans une exploration du faire discursif le long des frontières d'époque, de genre, de discipline, etc.

d) Finalement, le choix d'un texte attribué à un des grands auteurs de la littérature allemande, s'écarte d'une règle de jeu qui s'est établie en analyse discursive et qui interdit de privilégier les grands noms ou les grandes œuvres, à moins de les insérer dans des séries qui effacent leur unicité et mesurent leur idiosyncrasie avec les régularités. Ce texte de Novalis se présente d'emblée sous le jour d'un éclatement maximal. D'abord, comme nous avons pu le constater, il n'est pas constitué comme texte, il est inachevé comme œuvre. Il est maximalement ouvert sur tous les champs du savoir. Étant en grande partie composé de notes de lecture, de commentaires, voire simplement de citations, il apparaît d'emblée comme extrêmement ouvert sur son «extérieur» et n'appartient à l'auteur que de manière problématique.

Toutes ces considérations ayant présidé au choix du corpus ont comme visée convergente la stratégie qui cherche à extraire de l'archive un fragment qui donne le meilleur accès aux multiples dimensions de cette archive de 1800[42]. Selon notre hypothèse, cette archive est d'une très grande mobilité quant aux régularités discursives qui la

---

[42] Cette expression sert uniquement à indiquer qu'on vise ici une archive d'époque. Elle reste cependant exempte de toute illusion de pouvoir offrir la description complète d'une telle archive.

constituent, ce qui est une formulation prudente qui permet d'éviter de parler de rupture épistémique tout en affirmant qu'il y a d'importantes transformations et discontinuités à observer[43]. Un des objectifs de notre recherche sera justement de décrire cette mobilité pour en évaluer l'ampleur.

Dans ce sens, le *Brouillon* offre un terrain idéal pour aborder la question des continuités et des discontinuités dans les régularités discursives. Cette question se recoupe avec ce que Judith Schlanger a appelé «l'invention intellectuelle»[44]. Même si une telle formulation nous fait sortir du champ conceptuel de l'analyse discursive et nous installe plutôt dans celui de l'histoire des idées, elle n'identifie pas moins une problématique qui était au premier plan des préoccupations historiques du groupe des romantiques d'Iéna. Elle sera présente dans notre étude qui porte sur un texte émanant de ce groupe. Il ne faut pas la rejeter par simple souci d'orthodoxie terminologique, mais la maintenir comme problématique centrale, quitte à la traduire dans les termes de l'analyse discursive.

De manière plus générale, j'estime qu'il ne faut pas se laisser intimider par les obligations et interdictions découlant des orthodoxies, ni confondre la lucidité et la rigueur

---

[43] Y a-t-il changement d'épistémè au passage du XVIIIe au XIXe siècle? La question est à adresser au Foucault de *Les mots et les choses* (Paris, Gallimard, 1966), puisque dès *L'archéologie du savoir*, il a abandonné la constitution de grands blocs homogènes dans l'histoire des discours. Dans son ouvrage de 1966, 1800 apparaissait comme la rupture entre les épistémès classique et moderne. C'est cette division que Timothy Reiss rejette en proposant que l'équivalent de l'épistémè classique, qui devient la classe discursive analytico-référentielle (aussi appelé «discourse of modernism»), continue au-delà de 1800 (dans *The Discourse of Modernism*, Ithaca, Cornell University Press, 1982). Tout en faisant ce geste critique à l'égard de Foucault, Reiss n'en retient pas moins la possibilité de découper l'histoire discursive en de grands blocs homogènes. La question du seuil historique de 1800 nous accompagnera à travers tout ce travail, mais nous éviterons d'y répondre par une quelconque totalisation conceptuelle en insistant davantage sur le déroulement complexe de l'événement discursif.

[44] Dans son livre *L'invention intellectuelle*, Paris, Fayard, 1983.

méthodologique avec la partisanerie. Il est vrai, dans ce sens, que l'analyse de discours et l'interprétation comme procédé herméneutique se trouvent dans des camps épistémologiquement opposés et, par conséquent, sont en principe difficilement compatibles. Malgré cela, je tiens à maintenir ouverte la question du sens[45], question qui n'est cependant pas à réduire à l'application d'une méthode herméneutique traditionnelle. Il ne s'agit point ici de l'adresser directement au matériau du *Brouillon*, comme nous avons vu faire les éditeurs devenus préfaciers. On ne projettera pas d'emblée dans le texte la présomption d'un sens caché et abondant qui gît en profondeur et qu'il faudrait extraire et amener à la surface à l'aide d'un discours interprétant. Il sera important, au contraire, de retarder la question du sens, de ne pas l'adresser à chaque entrée du *Brouillon*, mais de commencer par analyser ces entrées, de les mettre en séries pour reconnaître les régularités discursives — ainsi que leurs perturbations — qui les traversent. Ce n'est qu'au résultat de ce premier travail qu'on adressera la question du sens: si, dans le *Brouillon* de Novalis, apparaissent et se réalisent telles ou telles (ir)régularités discursives, qu'est-ce que cela veut dire historiquement?

---

[45] À l'instar de Ralph Heyndels qui ne cesse d'adresser la question du sens à ce qu'il appelle la «pensée fragmentée», et ceci malgré le fait que cette pensée s'est en partie articulée justement pour déjouer la question du sens et qu'elle ne prendra sens, donc, qu'au niveau du projet négatif qu'elle est (cf. *op. cit.*, p. 64 et passim).

Chapitre III

Le livre total

Une des archives auxquelles appartient le *Brouillon*, ou qu'on peut construire autour de lui, est celle du livre totalisant. On commencera donc ici par esquisser l'insertion du texte de Novalis dans la tradition des totalisations livresques et textuelles afin d'évaluer son intervention active ainsi que sa force innovatrice dans ce domaine de production discursive.

La persistance d'un projet

À en croire les historiens du livre en général, et de l'encyclopédie en particulier, l'idée du livre global ou total, la figure du livre des livres ou du Livre tout court, de même que le projet d'exécuter ce livre parfait, complet ou infini, semble avoir existé de temps immémorial. Faudrait-il plutôt parler d'un fantasme[1], d'un rêve? C'est-à-dire de

---

[1] Ce terme sera utilisé ici, comme par Françoise Gaillard, «en dehors de toute référence aux diverses théories psychanalytiques» («L'imaginaire du concept: Bachelard, une épistémologie de la pureté», dans *MLN* 101:4 (1986), p. 896) pour désigner un complexe de matériaux textuels et d'actes discursifs gravitant, avec insistance, autour d'une même configuration imaginaire.

quelque chose qui se placerait d'emblée du côté du principe du désir et non pas du côté du principe de la réalité, non seulement aux yeux de l'historien et du critique qui mesurent l'écart entre le projet et ses réalisations mais aussi dans la perspective des artisans du livre total. À des degrés variés, ils avaient eux-mêmes conscience de poursuivre un fantôme, une tâche qui, de par sa nature, ne peut avoir de résultat positif. L'accomplissement du livre total se solderait nécessairement par l'échec du projet. Cette dimension paradoxale de l'entreprise n'invalide cependant pas le projet, ni ne paralyse la volonté de ceux qui l'ont adopté. Tout au contraire, la nature paradoxale constitue une de ses caractéristiques intrinsèques([2]). Plutôt que d'imputer aux artisans du livre totalisant des illusions, et même une fausse conscience, on ferait bien de prendre leur conscience de l'impossible réalisation comme point de départ pour la description et pour l'évaluation comparative des résurgences réitérées et variées de ce projet. Il ne s'agirait alors plus de dénoncer une présupposée naïveté de la part des constructeurs du livre total, de démontrer l'impossibilité de leur construction, mais plutôt de montrer comment ils inscrivent cette impossibilité dans leur entreprise, comment ils apprivoisent le paradoxe comme une donnée constitutive de leur travail.

Du côté de l'encyclopédie, une des formes particulières qu'adopte le livre totalisant, la grande période des totalisations métaphysiques coïncide avec les XVIIe et XVIIIe siècles([3]). À l'issue de cette période, dans une de ses plus

---

([2]) Dans son livre *Das Symptom des Schreibens. Roman und absolutes Buch in der Frühromantik (Novalis/Schlegel)* (Frankfurt-Bern-New York, Peter Lang, 1983), Jens Schreiber a exploité cette «impossibilité», au niveau de son discours critique, en l'inscrivant en maintes variations dans son propre texte. Pour ce qui suit, je m'inspire d'ailleurs en partie de son livre, et particulièrement du troisième chapitre («Der unmögliche Text — absolutes Buch und Roman», pp. 118-181).

([3]) Cf. Jean-Louis Taffarelli, *Les systèmes de classification des ouvrages encyclopédiques*, Villeurbanne, École nationale supérieure des bibliothèques, 1980, en particulier le chapitre III: «De la Renaissance au dix-huitième siècle. La recherche de la clavis universalis et l'échec des métaphysiciens», pp. 64-88.

célèbres réalisations, la grande *Encyclopédie* de Diderot et
de d'Alembert, se manifeste déjà explicitement la renon-
ciation à la totalisation métaphysique, ce qui n'empêche
point ses auteurs de chercher à effectuer, sur le plan pratique, la mise en ordre la plus parfaite possible des connaissances humaines. Par contre, «curieusement, les grands
théoriciens, Bacon, Leibniz, n'ont pas produit d'ouvrages
encyclopédiques»([4]). Et ce sont pourtant eux qui ont fait
les contributions les plus originales à la totalisation du
savoir. C'est comme si le paradoxe du livre total, dans le
domaine spécifique de l'encyclopédie, s'était scindé en
deux, donnant lieu d'une part à des réalisations sans totalisation et d'autre part à des totalisations sans réalisation.

Du point de vue historique, il est intéressant d'observer que la fin des totalisations métaphysiques coïncide avec
le moment où le projet du livre totalisant commence à
hanter la littérature. Ce n'est pas que l'encyclopédie dis-
paraisse, mais c'est comme si la non-réalisation de ses aspirations totalisantes dans les domaines philosophique et
scientifique, allant de pair avec un recul de l'explication
théologico-religieuse du monde, avait obligé le projet du
livre total à se réfugier en littérature. C'est du moins ce
qu'affirme Marianne Kesting qui voit les postulats de totalisation, d'universalité et d'absolu — abandonnés dans
leurs domaines d'origine — resurgir en poésie et fonder
une poétique qui, sur le mode du mythe et de l'utopie, les
articule dans son propre champ([5]). Et ceci selon une logi-

([4])   Cf. Taffarelli, *op. cit.*, p. 74.

([5])   «Bei Novalis und Mallarmé aber wurde die Dichtung als
Mythos und Utopie zum Hort des verlorengegangenen Absoluten. Gerade
der Zusammenbruch der Religion begründete den Anspruch einer absoluten Poesie. [...] Verschärft wurde der Anspruch der Totalität durch die
zunehmende gesellschaftliche Isolierung der Kunst. Die Gegenmassnahme
war nicht nur die Behauptung der Universalität des dichterischen Ich,
sondern auch der Universalität von dessen Hervorbringung, Antwort war
das universale und totale Kunstwerk, Gesamtkunstwerk des Buchs, das
alle Genres umschloß unter der Bedingung der universalen und totalen
Konstruktion.» («Aspekte des absoluten Buches bei Novalis und Mallarmé», in *Euphorion*, 68, 1974, p. 425).

que qu'on pourrait appeler «migratoire»: une idée, une
thématique, une figuration, une modalité représentationnelle, une fois qu'elle a perdu son efficacité ou sa raison
d'être dans le champ de son élaboration première, serait
recueillie, «conservée»([6]) dans un champ voisin, non sans
subir une importante transformation lors de cette migration. C'est ce que, dans le contexte de l'histoire des idées,
Marjorie Hope Nicolson a illustré dans son livre *The
Breaking of the Circle*([7]) en montrant qu'après la révolution copernicienne, les idées et figures de la perfection cosmique — dont surtout celle du cercle — se sont réfugiées en
poésie.

Cette «migration» des postulats métaphysiques vers le
champ de la littérature et leur articulation poétique coïncide historiquement avec la constitution de la littérature
en champ discursif autonome([8]). Ce tournant important
dans l'histoire de la littérature en Europe — c'est là une des
thèses de ce livre([9]) — se situe à cheval entre le XVIIIᵉ et le
XIXᵉ siècle et s'articule de manière puissante dans le premier romantisme allemand. C'est à partir de ce moment
tout particulièrement que la littérature accueille le projet
d'une écriture totalisante visant à se réaliser dans l'objet
livre, dans de multiples variantes significatives, mais toujours déjà avec la conscience de sa difficulté, sinon de son
impossibilité. Dans sa version littéraire, le projet inscrit
cette conscience comme une distanciation interne qui
donne lieu à des déformations ironiques, parodiques, déli-

([6]) C'est la thèse développée par Wolf Lepenies dans son article
«Hommes de science et écrivains. Les fonctions conservatoires de la littérature» (in *Information sur les sciences sociales*, 18, 1979, pp. 45-48).
Cette thèse ne saurait être adoptée dans le contexte de l'analyse discursive
sans de sérieuses modifications. Il en sera question dans le chapitre V de
ce livre.

([7]) M. H. Nicolson, *The Breaking of the Circle: Studies in the
Effect of the «New Science» upon Seventeenth Century Poetry*, New
York, Columbia University Press, 1965.

([8]) Il sera question de ce processus dans le chapitre V «Les pulsations de la littérature».

([9]) Cf. note 44 du chapitre II: «Intermède théorique».

rantes. Un peu comme Don Quichotte qui incarne le retour délirant du roman chevaleresque. Du roman et de l'encyclopédie romantiques, en passant par Flaubert et Mallarmé, jusqu'à la bibliothèque de Babel de Borges, le livre total — revenant littéraire s'il en est — traverse la littérature moderne comme un projet incontournable et impossible à la fois.

C'est comme si les rêves de totalisation métaphysique se réincarnaient de la sorte en littérature, mais transposés en fiction, déguisés en parodie et en nostalgie. Ce qui fait que le critique ne sait pas très bien sur quel pied danser:

> Musil voulait faire de la littérature, du roman, une pratique digestive du savoir, ou, mieux, des savoirs. Il constate l'éparpillement, l'éclatement des savoirs. À son époque, son ambition est de produire une littérature qui mette du liant entre tous ces savoirs dispersés en districts étanches, tout en les soumettant à l'épreuve d'une réalité fictive. L'échec de Musil, si l'on peut parler d'échec, tient peut-être à ce projet démesuré et nostalgique d'une littérature totalitaire. Le projet musilien est un projet de maîtrise du savoir, ce qui jette un doute sur sa modernité[10].

Faut-il reprendre l'auteur sur sa volonté monumentale de totaliser, insister sur son inspiration nostalgique et, par conséquent, faire ressortir son déphasage historique (son manque de modernité) ou, au contraire, relever son échec dans la réalisation (ce qui lui attesterait de la modernité en retour)? Faut-il «donner raison» au critique qui impute à l'auteur ce projet d'une littérature totalitaire, ou au texte qui — quel qu'ait été le vouloir-faire de l'auteur — ne fait que travailler à la dissolution d'un tel projet? Quoi qu'il en soit, le cas de Musil et de son critique, choisis ici pour illustrer le retour du fantôme de la totalisation livresque, nous semble être symptomatique du sort du livre total qui hante l'institution littéraire tout entière comme une aspiration venue d'un ailleurs discursif et institutionnel.

----

[10] Jean-François Peyret, «Musil ou les contradictions de la modernité», in *Critique*, 339-340, 1975, p. 863.

Deux formes extrêmes de cette apparition fantoma-tique peuvent être reconnues d'une part dans le livre vide chez E.T.A. Hoffmann et d'autre part dans la bibliothè-que de Babel de Borges. Dans les deux cas «le livre des livres» est explicitement thématisé.

Dans les *Serapionsbrüder* de E.T.A. Hoffmann, ce «livre des livres» n'a que des pages blanches. En tant qu'objet concret et support matériel il est entièrement réalisé, mais n'en reste pas moins pure potentialité en tant que texte:

> Vous voyez bien! dit l'orfèvre, grâce au livre que vous avez trouvé dans le coffret, vous disposez de la bibliothèque la plus riche et la plus complète que personne ait jamais pos-sédée. Sans compter que vous l'avez toujours sur vous! Car avec ce singulier petit livre en poche..., il vous suffit de le sortir et vous aurez instantanément entre les mains l'ouvrage que vous désirez lire[11].

C'est sur ces pages blanches, et à partir de leur pure dispo-nibilité, que se réaliseront tous les livres imaginables. La vacuité des pages blanches est potentialité illimitée; elles accueillent, et, plus encore, suscitent toutes les écritures, tous les textes, toutes les histoires. Elles ont donc un effet génerateur, mais le travail de la réalisation est encore à faire, reste toujours encore à accomplir. Et, chose particu-lière chez Hoffmann, une fois que le livre fantôme en tant que support matériel est donné, c'est au lecteur de produire tous les livres qu'il contient en puissance[12]. C'est au lec-

---

[11] E.T.A. Hoffmann, «Le choix d'une fiancée», in *Contes d'Hoffmann*, édition intégrale des contes réalisée sous la direction d'Al-bert Béguin, Paris, Club des Libraires de France, 1964, p. 965.

[12] Un autre exemple de ce livre vide, chez Hoffmann, se trouve dans le récit «Le Chevalier Gluck» qui fait partie des *Kreisleriana*. De nouveau, c'est le lecteur qui réalise l'œuvre à partir de cette partition à la fois absente et présente (il s'agit en fait d'une œuvre musicale), mais ce lecteur-interprète se révèlera être identique avec l'auteur. Cette figuration musicale fait ressortir l'aspect «performant» de cette lecture qui produit l'œuvre, et qui la produit différente à chaque interprétation. Vu cet aspect génerateur, je ne saurais être d'accord avec Jens Schreiber qui reconnaît

teur d'exécuter la totalisation future qui, bien sûr, restera toujours inachevée et inachevable.

Dans la bibliothèque de Babel, par contre, tous les livres concevables sont déjà réalisés, tous les livres possibles qu'on peut produire à partir d'un nombre limité d'éléments donnés. L'imaginaire s'attarde alors sur l'espace de rangement de ces livres, sur l'architecture régulière et pourtant labyrinthique d'une espèce de *colombarium* à livres dont les cases sont toutes occupées. Tous les livres ont été écrits et sont rangés sur les rayons — pas une place vide! Contrairement au seul livre vide chez E.T.A. Hoffmann, qui contient le potentiel et l'incitation de tous les livres à venir, ici tout est plein, concrétisé:

> Esos ejemplos permitieron que un bibliotecario de genio descubriera la ley fundamental de la Biblioteca. Este pensador observó que todos los libros, por diversos que sean, constan de elementos iguales: el espacio, el punto, la coma, las veintidós letras del alfabeto. También alegó un hecho que todos los viajeros han confirmado: no hay, en la vasta Biblioteca, dos libros idénticos. De esas premisas incontrovertibles dedujo que la Biblioteca es total y que sus anaqueles registran todas las posibles combinaciones de los veintitantos símbolos ortográficos (número, aunque vastísimo, no infinito) o sea todo lo que es dable expresar: en todos los idiomas([13]).

Il s'agit d'un système clos et saturé dont toutes les combinaisons ont été exécutées. Et pourtant il y manque quelque chose, ou du moins, une tâche reste à accomplir:

> En algún anaquel de algún hexágono (razonaron los hombres) debe existir un libro que sea la cifra y el compendio

---

dans ce livre vide «l'entropie du système» (*op. cit.*, p. 138). C'est au contraire, pour reprendre sa métaphore thermodynamique, la néguentropie par excellence: la production infinie de livres à venir ou d'œuvres-performances.

([13]) Jorge Luis Borges, «La Biblioteca de Babel», in *Ficciones*, Buenos Aires, Emecé Editores, 9ᵉ éd., 1968, p. 89.

perfecto de todos los demás. [....] Cómo localizar el vene-
rado hexágono secreto que lo hospedaba[14]?

Il s'agit de trouver la clé de la bibliothèque, le secret de son
organisation et de sa production. Cette clé doit, à son tour,
être un livre; elle doit donc se trouver dans la bibliothèque,
parmi les autres livres. Mais pas un livre comme tous les
autres. C'est le livre des livres, puisqu'il contient la matrice
génératrice, la formule, l'algorithme de tous les autres
livres et de toute la bibliothèque. Il faut le trouver, car qui
le possède comprend tout, a accès à tout, possède — du
moins au niveau de la formule génératrice et organisatrice
— la totalité de la bibliothèque.

Le *Brouillon* pour une encyclopédistique de Novalis,
en tant que texte totalisant, se situe quelque part dans l'espace ouvert par ces deux possibilités de réalisation extrêmes: ni livre vide et encore tout entièrement à réaliser, ni
système clos et saturé où tout est achevé et plus rien ne
reste à accomplir, si ce n'est la compréhension du tout. On
essaiera de montrer que le texte de Novalis tient des deux et
les combine d'une manière très spécifique.

Les métamorphoses romantiques du projet

Mais voyons d'abord d'où vient chez Novalis le projet
du livre total, où et comment il s'inscrit dans la trajectoire
de sa vie et des ses écrits. Et quelles formes, thèmes, fantasmes anciens il emprunte tout en les transformant. Sa
reprise active et son élaboration explicite de ce projet sont
à situer dans les années 1797 à 1800 et à replacer dans le
contexte de ses contacts avec le groupe romantique dit
d'Iéna. L'histoire de la formation de ce groupe ainsi que
l'évolution des relations entre ses membres sont aujour-
d'hui suffisamment connues[15] et ne sont donc pas à

---

(14) *Ibid.*, p. 92.

(15) On consultera l'ouvrage touffu, il est vrai, mais utile de
Roger Ayrault, *Genèse du romantisme allemand*, 4 volumes, Paris,
Aubier-Montaigne, 1961-1976.

reprendre ici. Il sera cependant utile de s'attarder un moment sur la place spécifique qu'y occupait Novalis. Quelle que soit l'intensité des sentiments qu'il partageait avec des représentants individuels du romantisme d'Iéna, ou la fréquence des échanges qu'il entretenait — par écrit ou oralement — avec eux, sa position par rapport au groupe est toujours resté périphérique. C'est comme si, malgré l'attraction qu'il ressentait pour la fermentation d'idées au sein du groupe[16], il y avait en lui en même temps une résistance contre une trop grande proximité, contre l'emprise d'une dynamique collective qui ne lui aurait plus permis de sauvegarder son indépendance. Il est donc, dans une certaine mesure, resté en marge du groupe d'Iéna, et ceci du point de vue tant géographique, social que professionnel.

Du point de vue géographique, la vie du groupe gravitait autour de quelques centres urbains et universitaires: Iéna, Dresde et Berlin, tandis que la vie de Novalis, exception faite de ses études à Iéna, Leipzig et Wittenberg, se déroulait plutôt à la campagne, dans et entre — car Novalis a un côté nomade très marqué — des endroits d'importance tout à fait locale: Lucklum, Eisleben, Weissenfels, Tennstedt, Grüningen, Freiberg. Maintes fois Novalis est activement sollicité par divers membres du groupe de les rejoindre pour un séjour d'une certaine durée, mais en réalité les contacts continuent à se maintenir par correspondance et, ponctuellement, par des visites, que ce soient Friedrich Schlegel, August Wilhelm Schlegel ou Tieck qui

---

[16] Voici, à titre d'exemple, un extrait de la lettre de Novalis à Caroline Schlegel en date du 9 septembre 1798 dans laquelle Novalis utilise lui-même la métaphore de la fermentation pour exprimer son enthousiasme de participer à une entreprise collective: «Fridrichs [Schlegel] Beyfall — und Sympraxis ist mir gewiss. Fridrichs petillanter Geist hat wunderbare Mischungen und Entmischungen im physicalischen Chaos zuwegegebracht. Seine Papiere sind durchaus *genialisch* — voll genialischer Treffer und Fehler. Schreiben Sie ihm — mein Brief würde durchaus *neu* — nur wenig aus den alten Papieren. Ich hoffe unser Briefwechsel soll wahrhafte fermenta cognitionis in Fülle begreifen und mehr, als eine Lavoisiersche Revolution entzünden. Mir ist jezt, als säß ich im Comité du Salut public universel» (IV, pp. 261-62).

vont le voir chez lui, le rencontrer quelque part à mi-chemin, ou Novalis qui se déplace pour rejoindre ses amis chez eux ou chez des connaissances communes[17].

On sait que la vie sociale du groupe était assez mouvementée et avait même, par moments, un air de scandale pour les milieux bien pensants. Novalis n'y eut aucune part active, il maintenait au contraire ses attaches avec sa propre famille, de même qu'avec son milieu professionnel, ce qui s'exprime, par exemple, dans ses lettres adressées à son père et surtout dans sa sollicitude pour son frère cadet, Erasme, qui devait mourir en 1797, peu de semaines après Sophie von Kühn, la fiancée de Novalis. D'après tous les documents biographiques dont on dispose, il maintenait des liens très positifs avec son milieu immédiat — familial et professionnel — ce qui se manifeste d'ailleurs, à un niveau théorique, dans ses réflexions sur le quotidien (*das gewöhnliche Leben*) et sur la vie pratique (*das praktische Leben*)[18].

C'est sur le plan professionnel qu'il y a peut-être les différences les plus importantes à noter. Novalis a une vie professionnelle active qui n'est reliée ni à l'édition ni à l'université. Dès 1794, il fait un apprentissage dans l'administration publique et, en 1795, devient assesseur dans l'administration des salines de Sachse. Après avoir quitté l'Académie des Mines de Freiberg, qu'il a fréquentée de décembre 1797 à la Pentecôte 1799, son père lui obtient un poste aux salines de Sachse. Pendant que Fichte, August Wilhelm Schlegel, Schelling et Schleiermacher occupent des postes universitaires et que Friedrich Schlegel a des démêlés avec l'institution littéraire (auteurs et éditeurs),

---

(17) Tous ces déplacements se reflètent dans la correspondance active entre les différents membres du groupe romantique, ce qui permet de retracer les mouvements, de connaître leurs rencontres et jusqu'au contenu de leurs discussions.

(18) Cf. par exemple *SCH*, IV, pp. 255 et 266. Voir à ce sujet l'article d'Ulrich Stadler «Ränder — Uebergänge — Sprünge, Ueber das Verhältnis von Alltag, Phantasie und Poesie bei Friedrich von Hardenberg (Novalis)», in *Akten des VI. Internationalen Germanisten-Kongresses Basel 1980*, Bern, Peter Lang, 1980, pp. 412-21.

Novalis, lui, s'adonne à une activité professionnelle, combinant un côté scientifique et un côté administratif, qui lui
demande de faire beaucoup de déplacements, que ce soit en
voyage d'inspection ou en exploration géognostique. En
plus, ses études à l'Académie des Mines de Freiberg lui
offrent une formation scientifique[19], tout particulièrement en mathématique, en chimie et en géologie, de même
qu'un apprentissage des techniques modernes d'exploitation minière[20]. C'est ce qui lui vaudra, auprès de ses
amis d'Iéna, la réputation d'un spécialiste pour tout ce qui
a trait aux sciences, surtout auprès de Friedrich Schlegel
qui lui demande, et lui fait demander par l'intermédiaire de
Caroline Schlegel, des textes sur des sujets scientifiques
pour publication dans l'*Athenäum*[21]. La correspondance de cette période donne à entendre que, sur incitation
de Friedrich Schlegel, il y a eu un véritable complot pour
faire de Novalis une sorte de correspondant scientifi-

[19] Dès 1797, ses lettres attestent explicitement l'intérêt qu'il
porte à tout ce qui est scientifique et l'importance qu'il accorde aux sciences dans sa propre formation (cf. par exemple *SCH*, IV, pp. 202, 203,
204, 215).

[20] S'il est vrai que Novalis n'acquiert certaines connaissances
que par des lectures et par des discussions (par exemple la médecine brownienne) et que ses études de la nature sont fortement marquées par le contact qu'il a établi vers la fin de sa vie avec Johann Wilhelm Ritter, il n'est
cependant pas exact qu'il ne comprenait rien à la science de son temps.
Peter Kapitza, par exemple, (*Die frühromantische Theorie der Mischung*,
München, Hueber, 1968) a montré que, en tant qu'inspecteur des salines,
il était parfaitement capable d'évaluer l'importance de la chimie moderne
pour les nouvelles techniques minières. Pour tout ce qui a trait à la vie
professionnelle de Novalis, on se réfère à l'article de Gerhard Schulz «Die
Berufslaufbahn Friedrich von Hardenbergs (Novalis)», in Gerhard Schulz
(éd.), *Novalis*, Darmstadt, Wissenschaftliche Buchgesellschaft, 1970,
pp. 283-356.

[21] Cf. à titre d'exemple les lettres de Friedrich Schlegel à Novalis, *SCH*, IV, pp. 488, 491, 495. En mars 1799, il lui écrit: «Vor allen Din-
gen fordere ich Dich auf, etwas fürs Athenäum zu geben. Hast Du nicht
selbst etwas, so schlage ich Dir vor und bitte auf jeden Fall darum, mir
kurze Notiz von dem Neuesten aus der Physik zu geben...» (*SCH*, IV,
p. 524) et, s'adressant à son frère: «Treibt doch Hardenberg mir Hefte zu
schicken, und mir zu schreiben» (*SCH*, IV, p. 609).

que([22]) pour l'*Athenäum*, et pour lui faire écrire et lui soutirer, à ce titre, autant de manuscrits que possible. Est-ce parce que sa vie professionnelle et familiale l'occupait trop, est-ce à cause de ses fréquents ennuis de santé, est-ce parce qu'il craignait intuitivement une grande proximité avec le groupe que Novalis ne répond pas toujours aux sollicitations de ses amis romantiques? Le fait est qu'il maintient une certaine distance, il se tient en marge. Il ne répond pas toujours aux lettres, ni aux invitations insistantes, il ne produit pas, loin de là, tous les manuscrits qu'on lui demande, et surtout, il ne donne jamais vraiment suite à l'invitation réitérée de Friedrich Schlegel de s'engager dans une correspondance portant sur des sujets philosophiques, scientifiques et poétiques et qui serait publiée dans l'*Athenäum*([23]).

En même temps il faut bien croire que Novalis n'était pas fâché de laisser à d'autres — surtout aux frères Schlegel — le souci des démêlés avec l'institution littéraire. Aussi se contentait-il d'un soutien amical par lettre personnelle dans les causes à défendre: le «Atheismusstreit» de

---

([22]) Le 13 avril 1798, Friedrich Schlegel écrit à son frère aîné: «Sehr schön wäre, wenn Hardenberg vor dem 10ten May nur ein halb Dutzend chemische, medicinische und mehrere merkantilische etc. Fragmente geben könnte» (*SCH*, IV, p. 615). Et le 25 février 1799: «... mit dem neuesten aus der Physik müßte uns Hardenberg immer versorgen...» (*SCH*, IV, p. 624). Mais il ne semble pas faire entièrement confiance à Novalis en matières scientifiques. Dans une lettre à Schleiermacher il l'appelle «notre magicien» et en appelle à l'expertise de ce dernier pour évaluer sa correspondance scientifique avec Novalis: «Mein Briefwechsel mit Hardenberg wird wohl sehr physikalisch werden. Ich muss doch diese Wissenschaft eben auch lernen, das kann nun bey der Gelegenheit geschehn [...] Ich möchte daher wohl auf Deine Kritik Anspruch machen, und Dich zum Ephoros unsres Briefwechsels ernennen...» (*SCH*, IV, p. 622).

([23]) Le 28 mai 1798 Friedrich Schlegel écrit à Novalis: «Könnten wir uns nicht darüber und über die Philosophie überhaupt in einen wechselmaieutischen regelmäßigen Briefwechsel setzen, der im Athenäum erschiene». Et, comme s'il doutait de la réponse de Novalis, il renchérit à la fin de la lettre: «Gefällt Dir der Vorschlag einer epistolarischen Symphilosophie, so will ich Dir einen Grundriß derselben vorschlagen...» (*SCH*, IV, pp. 495 et 496).

Fichte, le scandale de *Lucinde*. Surtout laissait-il aux
autres le soin de placer et de publier ses propres manuscrits[24]. Du groupe il se faisait donc en quelque sorte un
bouclier contre certaines exigences concrètes à caractère
public qui auraient pu découler de son engagement pour la
cause romantique. C'est comme si, par son attitude retirée
et réticente, il déléguait aux autres certaines tâches qui
tenaient à ce qu'on appelle aujourd'hui «les relations
publiques». Ce qui ne veut point dire qu'il s'abritait du réel
pour ne vivre que dans ses livres et fantaisies, à l'instar par
exemple du poète romantique italien, Giacomo Leopardi.
Bien au contraire, sa vie professionnelle le mettait en contact avec une réalité bien différente de celle que connais-
saient tous ceux qui, à Dresde, à Iéna et à Berlin, ne s'occu-
paient guère que d'affaires universitaires ou littéraires. Le
fait que le plus rêveur et fantaisiste des poètes romantiques
ait eu un début de carrière prometteur dans une profession
qui touchait à la fois à l'administration, à la technologie
minière et aux sciences est un aspect que la critique de
Novalis n'a pas encore suffisamment pris en considération.
    En plus, certaines de ses tâches professionnelles,
comme par exemple l'exploration géognostique qui comprend une espèce d'arpentage des richesses minières du
sous-sol, sont motivées par un intérêt de connaissance
qui vise l'exploitation technologique des objets de la connaissance scientifique[25]. Ces tâches, exécutées par le
poète romantique, entraient donc potentiellement en conflit avec le projet romantique qui critique l'affirmation
exclusive de cet intérêt. On aura à revenir sur cette super-

---

(24) Le cas de «Glauben und Liebe» est particulièrement intéressant à ce sujet. Dans le cas de «Die Christenheit oder Europa», cette attitude a valu à Novalis rien de moins qu'un acte de censure de la part du
groupe qui, en la personne d'Auguste Wilhelm Schlegel, s'est adressé à
Goethe pour le verdict final qui était opposé à toute publication.

(25) Cet intérêt de connaissance, chez Jürgen Habermas (*Erkenntnis und Interesse*, 4ᵉ édition, Frankfurt a.M., Suhrkamp, 1977), est subsumé dans la notion *Verfügungswissen* qui renvoie à un mode de savoir
qui fait un usage exclusivement instrumental — non pas émancipatoire —
de la raison.

position des projets des Lumières et du romantisme en parlant de la manière spécifique dont ils se conjuguent dans le texte du *Brouillon* ([26]).

C'est dans la situation et pendant la période ainsi évoquées — il s'agit *grosso modo* de celle de l'*Athenäum* — qu'on observe, au sein du groupe d'Iéna et tout particulièrement dans les échanges entre Friedrich Schlegel et Novalis, un véritable foisonnement de projets. Beaucoup de ces projets avaient une dimension totalisante et étaient en fait reliés au fantasme du livre total. En laissant de côté toutes les variantes de la *Symphilosophie, Sympoesie, Sympraxis*, etc., qui représentait une sorte de totalisation dialoguée entre deux voix sur un sujet donné([27]), on peut affirmer que le livre total du premier romantisme allemand se concrétisait dans une configuration triangulaire dont les positions cardinales sont occupées par la Bible, le Roman (la Poésie) et l'Encyclopédie. Jens Schreiber fait bien ressortir l'équivalence et la complémentarité de ces trois projets, même si, privilégiant le roman dans son traitement, il les articule plutôt dans une série de substitutions successives qu'en triangle([28]).

Il est possible de reconstruire l'émergence et de retracer les errances du projet du livre total au sein du premier groupe romantique en s'appuyant sur des textes de nature littéraire et biographique et tout particulièrement sur les lettres qui s'échangeaient à l'intérieur du groupe. Cette reconstruction n'est plus entièrement à faire, d'illustres critiques y ont contribué, même si la question du livre total ne représentait souvent pour eux qu'un problème marginal

---

([26]) Cf. Chapitre VI «La modalisation utopique».

([27]) La formulation la plus frappante de ce projet est de Friedrich Schlegel: «... einen wechselmaieutischen regelmäßigen Briefwechsel...» (*SCH*, IV, p. 495). Là encore, même si Novalis aussi utilise les néologismes formés avec le préfixe *Sym-*, c'est Friedrich Schlegel qui prend l'initiative de proposer ce projet à son ami et qui ne manque pas une occasion pour solliciter, directement ou par personne interposée, la collaboration de Novalis, tout en prévoyant immédiatement une possibilité de publication.

([28]) Jens Schreiber, *op. cit.*, surtout pp. 118-181.

découlant d'un intérêt centré sur d'autres questions([29]).
On pourra donc s'appuyer ici sur leurs résultats. Aussi me
concentrerai-je sur un seul texte de Novalis, en essayant
d'y faire apparaître les dimensions multiples et la complexité d'articulation qui sont particulières à la version
novalisienne du livre total. Ce texte, cité et commenté
fréquemment par les critiques, constitue un de ces textes-
carrefour qui s'ouvrent maximalement sur toutes les ramifications d'une problématique. Il est tiré d'une lettre que
Novalis adressait à Friedrich Schlegel en date du 7 novembre 1798:

> Si tu te retrouves de plus en plus en moi, pour ma part, je te
> découvre de mieux en mieux. Ta lettre apporte un des exem-
> ples les plus remarquables de notre symorganisation et de
> notre symévolution. Tu me parles de ton projet de Bible, et
> voilà que, dans mes études de la science en général — ainsi
> que de son corps, le livre — j'ai également découvert l'idée
> de la Bible, de la Bible comme l'idéal de tout livre. Déve-
> loppée, la théorie de la Bible débouche sur l'art d'écrire ou
> sur la création verbale en général — qui produit en même
> temps la doctrine symbolique et indirecte de la construction
> de l'esprit créateur. Dans ma lettre à ta belle-sœur, tu verras
> que je suis très pris par un travail ambitieux qui accaparera
> toutes mes activités de cet hiver.

> Ce projet ne deviendra rien de moins qu'une critique du
> projet de Bible, la tentative d'établir une méthode univer-
> selle de tout commerce livresque (Biblisiren) — l'introduc-
> tion à une véritable encyclopédistique.

> Dans ce projet, j'ai l'intention de générer des vérités et des
> idées en grand — des pensées géniales — de produire un
> organon vivant, scientifique et, par cette politique syncri-
> tique de l'intelligence, de m'ouvrir le chemin vers la véri-

---

([29]) Cf. par exemple Max Preitz (éd.), *Friedrich Schlegel und
Novalis, Biographie einer Romantikerfreundschaft in ihren Briefen*,
Darmstadt, Wissenschaftliche Buchgesellschaft, 1957; Marianne Kesting,
article cité; Johannes Hegener, *Die Poetisierung der Wissenschaften bei
Novalis*, Bonn, Bouvier, 1975, surtout pp. 106 ss; Hans-Joachim Mähl,
Introduction à l'édition du *Brouillon*, in *SCH*, III, pp. 216 ss.

table pratique, vers l'authentique processus d'unification (Reunionsprocess).

C'est à dessein que je t'ai décrit la tâche avec plusieurs expressions, afin d'obtenir de toi une réponse plus complète.

(Wenn Du Dich immer mehr in mich findest, so erkenne ich Dich auch meinerseits immer mehr. Eins von den auffallenden Beyspielen unserer innern Symorganisation und Symevolution ist in Deinem Briefe. Du schreibst von Deinem Bibelprojekt und ich bin auf meinem Studium der Wissenschaft überhaupt — und ihres Körpers, des Buchs — ebenfalls auf die Idee der Bibel geraten — der Bibel — als des Ideals jedweden Buchs. Die Theorie der Bibel, entwickelt, giebt die Theorie der Schriftstellerey oder der Worbildnerey überhaupt — die zugleich die symbolische, indirecte, Constructionslehre des schaffenden Geistes abgiebt. Du wirst aus dem Brief an die Schwägerin([30]) sehn, daß mich eine vielumfassende Arbeit beschäftigt — die für diesen Winter meine ganze Thätigkeit absorbirt.

Dies soll nichts anders, als eine Kritik des Bibelprojekts — ein Versuch einer Universalmethode des Biblisirens — die Einleitung zu einer ächten Encyklopaedistik werden.

Ich denke hier Wahrheiten und Ideen im Großen — genialische Gedanken zu erzeugen — ein lebendiges, wissenschaftliches Organon hervorzubringen — und durch diese synkritische Politik der Intelligenz mir den Weg zur ächten Praxis — dem wahrhaften Reunionsprocess zu bahnen.

Ich habe Dir mit Fleiß die Aufgabe mit mehreren Ausdrücken hingesezt um eine vollständigere Antwort in Betreff Deiner Bibel Idee, zu erhalten)([31]).

Commençons par relever quelques faits qui découlent de cette partie de lettre, ou du moins auxquels allusion est faite:

1) En novembre 1798 Novalis se trouve à Freiberg où il poursuit ses études à l'Académie des Mines. Il se con-

---

([30]) Selon Hans-Joachim Mähl (in *SCH*, III, p. 218), cette lettre à Caroline Schlegel est perdue.

([31]) *SCH*, IV, pp. 262-63.

centre sur l'étude des sciences (*meinem Studium der Wissenschaften*).

2) C'est pendant cette période, plus exactement de septembre 1798 à mars 1799, selon Hans-Joachim Mähl([32]), que Novalis travaille au *Brouillon*, projet qui est explicitement mentionné dans la lettre: *einer ächten Encyklopaedistik.*

3) Dans cette même période il se sent particulièrement proche de Friedrich Schlegel, ce qui se manifeste et dans ses déclarations sur une affinité profonde entre les deux amis (*unserer innern Symorganisation und Symevolution*) et dans le fait qu'ils développent parallèlement des projets analogues (*ich bin... ebenfalls auf die Idee der Bibel geraten*).

4) Ce projet parallèle et en quelque sorte commun (on serait tenté de parler d'un *Symprojekt*) — mais non sans un aspect concurrentiel — n'est nul autre que celui du livre total.

5) La production d'un livre total n'est pas présentée comme une fin en soi, mais, dès son stade de projet, elle est traversée par une visée qui la dépasse: «m'ouvrir le chemin vers l'authentique pratique» (*mir den Weg zur ächten Praxis... zu bahnen*). Étant donné cette intention bien explicite, nous devons nous garder de considérer le *Brouillon* comme un simple exercice cérébral et fantaisiste d'un auteur qui, par ailleurs, s'est aussi occupé de choses sérieuses. Il faut bien plutôt l'aborder comme un travail qui est animé, en dernière instance, par une volonté de transformer la pratique par une intégration logique et harmonieuse de tous ses aspects([33]). Le *Brouillon* représente un cas d'intégration maximale de pratique discursive et de pratique socio-professionnelle. Du moins contient-il le projet explicite d'une telle intégration.

En entamant maintenant un commentaire très étendu de ce texte épistolaire, la première chose à relever est un

---

(32) Cf. *SCH*, III, p. 207.

(33) Dans la conclusion de son étude sur la carrière professionnelle de Novalis, Gerhard Schulz corrobore cette intégration (article cité, pp. 355-56).

schéma que Novalis évoque dans le dernier paragraphe cité: à l'unicité du projet (*die Aufgabe*) fait face la pluralité de ses concrétisations (*mit mehreren Ausdrücken*). Le projet que Novalis essaie d'expliquer à Friedrich Schlegel admet une multitude de réalisations possibles. Il peut s'ancrer et prendre corps dans différents champs. Les domaines concrets que le texte permet de distinguer sont: religion, science et poésie. Mais il ne s'agit pas pour autant de trois projets différents. Étant donné le postulat principal de totalisation, quel que soit le domaine concret à partir duquel le projet est abordé, l'exécution devrait toujours garantir l'inclusion de tous les autres. Les différents noms que Novalis donne à son projet désignent donc plutôt une variété d'approches, de démarches qu'une différence au niveau du projet même.

Comment concevoir et présenter les relations qui articulent la configuration triangulaire de différentes approches du livre total: la Bible, l'Encyclopédie, la Poésie (et plus concrètement, le Roman)? Y a-t-il hiérarchie, préséance entre ces trois choix? Oui et non.

Oui, parce que la version «biblique» du projet se trouve nettement au premier plan et reçoit les faveurs de l'auteur, du moins quantitativement. On compte sept occurrences du mot *Bibel*, de ses dérivés et composés. Cela pourrait tenir au fait que la tradition culturelle chrétienne[34] pose la Bible comme le livre premier et central, comme L'Écriture tout court. Dans la même tradition, la nature elle-même est souvent présentée comme une deuxième écriture divine: le livre de la Nature dont la lecture fut longtemps contrôlée par les exégètes de la Bible, dans la mesure où ce sont eux qui veillaient à ce que la synonymie des deux écritures divines soit respectée[35].

---

[34] Tradition que les romantiques non seulement ne rejettent pas, mais qu'ils essaient de renouveler.

[35] On trouve les incidences de cette hégémonie théologique encore dans les démêlés de Buffon avec ceux qui contrôlaient le sens du verbe divin, les théologiens de la Sorbonne; cf. son «Discours premier» in *Les Époques de la Nature*, (éd. J. Roger), Paris, Mémoires du Museum National d'Histoire Naturelle, 1962. À partir de la métaphore du monde-

D'où la position première de la Bible parmi les projets du livre total.

Non, parce que, dans l'usage qu'en fait Novalis, *Bibelproject* ne désigne plus vraiment une réalisation spécifique du projet, mais est devenu un terme générique. La preuve en est le fait que, comme on verra, «Bible» peut s'adjoindre comme épithète l'adjectif dérivé des deux autres désignations du projet. En réalité, n'importe laquelle des trois positions du triangle peut donner accès aux deux autres. Le triangle se révèle être une sorte de plaque tournante sur laquelle, grâce à un mouvement rotatoire, les positions deviennent échangeables.

Toute présentation hiérarchique ou génétique de cette configuration tripartite ne saurait donc avoir qu'une valeur heuristique et ne devrait prétendre à la vérité d'une structure hiérarchique (ordonnement selon l'importance de chacune des trois concrétisations) ou d'une mise en ordre narrative (ordonnement chronologique)[36]. Aussi, à titre de solution pratique, emprunterons-nous la figure de la toupie à un auteur qui s'est trouvé dans une difficulté analogue: aux prises avec la question de l'origine de la langue, Johann Gottfried Herder a tranché la préséance entre *ratio* et *oratio* en inscrivant ces deux notions sur une toupie dont le mouvement circulaire montrait tantôt *ratio* tantôt *oratio* et, surtout, renvoyait constamment l'une des deux notions à l'autre[37].

comme-livre, Hans Blumenberg a traité historiquement la problématique de la lisibilité du monde dans son livre fascinant *Die Lesbarkeit der Welt*, Frankfurt a.M., Suhrkamp, 1986.

[36] La présentation choisie par Jens Schreiber (*op. cit.*, chapitre III) suggère, sans que l'auteur l'affirme explicitement ainsi, qu'il y a une chronologie unidirectionnelle qui reproduit à la fois un développement historique et une logique évolutive: Bible — Encyclopédie — Poésie/ Roman.

[37] Voir *Abhandlung über den Ursprung der Sprache*, Stuttgart, Reclam, 1966. Cette édition reproduit le texte du cinquième volume de l'édition Suphan.

La Bible

Novalis aussi fait tourner une toupie, celle du livre total, sur laquelle se trouvent inscrits les projets concrets Bible, Encyclopédie, Poésie/Roman. Prenons donc cette toupie en main: elle articule la question d'une écriture totalisante, elle traite de la (im)possibilité de réunir les catégories de l'Un, du Multiple et du Tout dans un seul et même livre, dans le Livre. L'attention est donc d'abord portée sur le Livre — au nom générique de «Bible» — qui est à la fois un concept abstrait, une idée et un objet très concret. En tant qu'idée, le livre est synonyme de «Bible», puisque «la Bible [est] l'idéal de tout livre» (*der Bibel — als des Ideals jedweden Buchs*). La «Bible» devient ainsi le modèle absolu de tout livre; en tant que concept et texte fondateur, elle contient tous les livres existants et à venir, sans aucune exception.

Mais en tant qu'objet — fût-il encore à construire dans sa forme parfaite — le projet totalisant tend vers une réalisation matérielle: le livre en tant que corps (*ihres Körpers, des Buchs*). C'est le livre concret, mais sans épithète — ni religieux, ni scientifique, ni poétique — ou alors avec la détermination qui marque son unicité, sa généralité: le livre absolu, le livre des livres, le Livre. C'est donc bien avant Mallarmé[38] ou Borges[39] que Novalis s'est adonné à une réflexion sur le livre en tant qu'objet complet et parfait, quant à sa structure interne, sa production et son utilisation:

---

(38) Pour le projet de Mallarmé, on consultera l'article de Marianne Kesting (article cité) et surtout l'étude de Jacques Scherer, *Le «Livre» de Mallarmé*, nouvelle édition revue et augmentée, Paris, Gallimard, 1977.

(39) Chez Borges, rien que dans *Ficciones* et *Aleph*, il y a un véritable pullulement de fantasmes fictivement concrets du livre total: le mot divin, l'Aleph, le roman chaotique, le livre circulaire ou cyclique, l'encyclopédie de Tlön et la bibliothèque de Babel.

573 Liste de toutes les parties d'un livre — Ce qu'il faut que contienne, ce que peut et doit contenir un livre, en tant que tel. (Un traité etc. n'est pas un livre complet.)([40])...

571 PHILOLOGIE. Ce sont d'abord la table des matières et le plan qu'il faut travailler — ensuite le texte — puis l'introduction et la préface — enfin le titre — Toutes les sciences font un livre. Certaines appartiennent à la table des matières — quelques autres au plan, etc.

(Nom et titre sont choses différentes — le titre est le concentré du plan — le résultat et le plan foncier du plan.)

Une description de la bible est essentiellement mon entreprise — mieux encore la doctrine de la bible (*Bibellehre*) — l'art de la bible et la doctrine de la nature.

(Élévation d'un livre jusqu'à en faire une bible.)

La bible accomplie est une bibliothèque complète et bien en ordre — Le schéma de la bible est en même temps le schéma de la bibliothèque. — Le schéma authentique — la formule véritable indique en même temps sa propre genèse — son mode d'emploi etc. (Fiche d'utilisation complète pour chaque objet — conjointement à la description et aux prescriptions)([41])...

550 PHILOLOGIE. Que doivent être une préface, un titre, une épigraphe, un plan — une introduction — une note, un texte, un appendice (tables, etc.), un index des matières — et comment sont-ils ordonnés et classés? Le plan est la formule combinatoire de l'index des matières — le texte la mise en œuvre. La préface est une ouverture poétique — ou un avertissement au lecteur comme au relieur. L'épigraphe est le thème musical. La préface fournit le mode d'emploi du livre — la philosophie de la lecture. Le titre est le nom. Un double titre et un sous-titre explicatif

---

([40]) *OC*, II, p. 327, traduction modifiée et texte complété par W. M., puisque A. Guerne a interrompu l'entrée arbitrairement. Texte allemand: *SCH*, III, p. 367.

([41]) *OC*, II, p. 326, traduction modifiée W. M. Texte allemand: *SCH*, III, p. 365.

(histoire des titres) sont une définition et une classification du nom[42].

Ces citations sont toutes tirées du *Brouillon*. Ce premier contact avec notre texte donne une idée de sa difficulté, de sa nature mobile et inachevée que nous aurons à décrire plus en détail. Retenons pour l'instant le fait que, en même temps qu'il collectionne des matériaux à être inclus dans le livre encyclopédique en préparation, Novalis mène une réflexion sur le livre en général. On touche ainsi pour la première fois à un trait caractéristique qui consiste dans la simultanéité du projet et de son exécution, ou en d'autres termes, à faire coïncider dans un même texte théorie et pratique du livre total.

Novalis s'intéresse donc à l'articulation interne du livre en tant qu'objet, conçu comme un fonctionnement logico-organique. Il en énumère les parties, du texte proprement dit jusqu'au titre, et cherche à déterminer leur différentiation fonctionnelle en répondant à la question «que fait chacune des parties dans la dynamique interne du livre?» Il examine le système de relations qui les intègre en un tout. Cette réflexion exploratoire et en quelque sorte expérimentale, à peine entamée dans ces quelques textes, est pourtant déjà orientée vers une compréhension systématique et nouvelle du fonctionnement interne de cet objet apparemment si familier, et ceci en vue d'une construction logique[43] de son potentiel de totalisation. La réflexion est menée dans un ton de technicalité, comme si, dans le bureau d'un écrivain, dans une imprimerie ou encore dans un atelier de reliure, il ne s'agissait que de produire le livre techniquement le plus parfait (ceci est le cas surtout dans l'entrée # 573). Le projet apparaît donc comme étant de nature presqu'artisanale et, par conséquent, vise son exé-

---

[42] *ENC*, p. 40, cette entrée n'a pas été traduite par A. Guerne. Texte allemand: *SCH*, III, p. 361. D'autres entrées portant sur le livre en tant qu'objet sont ## 240, 588, 599.

[43] Dans le sens de la *Constructionslehre*, terme qui apparaît dans le texte de la lettre.

cution technique[44]. Cet aspect du projet nous rappelle
que, tout ésotérique que paraisse le *Bibelproject*, Novalis a
toujours aussi une réalisation pratique en vue.

Ce n'est qu'au moment où le texte glisse du livre-objet
à ce que Novalis appelle, dans sa lettre, «l'idéal de tout
livre», la Bible, que la dimension fantasmatique réapparaît: «Élévation d'un livre à la Bible. Réalisée, la Bible est
une bibliothèque complète et bien rangée»[45]. Si on imagine le potentiel totalisant du Livre réalisé, cela donne la
totalité de tous les livres, c'est-à-dire une bibliothèque. Le
fantasme se concrétise dans la transformation de l'ordre de
grandeur (un livre devient une bibliothèque) et dans la relation paradoxale (le livre contient la bibliothèque).

---

[44] Ceci rejoint une idée que Novalis élabore dans ses lettres de la
même époque: la nécessité d'un développement économique et «mercantiliste» de la littérature, c'est-à-dire le projet de repenser et de prendre en
main tout le processus de la production et de la distribution des livres par
les littéraires eux-mêmes. Dans sa lettre du 10 décembre 1798, il expose
son projet à Friedrich Schlegel: «Mein neuer Plan geht sehr ins Weite —
auf Ostern theil ich ihn Wilhelm in extenso mit. Bleib ich bei euch, so soll
dieser Plan ein Hauptgeschäft meines Lebens werden — Er betrifft. Die
Errichtung eines litterairischen, republicanischen Ordens — der durchaus
mercantilisch politisch ist — einer ächten Cosmopoliten Loge. Eine Buchdruckerey — ein Buchhandel muß das erste Stamen seyn. Jena — Hamburg, oder die Schweiz, wenn Frieden wird — müssen der Sitz des
Bureaus werden. Jeder schaffte einige tüchtige Candidaten — Gemeinschaftlicher Fleis, gemeinschaftlicher Kopf — gemeinschaftlicher Kredit
kann den kleinen Zündfunken bald vergrößern. Ihr sollt nicht mehr von
Buchhändlern litterairisch und politisch gewissermaaßen dependiren.»
(*SCH*, IV, pp. 268-269, cf. les réponses à cette lettre: moqueuse de Caroline Schlegel, 4 février 1799, *SCH*, IV, p. 518, et plutôt opportuniste de
Friedrich Schlegel, début mars 1799, *SCH*, IV, p. 524). Cet intérêt de
Novalis pour le côté technique, fonctionnel et économique du projet confirme en tout cas ce que Marianne Kesting fait ressortir comme une différence importante entre les deux projets du livre absolu qu'elle considère:
celui de Novalis s'énonce sous le signe de la possibilité (et j'ajouterais: de
la faisabilité, pour faire entendre l'accent technologique qui relie le projet
novalisien à l'esprit des Lumières), tandis que le Livre mallarméen admet
d'emblée son impossible réalisation (article cité).

[45] Entre «Bible» et «bibliothèque» il y a ici la même relation
d'inclusion-expansion qu'entre le livre qui est la clé de la bibliothèque de
Babel et la bibliothèque tout entière chez Borges.

L'encyclopédie et l'encyclopédistique

Tournons donc encore la toupie du livre total, en partant de la position «Bible». On a vu que «Bible», dans l'emploi qu'en fait Novalis dans cette lettre, ne peut plus être ramené à une signification exclusivement religieuse. Ce terme a subi une expansion sémantique. De nom désignant un objet et un projet spécifiques, il est devenu terme générique renvoyant, au-delà de tout contexte religieux ou théologique, à la logique et à la technique de totalisation livresque en général. *Biblisiren* signifie davantage la manipulation théorique et pratique de la combinatoire interne du livre total que son éventuel contenu religieux.

C'est Friedrich Schlegel qui apporte la confirmation de ce développement spécifiquement novalisien du *Bibelproject* dans sa réponse à la lettre du 7 novembre 1798. Il commence, en parlant de «nos projets bibliques», par se dire d'accord avec l'idée-clé: «du point de vue littéraire, la Bible est la forme centrale et aussi l'idéal de tout livre»[46]. Mais ensuite, en exposant ses propres projets d'écriture totalisante, il tient à distinguer deux projets qu'il poursuit parallèlement mais séparément: le premier, appelé «mon encyclopédie», combine les aspects scientifiques et poétologiques et est étroitement lié à l'institution universitaire, tandis que le second, son «projet biblique» proprement

---

[46] Voici un extrait de la lettre de Friedrich Schlegel, dans lequel il répond directement aux termes utilisés par Novalis: «Soviel ich ahnde, hat Dein Werk mehr Analogie mit einem idealen Buch von mir über die Principien der Schriftstellerei, wodurch ich den fehlenden Mittelpunkt der Lektüre und der Universitäten zu constituiren denke. Die Fragmente von mir und die Charakteristiken betrachte als Seitenflügel oder Pole jenes Werkes, durch das sie erst ihr volles Licht erhalten werden. Es sind classische Materialien und classische Studien oder Experimente eines Schriftstellers, der die Schriftstellerei als Kunst und als Wissenschaft treibt oder zu treiben strebt: denn erreicht und gethan hat dies bis jetzt so wenig ein Autor, daß ich vielleicht der erste bin, der es so ernstlich will. — Meine Encyclopädie wird nichts sein als eine Anwendung jener Principien auf die Universität, das Gegenstück zu dem ächten Journal. — Mein biblisches Projekt aber ist kein litterairisches, sondern — ein biblisches, ein durchaus religiöses. Ich denke eine neue Religion zu stiften...» (*SCH*, IV, p. 507).

dit, «n'est pas littéraire, mais entièrement religieux» et doit
aboutir à rien de moins que l'institution d'une nouvelle
religion. Indirectement il reproche à Novalis de mélanger,
ou du moins de ne pas suffisamment bien distinguer le pro-
fane et le sacré, université et église, savoir et croire. À quoi
fait écho sa remarque adressée à des tiers: Novalis «mélange
la religion et la physique»[47].

Il est intéressant, et presque ironique, de voir Friedrich Schlegel qui, ailleurs, a prôné le mélange des genres
comme faisant partie de la nouvelle poétique romantique,
reprendre ici Novalis sur la radicalité de sa démarche. C'est
que le projet de ce dernier ne prévoit pas seulement le
mélange des genres à l'intérieur du champ poétique, mais
le mélange, ou l'intégration de tous les différents champs
discursifs dans le livre total.

Ainsi Bible et Encyclopédie ne seront plus, pour lui, à
traiter comme des projets séparés. En ceci il est aussi l'héri-
tier direct de la tradition qui postule la synonymie divine
entre le livre de la Révélation biblique et le livre de la
nature, les deux écritures totales dont Dieu est l'auteur. Il
réarticule cette convergence des vérités scientifique et religieuse en une seule et même autorité écrivante, que déjà
Galilée avait énoncée[48] et que, plus près de lui, Diderot
et Buffon avaient reprise[49]. Et ceci à un moment où les

---

[47] Cf. cette formulation quelque peu satirique, adressée à
Schleiermacher, fin juillet 1798: «Hardenberg ist daran, die Religion und
die Physik durcheinander zu kneten. Das wird ein interessantes Rührey
werden» (*SCH*, IV, p. 620). Quand il en parle à Novalis directement (lettre de la fin du mois de juillet 1798), il choisit des termes plus neutres: «...
daß Du die Religion und die Physik in Contact setzen willst» (*SCH*, IV, p.
497).

[48] Cf. sa lettre à la grande-duchesse Christine, dans *Opere di
Galileo Galilei*, Milano-Napoli, Ricciardi, 1953.

[49] Dans un article sur *Les Époques de la Nature* («Buffon: exégète entre théologie et géologie», *Strumenti Critici*, II, 1, 1987, pp. 17-
42) je soutiens que Buffon peut avoir eu des raisons stratégiques pour
affirmer que «toute vérité venant également de Dieu, il n'y a de différence
entre les vérités qu'il nous a révélées [= Écriture sainte] et celles qu'il
nous a permis de découvrir par nos observations et nos recherches [= le
livre de la nature]» (*Les Époques de la nature...*, p. 22). Pour Diderot

deux vérités ont commencé à se différencier et à exister séparément, du point de vue institutionnel et discursif. À la fin du XVIIIᵉ siècle, cette synonymie n'était plus garantie, ni imposée par l'institution religieuse.

Si Novalis la rétablit par le biais de son *Bibelproject*, ce n'est certainement pas en théologien. Pour lui, aucun champ n'avait préséance sur aucun autre, c'est leur intégration qui importe. Il a lui-même appelé son projet «une Bible scientifique»([50]) en donnant de la sorte un tiers de tour à la toupie du livre total et en la faisant avancer vers la position «science» et «encyclopédie». Pourtant, la position «Bible» n'est pas pour autant abandonnée ou rejetée, pas non plus reléguée à un statut subordonné. Au contraire, l'expression hétéroclite «Bible scientifique», qui combine ce que Friedrich Schlegel aimerait voir séparé, affirme simultanément «Bible» et «science» tout en les induisant en contact. La lettre du 7 novembre 1798 apparaît maintenant comme un long commentaire, comme une élaboration expansive de cette formule concise. Et aussi comme un récit génétique: Novalis y raconte que, lors de son étude des sciences et leur «corps», le livre, il a trouvé l'idée de la Bible. Son cheminement biographique l'aurait donc mené de la Science au Livre et du Livre à l'idéal de tout livre, la Bible. Notons cependant que, comme Friedrich Schlegel l'a remarqué dans sa réponse à Novalis, «Bible» ne désigne plus en premier lieu ici un livre religieux, mais l'idée et la combinatoire interne du livre total. Pas plus que cette «Bible» ne devra être un livre spécifique relié à une religion particulière, le livre des sciences n'est à penser comme une encyclopédie qui se contente de présenter la somme des savoirs. Le texte de la lettre est très explicite à ce sujet — et d'ailleurs plus univoque que ne l'est le texte du *Brouillon*, comme on verra: Novalis ne s'intéresse pas en premier lieu à telle ou telle autre Bible, ni à tel ou tel autre savoir scien-

---

voir *De l'interprétation de la nature*, in Denis Diderot, *Œuvres complètes* (éd. Assézat), Paris, Garnier Frères, 1875, vol. II, pp. 9-62.

([50]) «Mein Buch soll eine scientifische Bibel werden...» (# 557, III, p. 363).

tifique qui s'additionneraient dans une grande somme encyclopédique. Il aborde la «Bible» aux niveaux théorique (*Theorie der Bibel*) et méthodologique (*Universalmethode des Biblisirens*); à ces niveaux l'encyclopédie devient ce qu'il appelle une «encyclopédistique». On pourrait provisoirement définir ce terme comme la théorie du fonctionnement interne des encyclopédies et la méthode de leur production, quitte à revenir par la suite sur cette expression importante du *Brouillon*[51].

Retenons pour l'instant la préférence de Novalis pour ce traitement théorico-méthodologique: il ne s'intéresse à écrire ni une Bible ni une encyclopédie, mais à mener une réflexion expérimentale sur leur fonctionnement commun en tant que livres totalisants. Son traitement s'élève jusqu'au niveau d'une «critique du projet biblique» (*Kritik des Bibelprojects*), et ceci au sens kantien du terme: il s'agit d'explorer les conditions de possibilité du livre total et de connaître les lois de sa logique interne. C'est à ce niveau que s'efface tout ce qui peut séparer et opposer la Bible et l'encyclopédie en tant que projets ou objets spécifiques.

Cette approche à la fois «critique» et expérimentale donne accès à un nouvel aspect du projet totalisant, car, à ce degré de généralité et d'abstraction, la logique interne du livre total apparaît doué d'un potentiel générateur infini. C'est une machine logique à produire des livres. L'intelligibilité de cette logique générative, qui semble tant intéresser Novalis, se révèle être la clé de toute création littéraire, elle comporte donc aussi une poétologie générale (*Theorie der Schriftstellerey*) et, à un niveau de généralité encore plus élevé, devient une science ou une doctrine de l'esprit créateur (*Constructionslehre des schaffenden Geistes*). En tant que telle, elle rend compte des mécanismes logiques de toute production émanant de l'esprit humain. Explorant ainsi les «profondeurs» de la générativité, il est évident que Novalis vise à rendre intelligible et

---

[51] Un indice de son importance est sa fréquence dans le texte: on y trouve 80 occurrences de *Encyclopädistik* (y compris composés et dérivés) contre 8 pour *Encyclopädie* et 3 pour *encyclopädisieren*.

par conséquent méthodiquement maniables les mécanismes de la création tout court. Nous touchons là à l'aspect démiurgique du projet. Trois termes du texte, sans considérer la différence de leur insertion syntaxique, constituent un noyau sémantique qui indique clairement cet intérêt génératif: *schaffen* (créer), *erzeugen* (engendrer, générer), *hervorbringen* (produire). Conçue de la sorte, sa théorie de la «Bible scientifique» aura la puissance de rendre compte à la fois de l'Un (la formule générative) et du multiple (tous les textes concrets qu'elle est capable d'engendrer). En ceci Novalis anticipe et partage le fantasme d'emprise cognitive et démiurgique de tous les «générativistes» à venir.

La poésie, le roman

Un autre tiers de tour a ainsi été donné à la toupie du livre total. Par le biais de la poétologie, en tant que théorie de la production littéraire, c'est le champ de la Poésie qui vient se placer au premier plan. Différente, la Poésie est cependant indissociable des deux autres champs de concrétisation. Mieux vaudrait utiliser les termes positifs des romantiques eux-mêmes, puisque, à leurs yeux, l'intime interconnection entre les trois champs et projets concrets résulte moins d'une incapacité de les dissocier que d'une volonté délibérée de les associer le plus étroitement possible, de les induire en interaction: «Künftig treib ich nichts, als Poësie — die Wissenschaften müssen alle poëtisirt werden — von dieser realen, wissenschaftlichen Poësie hoff ich recht viel mit Ihnen zu reden»[52]. Cet appel de Novalis à la «poétisation des sciences» — citation devenue célèbre, presque obligatoire dans la critique novalisienne — est certes à rapprocher de la définition que proposait Friedrich Schlegel, encore la même année, dans la deuxième livraison de l'*Athenäum*: «Romantische Poesie ist progressive

---

(52) Novalis à August Wilhelm Schlegel, du 24 février 1798, *SCH*, IV, p. 252.

Universalpoesie...»(^{53}), mais il met les accents autrement:
s'il faut rendre les sciences poétiques, la Poésie, elle, doit
devenir scientifique en retour. Le mouvement de transformation est réciproque.

Ce programme d'une Poésie scientifique ne signifie
pas uniquement que la Poésie traitera des sujets scientifiques, à l'instar par exemple des genres didactique et descriptif de l'époque des Lumières, mais aussi — et surtout
— qu'elle sera produite elle-même de manière scientifique,
c'est-à-dire selon cette logique générative à laquelle Novalis s'intéresse tant. Quant à la poétisation des sciences(^{54}),
mouvement inverse et complémentaire, elle est à relier surtout au transcendantalisme holiste dont Novalis entend
faire la loi suprême de toute production discursive, dans
quelque champ que ce soit.

Dans le *Brouillon*, c'est certainement cette «poétisation des sciences» qui constitue la modalité spécifique
selon laquelle s'opère l'interaction entre science et Poésie,
entre encyclopédie et Poésie. Mais il y a une autre forme
particulière de la Poésie romantique à laquelle Novalis n'a
pas seulement consacré des réflexions théoriques — dans le
Brouillon et ailleurs — mais que, à la fin de sa vie, il a aussi
pratiquée. C'est le roman, ce «livre romantique» selon la
définition lapidaire proposée par Friedrich Schlegel dans
son «Entretien sur la Poésie» publié dans la cinquième
livraison de l'*Athenäum* en 1799.

Le roman, conçu comme *Mischgedicht*, «poème
mélangé» appartient donc à la Poésie romantique. Dans
une théorisation avancée surtout par Friedrich Schlegel et
par Novalis, il doit même en devenir le genre unique, celui
qui inclut, en les mélangeant, tous les autres genres:

(^{53}) Fragment de l'*Athenäum* # 116, cité in *Athenäum, Eine
Zeitschrift von August Wilhelm Schlegel und Friedrich Schlegel*, ausgewählt und bearbeitet von Curt Grützmacher, Hamburg, Rowohlt, 1969,
vol. I, p. 118.

(^{54}) Pour une interprétation de cet appel, voir, entre autres,
Johannes Hegener, *Die Poetisierung der Wissenschaften bei Novalis*,
Bonn, Bouvier, 1975; Dennis F. Mahoney, *Die Poetisierung der Natur bei
Novalis*, Bonn, Bouvier, 1980.

169 ROMANTISME. Le roman ne devrait-il pas embrasser toutes les espèces de style en une suite reliée diversement à l'esprit commun([55])?

Le roman devient ainsi le genre des genres et reprend donc, à l'intérieur du champ littéraire, la logique du livre total. Il en reproduit toute l'argumentation du projet totalisant, mais aussi son caractère aporétique: l'impossible réalisation devient la condition de son existence.

En fait, il est intéressant de voir les deux amis, à peu près en même temps qu'ils entretiennent une correspondance sur les convergences et divergences de leurs «projets bibliques», s'occuper également du roman. Et ceci, de part et d'autre, simultanément en théorie et en pratique. Friedrich Schlegel publie *Lucinde* en 1799, et Novalis termine la première partie de *Henri d'Ofterdingen* en 1800. Il est impossible de reprendre ici tout le débat sur le roman romantique, aussi me concentrerai-je sur les liens qui s'établissent chez Novalis entre le roman et le livre total.

Pendant les dernières années de la vie de Novalis, l'encyclopédie et le roman ont coexisté dans ses préoccupations théoriques, même si, dans la chronologie de sa production, il s'est essayé d'abord à l'encyclopédie, et ensuite au roman. Ayant abandonné la collection des matériaux pour une encyclopédie en mars 1799, il s'est attaqué au roman *Henri d'Ofterdingen* dès l'été 1799([56]). Des deux formes, il nous a laissé une réalisation fragmentaire, chose qui suscite beaucoup d'explications divergentes, mais qui peut aussi être lue comme un indice du fait qu'un idéal de totalisation irréalisable présidait au travail de l'écri-

---

([55]) *OC*, II, p. 247. Texte allemand: *SCH*, III, p. 271.

([56]) Ce qui semble n'être que contingence biographique chez Novalis, devient chez Friedrich Schlegel prophétie, sinon nécessité historique: «Encyklopädie soll nichts als den Geist der Philosophie und Poesie in alle Künste und Wissenschaften einführen. — In der nächsten Generation wird an die Stelle der Encyklopädie ein Roman treten» (*Kritische Friedrich Schlegel Ausgabe* (éd. Ernst Behler, Jean-Jacques Anstett et Hans Eichner), München-Paderborn-Wien-Zürich, Schöningh, 1958, vol. II, 18, p. 364).

vain([57]). En réalité, les deux écritures totalisantes l'ont occupé simultanément et sont mentionnées côte à côte dans ses réflexions sur le livre total:

> #218 À partir de maintenant mes activités principales devront être 1. l'encyclopédistique. 2. un roman. 3. la lettre à Schlegel. Dans cette dernière je présenterai un fragment de 1. de manière aussi romantique que possible([58])...

Dans cette entrée du *Brouillon*, une des rares où Novalis nous permet de jeter un coup d'œil sur l'histoire de sa genèse([59]), encyclopédie et roman, de même que la correspondance symphilosophique avec Friedrich Schlegel, apparaissent comme des projets, si ce n'est des activités parallèles. En plus d'être ainsi juxtaposés, ils semblent avoir été reliés par une profonde équivalence sur une toile de fond constitué, justement, par le projet du livre total.

Dans une lettre de la fin du mois de juillet 1798, Friedrich Schlegel continue à vouloir ramener le projet principal (*die Hauptidee*) de Novalis à son idée fixe de cette époque-là, la «symphilosophie épistolaire»([60]), mais en même temps il formule ce qu'on pourrait appeler le principe de la traductibilité entre les divers projets concrets du livre total:

> Tu sembles croire que seul un roman te permettrait de communiquer ton idée principale. Je l'admets, à l'exception du «seul», car elle devrait être communicable de manières infiniment différentes, et tout compte fait, une telle correspondance ne serait-elle pas un roman([61])?

([57]) La fragmentarité des textes que Novalis nous a laissés dans ces deux domaines relève donc à la fois d'une nécessité poétologique et des contingences biographiques.

([58]) Traduction W. M. Texte allemand: *SCH*, III, pp. 277-278.

([59]) Les autres étant les numéros 229, 231, 232, 233, 373, 526, 534, 552, 555, 556, 557, 558, 559, 571, 597, 724, 870, 877, 945.

([60]) *SCH*, IV, p. 496.

([61]) Traduction W. M. Texte allemand: *SCH*, IV, p. 498.

Schlegel anticipe ici sur le principe que nous avons relevé dans la lettre de Novalis au début de notre commentaire: qu'il s'agisse d'une tâche admettant plusieurs modes d'expression (*die Aufgabe mit mehreren Ausdrücken hingesezt*) ou d'une idée centrale dont la communication concrète peut être infiniment variée (*Deine Hauptidee... auf unendlich viele Weise mitteilbar*), dans les deux cas on présuppose ou postule une équivalence des multiples réalisations en vertu de l'unique tâche ou idée.

Quelques mois plus tard, à la suite d'un long commentaire sur *Lucinde*, dans sa lettre à Caroline Schlegel du 27 février 1799, Novalis précise cette équivalence des livres totalisants en développant le potentiel englobant du genre romanesque sur le mode quantitatif, comme une expansion illimitée:

> Je vois bien que nos deux romans ne sauraient être plus différents l'un de l'autre. Je prévois terminer le mien cet été à Toeplitz ou à Carlsbad. Cependant, si je dis «terminer», je pense au premier volume, car il me tente de consacrer ma vie entière à un seul roman qui remplirait à lui tout seul toute une bibliothèque et contiendrait peut-être les années d'apprentissage d'une nation[62].

À part le fait que cette lettre pourrait bien annoncer la fin de son travail sur l'encyclopédie, elle préfigure cette métamorphose du livre en Livre, qu'on retrouvera chez Borges, par une transformation tant quantitative (le roman devient bibliothèque) que qualitative (un roman devient roman unique et par là le Roman). Notons que dans l'entrée # 571 du *Brouillon* Novalis a fait subir exactement le même changement d'ordre de grandeur, et par là de catégorie, non pas au roman mais à la «Bible».

---

[62] Traduction W. M. Texte allemand: *SCH*, IV, p. 281. Un aspect intéressant de cette expansion se trouve dans la proposition implicite de prendre le schéma du *Bildungsroman* (*Lehrjahre* fait allusion au *Wilhelm Meister* de Goethe) et de le transposer d'un sujet individuel à un sujet collectif (*eine Nation*).

Finalement, le tour se complète. La toupie du livre total est ramené à notre position initiale. C'est comme un cercle qui se ferme, lorsque Friedrich Schlegel signale à Schleiermacher que «Novalis... écrit une Bible ou un roman»[63]. Cette formulation suggère qu'il est indifférent que ce soit une «Bible» ou un roman, puisque, par l'usage de la conjonction «ou», les deux entreprises sont posées comme échangeables. Elles le sont en effet comme dérivant de, et ramenant à la même «idée centrale», celle qui, de quelque manière qu'on fasse tourner la toupie de ses concrétisations, reste identique: le livre total.

C'est ainsi que, en fin de parcours, «roman» nous renvoie de nouveau à «Bible», c'est-à-dire à la position où nous avons fait notre entrée dans la configuration triangulaire qui caractérise la reprise et l'élaboration romantique du livre total. Dans un mouvement giratoire nous avons parcouru les trois positions de cette configuration: Bible — Encyclopédie — Poésie/Roman, ce qui nous a permis d'illustrer le passage transformateur qui relie chacune des positions aux deux autres et, par là, la cohérence de l'ensemble établie du fait de cette transformation, par le principe de l'équivalence profonde entre les trois versions du livre total. Il va de soi que ce parcours circulaire en trois étapes n'a qu'une valeur heuristique et ne postule aucun ordre d'antériorité ou de préséance entre les trois positions dont l'interaction romantique est ainsi devenue apparente. On pourrait tout aussi bien exécuter ce mouvement en sens inverse. Seul importe ici le fait que ce parcours passe par les trois positions, les relie et établit entre elles une convertibilité maximale, étant donné que chacune des différentes réalisations concrètes est comprise dans le projet central du livre total et renvoie pareillement à l'horizon fantasmatique d'une totalisation écrite contenue dans l'objet Livre.

---

[63] «Novalis... schreibt eine Bibel oder einen Roman», lettre du mois de mars 1799, *SCH*, IV, p. 625.

Chapitre IV

La poétique de l'encyclopédie

L'encyclopédie: idée ou objet?

En gardant en mémoire la figure triangulaire du livre total à l'époque romantique, ainsi que son mouvement circulaire qui nous a permis d'illustrer la traductibilité profonde et la communication interne entre les trois projets concrets du livre total, nous rétrécissons maintenant l'angle de vue pour concentrer notre attention sur la seule encyclopédie. Cette concrétisation spécifique du livre total a, en fait, sa propre histoire et sa propre tradition formelle, dont le *Brouillon*([1]) participe, ne fût-ce que de façon problématique.

À travers les âges et les cultures, l'encyclopédie a pris en charge le fantasme du livre total. Dans ce sens, elle comporte l'ambition extrême de réduire tous les livres à un seul, de les remplacer par ce livre unique qui contiendrait

---

([1]) Cf. par exemple Ulrich Dierse, *Enzyklopädie, Zur Geschichte eines philosophischen und wissenschaftstheoretischen Begriffs*, Bonn, Bouvier, 1977, pp. 127-129; Maurice de Gandillac, «Encyclopédies prémédiévales et médiévales», in Maurice de Gandillac et *al.* (éd.), *La pensée encyclopédique au Moyen Âge*, Neuchâtel, La Baconnière, 1966, pp. 14-17; Jean-Louis Taffarelli, *Le système de classification des ouvrages encyclopédiques*, Villeurbanne, École nationale supérieure des Bibliothèques, 1980, pp. 79-88.

alors tout, en organisant la masse de tous les savoirs, de toutes les connaissances, de toutes les informations, etc. en un Tout et en rendant idéalement tous les autres livres superflus. Or, comme le remarque Collison([2]), plutôt que d'arrêter une fois pour toutes la prolifération des livres, le projet plus que millénaire de l'encyclopédie n'a fait qu'y contribuer. Malgré d'innombrables réalisations plus ou moins complètes, l'encyclopédie parfaite n'a jamais vu le jour et, de ce fait, s'est maintenue jusqu'à nos jours en tant que projet à exécuter, en tant qu'idée à concrétiser, sans avoir rien perdu de son attrait fantasmatique([3]).

Le projet de l'encyclopédie persiste donc. En réalité, l'histoire de l'encyclopédie documente avant toute chose cette remarquable permanence d'un projet, d'une idée ou d'un programme, sans parler des multiples tentatives, plus ou moins réussies, de les réaliser, de leur donner forme dans des contextes historiques changeants. Dans les ouvrages des historiens de l'encyclopédie se manifeste, en effet, une certaine tendance à se référer davantage à ce projet, à l'idée encyclopédique qu'au livre concret qui en a résulté sous d'innombrables formes variées. Cette préférence s'inscrit directement dans le titre de certains ouvrages:

— Enzyklopädie, Zur Geschichte eines philosophischen und wissenschafts geschichtlichen *Begriffs*([4])

([2]) Robert Collison, *Encyclopaedias: Their History Throughout the Ages*, New York, Hafner, 1964, p. 2.

([3]) On dirait, au contraire, que l'ère électronique n'a fait que raviver l'espoir de voir réalisée une encyclopédie totale, au moment même où l'impossibilité de sa réalisation par livre(s) imprimé(s) a fini par devenir un «fait» reconnu. On peut rêver aujourd'hui d'une encyclopédie sous la forme d'une banque de données électronique. Cf. à ce sujet H. G. Bohnert et M. Kochen, «The Automated Multilevel Encyclopaedia as a New Mode of Scientific Communication», in *ADI Proceedings*, 1963, pp. 269-270; Marie-Thérèse Laureilhe, *Le Thesaurus: son rôle, sa structure, son élaboration*, Lyon, Presses de l'École nationale supérieure des bibliothèques, 1977; Nicolas Rescher, «The Systematization of Knowledge», in *International Classification*, IV, 2, 1977, pp. 73-75; Dagobert Soergel, «An Automated Encyclopaedia — A Solution of the Information Problem?», in *International Classification*, IV, 1, 1977, pp. 4-10 et IV, 2, 1977, pp. 81-89; Jean-Louis Taffarelli, *op. cit.*, pp. 165-177.

([4]) Ulrich Dierse, *op. cit.*

— La *pensée* encyclopédique au Moyen Âge [5]

— Les *systèmes* de classification des ouvrages encyclopédiques [6]

— L'unità del sapere e *l'ideale* enciclopedico nel pensiero moderno [7].

Mais cette tendance se confirme également à l'intérieur des ouvrages, comme en témoigne cette précision donnée par Johannes Hegener au sujet du *Brouillon*: «... dans le présent travail, on ne parlera donc pas d'une encyclopédie de Novalis mais seulement de l'encyclopédique (*das Enzyklopädische*)» [8]. Idée encyclopédique, système encyclopédique, pensée encyclopédique ou encore «l'encyclopédique» tout court, le moins qu'on puisse dire, c'est que ces auteurs privilégient un aspect de l'entreprise encyclopédique, s'ils ne la réduisent à cet aspect. Taffarelli, pour ne citer qu'un exemple, est bien explicite à ce sujet; pour lui c'est le système de classification, le plan de l'entreprise qui prime sur les autres aspects et se situe donc au cœur de tout travail encyclopédique:

> Ce problème du plan est en fait le problème central de l'activité encyclopédique. Rassembler des matérieux, en critiquer la valeur, les élaborer, leur donner forme personnelle, c'est ce que fait tout auteur de traité, de manuel, d'ouvrage didactique quelconque et si le problème de l'ordre se pose à lui c'est simplement parce qu'il éprouve le souci d'être efficace dans son entreprise de transmission d'une connaissance; ce souci ne sera certes pas étranger au compilateur encyclopédique mais l'âme de son travail c'est dans le plan qu'on la trouve, c'est lui qui fait que l'encyclopédie sera plus qu'une somme de connaissances [9]...

---

[5] Maurice de Gandillac et *al.* (éd.), *op. cit.*

[6] Jean-Louis Taffarelli, *op. cit.*

[7] Walter Tega, Bologna, Il Mulino, 1983. (Mise en relief dans les quatre titres par W. M.)

[8] «... wird in der vorliegenden Arbeit im Grunde auch nicht von einer Enzyklopädie des Novalis gesprochen, sondern nur vom Enzyklopädischen» (*op. cit.*, p. 123).

[9] Taffarelli, *op. cit.*, p. 19.

Dans cette évaluation inégale des différents aspects du travail encyclopédique se fait jour ce qu'on pourrait appeler une vision idéaliste de l'encyclopédie. Selon cette vision l'essentiel — la métaphore de l'âme est éloquente dans ce contexte — réside dans l'idée ou dans l'organisation totalisante (système, plan, concept), tandis que la réalisation du livre — le «corps», pour compléter la métaphore de Taffarelli en reprenant celle de Novalis([10]) — apparaît comme secondaire et par conséquence moins digne d'attention. Cette vision a l'avantage de ne pas exclure de l'histoire du genre les encyclopédies qui n'ont jamais vu le jour, puisqu'elles sont restées à l'état de plan ou de projet, sans réalisation. Elle a partie liée avec une conception philosophique de l'encyclopédie et appartient peut-être encore, même dans ses manifestations les plus récentes, par l'attitude et par l'idéologie qu'elle véhicule, au moment historique où l'entreprise encyclopédique était prise en charge, sinon appropriée par la philosophie([11]). Ce moment va du XVIIe siècle jusqu'au début du XIXe siècle et comprend donc la période de la production des matériaux pour une encyclopédistique par Novalis. Les noms les plus importants à retenir dans ce contexte sont ceux de Leibniz et de Hegel qui ont, tous deux mais chacun à sa manière, investi l'encyclopédie d'un projet de totalisation métaphysique([12]).

([10]) Cf. sa lettre à Friedrich Schlegel du 7 novembre 1798, commentée dans le chapitre précédent.

([11]) Comme elle l'a été, à d'autres moments, et selon des contextes variés, par la théologie, par l'état ou par l'entreprise commerciale de l'édition. Il faut préciser que, autour de 1800, cette emprise philosophique sur l'encyclopédie était fortement reliée à l'institution universitaire; l'articulation encyclopédique des savoirs et connaissances devait directement refléter et légitimer l'organisation institutionnelle de la production et transmission de ces savoirs et connaissances.

([12]) Cf. à ce sujet, entre autres, Alain Rey, *Encyclopédies et dictionnaires*, Paris, Presses Universitaires de France, 1982, pp. 94-96; Walter Tega, *op. cit.*, chapitres II et IV; Ulrich Dierse, *op. cit.*, Jean-Louis Taffarelli, *op. cit.*, pp. 64-88, Paolo Rossi, *Clavis universalis: arti mnemoniche e logica combinatoria da Lullo a Leibniz*, Milano-Napoli, Ricciardi, 1960.

Il serait tentant d'insérer Novalis dans la tradition de cette appropriation philosophique du projet encyclopédique et de ne l'aborder, par la suite, qu'en tant qu'encyclopédiste-philosophe. Ce serait, à mon avis, manquer un aspect important du *Brouillon*. Car cela reviendrait à opérer une réduction consistant à extraire du texte de Novalis une idée, un projet philosophique, quitte à reconstituer ce dernier, voire à le constituer tout court, quand le texte s'avérerait trop lacunaire pour donner à lire la cohérence d'un système de pensée, pour soutenir donc une telle lecture totalisante. Ce qui équivaudrait à considérer le texte de Novalis comme un contenant à idées philosophiques, dont on peut se défaire dès que l'essentiel, la pensée philosophique, en a été retirée. Haering l'a fait pour toute l'œuvre de Novalis, Wasmuth et de Gandillac, dans une moindre mesure, l'ont fait pour le *Brouillon*. Ici, j'aimerais éviter de refaire ce type de travail. Novalis n'est pas que philosophe, pas non plus philosophe en premier lieu[13]. La dimension philosophique de ses écrits n'en est qu'une parmi d'autres. Et surtout, l'approche choisie ici postule, même en ce qui a trait aux aspects philosophiques de son œuvre, que les idées ne soient pas dissociées de leur réalisation discursive.

C'est que l'encyclopédie, pour rejoindre à nouveau la généralité du genre, est toujours aussi le projet d'un livre, et souvent sa réalisation. Elle a un «corps», ne fût-ce que celui du projet, puisque, même à l'état de projet elle est déjà pratique discursive. Elle vise en tout cas toujours une réalisation langagière de son intention totalisante. La plu-

---

(13) Il est vrai que la pensée philosophique a eu plus ou moins d'importance dans son travail selon l'évolution biographique de celui-ci, mais je n'irais pas jusqu'à couper sa carrière en deux: d'abord Novalis aurait été philosophe, ensuite poète, comme le suggère la thèse de Bruno Müller: «Es ist das Ziel dieser Arbeit aufzuzeigen, wie der Philosoph zum Dichter wird» (*Novalis — Der Dichter als Mittler*, Bern-Frankfurt a.M.- New York, Peter Lang, 1984, p. 52). Le même schéma de pensée est à l'œuvre quand on isole l'activité poétique comme l'expression suprême et seule authentique de Novalis. On peut observer ce schéma dans l'essai de Paul Kluckhohn «Friedrich von Hardenbergs Entwicklung und Dichtung» qui figure comme introduction à l'édition *SCH*; cf. en particulier I, p. 65.

part du temps il s'agit du langage naturel, Leibniz étant un des seuls encyclopédistes à avoir voulu échapper aux imperfections de la langue naturelle par le recours à une caractéristique universelle qui utiliserait les signes d'un langage artificiel. Mais l'usage des signes, qu'ils soient naturels ou artificiels, est toujours pratique discursive et, en tant que telle, se réalise dans une matérialité signifiante. Conformément à l'orientation théorique et méthodologique de ce travail, il s'agira donc d'éviter tout traitement idéaliste de son objet et d'aborder le travail encyclopédique — accompli ou non — comme une pratique discursive. Cela ne veut point dire qu'il faille ignorer, même rejeter le fait que l'encyclopédie est aussi une idée, un idéal, un concept, un projet. Mais en tant qu'idée, idéal, concept, projet, et même en tant que fantasme, elle n'aura pas eu d'existence préalable ni extérieure au langage. C'est par conséquent en tant que texte, pratique discursive et livre que je propose d'aborder l'encyclopédie ici.

Or l'encyclopédie de Novalis, ou du moins celle dont le *Brouillon* contient le projet, n'est-elle pas justement caractérisée par sa non-réalisation, par le fait qu'elle est restée à l'état de projet, d'idée, de méthode? La non-publication du vivant de Novalis de ces matériaux collectionnés par lui en 1798-99, ou encore la fragmentarité du texte, une fois qu'il a été établi grâce au travail philologique des éditeurs, ne constituent-elles pas justement la preuve ou la consécration de cet échec? Cette thèse peut être soutenue, car elle peut s'appuyer sur bien des évidences tirées de la biographie de Novalis, de l'histoire génétique du texte ainsi que de l'histoire de son édition. Ces mêmes évidences peuvent être utilisées pour appuyer une thèse encore plus radicalement négative, celle de la nécessaire non-réalisation de l'encyclopédie novalisienne ([14]).

Cette argumentation négative ne réussit cependant à cerner unilatéralement qu'un seul aspect d'un état de choses très complexe qu'on se propose d'aborder ici.

([14]) Elle a été soutenue, par exemple par John Neubauer, *Symbolismus und symbolische Logik*, München, Fink, 1978, pp. 136-37.

J'avancerai et soutiendrai donc une thèse différente, qui articule en quelque sorte l'envers de la nécessaire non-réalisation. Du moins en adopte-t-elle une forme para-doxalement complémentaire: la fragmentarité dans laquelle nous est parvenue «l'encyclopédie» de Novalis est sa seule réalisation possible. En d'autres termes, cette «encyclo-pédie» est bel et bien «réalisée», mais sa réalisation devait nécessairement s'accomplir dans la forme négative du fragment.

Novalis nous fournit lui-même une formule pour pré-ciser cette thèse:

> # 557 Mon livre doit devenir une Bible scientifique — un échantillon idéal et réel — et un germe de tous les livres([15]).

«Un échantillon idéal et réel» — cette formulation nous accompagnera, et jusqu'à un certain point nous guidera dans l'analyse et dans l'interprétation du *Brouillon*. Ce n'est point dire qu'on utilisera cette entrée comme une clé herméneutique en la prenant pour l'intention explicite de l'auteur, qui donnerait directement accès à la vérité et au sens du texte entier. Il est vrai que la formule est tirée du texte de Novalis, mais la responsabilité de son choix, en vue d'articuler la démarche d'une lecture, revient entière-ment à l'analyste-interprète. En ce moment, la formule de Novalis nous permet d'indiquer qu'il avait lui-même une vision moins idéaliste de son entreprise que celle que cer-tains critiques et historiens de l'encyclopédie ont voulu lui attribuer, puisque, échantillon, elle le deviendrait tant sur le plan *réel* que sur le plan *idéal* de son travail.

En réalité, tous les historiens ne partagent pas cette vision idéaliste. Parmi ceux qui s'en détachent, même très nettement et explicitement, il y a Alain Rey, auteur du volume *Encyclopédies et dictionnaires* dans la collection «Que sais-je?»([16]). Il ne néglige point l'énorme travail

---

([15]) *OC*, II, p. 325, traduction modifiée W.M. Texte allemand: *SCH*, III, p. 363.

([16]) Alain Rey, *op. cit.*

d'idéation et de conceptualisation qu'a suscité le projet encyclopédique dans différentes cultures et à différentes époques, mais il prend soin de l'aborder au niveau de sa réalisation dans le texte, dans le livre, dans l'activité éditrice qu'est l'encyclopédie. Il fait voir ce travail, ou du moins ses traces dans l'ouvrage encyclopédique, dans ses choix génériques en tant qu'ouvrage de référence destiné à l'usage du grand public.

Une des prises de position tranchées — une véritable thèse — d'Alain Rey quant à la relation qu'entretient l'activité encyclopédique avec le cours de l'histoire nous intéresse ici tout particulièrement. Selon lui, le didactisme constitue un des traits définitoires de l'encyclopédie en tant que genre. Or, le didactisme procède de ce qui est donné, établi; il entraîne donc nécessairement l'encyclopédie dans une attitude conservatrice:

> L'encyclopédisme reflète l'état de la science, avec retard, et redoute la science vivante. Il a besoin d'un ordre, rationnel peut-être, mais surtout stable. Or, par définition, l'ordre scientifique est instable, discutable, alors que le didactisme est par nature — et toujours momentanément — indiscutable[17].

L'activité encyclopédique et l'activité scientifique n'auraient rien en commun, la première se contentant de réorganiser les acquis du passé, et peut-être du présent, en vue d'une présentation globale, didactique, la seconde étant essentiellement orientée vers la nouveauté, vers l'inconnu. L'une consolidation de ce qui est, l'autre conquête de nouveaux horizons cognitifs. Ici Alain Rey précise sa thèse en lui donnant un ton plus nettement politique:

> L'encyclopédie [...] ne s'accommode guère des situations indécises. Elle sait conserver, au besoin adapter ou enrichir; elle n'a pas appris à réformer, encore moins à révolutionner[18].

---

[17] Alain Rey, *op. cit.*, p. 88.

[18] Alain Rey, *op. cit.*, p. 86.

Alain Rey hésite à dire, avec Raymond Queneau, le premier directeur de l'Encyclopédie de la Pléiade, que «les
encyclopédies semblent être le fruit de civilisations finis-
santes» ([19]), mais, de manière intrinsèque, il associe l'entreprise encyclopédique avec le conservatisme politique,
comme étant une entreprise de la stabilité, orientée vers le
passé et s'accommodant mal du présent, instable par définition, et par conséquent du changement historique. Cette
thèse prend la validité très générale ainsi que la solidité
d'une loi qui n'admet point d'exceptions ([20]). L'instabilité
des temps semble aller de pair avec l'absence d'encyclopédies, tandis que la production d'encyclopédies, inversement, semble connoter l'absence de révolutions.

Or, l'époque de Novalis était instable, si ce n'est révolutionnaire. Et le *Brouillon* comporte une forte dimension
utopique, voire révolutionnaire dans un sens qui reste à
préciser. L'entreprise encyclopédique de Novalis s'inscrit
donc en faux contre la thèse d'Alain Rey, et force nous est
de faire nôtre une thèse opposée à la sienne, du moins pour
le cas concret du *Brouillon*: l'«encyclopédie» de Novalis
est essentiellement orientée vers l'avenir, vers un état futur
du savoir et de la connaissance. Elle est portée par un éthos
du changement et de la production du nouveau. Cette
orientation future est si marquée qu'il est indiqué de qualifier l'«encyclopédie» de Novalis d'utopique et de révolutionnaire, chose qu'Alain Rey exclut pour toute encyclopédie.

Cet aspect spécifique du *Brouillon*, auquel on attribuera ici une grande importance et qui se trouve en contradiction avec la thèse d'Alain Rey, rejoint et confirme une
remarque faite par Maurice de Gandillac:

> Nous n'avons pas à décider si ces projets [scil.: «qui dressent
> le catalogue exhaustif du savoir et des moyens d'action de

([19]) Cité dans Alain Rey, *op. cit.*, p. 88.

([20]) Ici et là, cependant, Alain Rey concède à l'encyclopédie une
participation soit à l'innovation créatrice (pp. 61 et 73) soit à la production de connaissances possibles (cf. p. 75 au sujet de Leibniz).

l'homme sur la nature», p. 42] sont compatibles, ni même si l'un ou l'autre se peut ou doit réaliser. Il nous suffit qu'ils aient valeur d'«utopies militantes» au sens que donne à ces mots le philosophe du *Prinzip Hoffnung*... ([21]).

L'encyclopédie, et il faut préciser que Maurice de Gandillac parle ici plus particulièrement de l'encyclopédie des lumières et du romantisme, se trouve ainsi directement liée au «principe espérance» d'Ernst Bloch. D'autres historiens et théoriciens de l'encyclopédie confirment ce rapprochement ([22]).

La thèse d'Alain Rey s'inscrit donc en faux contre la lecture qu'on propose de donner ici de Novalis encyclopédiste. Mais, plus généralement, il se trouve aussi en opposition avec d'autres historiens et théoriciens de l'encyclopédie. Il y a cependant moyen, me semble-t-il, de jeter un pont entre les deux positions dont l'antagonisme, par ailleurs, permettra d'articuler les tensions internes au projet novalisien. Si on tient compte du fait que la thèse du conservatisme encyclopédique est avancée par le spécialiste qui s'intéresse en premier lieu aux formes effectivement réalisées des encyclopédies, tandis que la thèse contraire est soutenue par des chercheurs qui s'intéressent en premier lieu à l'idée ou aux projets encyclopédiques, qui ont donc ce qu'on a appelé une vision idéaliste de l'encyclopédie, on voit bien que l'écart s'installe entre projet et (non)réalisation, entre l'idée et la réalité de l'encyclopédie. La différence des positions est donc due, du moins en partie, au regard différent qui est jeté sur l'objet commun. La for-

---

([21]) Maurice de Gandillac, *op. cit.*, p. 42.

([22]) Cf. Taffarelli, *op. cit.*, pp. 3 et 62 et aussi Maria Teresa Beonio-Brocchieri Fumagalli (*Le enciclopedie dell'occidente medievale*, Torino, Loescher, 1981) dont la définition comporte également cette orientation vers l'avenir comme faisant intrinsèquement partie de l'encyclopédie: «Si possono accommunare sotto una unica definizione le enciclopedie in base alla presenza di due elementi fra loro in equilibrio: 1) la enciclopedia è da un lato un quadro o uno *status questionis* della conoscenza, il più generale possibile; 2) d'altro lato l'enciclopedia è un progetto, il tentativo di dare un senso allo scibile che si è raccolto e che si espone» (p. 9).

mule «ideales und reales Muster» indique que le texte de Novalis a ceci d'intéressant qu'il annonce une possibilité de franchir cet écart, de relier les deux thèses qui semblent s'exclure, sinon d'affirmer simultanément les deux positions contradictoires.

La poétique de l'encyclopédie

Même si Novalis n'est pas vraiment un auteur d'encyclopédie[23], il appert qu'une place importante doit lui être faite dans l'histoire de l'encyclopédie. Inséré dans cette histoire, le *Brouillon* s'avère doué d'une spécificité très marquée. Il constitue un cas-limite dans la tradition encyclopédique. Il s'agit maintenant de développer cette position marginale en l'expliquant comme une intervention au niveau des règles qui président à la production des encyclopédies.

Malgré les disparités entre ses différentes réalisations, résultat du vaste champ historique et culturel qu'elle occupe, l'encyclopédie a aussi le statut d'un genre qui a ses propres régularités de production. Il y a une poétique de l'encyclopédie, même si elle est encore à écrire. Nous n'avons pas l'ambition de la développer ici en détail, que ce soit sur le mode descriptif ou prescriptif, mais, pour notre argument, il s'avère nécessaire, si nous voulons faire ressortir la spécificité du travail encyclopédique de Novalis, d'établir au préalable quelques-unes des régularités de construction qui déterminent l'encyclopédie en tant que genre. Certes, cette présentation de la poétique de l'encyclopédie ne saurait prétendre à l'exhaustivité. Il s'agit plutôt, sur un plan très général et abstrait, et de manière schématique, de réunir les éléments de base et les considérations fondamentales qui interviennent dans le travail de l'encyclopédiste.

---

[23] Alain Rey, *op. cit.*, et Walter Tega, *op. cit.*, par exemple, ne le mentionnent même pas dans leurs ouvrages.

Pour commencer, les règles de composition peuvent avoir trait à beaucoup d'aspects différents et, en conséquence, être envisagées sous des angles de vue très variés. On privilégiera ici celui du fonctionnement interne de l'encyclopédie et de la mécanique interne des parties et de leurs fonctions intégrées sous une même finalité totalisante. Mais il y a bien d'autres aspects à considérer: le statut sémiotique du texte encyclopédique (se réfère-t-il à du langage ou à un monde extra-langagier?); son rapport au monde extérieur des choses et des humains, ou à un ordre transcendant du monde, et le statut ontologique de la référence à ce monde; sa prise en charge par des causes qui lui sont extérieures: politique, religieuse, idéologique, morale, etc.; sa complexe dimension pragmatique (qui produit l'encyclopédie, à partir de quelle position? à l'intention de qui? avec quels objectifs? pour quel usage?); son appartenance à une situation agonistique (quelles relations de force, quels conflits l'encyclopédie répercute-t-elle?); la facture concrète et technique de l'ouvrage encyclopédique qui admet différents modes de consultation et de lecture: simple dictionnaire à classification alphabétique, ou alors livre complet avec une différentiation fonctionnelle des parties (présentation générale, système analytique, articles, index, tables), du plus compact en un volume au plus monumental en beaucoup de volumes, mais aussi fichier ouvert et infini, banque de données renouvelable; finalement les auto-représentations de l'entreprise encyclopédique qui, par le recours à la figuration, en disent long sur ses présupposés, implications, visées. Il n'est en fait pas indifférent que l'encyclopédie, souvent dans son titre, se donne un nom tiré du monde organique et naturel (par exemple, arbre, forêt), emprunté au monde de la production humaine (par exemple, miroir, trésor, mappemonde) ou faisant appel à des concepts abstraits (par exemple, cercle, sphère)[24].

L'interaction variable de trois différentes parties constitue en principe l'encyclopédie: le Système, le Dictionnaire

---

[24] Pour ce qui est de la métaphorisation dans la désignation de l'encyclopédie, voir Alain Rey, *op. cit.*, pp. 12-16.

et le Tableau[25]. Ces trois parties ne sont pas réalisées dans chaque encyclopédie concrète, elles sont quantitativement (longueur du texte) et qualitativement (différentiation fonctionnelle) inégales.

Le Système, le plus souvent, n'occupe qu'une très petite partie du volume de l'encylopédie. En général il est écrit par un auteur individuel dont on connaît le nom. Sa forme est celle du discours continu produisant un texte fini et clos dont le déroulement argumentatif, la structuration logique, le niveau stylistique donnent l'impression d'un tout homogène. Il exprime la position d'ensemble de l'ouvrage et propose une mise en ordre de la masse des connaissances réunies et transmises. Son geste énonciatif le plus fréquent est celui de l'affirmation et de la définition. Il comporte un élément de légitimation, même d'apologie en faveur de la position (religieuse, philosophique, idéologique, etc.) qui caractérise toute l'encyclopédie. Entre le Moyen Âge et le milieu du XIXe siècle, l'auteur du Système était de préférence un philosophe, puisque la fonction qui revenait à cette partie de l'ouvrage global se recoupait avec certaines fonctions du discours philosophique.

Par Dictionnaire on désignera la partie de l'encyclopédie qui est, en général, quantitativement la plus importante, et qui, dans les ouvrages modernes, adopte l'ordre d'un classement et d'une présentation alphabétiques[26]. Mais on utilisera ici le terme de Dictionnaire dans un sens

---

[25] Comme l'*Encyclopédie* de Diderot et de d'Alembert les a réalisés tous les trois, on se référera à cet exemple concret pour illustrer ce qui suit: le «discours préliminaire» contient le Système, le Dictionnaire est identifié en tant que tel, le «système figuré» fait fonction de Tableau.

[26] Traitant des encyclopédies et des dictionnaires en même temps, l'ouvrage d'Alain Rey (*op. cit.*) consacre des pages intéressantes à la question de l'ordre alphabétique. Celui-ci a l'avantage d'une disposition des matières qui est facile d'accès pour l'utilisateur; il a cependant l'inconvénient d'être aléatoire et de dépendre non seulement de l'identification des matières par des mots-sujets mais aussi de leur enchaînement alphabétique qui produit les effets de juxtaposition les plus hétérogènes. Malgré bien des efforts pour motiver l'ordre des lettres de l'alphabet, cet ordre continue à être perçu comme aléatoire. Roland Barthes a activement exploité cette perception négative dans son *Roland Barthes par Roland Barthes* (cf. pp. 150-51) en organisant son livre selon l'ordre

élargi, de sorte que la présentation alphabétique n'est pas indispensable. Ce qui, par contre, définit cette partie, c'est son aspect de texte morcelé et fragmenté. Il s'agit en fait d'un assemblage de textes relativement courts dont chacun présente une portion des connaissances globales à transmettre par l'encyclopédie. Souvent ces morceaux textuels — appelés des articles — ont été produits par différents auteurs identifiés par leurs initiales, ou restés anonymes. Le Dictionnaire est donc un texte extrêmement vaste, mais toujours discontinu et fragmenté, souvent hétéronyme, toujours hétérogène quant aux objets traités et aux registres discursifs utilisés. Car, malgré les efforts fournis par les directeurs d'encyclopédie pour unifier le style et l'attitude discursive (élitiste, vulgarisatrice, didactique, etc.) dans les ouvrages encyclopédiques produits par plusieurs auteurs, il y a une variété de discours différents qui y figurent. Cet effet de disparité est encore renforcé par le recours à l'ordre alphabétique qui produit des juxtapositions fortuites variant de langue en langue.

Système et Dictionnaire sont complémentaires du point de vue fonctionnel. L'un est chargé d'assurer l'ordre systématique et la cohésion de ce qui, dans l'autre, est présenté de façon morcelée mais pratique pour l'usager de l'encyclopédie. Le travail de la totalisation est entièrement fourni par le Système qui expose le principe unifiant et construit le réseau de relations garantissant la cohésion entre les cases vides qui sont à remplir par les entrées du Dictionnaire. Le morcellement inévitable de la matière dans le Dictionnaire appelle souvent la mise en place de dispositifs secondaires pour atténuer ou neutraliser l'impact négatif: des index, des réseaux de renvois dont celui mis en place dans l'*Encyclopédie* est le plus célèbre [27].

---

alphabétique des titres donnés aux différents fragments qui le constituent et en défaisant de la sorte l'illusion qui consisterait à prendre le déroulement narratif comme représentant directement le déroulement du vécu.

[27] L'usage que font les auteurs de l'Encyclopédie d'un tel système de renvois serait, cependant, plutôt de nature stratégique: les liens établis par ce réseau, savamment interrompus par le morcellement propre au Dictionnaire ne coïncideraient toutefois pas avec ceux du

Dans leur complémentarité, Système et Dictionnaire suffiraient à eux seuls pour constituer l'encyclopédie. On se demande alors ce que peut encore y apporter le troisième élément, le Tableau, appelé «système figuré» par d'Alembert et Diderot. À première vue, il semble avoir le statut d'un supplément, d'un élément qui s'ajoute à un ouvrage déjà complet. Il semble apporter une information redondante en effectuant en quelque sorte une traduction transsémiotique([28]) qui ne ferait que redire ce qui est déjà dit, mais dans un autre registre sémiotique.

C'est que, tableau synoptique, le Tableau relève d'une autre textualité. Faisant la transition au pictural, il se situe en marge du domaine discursif verbal qui est commun au Système et au Dictionnaire. Cette altérité sémiotique et, par conséquent, discursive lui vaut un statut très ambivalent à l'intérieur de l'encyclopédie. Cette position difficile est d'abord concrètement confirmée par le problème technique que pose son insertion dans le livre de l'encyclopédie. Dans bien des cas, le Tableau exige la confection d'une page dépliante qui excède le format du livre([29]). Par rapport aux pages du livre il est donc excessif et marginal, puisque ajouté en supplément par le relieur.

Or le Tableau est investi d'un fantasme qui se maintient à travers toute l'histoire de l'encyclopédie: l'idéal d'une représentation synoptique qui permettrait la perception d'une totalité selon la modalité divine du *totum simul*. Dans ce sens il équivaut à l'ensemble du livre encyclopédique, il lui est même supérieur, étant donné qu'il le concentre en une seule page. Dans deux entrées du *Brouillon*, Novalis réaffirme cette supériorité du pictural sur le verbal:

Système. Ils constituent un deuxième réseau de cohérence qui jette une lumière critique sur bien des questions d'époque.

([28]) Ce terme est de Roman Jakobson, «On Linguistic Aspects of Translation» dans *Selected Writings*, La Haye, Mouton, 1971, vol. II, p. 261.

([29]) Cf. Walter Moser, «Les discours dans 'Le discours préliminaire'», in *The Romanic Review* LXVII: 2, 1976, pp, 113-14.

240 ... Moins un livre peut être mis en tableau, plus il est mauvais([30]).

571 ... Les images, les tableaux sont les signes supérieurs — appartiennent donc à l'acoustique supérieure — tels des transitions du signe écrit à l'image([31])...

Ici la relation se trouve renversée: ce n'est pas le Tableau qui est surajouté au livre, mais celui-ci n'apparaît plus que comme une préparation du Tableau. Ce dernier est désormais vu comme la version la plus condensée du livre total, l'ouvrage complet par excellence par rapport auquel le livre n'est plus qu'une version supplémentaire, un commentaire élaboré([32]). L'objectif ultime du projet encyclopédique résiderait désormais dans l'établissement d'un Tableau parfait présentant le découpage de toutes les connaissances, disciplines, pratiques ainsi que leurs relations réciproques et systématiques. Conçu de la sorte, il est évident que le Tableau est plus proche du Système que du Dictionnaire.

Cette construction idéale en trois volets, dont l'inégalité en termes de volume, de fonction mais aussi eu égard

---

([30]) *ENC*, p. 40. Cette entrée n'a pas été traduite par A. Guerne. Texte allemand: *SCH*, III, p. 282.

([31]) *ENC*, p, 42, traduction modifiée par W.M. afin de maintenir, en français, le même vocable (tableau) pour *Tafeln* dans les entrées # 240 et # 571. Texte allemand: *SCH*, III, p. 365. A. Guerne (*OC*, II, p. 326) traduit *Bilder, Tafeln...* par «Les planches gravées (illustrations)...»

([32]) Les deux versions sont cependant nécessaires du point de vue pratique, puisqu'elles correspondent à deux lectures, et par là à deux types de lecteur différents, comme le fait remarquer d'Alembert dans le «Discours préliminaire»: «L'homme qui combine aisément des idées, ne diffère guère de celui qui les combine avec peine, que comme celui qui juge tout d'un coup d'un tableau en l'envisageant, diffère de celui qui a besoin pour l'apprécier qu'on lui en fasse observer successivement toutes les parties.» (Jean Le Rond d'Alembert, *Œuvres*, nouvelle édition augmentée en 5 volumes, Paris, 1821-22, vol. I, p. 34). Inutile de dire que la première version de la mise en discours et lecture appartient au génie philosophique, la deuxième, moins parfaite, à l'esprit borné. À partir d'une telle distinction, reprise dans des termes différents par Novalis, on pourrait aborder la différence spécifique en termes de discursivité entre encyclopédie et roman, en tant que livres totalisants, chez Novalis.

au degré d'élaboration dans chaque encyclopédie concrète ne saurait être exagéré, est traversée par plusieurs dichotomies conceptuelles qui articulent l'ensemble du travail encyclopédique. Le potentiel antagoniste de ces dichotomies ne trouve pas toujours de solution satisfaisante dans des réalisations concrètes, mais il dégage une dynamique, au niveau du genre, qui assure la «vitalité» de l'encyclopédie à travers les âges.

Système vs agrégat

Cette première dichotomie conceptuelle sous-tend le jeu de complémentarité entre Système et Dictionnaire. Elle est, dans sa formulation philosophique, d'origine kantienne, et apparaît, en ces termes explicites, dans les encyclopédies philosophiques qui voient le jour autour de 1800. On la trouve par exemple dans l'encyclopédie de Wilhelm Traugott Krug[33], à laquelle Novalis fait référence dans le *Brouillon*[34], mais aussi — et surtout — dans celle de Hegel[35]. Les philosophes sont unanimes à rejeter tout travail encyclopédique qui ne viserait qu'à produire un inventaire de connaissances positives[36], quelque impressionnant qu'il soit par ailleurs du point de vue quantitatif. Ils récusent ce que Raymond Queneau appellera la concep-

---

[33] *Versuch einer Systematischen Enzyklopädie der Wissenschaften*, 1re partie, Wittenberg-Leipzig: in der Winkelmannschen Buchhandlung und bei Johann Ambrosius Barth, 1796, 2e partie, Jena, J. G. Voigt, 1797.

[34] Cf. # 114, *SCH*, III, p. 261.

[35] Georg Wilhelm Friedrich Hegel, *Encyclopädie der philosophischen Wissenschaften im Grundrisse*, Hamburg, 1959 (6e édition, identique à l'édition de 1830).

[36] Et ceci avant même de faire la distinction rappelée par Dierse (*op. cit.*, p. 153) entre «encyclopédie philosophique» (qui correspond à la doctrine de la science) et «encyclopédie de la philosophie» (qui n'inclut, en principe, que les «sciences philosophiques», c'est-à-dire chez Hegel la logique, la philosophie de la nature, la philosophie de l'esprit).

tion du magasin ou de l'entrepôt encyclopédique[37]. Par
contre, ils mettent de l'avant la nécessité de donner à
l'encyclopédie la cohérence d'un système, d'un Tout organisé de manière cohérente au niveau de l'idée. En ceci, ils
parlent évidemment *pro domo*, puisque la constitution de
ce système ne peut revenir qu'à la discipline philosophique.
Hegel défend ce point de vue de manière particulièrement
militante[38]: une encyclopédie sans organisation systématique, c'est-à-dire sans fondation philosophique, n'en
est pas une; par conséquent, l'établissement du système
s'avère être le travail essentiel de l'encyclopédiste. L'encyclopédie philosophique se concentrera donc sur le système
et se limitera à donner les fondements des sciences particulières sans aller dans le détail des connaissances positives.
Cette manière d'accorder une préséance absolue au système sur la collection des connaissances en agrégat tend
vers une encyclopédie réduite au seul système philosophique, et donne lieu a ce qu'on a appelé ici la vision idéaliste
de l'encyclopédie.

Institutionnellement parlant, cette conception unilatérale de l'encyclopédie avait sa place dans l'université où
des philosophes — comme Krug à Wittenberg et Hegel à
Heidelberg et à Berlin — donnaient des cours encyclopédiques pour présenter d'une part l'unité de l'activité scientifique et d'autre part la rationalité de sa division en des sciences particulières. Dans cette fonction institutionnelle, la
philosophie — et par là l'encyclopédie philosophique —
avait un rôle de légitimation qui visait à la fois l'unité de
l'université et la division du travail interne qui la struc-
turait dans la production et transmission des connaissances. La philosophie était la partie de l'université à partir de
laquelle l'unité du tout pouvait se penser et s'énoncer.

L'exigence contraire et complémentaire, qui fait tout
aussi intrinsèquement partie du projet encyclopédique, ne

---

[37] Raymond Queneau, «Présentation de l'Encyclopédie», in
Bords, mathématiciens, précurseurs, encyclopédistes, Paris, Hermann,
1963.

[38] Cf. en particulier les paragraphes 14 à 16 de son *Encyclopädie*.

vient pas tant du philosophe que du savant et surtout de l'utilisateur des encyclopédies. Dès le Moyen Âge, l'encyclopédie est aussi un cabinet écrit — et parfois illustré — de curiosités, de *mirabilia* et doit présenter, dans la collection la plus concise possible, la multitude et la variété des choses qui existent ainsi que les connaissances qu'on en a. Cet intérêt qui favorise le côté «agrégat» de l'encyclopédie et qui est aujourd'hui plus fortement affirmé par l'utilisateur que par le producteur de l'encyclopédie s'est maintenu à travers les âges au même titre que la volonté totalisante, même si, à partir du XVIIIe siècle, l'importance de la construction d'un tout architectonique l'emporte sur la simple accumulation de matériaux [39].

Système fermé vs système ouvert

Un système de relations, de même qu'un inventaire de matériaux, peut se concevoir et se pratiquer selon deux modalités: ou bien comme un tout fini et fermé sur lui-même, ou alors comme un programme dont l'accomplissement se projette toujours dans un avenir incertain. S'agit-il de tracer le cercle encyclopédique [40] d'un seul trait, et peut-être une fois pour toutes, ou plutôt de s'engager dans la construction progressive, et peut-être infinie, du texte totalisant?

Cette deuxième dichotomie montre en fait une tendance inhérente à se concrétiser dans la temporalité: le système clos est orienté vers le passé et peut, à la rigueur, inclure un état présent [41] des choses et de leurs connaissances. Cette vision rétrospective devient une condition de

---

[39] Cf. Dierse, *op. cit.*, p. 26.

[40] Cf. l'usage que Hegel (*op. cit.*, paragraphe 15) fait de la figure du cercle dans ce sens.

[41] Nous avons cependant vu qu'Alain Rey estime que l'état vivant des sciences comporte trop d'instabilité pour constituer l'objet de la totalisation encyclopédique qui, selon lui, serait essentiellement orienté vers un état passé et historiquement stable (cf. *op. cit.*, p. 88).

la possibilité de conclure, de fermer le cercle. Qu'une encyclopédie soit matériellement complète ou non, qu'elle se dote d'un mécanisme de mise à jour, ce regard orienté vers le passé va de pair avec la volonté de clôturer système et inventaire.

Le système ouvert, par contre, comporte une orientation prospective, voire utopique. Son ouverture s'opère le plus souvent sur l'axe du temps. Le Système est alors conçu de manière à admettre l'avènement de nouvelles connaissances, mais aussi à les inclure, sinon les produire dans une logique progressive ou générative. Dans ce cas la totalité est conçue comme un horizon futur et la totalisation comme un processus permanent. Chaque étape historiquement réalisée ne représente alors que le fragment d'une totalité à venir. La mise à jour de l'encyclopédie cesse d'être un simple problème technique, et devient partie intégrante de sa logique de construction, car la production de l'encyclopédie elle-même se comprend alors comme une activité permanente[42]. Une conclusion logique de cette conception ouverte de l'encyclopédie mène tout droit à sa nécessaire non-réalisation, conclusion apparemment paradoxale que nous aurons à analyser dans le cas concret du *Brouillon*.

Les principes d'ouverture et de clôture ne s'excluent pas nécessairement dans la même encyclopédie, à condition de faire intervenir comme deuxième dichotomie celle qui oppose système et agrégat. L'œuvre encyclopédique peut être conçue de façon à combiner la clôture totalisante en tant que système et l'ouverture en tant qu'agrégat. C'est le cas de la *Doctrine de la science* de Fichte[43] qui prévoit d'une part une ouverture sur toutes les sciences possibles et

---

[42] Diderot par exemple prévoit un perfectionnement permanent de l'écriture encyclopédique et anticipe une deuxième édition de l'*Encyclopédie* qui sera bien supérieure à la première.

[43] Qui n'est pas, à proprement parler, une encyclopédie, mais qui a, pendant une longue période, jusqu'aux temps du *Brouillon*, suscité et alimenté la réflexion de Novalis. Johann Gottlieb Fichte, *Ueber den Begriff der Wissenschaftslehre (1794)*, Studientextausgabe, Stuttgart-Bad Cannstatt, Frommann, 1969.

encore à découvrir dans l'avenir [44], mais qui postule en même temps que tout ce développement futur soit d'ores et déjà contenu dans la logique du système qui, lui, est fermé puisqu'il épuise en principe toutes les possiblités futures [45].

Mimesis vs poïésis

L'encyclopédie est-elle considérée comme étant la représentation fidèle d'une réalité donnée ou comme proposant à son tour la construction d'une réalité? Dans *Ficciones*, Borges ne cesse de manœuvrer cette alternative dans l'impasse de l'indécision et de la confusion savamment agencées.

La plupart des encyclopédies ont poursuivi une stratégie mimétique, posant une réalité extérieure comme leur référent: monde, nature, univers, et prétendant reproduire un ordre qui serait donné. Cette stratégie est idéologique dans la mesure où ce renvoi à un ordre objectivement donné contribue à masquer ce que l'ordre encyclopédique peut comporter d'arbitraire et, par là, à confirmer, voir à légitimer un ordre social et politique.

Selon Taffarelli, l'histoire de l'encyclopédie montrerait que l'ordre global à représenter était attribué tour à tour à Dieu (surtout dans les encyclopédies du Moyen Âge: l'ère des théologiens), à l'Homme (dans les grandes constructions philosophiques du XVIIe au XIXe siècle: l'ère des métaphysiciens) et à la matière (l'ère des physiciens). Mais toujours l'encyclopédie, face à un ordre «donné», se serait

---

[44] Fichte, *op. cit.*, p. 128.

[45] «Das menschliche Wissen ist den Graden nach unendlich, aber der Art nach ist es durch seine Gesetze vollständig bestimmt, und läßt sich gänzlich erschöpfen» (Fichte, *op. cit.*, p. 130). Une logique analogue peut être observée dans l'ouvrage d'André-Marie Ampère, *Essai sur la philosophie des sciences, ou exposition analytique d'une classification naturelle de toutes les connaissances humaines*, Paris, Bachelier, 1834, 2 volumes.

proposé la tâche de le copier, de le reproduire en le rendant intelligible.

Cependant, une dérogation à cette règle devenait concevable du moment que l'Homme s'attribuait à lui-même la responsabilité de la perfection du système qui devait lui permettre de représenter l'ordre du monde. Pure construction logique et langagière, ce système pouvait dès lors prétendre à plus de perfection que le monde lui-même, et, plutôt que de l'imiter, entrer en quelque sorte en concurrence avec la cohérence de son architecture:

> Il y a une fonction symbolique dans le langage: mais depuis le désastre de Babel il ne faut plus la chercher — à de rares exceptions près — dans les mots eux-mêmes mais bien dans son rapport total à la totalité du monde, dans l'entrecroisement de son espace avec les lieux et les figures du cosmos.
>
> De là la forme du projet encyclopédique, tel qu'il apparaît à la fin du XVIe siècle ou dans les premières années du siècle suivant: non pas refléter ce qu'on sait dans l'élément neutre du langage — l'usage de l'alphabet comme ordre encyclopédique arbitraire, mais efficace, n'apparaîtra que dans la seconde moitié du XVIIe siècle —, mais reconstituer par l'enchaînement des mots et par leur disposition dans l'espace l'ordre même du monde [46].

Cet accroissement de l'indépendance du langage par rapport au monde allait donc de pair avec un changement sémiotique qui accordait aux signes et surtout à leur organisation en systèmes, ainsi qu'à leur usage systématique, une plus grande autonomie par rapport à ce qu'ils devaient représenter. Ce développement mène en ligne droite au recours au langage artificiel pour construire l'ordre universel le plus parfait, par exemple chez Leibniz.

Il est désormais concevable que l'encyclopédie, au lieu de copier un ordre du monde donné, corrige les imperfections du réel et propose sa propre construction du monde. De la correction à la création en passant par la transforma-

---

[46] Michel Foucault, *Les mots et les choses*, Paris, Gallimard, 1966, pp. 52-53.

tion, toutes les attitudes sont devenues possibles. L'encyclopédie ne se contente plus de représenter ce qui est, ou de rendre intelligible le réel, elle peut en proposer un autre, un meilleur ordre. Elle devient consciente de son pouvoir de mise en ordre et de modélisation par rapport à ce qui est donné et adopte une attitude active, innovatrice, même démiurgique. De mimétique (*speculum mundi*), elle devient poïétique, un faire au sens fort du terme.

Quelque extrême qu'elle soit dans sa conception ou dans sa pratique, cette nouvelle attitude continue à se concrétiser dans un faire discursif. L'encyclopédiste, s'il devient actif dans le sens poïétique, s'engage dans une action symbolique, dont l'impact effectif reste à évaluer. Il n'y a que la fiction qui peut franchir le dernier pas en substituant l'encyclopédie à la réalité: l'encyclopédie de Tlön, c'est Tlön, et le monde sera Tlön [47].

Tant la stratégie mimétique que la stratégie poïétique peuvent faire cause commune avec des forces et des réalités extérieures à l'entreprise encyclopédique. La reproduction d'un monde donné ainsi que de ses structures comporte une tendance inhérente à composer avec les forces de la stabilité, avec le camp politique conservateur, tandis que l'exploration du potentiel poïétique qui réside dans le discours encyclopédique s'associe plus facilement avec les forces qui veulent changer un monde donné, et peut ainsi prendre des accents résolument révolutionnaires, comme le cas du *Brouillon* nous permettra de le voir. Des deux côtés de cette dichotomie conceptuelle il y a tout un «arsenal» de moyens discursifs pour concrétiser les choix d'une encyclopédie et pour faire avancer l'une ou l'autre des causes.

Reproduction vs production

Une relation binaire et antagoniste qui est contenue dans la dichotomie mimesis vs poïesis est celle de reproduction vs production. Elle recoupe également, bien que sur

---

[47] Jorge Luis Borges, «Tlön, Uqbar, Orbis Tertius», in *Ficciones*, Buenos Aires, Emecé, 1956, pp. 13-34.

une base moins large, l'opposition entre système fermé et système ouvert.

En effet, selon la thèse d'Alain Rey, l'encyclopédie peut être consacrée entièrement à la reproduction et à la divulgation de ce qui est déjà acquis et établi: ordre du monde, connaissances, informations, etc. Elle se contente alors d'un travail de mise en ordre et de transmission qui consiste essentiellement à transcrire des textes en les transformant[48]. Cette activité est d'ailleurs interdiscursive au plus haut degré. Quelle que soit la transformation rédactionnelle (condenser, narrativiser, simplifier, vulgariser, etc.) que cette opération fait subir aux matériaux traités — qui sont toujours de nature textuelle et discursive —, tant que ce travail est fait dans une attitude de reproduction, il respectera l'ordre discursif en suivant les règles qui le constituent, et il respectera en particulier le découpage des différents champs discursifs. Conçu et pratiqué de cette manière, il reproduit donc également les régularités établies d'une pratique discursive donnée.

Mais le travail encyclopédique peut s'engager dans la voie opposée et alors essayer de dépasser, de transgresser les régularités et du monde et du discours qui sert à rendre compte de ce monde. Dans ce cas il sort des ornières de la reproduction de ce qui est[49], active le potentiel critique inhérent à l'entreprise encyclopédique et la tire du côté de la production du nouveau: une nouvelle manière de rendre le monde intelligible, de l'ordonner, d'organiser le grand corpus de savoirs et de connaissances, l'invention de savoirs inédits. Ce qui peut entraîner la nécessité d'un nouvel ordre du discours, une intervention au niveau des régu-

---

(48) C'est ce que les linguistes appellent en anglais *text processing*. Diderot consacre des réflexions très intéressantes à cet aspect qui est d'ordre technique, mais non moins central dans la production de l'encyclopédie.

(49) Dans son roman *L'Homme sans qualités*, Robert Musil a créé une formule originale pour résumer l'état de choses complexe qu'on appelle ici «la reproduction de ce qui est»: *Seinesgleichen geschieht*, qui est le titre de la deuxième partie du roman. Philippe Jaccottet, le traducteur français, propose: «toujours la même histoire».

larités de la formation discursive([50]). L'encyclopédiste, dans ce cas, adopte également le rôle du législateur discursif en proposant de nouvelles règles de fonctionnement, un nouveau partage des fonctions et formes entre les différents champs discursifs, même la création de nouveaux champs. Certes, cet envol vers le nouveau prend facilement une allure utopiste qui n'a cependant rien de contraignant pour les lecteurs, même si sa force persuasive peut être considérable. L'encyclopédiste n'est pas en position d'imposer à qui que ce soit sa nouvelle mise en ordre du monde ni ses nouvelles «lois» réglant la pratique discursive. Mais on aurait tort de sousestimer pour autant la «créativité» encyclopédique en termes d'une production de ce qui n'est pas encore donné dans le réel. Cette «créativité» ne saurait d'ailleurs s'exercer sans activer en même temps la fonction critique de l'encyclopédie.

Il est vrai que le nombre limité d'éléments présentés ici (trois parties et quatre dichotomies conceptuelles) et la manière schématique de les exposer ne constitue pas une poétique élaborée du «genre» de l'encyclopédie. Toutefois, cette présentation générique devrait suffire d'une part pour permettre de concevoir les jeux et les enjeux du genre en question et d'autre part pour donner à voir la grande diversité de réalisations qu'admettront différentes combinaisons et mises en œuvre des éléments décrits.

La poussée sauvage de l'arbre des sciences

Comment le projet de Novalis se situe-t-il dans la tradition générique de l'encyclopédie? De quelle manière concrète l'auteur romantique a-t-il pratiqué les règles de formation du genre et exploité le programme encyclopédique comme une possibilité de réaliser le livre total?

Vouloir trancher dès maintenant la question de savoir si le *Brouillon* est ou n'est pas une encyclopédie risquerait

---

([50]) Ce geste innovateur étant très explicite par exemple chez Fichte (*op. cit.*) et chez Ampère (*op. cit.*).

de mener à une impasse: l'obligation de démontrer le bien-
fondé d'une réponse affirmative ou négative et, par conséquent, la réduction d'une problématique d'une extrême
complexité historique, critique et philologique à une logique du oui et du non. Il vaut mieux partir de l'évidence en
reconnaissant que Novalis relie son travail explicitement à
la longue tradition de l'encyclopédie et essayer de décrire
avec la plus grande précision possible la particularité de
son intervention dans cette tradition. Cette intervention a
tous les traits d'une grande radicalité. À plusieurs égards, il
a en fait adopté des positions extrêmes: il met de l'avant
l'aspect poïétique de son travail en misant de manière presque futurologiste sur un ordre et une pratique qui sont
encore à réaliser et, loin de se contenter d'inventorier ce
qui est, privilégie, par conséquent, l'élaboration d'une
nouvelle méthode encyclopédique.

À l'image du grand innovateur dans le genre encyclopédique, qui pourrait résulter de ces positions, il faut
cependant ajouter une observation qui rend ce qui précède
plus complexe: à part la dichotomie reproduction vs pro-
duction([51]) dans laquelle il opte nettement pour le second
terme, Novalis a exploité systématiquement tout l'espace
de construction générique en actualisant souvent les deux
termes des dichotomies. Ainsi, le *Brouillon* combine-t-il
Système et Dictionnaire de manière inédite, et développe-
t-il à la fois système et agrégat, système fermé et système
ouvert. Nous verrons que même la production du nouveau
est basée sur la réutilisation (reproduction) de ce qui est
déjà donné. Cette performance quasi paradoxale qui consiste à affirmer simultanément les deux termes des oppositions du programme générique fait la spécificité du *Brouillon* en tant qu'ouvrage encyclopédique.

Il s'agit maintenant d'illustrer cette spécificité en analysant un aspect bien circonscrit du texte: le traitement
accordé par Novalis à «l'arbre des sciences» qui est une des
figures utilisées par les encyclopédistes pour représenter et

---

([51]) Sur le plan de la thématique, le pôle de la «production» sera
affirmé en tant que «générativité»: *Erzeugung, Generation.*

corroborer la nature systématique de leur entreprise. Étant donné que, bien au-delà de l'activité encyclopédique, cette figure véhicule des valeurs culturelles ainsi que, selon la position discursive de ses usages([52]), des implications idéologiques, un regard jeté sur ces valeurs et implications plus générales nous permettra de situer le travail de Novalis dans la grande durée des développements historiques et dans ce qu'on appellera ici la crise de 1800.

En réalité, l'importance culturelle et épistémique de la figure de l'arbre dépasse de loin la conceptualisation et la fabrication des encyclopédies. Dans leur petit livre *Rhizome*, Deleuze et Guattari lui accordent une généralité maximale:

> C'est curieux, comme l'arbre a dominé la réalité occidentale et toute la pensée occidentale, de la botanique à la biologie, l'anatomie, l'ontologie, toute la philosophie([53])...

Même si on n'adopte pas la généralité à la fois excessive et vague de «la réalité occidentale» et de «la pensée occidentale», force nous est de reconnaître que notre monde culturel et intellectuel est peuplé d'un nombre impressionnant de figurations arborescentes: l'arbre généalogique, l'arbre social, l'arbre de la descendance des espèces animales, l'arbre-organigramme, l'arbre des structures linguistiques, etc. Présentant la même structure conceptuelle et logique, la figure de l'arbre s'applique aux objets les plus variés et

---

([52]) Il me paraît important d'établir une distinction entre la figure elle-même et la position discursive à partir de laquelle elle est énoncée. Sur ce principe, je suis entièrement d'accord avec le traitement que Jürgen Link accorde au «symbole collectif» (cf. *Elementare Literatur und generative Diskursanalyse*, München, Fink, 1983, en particulier pp. 48-73, voir aussi son application à Brecht: *Die Struktur des literarischen Symbols*, München, Fink, 1975) bien que je ne m'engage pas dans le même type d'analyse structurale et génétique. Il est évident, en tout cas, que, dans la culture occidentale, l'arbre est parmi les symboles collectifs les plus répandus et, par conséquent, culturellement les plus forts.

([53]) Gilles Deleuze et Félix Guattari, *Rhizome*, Paris, Minuit, 1976, p. 53.

se diversifie infiniment dans ses fonctions ainsi que dans ses modes de représentation qui vont de la métaphore épistémique jusqu'au pictogramme en passant par le schéma graphique abstrait.

Si la figure de l'arbre s'est imposée à la fois comme l'instrument d'une mise en ordre analytique et classificatoire et comme un modèle d'intelligibilité du monde, il faut cependant en distinguer deux applications assez différentes: d'une part la représentation des forces productives de la nature sauvage et leur «cultivation», et d'autre part l'imposition d'une même logique de mise en ordre cognitive à tous les objets du savoir.

La première application s'insère en général dans un déroulement narratif et a des connotations mythiques, car elle raconte, dans les termes du XVIIIe siècle, le passage de la nature à la culture, l'épopée de la domestication des forces de la nature par l'humain:

> Si vous voulez qu'un arbre donne plus de fruits qu'à l'ordinaire, en vain vous occuperez-vous des branches; c'est la terre même qu'il faut remuer autour de la racine, c'est une terre plus grasse et plus active qu'il faut en approcher, autrement vous n'aurez rien fait[54].

Dans ce texte, il est proposé de s'occuper de l'arbre de manière à augmenter ses forces productives, de contrôler son rendement en le cultivant. Ce passage pourrait être tiré d'un traité d'agriculture, mais en réalité il y va — métaphoriquement — de la culture des sciences. Il s'agit d'un texte du Chancelier Bacon, extrait de «De la dignité et de l'accroissement des sciences» dans lequel l'auteur essaie de persuader ses lecteurs de la nécessité de cultiver les sciences fondamentales (la terre grasse autour des racines) afin d'augmenter à longue échéance les résultats scientifiques pratiques (les fruits de l'arbre). Au début du XVIIe siècle, Bacon apparaît en fait comme le promoteur d'une nouvelle conception et pratique des sciences, qu'on qualifierait

---

[54] Francis Bacon, «De la dignité et de l'accroissement des sciences», in *Œuvres de Bacon*, 1re série, Paris, Charpentier, 1845, pp. 91-92.

aujourd'hui d'empirique ou de pragmatique, selon l'aspect particulier mis au premier plan. Elle est animée par le projet de mieux connaître les lois de la nature en vue de mettre les connaissances qui en résultent au service du bien-être humain.

Environ deux siècles plus tard, Goethe résume cette «culture» visant la connaissance-exploitation de la nature en reprenant, dès le début de *Les Affinités électives*, la figure de l'arbre:

> Édouard, — c'est ainsi que nous allons nommer un riche baron, dans la force de son âge, — Édouard avait employé les plus belles heures d'un après-midi d'avril dans sa pépinière, à enter sur de jeunes pieds des greffes qu'il venait de recevoir. Sa besogne achevée, il rangeait ses outils dans leur étui, et considérait son travail avec satisfaction[55]...

De façon significative, cet incipit de roman nous situe dans une pépinière et met de nouveau en scène l'activité cultivatrice dont l'homme est le sujet et l'arbre l'objet. Cette fois il s'agit d'agriculture au sens littéral du terme, mais le déroulement de l'action romanesque suggère aussi une lecture métaphorique selon laquelle l'arbre se mue en une jeune «plante» humaine et l'opération technique de la greffe en une activité pédagogique. En arboriculture, la greffe représente l'intervention humaine sur l'arbre sauvage permettant de l'ennoblir, d'en régulariser et contrôler la croissance et d'en exploiter les forces productives.

De Bacon à Goethe la figure de l'arbre et de sa cultivation est utilisée pour signifier le même processus de connaissance et de maîtrise sur l'objet de la connaissance. L'objet premier est l'arbre sauvage, la nature qu'il s'agit de se soumettre et d'exploiter par un travail de type scientifico-technologique. Mais le fonctionnement rhétorique des textes, de même que l'histoire réelle des sciences, montre qu'à l'objet «nature», par un glissement imperceptible, peut se substituer l'objet «homme» qui subit alors le même

---

(55) Johann Wolfgang Goethe, *Les Affinités électives*, Paris, Gallimard, 1980, p. 23.

traitement de maîtrise cognitive et technique. C'est dans ce glissement que se joue le mécanisme de la «Dialectique de la raison», que se manifeste le côté problématique d'une «culture» qui s'épitomise dans un paradigme scientifique et dans laquelle l'École de Francfort a diagnostiqué la prédominance de l'usage instrumental de la raison et le déséquilibre des intérêts de connaissance laissant libre cours à ce que Habermas a appelé *Verfügungswissen*([56]).

De Bacon à Goethe, le traitement de la figure de l'arbre devient une espèce d'emblème de cette culture. Certes, historiquement, on trouve bien d'autres exemples de cette arboriculture figurée, en deçà de Bacon et au-delà de Goethe. Néanmoins, j'aimerais conférer une signification historique à ces deux textes. Ils sont choisis un peu au hasard, il est vrai, mais la prise en considération de leur modalité d'énonciation nous permettra de leur faire figurer le début et la fin d'une évolution. Le premier, celui de Bacon, a un aspect inchoatif. Il adopte le ton du précepte qui est à exécuter à l'avenir, l'enseignement de la nouvelle règle qui est à appliquer. Je le prendrai, sur le plan historique, comme un *terminus post quem* pour l'élaboration d'un nouveau régime de discours([57]) ou pour l'émergence d'une nouvelle configuration épistémique([58]). Le début de *Les Affinités électives*, par contre, donne à la greffe un aspect perfectif. Goethe montre son héros, le baron, après l'acte. Sa besogne est achevée, il vient en quelque sorte d'appliquer les préceptes de Bacon, mais le temps de l'action romanesque qui commence ici est déjà celui d'une pre-

---

([56]) Cf. *Erkenntnis und Interesse*, Frankfurt a. M., Suhrkamp, 1968. Trad. française: *Intérêt et Connaissance*, Paris, Gallimard, 1976.

([57]) Le terme est de Timothy Reiss qui utilise également l'expression anglaise «class of discourse» dans *The Discourse of Modernism*, Ithaca-London, Cornell University Press, 1982 (cf. à ce sujet en particulier le chapitre I, «On Method, Discursive Logics, and Epistemology», pp. 21-54). Dans ce livre, le Chancelier Bacon devient une figure-clé pour le changement de «régime de discours» au début du XVIIe siècle.

([58]) Ce terme s'appuie sur «épistémè» de Michel Foucault (*Les Mots et les choses, op. cit.*) sans pour autant postuler la même homogénéité pour la configuration épistémique.

mière évaluation critique de ces préceptes et de leur mise en pratique. La satisfaction du baron est en fait trompeuse, car le déroulement de l'action apportera un changement de cap tragique. Il est vrai que l'espèce de monoculture figurée dès les premières phrases du roman sera d'abord portée à son paroxysme par le Capitaine([59]) qui est l'incarnation même du paradigme des Lumières, mais par la suite c'est comme si cet excès de maîtrise scientifico-technique faisait tout basculer dans la catastrophe. En tout cas, *Les Affinités électives* offre une des premières représentations des suites négatives des Lumières. Dans ce sens, je propose de prendre ici le moment historique du roman de Goethe comme un *terminus ad quem*. Ce n'est pas que le paradigme lancé par Bacon et par ses contemporains vienne à sa fin historique autour de 1800. Tout au contraire, nous sommes encore aujourd'hui ses héritiers directs, bien que ses bienfaits ne réussissent plus guère à contrebalancer les problèmes que nous en avons hérités. Mais l'époque de Novalis marque sa première grande crise et contestation sérieuse. Cette crise pourrait se représenter, par une réappropriation du symbole collectif de l'arbre à partir d'une position discursive différente([60]), comme une poussée sauvage de l'arbre, comme la débâcle de sa domestication et le retour d'une croissance désordonnée.

La seconde application de la figure de l'arbre est d'un ordre tout à fait différent: d'objet d'un processus de subjugation cognitive et technique, l'arbre devient l'instrument même de ce processus. Mais non sans avoir été apprivoisé conceptuellement et réduit au statut de pictogramme ou de schéma au préalable. Il y va d'une figure d'arbre qui n'a plus rien de sauvage puisqu'elle a été régularisée et reproduit désormais indifféremment les mêmes traits constitutifs, quel qu'en soit le domaine ou l'objet d'application.

([59]) Concentrée dans le quatrième chapitre de la première partie.

([60]) En élargissant l'examen des figurations arborescentes à la peinture, on trouverait peut-être confirmation de la crise romantique de la modernité dans la préférence que les artistes romantiques donnent à la représentation de l'arbre solitaire en ruines et en décrépitude.

Cette identité à soi en tant qu'instrument cognitif devient même la condition de son efficacité au service d'une mise en ordre et conquête cognitives des objets les plus disparates. Devenue ainsi structure arborescente[61], la figure de l'arbre se généralise tellement dans sa fonction épistémique qu'elle assume le rôle d'un étalon homologuant les opérations de classification et de connaissance dans les domaines les plus éloignés les uns des autres.

Il se peut bien que ce grand succès de la structure arborescente réside dans sa cellule de base, la ramification. Régularisée de la sorte, la figure de l'arbre se décompose en effet en un nombre variant d'unités minimales, toutes construites d'après le même modèle:

Trois positions à deux niveaux différents permettent de représenter le fonctionnement d'une logique binaire. La position de l'unité, ou le tronc, se situe au niveau n, les deux positions constituant la dualité, ou les deux branches, au niveau n + 1. Il est essentiel de distinguer ces deux niveaux, ils doivent être hiérarchiquement différents: le niveau n (généralité) est logiquement supérieur au niveau n + 1 (particularité). Deux parcours, tous les deux dans la verticale, sont possibles: on peut partir du tronc et bifurquer dans les deux branches, c'est le chemin de l'unité vers la dualité. En sens inverse, on part des deux positions opposées, sur deux branches différentes, pour se trouver dans la position d'unité du tronc qui constitue l'intersection des deux termes de la dualité.

---

(61) Chez Deleuze et Guattari cette expression relève du pléonasme, puisque, pour eux, «structurer» et «arbrifier» sont utilisés comme des synonymes (cf. *op. cit.*, p. 35).

Unité arborescente minimale, ce segment de ramification peut se combiner de manière variée pour constituer des structures très complexes, dont celle du pictogramme «arbre», avec un tronc au milieu, se ramifiant du côté des racines et du côté des branches. Elle peut se renverser, se répéter, s'enchaîner en série, ce qui permet d'aller au-delà du chiffre deux et d'effectuer le passage de l'un au multiple [62]. À condition, cependant, de respecter la hiérarchie des niveaux qui se multiplient également. Les ramifications sont en principe infinies, se présentent en séries ouvertes.

Cette structure arborescente admet également une concrétisation et lecture temporelle: en passant de n + 1 à n on «remonte» alors dans le temps vers une source ou origine commune de toutes les ramifications. Dans le sens inverse on s'installe dans la «descendance» en s'éloignant de l'unité originaire qui s'efface dans la différentiation progressive des ramifications de plus en plus nombreuses [63].

Quel que soit le degré de complexité de cette structure arborescente, en principe on peut la parcourir de manière à relier tous les points du réseau de ramifications entre eux. Il y a cependant une loi de base qui règle le trafic de ces parcours: deux positions opposées au niveau n + 1 ne peuvent être reliées qu'en passant par leur intersection au niveau n. En d'autres termes on peut se déplacer de haut en bas (on va vers l'intersection avec d'autres branches du même niveau pour arriver, tôt ou tard, à l'unité du tronc), de bas en haut (on va du tronc vers les branches, de l'un vers le multiple, de l'originaire vers le dérivé, du père vers ses descendands), mais le mouvement transversal est interdit. La circulation n'est permise que dans la verticale. Tout déplacement dans l'horizontale représenterait le désordre

---

[62] Dans la structure arborescente, ce passage de l'un au multiple se compose cependant toujours d'une série de dualités.

[63] Dans ce sens l'opposition des figures de l'arbre et de la source utilisée par Michel Charles in *L'Arbre et la source* (Paris, Seuil, 1985) ne constitue pas vraiment une opposition, elle serait plutôt à voir comme deux parcours différents de la structure arborescente.

de la structure arborescente: «Des communications transversales entre lignes différenciées brouillent les arbres généalogiques»[64].

Vu la tâche titanique que représente l'entreprise encyclopédique, il n'est pas étonnant que ses auteurs aient eu recours à la figure de l'arbre. Aux XVIIᵉ et XVIIIᵉ siècles, leur travail participait plus ou moins directement de l'idéologie que la première application de cette figure nous a permis d'esquisser ici, mais leur emploi de la figuration arborescente relevait surtout de la deuxième application. Il leur fallait un instrument classificateur efficace, susceptible d'opérer la mise en ordre d'un matériau énorme et d'apparence informe, sinon chaotique. Voilà pourquoi, dans beaucoup d'encyclopédies, on trouve l'*arbor scientiae*, l'arbre des sciences, le *tree of knowledge*[65], l'arbre encyclopédique. En tant que schéma de classification, l'arbre trouvait sa place dans le Système ou dans le Tableau, ou dans les deux parties en même temps. Réalisé comme Tableau, par exemple le «système figuré» de l'*Encyclopédie*, l'arbre encyclopédique des sciences avait un statut très particulier que nous avons qualifié de marginal et central à la fois, statut ambivalent qui était dû à sa position entre le livre et la carte, entre le texte et l'illustration, entre le verbal et le pictural.

Historiquement parlant, il semblerait que c'est Ramon Lull qui, le premier, aurait utilisé la figure de l'arbre pour organiser les connaissances encyclopédiques. Il aurait inventé en 1295 la figure de l'*arbor scientiae*[66]. «Il ne faut pas entendre ici arbre au sens abstrait où nous le prenons quand nous parlons d'arbre généalogique par exemple; Lulle considère toute la structure de l'arbre, depuis les

---

[64] Gilles Deleuze et Félix Guattari, *op. cit.*, p. 32.

[65] Voir Frank A. Kafker (éd.), *Notable Encyclopaedias of the Seventeenth and Eighteenth Centuries: Nine Predecessors of the Encyclopédie*, Oxford, The Voltaire Foundation at the Taylor Institute, 1981, au sujet de la *Cyclopaedia* de Chambers (p. 126).

[66] Cf. Alain Rey, *op. cit.*, p. 14 et Jean-Louis Taffarelli, *op. cit.*, pp. 67-68.

radicelles qui s'unissent en racines pour s'élancer en un tronc unique qui s'épanouit en branches et rameaux portant feuilles et fruits»[67]. Même si c'est justement de Lull que Bacon reprendra la figure de l'arbre des sciences, il ne faut pas oublier que cette reprise se fait par-dessus une rupture épistémique qui oppose la combinatoire mystique d'un Lull à l'empirisme scientifique du Chancelier anglais[68]. Chez le premier elle est encore au service d'un art de la mémoire[69], tandis que le second l'utilise dans un contexte nouveau, celui d'une classification encyclopédique basée sur les facultés humaines.

En introduisant cet anthropocentrisme dans la classification des sciences, Bacon inaugure une nouvelle tradition pour les systèmes encyclopédiques[70], qui devait se maintenir au moins jusqu'à l'*Encyclopédie*. En ceci il faisait figure de législateur discursif en proposant un schéma qui s'est avéré stable jusqu'à l'encyclopédie romantique qui représente de nouveau une intervention transformatrice de la même importance que celle de Bacon. J'aimerais en fait montrer que la manière dont Novalis a transformé l'arbre des sciences de type baconien, représente le même geste de législateur discursif, bien que plus expérimental et inachevé et, de ce fait, sans le même succès historique.

Selon le schéma arborescent proposé par Bacon, le tronc de la science se ramifie en trois branches principales.

---

[67] Jean-Louis Taffarelli, *op. cit.*, p. 68.

[68] D'où le fait que et Bacon et Descartes rejetaient la méthode combinatoire de Lull comme une méthode qui n'avait de scientifique que l'apparence. Cf. John Neubauer, *op. cit.*, pp. 19-24.

[69] Même si, en tant que mnémotechnique aussi, elle représentait une innovation à son époque: «Lulle créa aussi un art de la mémoire qui se distinguait de l'art classique en ce qu'il introduisait le mouvement. Ce n'étaient plus des 'lieux' qu'il s'agissait de mémoriser, mais des cercles susceptibles de prendre des positions différentes les uns par rapport aux autres. L'art de la mémoire n'est plus un simple moyen de mémoriser des notions immuables mais devient un moyen de recherche» (Jean-Louis Taffarelli, *op. cit.*, p. 69).

[70] Même si, comme bien des théoriciens, lui non plus n'a pas écrit une encyclopédie au sens générique du terme.

Cette division se rapporte aux trois facultés principales de l'âme humaine:

> La division la plus exacte que l'on puisse faire de la science humaine se tire de la division des trois facultés de l'âme humaine, qui est le siège propre de la science. L'histoire se rapporte à la mémoire, la poésie à l'imagination, et la philosophie à la raison. [...]

> Il demeure donc constaté que de ces trois sources, la mémoire, l'imagination, la raison, dérivent ces trois genres, l'histoire, la poésie et la philosophie, qu'il n'en est point d'autres et ne peut y en avoir davantage: car nous regardons l'histoire et l'expérience comme une seule et même chose; et il en faut dire autant de la philosophie et des sciences[71].

Diderot et d'Alembert ne s'écarteront guère de cet ordre proposé par le Chancelier Bacon, ni dans le «Discours préliminaire», ni dans le système figuré des connaissances humaines. Il l'adopteront, au contraire, explicitement comme modèle. En voici la formulation tirée du «Discours préliminaire»:

> Ainsi la mémoire, la raison proprement dite, et l'imagination sont les trois manières différentes dont notre âme opère sur les objets de ses pensées. [...]

> Ces trois facultés forment d'abord les trois divisions générales de notre système, et les trois objets généraux des connaissances humaines; l'Histoire, qui se rapporte à la mémoire; la Philosophie, qui est le fruit de la raison; et les Beaux-Arts, que l'imagination fait naître[72].

Nous trouvons donc chez d'Alembert le même principe qui consiste à faire dériver les trois branches principales de l'arbre encyclopédique des mêmes trois facultés humaines. Ce qui donne les mêmes trois divisions principales dans le

---

[71] Bacon, *op. cit.*, pp. 98-99.

[72] Jean Le Rond d'Alembert, *Discours préliminaire de l'Encyclopédie*, Paris, Gonthier, 1965, pp. 62-63.

système figuré. La seule différence qu'on observe par rapport à son modèle est due au fait que d'Alembert, dans un ordre chronologique qu'il appelle ordre généalogique (comme opposé à l'ordre encyclopédique), fait précéder l'imagination (les Arts) par la raison (la Philosophie):

> Si nous plaçons la raison avant l'imagination, cet ordre nous paraît bien fondé et conforme au progrès naturel des opérations de l'esprit: l'imagination est une faculté créatrice; et l'esprit, avant que de songer à créer, commence par raisonner sur ce qu'il voit et ce qu'il connaît. Un autre motif qui doit déterminer à placer la raison avant l'imagination, c'est que dans cette dernière faculté de l'âme, les deux autres se trouvent réunies jusqu'à un certain point, et que la raison s'y joint à la mémoire. L'esprit ne crée et n'imagine des objets qu'en tant qu'ils sont connus par des idées directes et par des sensations: plus il s'éloigne de ces objets, plus les êtres qu'il forme sont bizarres et peu agréables. Ainsi dans l'imitation de la Nature, l'invention même est assujettie à certaines règles; et ce sont ces règles qui forment principalement la partie philosophique des Beaux-Arts [73].

C'est donc la logique du système philosophique qui veut que l'imagination (les Arts) se trouve en troisième position. Cette dernière faculté apparaît d'ailleurs vaguement comme la synthèse de deux autres, sans que, pour autant, cette position implique leur dépassement. L'imagination se trouve de la sorte plutôt dans la dépendance par rapport aux deux autres facultés, ce qui est conforme à la logique d'une esthétique de type mimétique. Les termes de cette citation nous serviront par la suite à déterminer de manière contrastive le développement spécifique que Novalis accorde à la faculté de l'imagination.

Tel que cultivé par Bacon, l'arbre des sciences qui est à la base du Système encyclopédique fait donc preuve d'une stabilité remarquable pendant presque deux siècles. Malgré tout ce qui peut avoir différencié leurs positions, Bacon d'une part et les encyclopédistes français des Lumiè-

---

[73] Jean Le Rond d'Alembert, *op. cit.*, p. 63.

res de l'autre s'appuient sur un même système arborescent dans leurs efforts d'inventorier et de faire progresser les sciences et les arts pour le bien de l'espèce humaine [74].

Novalis, pour sa part, continue à envisager le bien de l'espèce humaine comme un objectif principal de son travail d'écrivain, mais il entend, en poursuivant cet objectif, procéder autrement [75]. Et si c'est dans la tradition encyclopédique qu'il veut marquer la différence de sa position, il a compris qu'il doit intervenir au niveau de sa structure fondamentale, l'arbre des sciences. Les entrées 325 à 336 du *Brouillon* sont le fruit de sa lecture du «Discours préliminaire» de d'Alembert et documentent en même temps l'orientation de son intervention.

Novalis n'invente donc point un nouveau système, en quelque sorte *ex nihilo*, ni ne cherche-t-il à faire table rase avant d'entamer sa construction encyclopédique. Il part, au contraire, d'un système donné, et pas de n'importe lequel: de celui qui, par sa persistance et stabilité, a affirmé sa domination. Il procède en réutilisant les éléments de ce système. Son intervention pourrait donc être qualifiée de réutilisation transformatrice. C'est dire que, dans un premier temps, il accepte comme point de départ la théorie

---

[74] Il est vrai, cependant, que les encyclopédistes des Lumières n'avaient plus la même foi en un ordre unique et immuable comme leurs prédécesseurs métaphysiciens. Ils ne considéraient plus leur système encyclopédique *sub specie aeternitatis*. Aussi, «convaincus de l'impossibilité de former un arbre encyclopédique qui soit au gré de tout le monde» (Jean Le Rond d'Alembert, *op. cit.*, p. 68), admettaient-ils que tout système est marqué par la relativité historique de la position de ses auteurs. Mais de là à dire que «le système figuré des connaissances humaines [aurait été] placé presque par acquis de conscience en tête d'un dictionnaire» (Maurice de Gandillac, *op. cit.*, p. 16), il y a un pas que je ne suis pas prêt à faire, d'autant moins si je considère que d'une part ce système était soigneusement commenté et justifié par d'Alembert dans le «Discours préliminaire» et que d'autre part Novalis l'a parfaitement pris au sérieux comme le point précis où il fallait appliquer le levier de la critique et de la transformation.

[75] Cette allusion au fait que, dans l'œuvre de Novalis, le passage des Lumières au Romantisme ne saurait simplement se subsumer sous les termes de rupture ou de discontinuité sera reprise et élaborée dans le chapitre VI de ce livre.

empirique de la perception et de la connaissance telle qu'adoptée par les encyclopédistes français. Afin d'être en mesure de comprendre la transformation que Novalis fait subir à cette théorie, rappelons-en les grandes lignes, dans une formultation tirée du «Discours préliminaire»:

> Les objets dont notre âme s'occupe sont ou spirituels ou matériels, et notre âme s'occupe de ces objets ou par des idées directes ou par des idées réfléchies. Le système des connaissances directes ne peut consister que dans la collection purement passive et comme machinale de ces mêmes connaissances; c'est ce qu'on appelle mémoire. La réflexion est de deux sortes, nous l'avons déjà observé: ou elle raisonne sur les objets des idées directes, ou elle les imite. Ainsi la mémoire, la raison proprement dite, et l'imagination, sont les trois manières différentes dont notre âme opère sur les objets de ses pensées[76].

Les éléments que Novalis prélèvera de cette théorie pour les retravailler sont l'opposition entre deux types de connaissance produisant

d'une part des connaissances directe et passives, dues aux sensations et alimentant la faculté de l'âme appelée mémoire,

d'autre part des connaissances indirectes ou réfléchies, obtenues par une opération portant sur les connaissances directes. Cette opération peut être de deux sortes:
   raisonnement: assuré par la faculté de l'âme appelée raison et
   imitation: assurée par la faculté de l'âme appelée imagination.

Novalis réutilisera tous ces éléments. Mais comment tranformera-t-il le système? La réponse est donnée dans l'entrée # 331 du *Brouillon*:

---

[76] Jean Le Rond d'Alembert, *op. cit.*, p. 62.

PSYCHOLOGIE (ENCYCLOPÉDISTIQUE) — Il faut appliquer la raison à la mémoire, et la mémoire à la raison.

Les sciences appelées réfléchies ou indirectes ne sont, au sens général, pas des sciences combinatoires, — mais elles doivent le devenir. Mémoire et raison sont actuellement isolées l'une de l'autre; elles doivent de part et d'autre se réunir [*wechselseitig vereinigt*]. (L'abstrait doit devenir sensible, et le sensible abstrait.) — (Opérations inverses des opposés: chacune subsiste et se complète avec l'autre. Nouvelle manière d'envisager l'idéalisme et le réalisme)[77].

Dans cette entrée, Novalis oppose deux états du Système encyclopédique: un état de fait et un état utopique. De manière fragmentaire, il caractérise chacun des deux états et indique quelques opérations permettant de passer du premier au second.

L'état de fait du Système, c'est-à-dire l'arbre encyclopédique de Diderot et d'Alembert, est déterminé par sa structure arborescente:

niveau n + 1 Mémoire   Raison
             (sensorielle)   (abstraite)
             [sciences directes][78]   sciences réfléchies
                                    ou indirectes

niveau n   [Âme]

Deux traits qui, aux yeux de Novalis, sont négatifs caractérisent ce Système:

a) l'isolement de Mémoire et Raison et

---

(77) *OC*, II, p. 261. Traduction modifiée par W. M.: la triade mémoire-raison-imagination — correspondant à *Gedächtnis-Verstand-Einbildungskraft* chez Novalis — a été rétablie, même si Novalis n'a pas utilisé *Vernunft* pour traduire «raison» de d'Alembert; Armel Guerne a effacé la référence au texte du «Discours préliminaire» en traduisant *Verstand* par deux termes différents: intelligence et jugement. Texte allemand *SCH*, III, p. 299.

(78) J'indique par les crochets [...] que ces éléments ne sont pas explicitement donnés dans le texte de Novalis.

b) le fait que les sciences réfléchies ou indirectes ne sont pas vraiment combinatoires.

Le deuxième trait est concomitant avec le premier et il est même en quelque sorte la conséquence du premier. Selon la logique arborescente, les positions du niveau n + 1 (Mémoire et Raison) ne peuvent être mises en contact que si on fait le détour par leur intersection au niveau n (Âme). À leur propre niveau, leur relation est celle du non-contact, de l'isolement. Chacune est déterminée par son propre prédicat (Mémoire — sensorielle, Raison — abstraite), mais, entre eux, ces prédicats s'opposent et s'excluent même sémantiquement.

L'intervention de Novalis va dans le sens d'une dynamisation de ce Système de classification statique. En effet, la transformation proposée de ce Système doit s'obtenir par trois opérations qui jouent un rôle capital dans tout le *Brouillon*, trois interventions actives qui s'attaquent à la logique de l'arbre encyclopédique: la combinaison, l'application et l'action réciproque.

L'opération de la combinaison est thématisée: il est suggéré que les sciences indirectes deviennent combinatoires; mais elle n'est pas mise en pratique dans le texte. Aucune précision n'est donnée, mais on peut interpréter l'expression du texte allemand *combinatorisch sensu generali* comme renvoyant à une acception de «combinatoire» qui n'est pas limitée au domaine mathématique. Dans cette acception élargie, «combinatoire» subsume les deux autres opérations.

L'application opère une mise en contact des deux facultés isolées: il faut appliquer la Mémoire à la Raison, et la Raison à la Mémoire. Cette opération doit donc s'exécuter dans les deux sens, comme dans un mouvement de croisement. Quel que soit le fonctionnement exact de cette opération, il est d'ores et déjà évident qu'elle ne respectera pas les règles de la structure arborescente puisqu'elle doit établir un contact réciproque et dynamique entre deux positions du même niveau (n + 1) de l'arbre encyclopédique.

L'action réciproque, plus exactement l'unification par action réciproque (*wechselseitig vereinigen*), propose finalement une intervention dans le même sens, mais apporte une intensification de la relation dynamique entre les deux termes isolés. De mise en contact (combinatoire) et application réciproque, elle devient maintenant interaction qui doit mener jusqu'à l'unification. Et ceci par une interaction directe des deux unités qui sont dites isolées dans l'état actuel du Système. Cette unification réciproque est la seule opération dont Novalis esquisse le déroulement concret: «L'abstrait doit devenir sensible, et le sensible abstrait». C'est par un échange des prédicats définitoires que l'isolement des termes sera brisé et leur ligne de séparation définitivement franchie. Cette opération symétrique — elle doit s'exécuter dans les deux sens: *wechselseitig* — n'est pas, à vrai dire, un échange. C'est plus qu'un échange, car, en plus du croisement, il y aura cumul des prédicats: chacun des opposés «subsiste et se complète avec l'autre». Ce mouvement va vers l'unification et se manifeste souvent — on le verra tantôt dans l'entrée # 327 — par l'affirmation simultanée (*zugleich*) des deux positions ou prédicats ou mouvements opposés, en commettant de la sorte une infraction importante à la logique binaire de l'arborescence.

Les trois opérations se confirment et se renforcent les unes les autres. Par rapport à l'état actuel du Système, elles visent toutes le même objectif, ou du moins ont le même effet: transgresser la logique arborescente. En effet, elles vont toutes à l'encontre de la loi négative de l'ordre arborescent en ouvrant le lien transversal entre les branches de l'arbre encyclopédique.

Cet exemple textuel montre clairement que d'une part Novalis travaille dans et avec les matériaux de l'arbre des sciences, légués par une tradition allant de Bacon jusqu'à Diderot/d'Alembert, et que, d'autre part, il n'en reproduit pas l'essentiel, la mise en ordre arborescente. Il commence par maintenir ce qui, dans le Système arborescent, correspond aux branches principales; il maintient également le rôle fondamental qui échoit aux facultés de l'âme dans l'articulation de ces branches. Mais au-delà de cela, il travaille à induire la structure arborescente en désordre. S'il reprend les éléments et les matériaux, il ne reproduit point leur mise en relation systématique. Tout porte à croire

qu'il s'y oppose, la déjoue et en transgresse systématiquement la loi en postulant de maintes façons le geste interdit
de la mise en contact entre les termes de l'opposition au
niveau n + 1 de la ramification. Certes, le travail de Novalis, à son tour, réfère à un système, procède de manière
méthodique — nous nous pencherons plus tard sur ce Sys-
tème([79]) — mais en nous concentrant pour l'instant sur le
moment négatif de ce travail, il en résulte un désordre
savamment orchestré de la forme arborescente. Si nous
tenons à maintenir la métaphore de l'arbre, force nous est
de constater que, après 200 ans de cultivation arborescente, l'arbre encyclopédique connaît, avec Novalis, une
poussée sauvage.

Cependant, dans le texte de Novalis, cette poussée
sauvage ne se manifeste pas, comme nous l'avons vu chez
Goethe, sur le mode d'une «besogne achevée». Elle ne se
réalise qu'en tant que postulat, programme à accomplir.
Elle véhicule de la sorte l'espoir d'un nouvel ordre encyclopédique et a, par conséquent, partie liée avec le «principe
espérance». En fait, nous touchons là, pour la première
fois concrètement, à une particularité très marquée du discours encyclopédique de Novalis. Celui-ci vise bien moins
la compilation des connaissances données que la transformation de leur Système, et même la possibilité de concevoir
systématiquement leur production future. Dans ce sens
Novalis, à l'instar de Bacon, fait de nouveau figure de
législateur discursif et répète ainsi le geste historiquement
inchoatif de ce dernier.

Son travail encyclopédique est donc orienté vers un
état de Système — et par là vers un état du savoir — qui
reste entièrement à réaliser. Pour revenir au texte de l'entrée # 331, cet utopisme s'y inscrit par deux traits qui en
modalisent l'énonciation. Ces traits feront l'objet, dans le
chapitre VI, d'une description minutieuse, je me contente
donc ici de les repérer. Il s'agit d'une articulation temporelle et d'une transformation modale des énoncés.

([79]) Le chapitre VI sera consacré aux particularités du système
novalisien.

a) Temporel

Un état de choses actuel et insatisfaisant («Mémoire et Raison sont actuellement isolées l'une de l'autre») est opposé à un état de choses futur («... elles doivent de part en part se réunir»).

b) Modal

L'état de choses actuel est présenté comme un état de fait («Les sciences appelées réfléchies ou indirectes ne sont, au sens général, pas des sciences combinatoires...») auquel l'auteur oppose un état de droit qui est à réaliser («... mais elles doivent le devenir»). Il est intéressant de constater que, dans l'entrée # 331, les trois opérations qui marquent l'intervention de Novalis dans le Système arborescent sont réalisées dans cette modalité d'énonciation, avec le concours du verbe modal allemand *sollen*. Ce verbe modal a ceci de particulier qu'il implique une obligation morale, ce qui a pour effet d'interpeller le lecteur en lui imposant une espèce d'engagement moral à réaliser ce nouvel état ou ordre.

Comme chez Bacon donc, le rejet d'un ordre donné s'accompagne chez Novalis d'une invitation urgente, inscrite à même le texte encyclopédique, à changer de pratique, à instaurer un ordre différent.

Tant qu'on se situe du côté de la logique arborescente, l'intervention de Novalis sera perçue comme l'irruption du désordre ou le retour à un désordre ancien. Ce sera une poussée sauvage de l'arbre des sciences, avec toutes les connotations négatives que véhicule l'adjectif «sauvage» pour la position discursive indiquée par le contexte métaphorique de la «pépinière» et de la «greffe». En réutilisant les éléments et matériaux de la solide tradition figurale de l'arbre, Novalis nous oblige à penser le processus de transformation qu'il fait subir à cette tradition. Il ne faudrait donc pas s'arrêter au moment négatif de ce processus et se contenter de porter un jugement exclusivement négatif sur toute l'intervention novalisienne. Il y a un pas critique de plus à faire. Il consiste à décrire également le moment positif de la transformation, c'est-à-dire la nouvelle logique de système qui permet de réarticuler ces éléments et matériaux dans un ordre qui comporte la possibilité de dépasser la structure binaire de l'arbre.

Un des nouveaux principes d'organisation systémique est, nous l'avons vu, l'interaction d'éléments opposés. Celle-ci est subsumée, à un niveau très général, sous le principe combinatoire. Voici, pour illustrer ce principe, l'entrée # 327:

> FUTUROLOGIE PSYCHOLOGIQUE. (a) Mémoire, raison et imagination ne doivent plus, dans l'avenir, avoir besoin les unes des autres — d'éléments de notre esprit — elles doivent devenir des membres, des parties constituantes, en quelque sorte des esprits indépendants.
>
> (b) La mémoire est un sens direct (positif) — la raison — un sens indirect (négatif).
>
> L'imagination est le principe agissant — (c) on l'appelle fantaisie lorsqu'elle agit sur la mémoire — et pensée (*Denkkraft*) lorsqu'elle agit sur la raison. L'imagination doit devenir à la fois sens (extérieur) direct et sens (intérieur) indirect. Le sens indirect doit devenir sens direct et agissant de soi-même — vivant, et le sens direct, à la fois sens indirect et agissant de soi-même. Ces trois transformations s'accompliront et doivent s'accomplir à la fois — dans le même moment. (d) (Les mondes direct, indirect et substantiel doivent devenir harmoniques.) (Harmonie de poésie, philosophie et érudition (*Gelehrsamkeit*)([80]).)

Ce texte reprend et élargit, tout en l'approfondissant, ce qu'on a pu observer dans l'entrée # 331. Il est également inspiré par la lecture du «Discours préliminaire». Novalis y traite la même problématique: comment transformer l'arbre des sciences tout en réutilisant ses trois branches princi-

---

([80]) *OC*, II, 260, traduction modifiée par W. M. J'ai en particulier rétabli la triade mémoire-raison-imagination (pour *Verstand* A. Guerne propose une troisième traduction: «intellect», après «intelligence» et «jugement» dans l'entrée # 331) et j'ai maintenu les deux gestes répétitifs du texte allemand: *soll werden* (doit devenir) et *zugleich* (à la fois), aux dépens peut-être de l'élégance de la formulation française. Mais dans le cas de ces entrées fragmentaires et souvent grammaticalement incomplètes, l'original allemand est tout autre qu'élégant dans sa formulation. Texte allemand *SCH*, III, p. 298.

pales? Dans cette entrée la question de cette transformation est d'ailleurs explicitement thématisée.

Le texte présente des articulations analogues à celles de l'entrée # 331. On peut distinguer quatre parties, même si l'auteur, dans le style télégramme typique du *Brouillon*, a fait l'économie de la plupart des outils langagiers exprimant l'agencement logique et argumentatif:

a) Formulation générale du programme de la transformation.

b) Les trois unités de base telles que reprises de l'ancien Système.

c) Transformation combinatoire de ces trois unités.

d) Résultat final anticipé.

De nouveau, un état de fait — implicite dans a) et explicite dans b) — est décrit, puis opposé à un état futur, utopique qu'il s'agit de produire par la transformation de l'état de fait. L'aspect utopique est explicite dans le titre que Novalis a choisi de donner à cette entrée: FUTUROLOGIE PSYCHOLOGIQUE (*psychologische Zukunftslehre*)([81]).

Finalement, on retrouve l'emphase sur le devoir quasi-moral qui coïncide avec la nécessaire évolution interne du Système: «s'accompliront et doivent s'accomplir» (*werden und müssen... geschehn*).

De nouveau, la représentation de l'état futur du Système est modalisée dans l'énonciation par le syntagme «doit devenir» (*soll... werden*) qui est repris avec insistance et s'oppose au *ist* constatif dans la description de l'état actuel.

Ce traitement tout à fait parallèle d'une même problématique est cependant plus global — il inclut maintenant

---

([81]) Il faut rappeler que, à peu près au milieu de son travail encyclopédique — Hans-Joachim Mähl situe ce moment en octobre 1798 — Novalis a fait un premier bilan en revoyant tous les matériaux déjà recueillis à cette date (ce qui correspond environ aux premières 600 entrées de l'édition Mähl) en vue d'une classification systématique. C'est lors de cette révision qu'il a ajouté ce que j'appellerai ici les titres d'entrée qui sont graphiquement identifiés par des majuscules dans le texte imprimé. Cf. l'introduction de Hans-Joachim Mähl à son édition, *SCH*, III, p. 208.

les trois facultés de l'âme ainsi que leurs relations — et plus élaboré, puisque la combinatoire de leurs interactions est développée au complet, bien que de manière succincte.

Un problème surgit, toutefois, dès la première phrase de l'entrée # 327: «Mémoire, raison et imagination ne doivent plus, dans l'avenir, avoir besoin les unes des autres [...] elles doivent devenir [...] des esprits indépendants». La transformation ainsi suggérée ne va-t-elle pas dans le sens inverse par rapport à celle que l'entrée # 331 nous a permis de relever et qui, partant de l'isolement des facultés de l'âme, va vers leur interaction, voire unification? Ici, d'interdépendantes («avoir besoin les unes des autres»), elles doivent devenir indépendantes. Novalis ne postule-t-il pas de la sorte leur isolement comme un état à réaliser?

On ne saurait répondre à ces questions sans apporter au préalable quelques commentaires en guise de clarification à certaines formulations du texte. Ces commentaires, il est vrai, auront nécessairement un caractère spéculatif, vu la fragmentarité du texte lui-même qui laisse certains de ses éléments dans un état d'indétermination. Ce n'est donc qu'en actualisant la relation intertextuelle entre Novalis et Diderot/d'Alembert que certaines informations nécessaires pour l'analyse et pour la construction d'un sens peuvent être trouvées.

À ce point précis, ce sont les textes de d'Alembert qui peuvent nous aider à préciser la signification de l'expression «avoir besoin les unes des autres» (*einander nöthig haben*). Dans l'ordre encyclopédique et, par conséquent, dans le système figuré en tant qu'arbre des sciences de d'Alembert, les trois branches sont effectivement isolées. Leur séparation rigoureuse est même une condition pour l'efficacité classificatoire de la structure arborescente, chose à quoi Novalis fait allusion dans l'entrée # 331. Dans l'ordre généalogique, par contre, qui transpose l'ordre de système en une mise en ordre narrative, l'activation des différentes facultés de l'âme et par conséquent la production des connaissances correspondantes, est consécutive. Dans cette mise en opération successive, mémoire, raison et imagination ont, en effet, besoin les unes des autres: sans mémoire (idées directes) pas d'idées indirectes (raison), et sans l'activité de mémoire et de raison pas d'activité de l'imagination, puisque cette dernière dépend des matériaux fournis par les deux premières.

Cette dépendance généalogique implique une certaine hiérarchisation dans l'ordre des facultés de l'âme. Novalis entend rompre dépendance et hiérarchie en rendant les facultés plus indépendantes les unes des autres. Dans le Système qu'il envisage, il aimerait les traiter de telle sorte que chacune occupe toutes les positions systémiques ou généalogiques. Ayant recours à une métaphore politique, on pourrait dire qu'il se propose de démocratiser les facultés de l'âme. Mais, d'après une logique quelque peu paradoxale, cette indépendance des parties passe par une interdépendance accrue dont Novalis nous montre le fonctionnement combinatoire.

L'indépendance postulée comme un état positif ne coïncide donc point avec l'isolement rejeté dans l'entrée # 331 comme un état négatif. Une considération plus détaillée des termes dont Novalis se sert pour désigner la nouvelle fonction systémique des trois facultés permettra de préciser cette distinction. Dans l'état de fait négatif (Système de d'Alembert), les facultés sont traitées comme des «éléments de notre esprit»; dans l'état futur du Système, elles auront et doivent avoir le statut de membres, de parties constituantes, d'esprits indépendants. Il me semble qu'on peut lire, dans ces termes, une interférence sousjacente d'un modèle mécanique et d'un modèle organique. Dans le système mécanique, les éléments sont foncièrement isolés, et ce n'est qu'une impulsion extérieure qui peut les faire entrer en contact les uns avec les autres ou les induire en interaction, tandis que, dans le modèle organique, les parties sont toujours déjà pensées comme engagées dans la constitution d'un tout, l'organisme vivant. L'emploi du terme *Glied*, que Novalis utilise de préférence dans un contexte organologique, confirme cette hypothèse. Ce qui importe pour la lecture de l'entrée # 327, c'est le fait que Novalis pense le système organique, et peut-être tout système, sur un mode monadologique: la partie reproduit dans sa structure le tout, elle lui ressemble, parce qu'elle en présente toutes les caractéristiques. Dans ce sens elle doit, à

162

son tour, être constituée comme un petit tout, ou, dans une formulation qui est logiquement encore plus problématique: elle contient le tout. Cette conceptualisation confère aux parties/monades un maximum d'indépendance tout en établissant une interdépendance maximale entre elles. On touche ici, encore une fois, à un des principes d'articulation fondamental du Système du *Brouillon*. Sur le plan de cette interférence de modèles — implicite dans la partie (a) de notre texte — la transformation postulée par Novalis s'articule dans des termes très clairs: il s'agit de faire passer le Système encyclopédique d'un état mécanique à un état organologique. Ou, en d'autre termes, il faut restituer à l'arbre la complexité de son organicité originelle — sauvage, aux yeux de l'arboriculteur — qui a été réduite à une logique binaire et hiérarchique lors de sa domestication en instrument de connaissance-maîtrise[82].

L'opération combinatoire qui, cette fois-ci, est pratiquée sans être nommée, est d'origine mathématique. Mais utilisée par Novalis *sensu generali*[83], elle devient en quelque sorte neutre par rapport aux deux modèles sous-jacents qui s'opposent. En tant que pure opération logique, elle s'applique donc indifféremment à l'un ou à l'autre. C'est, en fait, cette opération que Novalis applique aux trois facultés de l'âme pour indiquer la transformation que doit subir le système arborescent.

De nouveau, il s'agit d'un échange et par la suite d'un cumul de prédicats, d'une dynamisation qui permet à chaque partie constituante du Système d'acquérir les prédicats

---

[82] C'est un postulat tout à fait analogue et équivalent que Deleuze et Guattari font valoir lorsqu'ils opposent au modèle de l'arbre celui du rhizome. Leur nouvelle conceptualisation, quelque différente qu'elle se veuille, se maintient dans la métaphore organique dont Judith Schlanger a proposé une des analyses les plus détaillées et compréhensives: *Les métaphores de l'organisme*, Paris, Vrin, 1971.

[83] L'analyse montrera l'importance de cette opération pour la cohérence du Système novalisien: prélever un élément (par exemple un concept, une opération) dans un domaine particulier, lui conférer un statut général (= *universalisieren*), finalement l'appliquer potentiellement à n'importe quel autre domaine particulier.

de toutes les autres. Au départ (état de fait), les prédicats sont distribués comme suit:
— la mémoire est sens direct (positif, extérieur),
— la raison [est] sens indirect (négatif, intérieur),
— l'imagination est le principe agissant (agissant de soi, vivant).

Dans la transformation combinatoire chaque faculté doit s'approprier les prédicats des deux autres:
— l'imagination doit devenir sens direct (mémoire) et sens indirect (raison),
— le sens indirect (raison) doit devenir sens direct (mémoire) et agissant (imagination),
— le sens direct (mémoire) doit devenir sens indirect (raison) et agissant (imagination).

Les trois branches, toutes issues d'une même base qui a un statut hiérarchiquement supérieur (l'âme = le tronc de l'arbre), se transforment ainsi en un système triangulaire dans lequel les prédicats de chacune des trois positions sont portées sur les deux autres. Résultat final anticipé: chaque unité maintient son prédicat «propre»([84]) tout en acquérant les deux autres. En d'autres termes, le système est intégré, sinon unifié. À un état d'intégration basée sur la séparation et la différenciation fonctionnelle des parties s'est substituée — utopiquement — un état d'harmonie des parties, basée sur une indépendance-complétude de chaque partie, qui est fonction de leur totale interdépendance.

Une dernière chose est à signaler dans les formulations de Novalis quand il expose cette combinatoire. Il insiste sur la simultanéité des opérations (*zugleich, in demselben Momente*), ce qui a deux implications.

D'une part, cette affirmation simultanée des prédicats caractéristiques et sémantiquement opposés (direct vs indirect, positif vs négatif) de deux facultés dans la troisième, et pour finir aussi au sein de chacune d'elles, équivaut à une mise en question de ce qui est à la base de la logique

---

([84]) Repris de l'ancien Système, avec une exception cependant: l'imagination = principe agissant.

arborescente: la loi du tiers exclus [85]. L'enjeu de cette transformation de *Système* est donc de taille: l'instauration d'une nouvelle logique discursive.

D'autre part, Novalis exclut, par son insistance sur la simultanéité de toutes les opérations, que sa transformation puisse être pensée comme une évolution, que la transgression de la logique arborescente puisse être médiatisée, et par là neutralisée, par le facteur temps et que le type d'interdépendance — globale et radicale — illustré sur le mode combinatoire par lui puisse être réduit à celui de l'ordre généalogique chez d'Alembert. La transformation proposée représente donc en quelque sorte un saut qualitatif dans une autre logique, dans un degré de complexité et d'intégration systémiques que Novalis figure de préférence de manière organologique.

Les deux sens de ce *zugleich* viennent corroborer un fond commun. Dans une métaphorique politique développée et utilisée par les premiers romantiques eux-mêmes, on peut dire que la transformation visée par Novalis est de nature révolutionnaire. Par sa répétition systématique et insistante au niveau de la réalité discursive analysée ici, la particule *zugleich* devient le lieu textuel où se donne à lire un éthos révolutionnaire qui, de concert avec le *soll... werden*, caractérise le geste énonciateur de cette entrée, et peut-être de tout le *Brouillon* [86]. Cette révolution du *Système* encyclopédique a cependant ceci de particulier que, si elle prône un changement radical, elle n'en travaille pas moins les éléments et les matériaux que l'ancien Système et la tradition mettent à sa disposition. L'invention du nouveau se produit en tant qu'énonciation différente de

---

[85] Dont nous avons vu que la structure arborescente peut la «contourner» par le détour dans la verticale, ce qui lui permet d'interdire d'autant plus strictement tout parcours transversal, c'est-à-dire la mise en contact, et pire encore, l'affirmation simultanée des opposés du même niveau logico-hiérarchique. C'est cette interdiction que le *zugleich* de Novalis transgresse.

[86] On y reviendra, par une analyse plus compréhensive, dans le chapitre VI.

l'ancien. Il y va, non pas d'une incapacité, mais d'une méthode de la part de Novalis. Sa nouveauté révolutionnaire résidera donc moins dans le choix des matériaux que dans leur mise en discours et dans la position discursive qu'adopte l'auteur en les réutilisant.

Il y a pourtant un élément, une des trois branches de l'arbre, que Novalis traite différemment par rapport à ses prédécesseurs dans la tradition encyclopédique. Il s'agit de l'imagination. Dès sa caractérisation définitoire par un prédicat «propre», cette faculté jouit en quelque sorte d'un traitement de faveur: l'imagination est le principe agissant (*das würckende Princip*). Ce prédicat est par la suite repris dans une formulation légèrement différente: *selbstwirkend* (agissant de soi). C'est là le prédicat définitoire de tout être vivant, ce que Novalis confirme en l'explicitant par le prédicat synonyme: *lebendig* (vivant). À l'imagination est donc accordée en propre la capacité d'agir de soi, ce qui confère à tout le système une qualité dont est dépourvu tout système purement mécanique. Car cette capacité peut se transposer à la mémoire ainsi qu'à la raison. Cette transposition est rendue verbalement par *wircken auf* (agir sur), ce qui suggère que c'est l'imagination qui transmet aux deux autres facultés le principe actif, ou qui les active.

Ce privilège accordé à l'imagination confirme, dans un premier temps la troisième position, position de synthèse, que d'Alembert accorde à la même faculté. Mais dans son ordre généalogique, l'imagination se trouve en position de dépendance par rapport aux deux autres facultés. Elle avait besoin d'elles, dans la mesure où d'une part elles préfabriquaient en quelque sorte les matériaux sur lesquels travaille l'imagination dans sa fonction créatrice([87]) et, d'autre part, elle était contrôlée par la raison, c'est-à-dire assujettie, dans sa production, à des critères qui sont, en dernière instance, ceux d'une esthétique mimétique avancée par la partie philosophique des Beaux-Arts:

([87]) Qui, rappelons-le, ne produisant par définition que des connaissances indirectes, est cependant basée sur l'imitation (cf. Jean Le Rond d'Alembert, *op. cit.*, p. 62).

L'esprit ne crée et n'imagine des objets qu'en tant qu'ils sont connus par des idées directes et par des sensations: plus il s'éloigne de ces objets, plus les êtres qu'il forme sont bizarres et peu agréables. Ainsi dans l'imitation de la Nature, l'invention même est assujettie à certaines règles; et ce sont ces règles qui forment principalement la partie philosophique des Beaux-Arts[88].

Chez Novalis aussi, l'imagination occupe une place spéciale, mais sa dépendance par rapport aux deux autres facultés se trouve presque renversée, puisque c'est elle qui leur transmet le principe agissant. Elle est en quelque sorte le moteur et la source d'énergie de tout le système, mais cela ne lui confère aucune supériorité logico-hiérarchique. Nous avons vu, au contraire, que, en vertu de la logique combinatoire, elle est entièrement intégrée dans le système, au même titre que les deux autres facultés. Il faudrait plutôt parler ici d'une supériorité énergétique.

Ce qui importe dans ce traitement différent de la faculté imaginative par Novalis, ce sont les conséquences esthétiques. Non seulement Novalis enlève-t-il de la sorte le fondement à une esthétique de type mimétique, le propre d'une instance agissant de soi n'étant pas d'imiter mais de faire (*poïein*), de produire. Mais encore suggère-t-il dans l'entrée # 327 que le principe actif qui définit l'imagination peut se transposer à la mémoire et à la raison, ce qui conférerait à tout le système une qualité poïétique. On entre ici dans le domaine de la poétique néoplatonicienne, centrée sur la notion de *produktive Einbildungskraft*, dont la réception par Novalis, par le détour de l'ouvrage d'histoire de la philosophie de Tiedemann[89], a été analysée en détail par Hans-Joachim Mähl[90]. Il ne s'agit pas de

---

[88] Jean Le Rond d'Alembert, *op. cit.*, p. 63.

[89] Dieterich Tiedemann, *Geist der spekulativen Philosophie*, Marburg, Neue Akademische Buchhandlung, 6 volumes, 1791-97.

[90] Hans-Joachim Mähl, «Novalis und Plotin», in Gerhard Schulz (éd.), *Novalis, Beiträge zu Werk und Persönlichkeit Friedrich von Hardenbergs*, Darmstadt, Wissenschaftliche Buchgesellschaft, 1970, pp. 357-423.

reprendre ce travail ici, mais plutôt de joindre ses résultats à ceux de notre analyse de l'entrée # 327. Si, avec Novalis([91]), on réactualise le sens étymologique de «poésie», on comprend alors comment tout le Système encyclopédique peut acquérir le prédicat «poïétique» ([92]) chez lui.

Les divisions de l'arbre encyclopédique sont devenues méconnaissables en tant que branches d'un arbre dans la mesure où un mouvement contraire à la classification qui les séparait dans des ramifications logiques les relie maintenant entre elles en leur faisant partager à toutes un même principe agissant. C'est ainsi que «savoir», «connaître» et «faire» au sens de «créer», «produire», les activités de l'historien-savant, du philosophe-scientifique et du poète deviennent presque synonymes, puisqu'elles tiennent de la même faculté «poïétique». C'est ce que Novalis formule ici dans une forme narrative qui reproduit la tripartition typique des processus mythico-historiques chez lui:

> # 49 PHILOSOPHIE. — (À l'origine savoir et faire sont confondus; et puis il se séparent, mais tout au bout ils doivent de nouveau se réunir et coopérer harmonieusement sans toutefois se confondre.)
>
> (On veut toujours et en même temps savoir et faire: savoir ce qu'on fait et comment on le fait; faire ce qu'on sait et comme on le sait.)([93])...

Dans l'entrée # 275, le principe poïétique — appelé *Erzeugungsprocess* — est appliqué concrètement au savoir scientifique:

([91]) Déjà le 10 avril 1796, dans une lettre à Caroline Just, il avait fait le lien étymologique entre la poésie et l'activité productive de «faire»: «... es ist allemal ein Poëm; denn dies bedeutet in der Ursprache nichts, als Machwerck», *SCH*, IV, p. 180.

([92]) Je maintiens cette formulation quand il s'agit de marquer la différence par rapport à une poésie, et plus généralement une esthétique de type mimétique.

([93]) *OC*, II, p. 227; texte allemand *SCH*, III, p. 246.

275 PHYSIQUE. Il n'est pas étonnant que le processus de la génération ait si tôt et si exclusivement préoccupé les physiciens. Ils devaient se douter que là se situait une étrange valeur limite. Ce que je comprends, je dois pouvoir le faire — ce que je veux comprendre — apprendre à le faire... ([94]).

Dans ces deux entrées la généralité du principe poïétique est présentée comme un état ancien et primitif du Système. L'intervention de Novalis se comprend donc comme le rétablissement d'un état qui aurait précédé l'état actuel. Avec la différence, cependant, que la différenciation actuelle ne doit pas être ramenée à une indifférence primitive, mais harmonisée sous le signe de la générativité poétique.

«Ein reales und ideales Muster»

L'analyse détaillée des entrées # 331 et # 327, dans lesquelles a lieu la rencontre conflictuelle de Novalis avec la tradition figurale de l'arbre des sciences, montre sans équivoque le sens de son intervention dans l'histoire du genre encyclopédique, tout particulièrement au niveau du Système et de sa figuration. Ces textes documentent tout d'abord une réaction à la lecture du «Discours préliminaire», mais s'élèvent ensuite au niveau d'une réflexion générale sur le Système encyclopédique tout en proposant l'élaboration concrète d'un Système différent. Ils représentent donc une interaction à la fois avec les matériaux discursifs de la tradition générique et avec les éléments textuels de l'ouvrage de d'Alembert. Dans ce sens il s'agit d'une réutilisation induisant une transformation qui n'en reste pas moins inscrite dans la tradition du genre encyclopédique. Cette transformation a donc ceci de particulier qu'elle combine la permanence des matériaux préétablis par la tradition avec un changement radical dans leur redé-

---

(94) *SCH*, III, p. 289, cette entrée n'a pas été traduite par A. Guerne.

ploiement discursif. Elle est en même temps maintien et changement de la tradition; le défi qu'elle lance de la sorte au discours critique qui veut en rendre compte consiste à décrire adéquatement cette nature double: en fait, comment rendre compte de cette manifestation simultanée de deux opérations contradictoires (répétition et innovation, conservation et révolution) sans privilégier l'un ou l'autre des aspects, et surtout sans opérer une réduction de l'un à l'autre?

Cette question contient, en noyau, toute la problématique de la réception du romantisme. Mais, sur une base textuelle si étroite, il serait prématuré de tirer des conclusions d'un ordre de généralité pareil. Ce serait tout particulièrement périlleux dans le cas d'un texte comme le *Brouillon*, étant donné son hétérogénéité extrême et sa constitution problématique. Plus encore que pour des textes plus conformes aux déterminations de l'objet textuel, il faut user ici d'une grande prudence quand on veut extrapoler et généraliser des résultats obtenus par des analyses ponctuelles. Néanmoins les deux entrées ont permis d'illustrer le fait important que le travail concret de Novalis combine continuité et discontinuité de manière très particulière. Le changement historique, tel que manifesté au niveau de l'interaction concrète avec des régularités discursives établies de longue date, relève à la fois de la rupture et de la reconduction. Il s'agit maintenant d'explorer la portée de cette particularité sur une base élargie de matériaux et d'aspects textuels.

Une question se pose cependant: un texte d'une facture si précaire, se prête-t-il à une telle exploration? Offre-t-il un support assez solide pour l'analyse de questions aussi vastes et générales que le sont celle du changement historique tout court, et, plus concrètement, celle du passage d'une formation discursive à une autre? En réponse à ces questions j'avancerai ici l'hypothèse que non seulement la difficile matérialité textuelle du *Brouillon* supporte bien une telle interrogation mais encore que c'est justement dans ce qui apparaît comme la précarité du texte que réside en grande partie son importance historique. Travailler dans l'horizon d'une telle hypothèse n'est, cependant, possible que si on réussit à jeter sur cette qualité du texte un regard qui ne soit pas exclusivement négatif. Dans le premier chapitre, on a vu que les éditeurs et certains interprètes ne pouvaient cerner ce qui est résumé ici sous le terme «précarité» que comme manque, désordre, incohérence, inachèvement, hétérogénéité, c'est-à-dire comme négativité.

Notre tâche consiste donc d'abord à penser cette même précarité autrement, dans des termes permettant d'en éclairer des aspects qui ne soient pas d'entrée de jeu frappés de négativité. En jetant de la sorte une lumière critique sur l'endroit d'un objet textuel dont on s'est obstiné à montrer de préférence l'envers, j'espère contribuer à sortir son traitement critique de ce qui risque de devenir une impasse. En même temps je crois pouvoir relancer, tout en les infléchissant, deux questions qui sont restées en suspens ici: le *Brouillon* est-ce, oui ou non, une encyclopédie? représente-t-il un échec dans la production de Novalis dans la mesure où son projet serait frappé d'une impossibilité congénitale? Ces questions sont à reformuler: quel nouveau type de discours encyclopédique Novalis instaure-t-il? et dans quelle mesure la précarité textuelle constitue-t-elle une caractéristique nécessaire du texte qui en émane? en émane?

Le renversement de perspective ainsi postulé pourra s'opérer grâce à l'intervention de trois concepts opératoires: l'auto-générativité, la performativité et la fragmentarité constitutive. Avant de les appliquer de manière analytique au texte, il s'agit de fixer ces termes, du moins en vue de l'usage qu'on en fera ici, et de retracer leur préfiguration thématique par Novalis lui-même.

L'auto-générativité désigne la qualité d'un texte lui permettant, à partir de sa réalisation actuelle, d'induire une production textuelle future selon des modalités et règles immanentes dans ce texte. Elle renvoie à la fois à un potentiel générateur et à une configuration générative. Ce concept permet donc de cerner la productivité immanente d'un texte, il centre l'attention sur la relation entre un texte donné et du texte à venir [95].

La performativité désigne la capacité d'un texte de

procéder à la mise en exécution immédiate de ce dont il y est question. Elle implique donc un maniement très particulier de la relation entre théorie et pratique, entre discours et méta-discours, dans la mesure où elle renvoie à une pratique discursive qui court-circuite la distinction logique entre ces deux instances et niveaux en les téléscopant l'un sur l'autre en une même pratique. Ce concept centre l'attention sur la relation entre le dire et le faire d'un texte [96].

La fragmentarité constitutive — opposée à la fragmentarité contingente — désigne la qualité fragmentaire qui émane des règles de constitution mêmes d'un texte. Ces règles peuvent être internes ou externes au texte, relever d'une poétique, d'une rhétorique ou d'une autre logique de production textuelle. Dans tous les cas, ce type de fragmentarité est vue comme la mise en exécution délibérée d'une formule de production textuelle, et non pas comme le résultat de ce qui est arrivé accidentellement au texte pendant ou après sa production [97].

Auto-générativité et performativité se trouvent reliées l'une à l'autre dans un rapport de concomitance qui a son fondement dans le principe agissant, poïétique, dont l'ex-

---

[95] En parlant du livre total chez Novalis, Jens Schreiber (*op. cit.*) a beaucoup insisté sur l'aspect auto-générateur. Il parle de immanente *Produktion des Buches selbst* (p. 131) ou de *Erzeugungsimmanenz* (p. 146). Son intérêt met le fantasme de la machine célibataire au premier plan, ce qui inscrit son traitement des fonctionnements discursifs dans une perspective psychologique qui n'est pas la nôtre. Pour la question des machines célibataires voir le catalogue d'exposition *Junggesellenmaschinen/Les machines célibataires*, Venise, Alfieri, 1975.

[96] Ce concept est prélevé chez John L. Austin (*How to Do Things with Words*, New York, Oxford University Press, 1973, p. 8) mais utilisé ici d'une manière plus générale et en dehors du contexte analytique propre à l'œuvre d'Austin.

[97] Cette définition retient quelques traits essentiels du fragment romantique, en particulier ceux qui constituent son originalité historique par rapport à l'esthétique classique. On consultera à ce sujet Philippe Lacoue-Labarthe et Jean-Luc Nancy, *L'absolu littéraire, Théorie de la littérature du romantisme allemand*, Paris, Seuil, 1978, en particulier les pages 57-178 qui contiennent une traduction des Fragments critiques et des Fragments de l'Athenäum.

pansion à tout le Système encyclopédique a été postulée par Novalis. Y a-t-il un rapport analogue entre ces deux concepts d'un côté et la fragmentarité constitutive de l'autre? Dans le cas concret du *Brouillon* il semblerait que la fragmentarité constitutive soit la conséquence logique qui découle de la mise en œuvre conjointe des deux premiers concepts. Mais ceci est à retracer concrètement et en détail dans le fonctionnement du discours encyclopédique novalisien.

Commençons par un rappel de ce qui est déjà apparu dans l'analyse des entrées # 331 et 327 comme une première manifestation du jeu concomitant entre ces trois aspects et qualités du texte de Novalis. Dans la description de son intervention dans le Système encyclopédique, intervention qui est transformation à la fois désordonnante et innovatrice, je relèverai mes propres hésitations comme l'indice de ce jeu complexe: tantôt j'ai été amené à parler d'une transformation postulée, suggérée, visée par Novalis. À ce niveau, la transformation n'est réalisée que comme thème, comme contenu des énoncés constituant le texte. Elle est objet représenté. Dans ce sens, Novalis a écrit un *texte sur la transformation* du Système encyclopédique et sur la nécessité d'y procéder. Tantôt, quand l'analyse a touché aux modalités d'énonciation, on a pu constater que l'action de la transformation postulée était déjà entamée, comme dans un verbe inchoatif qui met l'accent sur la phase initiale — et par là sur l'inachèvement — d'une action. À ce niveau, on observe que ce même *texte est transformation*, du moins qu'il a déjà commencé le travail pratique de la transformation tout en articulant la logique permettant de continuer ce travail à l'avenir.

Ces deux entrées comportent une logique générative, concrétisée dans les opérations de l'application, de l'action réciproque et surtout de la combinatoire, susceptible d'engendrer une longue suite de textes encyclopédiques (autogénérativité). En même temps, ces deux textes du *Brouillon* illustrent déjà en quelque sorte leur propre mise en application dans la mesure où ils offrent un échantillon du nouveau fonctionnement textuel envisagé par Novalis. Dans ce sens, leur facture textuelle est nécessairement fragmentaire: inchoatifs, ils entament un processus, une logique de production textuelle qui sont, cependant, voués à une exécution ultérieure.

En élargissant maintenant le regard sur le corpus, on constate que les trois caractéristiques textuelles que nous avons ainsi identifiées font l'objet d'un traitement thématique assez élaborée dans tout le texte du *Brouillon*.

Novalis discute souvent la relation entre une construction et sa formule de construction, la formulation abstraite de cette relation admettant en principe des applications concrètes aux domaines les plus divers. Il postule que toute construction contient sa propre formule de construction. Dans le domaine discursif et poétique cela voudrait dire que tout acte discursif comprend ses propres règles de formation, que tout poème comprend sa propre poétique. L'immanence du niveau générateur dans l'objet généré est ainsi posée comme un principe général.

Dans l'entrée # 28 il formule ce principe en l'appliquant au domaine des beaux-arts:

> # 28 Une statue, une peinture devraient (*müssen wohl*) aussi être les formules pour leur construction — des règles d'art individuelles[98].

La modalité d'énonciation de ce bref texte est très spéciale: *müssen wohl auch seyn* peut s'interpréter à la fois comme hypothétique (ce qui est énoncé est une possibilité à vérifier) et comme spéculatif-prescriptif (ce qui est énoncé est un principe général à appliquer, sur lequel persiste cependant un certain doute exprimé par le mot *wohl*); le point d'interrogation à la fin donne du poids à la première lecture, sans annuler pour autant la seconde. Il se peut que la raison de cette prudence énonciative de la part de Novalis réside dans la forme absolue du contenu de l'énoncé. C'est que le texte ne pose pas seulement l'immanence de la «formule de construction» dans l'œuvre artistique, mais, en utilisant le verbe *seyn*, il postule l'identité. En faisant

---

(98) Traduction W. M. Texte allemand: *SCH*, III, p. 244, cette entrée n'a pas été traduite par A. Guerne.

abstraction de la modalité de l'énonciation cela donne: un tableau est aussi la formule pour sa construction. Plus qu'une relation d'immanence, il y aurait donc identité entre l'œuvre et la formule générative qui a présidé à sa production et qui rend compte de sa structure. L'identité est la relation la plus puissante qui soit entre les deux termes. Elle admet donc aussi l'inversion de la relation: si (a) l'œuvre est (aussi) la formule pour sa construction alors (b) la formule pour la construction est (aussi) l'œuvre. La version (a) exprime le principe de l'auto-générativité, tandis que la version (b) exprime le principe concomitant de la performativité de l'œuvre d'art.

Dans la représentation thématique du potentiel auto-génératif, Novalis a recours à plusieurs registres métaphoriques dont le plus fréquent est tiré du domaine mathématique. L'expression de la «formule de construction» renvoie, en fait, à la possibilité d'une formalisation, d'une mise en formule de la force générative ainsi que de sa logique structurante. Tant dans l'idée que dans la recherche de cette formule de l'auto-générativité, on reconnaît un fantasme d'emprise cognitive que Novalis a en commun avec les générativistes contemporains: la possibilité, en se situant à un niveau phénoménalement profond et abstrait, de détenir, dans une formule-matrice[99], la clé qui donne accès en même temps à la compréhension et à la production de tous les phénomènes de surface existants et à venir. Or Novalis n'est pas vraiment générativiste, même pas générativiste avant la lettre. Chez lui, la formule générative ne donne que rarement lieu à une formalisation mathématique, elle relève plutôt d'un emploi métaphorique des mathématiques, et ceci dans le sens d'une intégration poïétique du Système[100]. Il est vrai que, pendant son séjour

---

[99] Pour la «machine célibataire», dont l'auto-générativité textuelle est une des manifestations, la métaphore de la matrice, telle qu'utilisée par les générativistes contemporains, est tout ce qu'il y a de plus révélateur.

[100] Dans ce sens Johannes Hegener a raison de distinguer les formules mathématiques qu'on peut trouver dans l'œuvre de Novalis et ce qu'il appelle leur «usage poétique»: «So interessieren hier gar nicht die

à Freiberg, il s'est sérieusement occupé de mathémati-
ques([101]), mais l'usage qu'il fait du discours mathématique est dans la plupart des cas un usage transposé et représente un bon exemple de la puissante interdiscursivité qui
caractérise le texte du *Brouillon*. Il décontextualise, généralise et «encyclopédise» les termes mathématiques qu'il
intègre dans la construction de son Système encyclopédique. C'est dire qu'il les applique à des domaines non-
mathématiques en opérant de la sorte une transposition de
leur sens premier et technique([102]). C'est peut-être dans

---

vielen mathematischen Formeln selbst, die in den verschiedensten Texten
des Novalis mitgeteilt werden, sondern deren poetische Anwendung» (*Die
Poetisierung der Wissenschaften bei Novalis*, Bonn, Bouvier, 1975,
pp. 327-328).

([101]) Lorsque, dans la lettre du 1er septembre 1798 à son père, il
présente la facture de ses cours, il parle de ses enseignants en mathématiques: «Es hängt jezt von Dir ab, wenn Du mir das Geld für Lampadius,
Lempe und D'aubuisson schicken willst. Mit Werner hat es noch Zeit

Lampadius	— 100 rch.
Lempe	— 20 "
D'Aubuisson —	18 "
d.i.	138 rch.

D'Aubuisson bin ich bis jezt 12 Wochen schuldig. Ich kann nicht gut ihm
die 6 Wochen abziehn, da ich entfernt war, besonders, da er es nicht einmal praetendirt. Von ihm lern ich eigentlich Mathematik — und das Geld
an Lempe ist weggeworfen. Ich lerne nichts bey ihm» (*SCH*, IV, p. 259).

([102]) Parmi les termes qu'il utilise souvent dans ce sens on trouve
«binôme», «calcul infinitésimal», «calcul différentiel», «série», «puissance», «infini» (quant à ce dernier concept et son traitement interdiscursif, voir les livres de Christian Houzel, Jean-Louis Ovaert, Pierre Raymont
et Jean-Jacques Sansuc, *Philosophie et calcul de l'infini*, Paris, Maspéro,
1976 et de Tony Lévy, *Figures de l'infini*, Paris, Seuil, 1987). Il est évident
que la question générale de l'importance des mathématiques dans l'œuvre
de Novalis est infiniment plus complexe que la figuration mathématique
de l'auto-générativité textuelle, dont il s'agit ici exclusivement, ne saurait
le suggérer. Pour un traitement global de cette question cf. Käte Hamburger, «Novalis und die Mathematik», in *Philosophie der Dichter*, Stuttgart, Kohlhammer, 1966.; Martin Dyck, *Novalis and Mathematics, A
Study of Friedrich von Hardenberg's Fragments on Mathematics and its
Relations to Magic, Music, Religion, Philosophy, Language and Literature*, Chapel Hill, The University of North Carolina Press, 1960; Johannes Hegener, *op. cit.*, pp. 284-335.

les cas où la «formule de construction» fait cause commune et se recoupe avec la combinatoire comme procédé de production poïétique que sa métaphorisation s'amenuise pour faire place à un renvoi direct à une opération qui relève effectivement du domaine mathématique. Dans son livre *Symbolismus und Symbolische Logik*, John Neubauer([103]) a retracé historiquement les liens entre une *ars combinatoria* et une *ars inveniendi* et situé Novalis dans la tradition d'une modélisation mathématique de la production poétique.

À cette massive figuration mathématique du potentiel générateur s'ajoute une autre figuration, non moins importante, qui est tirée du registre sémantique de l'organisme. Par cette métaphore, Novalis participe à une tradition différente qui implique une conceptualisation de l'auto-générativité sur d'autres bases et prémisses, et par conséquent avec des présupposés d'un autre type.

Concrètement, dans le texte du *Brouillon*, c'est surtout la métaphore du germe (*Keim*) que Novalis utilise. Mais l'image végétale la plus célèbre est celle qu'on trouve dans le titre d'un autre ouvrage, *Pollen* (*Blüthenstaub*), de 1798([104]). Cette image est basée sur une analogie entre la forme littéraire du fragment et la force génératrice du pollen. Dans le texte, Novalis élabore cette analogie et la rend tout à fait explicite, presque au point d'effacer son statut métaphorique:

> Amis, le sol est pauvre: il faut que nous semions
> Richement pour n'avoir que de minces moisssons([105]).

> L'art d'écrire des livres n'est point encore inventé. Mais il est sur le point de l'être. Des fragments de ce genre-ci sont des semences littéraires: il se peut, certes, qu'il y ait dans leur nombre beaucoup de grains stériles, mais qu'importe, s'il y en a seulement quelques-uns qui poussent([106])!

---

(103) *Op. cit.*

(104) Cf. l'introduction de Richard Samuel, *SCH*, II, p. 405.

(105) *OC*, I, p. 355. Texte allemand *SCH*, II, p. 413.

(106) *OC*, I, p. 378. Texte allemand *SCH*, II, p. 463.

Ce montage de citations rapprochant la devise et le dernier fragment, mettant donc face à face le début et la fin de la collection, illustre bien le degré d'élaboration du registre métaphorique de l'organisme végétal. La figure comporte ainsi un véritable programme poétique de génération littéraire, basé justement sur le potentiel générateur du fragment qui est (comme) pollen, graine, semence, susceptible d'éclore dans de futures productions littéraires.

Transférée dans le *Brouillon*, cette figure ne perd rien de sa fonction de modélisation théorique, même si la métaphore de la générativité végétale y devient moins abondante et se concentre sur l'image concrète du germe. Il faut cependant préciser qu'il ne s'agit plus du genre littéraire du fragment en tant que «germe littéraire». La question de l'auto-générativité dépasse maintenant — tout en l'englobant — toute question de forme littéraire au sens étroit du terme. L'enjeu consiste désormais à écrire un ouvrage encyclopédique dans le texte duquel soit inscrit un pouvoir générateur tel qu'il puisse engendrer et structurer une discursivité future capable de développer et d'élargir, sans limites, l'état actuel des savoirs et des connaissances. Et cette production future, génétiquement contenue dans le texte actuel, ne serait pas simple reproduction d'une formule établie mais aussi invention du nouveau.

Quelle que soit la théorie de la physiologie végétale qui sert d'appui à cette métaphorisation de l'activité discursive et textuelle, ce double aspect me paraît essentiel: la générativité chez Novalis se veut à la fois programmation et donc détermination d'une part, et invention, nouveauté, c'est-à-dire ouverture sur l'inconnu, de l'autre. Qu'elle soit conceptualisée d'après un modèle mathématique ou organique, il s'agit dans les deux cas d'une logique régissant la production de la nouveauté et du changement. Elle œuvre discursivement, se matérialise dans le texte, mais elle vise un impact généralement historique, même si son domaine d'application concret est l'usage des signes langagiers. Il y a donc dans l'auto-générativité, dans la mesure où elle est programmation du nouveau et de l'inconnu, quelque chose de foncièrement paradoxal.

Il se peut, cependant, que du côté de la figuration

178

organique, la part de la prédétermination du nouveau soit plus marquée que dans la formule combinatoire qui n'a de préétabli que l'ensemble des éléments. En tout cas, la métaphore végétale comporte une dimension temporelle permettant de penser le passage de l'ancien, de ce qui est actuellement donné, au nouveau comme un développement continu, comme une évolution graduelle[107]. La redistribution combinatoire des éléments, par contre — on a pu le voir dans l'entrée # 327 — doit se faire d'un coup, dans la simultanéité: «Ces trois transformations s'accompliront et doivent s'accomplir à la fois — dans le même moment».

Dans le *Brouillon*, la figure du germe est le plus souvent utilisée dans les syntagmes *genialischer Keim, Keim des Genies*[108] pour exprimer le potentiel individuel du sujet humain qu'il s'agit de porter à son éclosion géniale dans un processus de formation se déroulant dans le temps. Si Novalis postule: «Mon livre doit devenir une bible scientifique [...] et le germe de tous les livres»[109], ce programme appelle deux commentaires. D'abord, le pouvoir génétique et générateur de «germe» est inséré ici dans le contexte d'une totalisation à la fois qualitative (Bible scientifique) et quantitative (tous les livres) qui est celui du livre total. Ensuite, ce contexte est mis en parallèle avec le processus de la formation du sujet génial. La «génialité» du Livre encyclopédique total que Novalis ambitionne de produire, ou de voir éclore à l'avenir à partir de son écriture actuelle, serait donc contenu, comme germe générateur, dans le texte encyclopédique qu'il est en train d'écrire. Plus précisément, son texte réel *est* le germe du Livre à venir.

---

(107) Ce qui, dans la cohérence sémantique du texte novalisien, relie la métaphore végétale aux thèmes de la formation (*Bildung, Ausbildung*) et du développement (*Entwicklung*). Johannes Hegener accorde à ce dernier thème une place primordiale dans l'œuvre de Novalis en l'élevant au statut d'une attitude philosophique: *das Entwicklungsdenken* (cf. *op. cit.*, passim).

(108) Cf. # 63, p. 250, # 454, p. 332, # 480, p. 344.

(109) # 557, p. 363.

Conformément à cette logique de l'éclosion, du développement du «germe» en «plante» ou «animal»([110]), il est possible de reconnaître dans la même métaphore organique également une figuration de la fragmentarité constitutive: le germe est alors la partie non développée, inachevée d'un tout dont elle contient déjà la structure et la force génétique et générative pour le produire. La partie n'a de raison d'être que dans ce devenir-tout([111]).

Formule et germe, modèle mathématique et modèle biologique: en combinant ces deux figurations du potentiel auto-génératif du texte, Novalis fait coexister deux conceptualisations de la production qui se trouvent plus fréquemment dans des camps idéologiquement opposés. Jacques Derrida relève par exemple «l'opposition concurrente du modèle biologique et du modèle analytique dans les formulations de Condillac»([112]).

Le calcul combinatoire représente un procédé artificiel pour produire du nouveau. Il fait donc cause commune — ne fût-ce que par connotation — avec l'esprit expérimental des sciences modernes. Dans les deux cas, il s'agit de produire du nouveau en changeant les paramètres de ce qui est donné: en combinatoire l'ensemble des éléments symboli-

---

([110]) Effectivement Novalis inclut, dans la représentation de la générativité, le règne végétal et le règne animal, tout en rapportant ce double modèle naturel à des processus de production humaine. Ce lien se concrétise dans l'usage qu'il fait de deux mots construits sur une même base sémantique: *Zeugung* (engendrement sexuel) et *Erzeugung* (production, création); les deux alternent d'ailleurs dans le texte avec le terme allemand d'origine latine *Generation* ainsi qu'avec le verbe *hervorbringen*. Dans le *Brouillon*, ce groupe de mots constitue un noyau thématique très important.

([111]) Ce qui illustre encore une fois la constitution monadique de toute partie du Système, tout en renvoyant, sur le plan de la théorie littéraire, à ce que Philippe Lacoue-Labarthe et Jean-Luc Nancy ont appelé «Work in progress» pour résumer le concours des principes d'auto-générativité, de performativité et de la fragmentarité constitutive (*op. cit.*, p. 69).

([112]) Dans «L'Archéologie du frivole» placé en introduction à Condillac, *Essai sur l'origine des connaissances humaines*, Paris, Éditions Galilée, 1973, p. 27.

ques choisis au départ; en sciences naturelles les phénomènes de la nature qu'il s'agit de modifier par voie expérimentale afin de produire artificiellement une nouvelle
nature — comme quand on ente des greffes sur de jeunes
pieds. Novalis formule ce procédé en définissant ce qu'il
appelle «la physique pratique»: «art de modifier la nature,
de produire les natures à discrétion»([113]). L'usage métaphorique du calcul combinatoire pour représenter l'auto-
générativité du texte rapproche donc ce dernier du paradigme de la faisabilité et de la transformation technique du
monde. Et ceci malgré le fait que, chez Novalis, cette technique combinatoire pour produire du nouveau consiste
essentiellement en un maniement des signes([114]) et non
pas des choses, et qu'elle est mue par le pouvoir poïétique
de l'imagination. Il faut bien voir que, en généralisant la
notion de poésie moyennant un ressourcement étymologique (*poïein* = faire, d'où faisabilité), il la croise avec ce à
quoi elle commence à s'opposer: l'esprit des Lumières que
— en faisant allusion à l'École de Francfort — nous avons
résumé dans le terme connaissance-maîtrise. Sous la plume
de Novalis, cet esprit se transforme en accentuant son
aspect démiurgique. Nous verrons plus tard que l'enjeu
chez Novalis consiste à englober cet esprit dans la poé-
sie([115]).

Du côté de la métaphore organique cependant, Novalis emprunte des chemins plus traditionnels dans la mesure

---

([113]) *OC*, II, p. 228. Texte allemand *SCH*, III, p. 247, # 50.

([114]) Il y a cependant, chez Novalis par moments, une manipulation presque magique des signes, une conception quelque peu cratylienne
des mots et une théorie du langage, implicite ou explicite, qui appartient
davantage — dans les termes de Michel Foucault (*Les mots est les choses*)
— au paradigme de la ressemblance (renaissance) qu'à celui de la représentation (âge classique).

([115]) Il faut ajouter ici que, dans la mesure où, chez Novalis, il y a
aussi un intérêt et même une réactualisation de la magie ou mystique des
chiffres, par exemple à partir des œuvres de Franz Baader (*Ueber das
pythagoräische Quadrat in der Natur oder die vier Weltgegenden*, s. l.,
1798), l'esprit analytique et la faisabilité connotés par les mathématiques
sont infléchis vers un paradigme radicalement différent.

où la pensée de l'organicité comporte un schéma de totalisation naturelle qui, de longue date, est au service des idéologies en mal de légitimation. Moyennant la figuration organique, elles procèdent alors à leur propre naturalisation. Cette opération inclut toujours un moment mimétique: la structure culturelle est présentée comme imitant, reproduisant une structure naturelle. La prise en charge de cette figure par Novalis, n'est toutefois pas une simple reproduction, car elle pose, comme nouvel horizon conceptuel et figural, l'hylozoïsme de la *Naturphilosophie*.

Mais surtout Novalis combine et affirme simultanément les deux traditions figurales concurrentes. Ceci équivaut en soi à une transformation, puisque leur mise en parallèle, et mieux encore leur entrée en contact l'une avec l'autre dans un but commun entraîne une certaine interaction, ne fût-ce que dans le rapprochement analogique de leur fonction figurale. En réalité, il fait converger leur double usage vers une seule finalité: la représentation de l'auto-générativité du texte encyclopédique. Cette qualité importante du texte relève donc autant de la production naturelle (*Natur*) que de la fabrication (*Factur*)([116]), elle est autant *natürlich* (naturel) que *künstlich* (artificiel). Cette double figuration implique un dépassement de la polarité qui la fonde traditionnellement dans la mesure où l'effet naturalisant du «germe» trouve sa critique dans l'invention de la «formule» et que l'exploitation instrumentale suggérée par cette dernière est corrigée par le renvoi à une logique organiciste immanente.

Il y a cependant une caractéristique du Système novalisien qu'aucune de ces deux modélisations métaphoriques ne réussit à capter. C'est son ouverture radicale. Formule et germe présupposent la donnée initiale d'un ensemble d'éléments, susceptible d'une productivité auto-générative considérable mais non illimitée. La logique des deux modèles prévoit en principe un déploiement complet et final du

---

([116]) L'opposition *Natur/Factur* se trouve dans l'entrée #50 (*SCH*, III, p. 247). A. Guerne traduit *Factur* par «la facture (la façon de faire)» (*OC*, II, p. 228).

potentiel inscrit dans le fragment générateur, même si un tel déploiement complet est projeté dans un avenir lointain, tandis que Novalis postule ailleurs et simultanément la dynamique d'un développement infini.

La performativité du texte a également fait l'objet d'une représentation thématique dans le *Brouillon*. Si l'auto-générativité prévoit l'immanence de formule et force de production dans le produit même, et à l'extrême leur identité, et assure par là une production future et potentiellement infinie, la performativité exige, au contraire, une mise en pratique immédiate de tout programme dans le texte même qui l'énonce. Elle annule de la sorte tout écart, qu'il soit temporel ou logique, entre théorie et pratique, entre programme et exécution, entre méthode et application. Logiquement parlant, on pourrait même l'interpréter comme une infraction au théorème de Gödel, dans la mesure où elle ne respecte aucune hiérarchie logique, puisque dans le même ensemble textuel elle énonce la règle de constitution et présente aussi l'application de cette règle. Théorie et pratique, dire et faire sont simultanément présents dans le même acte discursif, sans qu'aucune hiérarchie ne puisse s'établir entre les deux instances, qu'elle soit d'ordre logique ou chronologique. Les deux instances deviennent strictement co-originaires et co-extensives.

Dans l'entrée # 28 on a pu voir que le principe de la performativité se manifeste dans l'inversion de la relation d'auto-générativité entre la formule de construction et la construction elle-même. Novalis offre d'autres formulations, plus spécifiques, en parlant de ce principe:

> # 42 MATHÉMATIQUES. — L'exposé des mathématiques doit lui-même être mathématique. (Une mathématique des mathématiques.)[117]

> # 53 S'il faut que l'exposé des mathématiques soit mathématique, il faut vraiment aussi que la physique puisse être professée en termes physiques, et ainsi de suite[118].

---

[117] *OC*, II, p. 226. Texte allemand *SCH*, III, p. 245.

[118] *OC*, II, p. 229. Texte allemand *SCH*, III, p. 248.

#82 ARCHÉOLOGIE. — Définition de l'Antique. La représentation ancienne de l'Antique. Instruction pour se mettre à l'école des Antiques ([119]).

Dans ces trois entrées un même principe est posé ou postulé: que la manière de présenter, exposer ou représenter un objet donné (les mathématiques, la physique, l'antiquitié) adopte et reproduise elle-même la qualité de l'objet (mathématique, physique, ancienne). Que ce dont il est question se retrouve dans la manière dont il en est question. La formulation la plus concise et la plus frappante de l'entrée #84 se perd malheureusement dans la traduction: *Antike Darstellung der Antike*. Une telle formulation pourrait suggérer qu'il s'agit d'une relation d'iconicité interne au texte. Cette relation constitue un sujet d'actualité dans la critique littéraire de nos jours qui l'attribue de préférence comme un trait caractéristique à la littérature contemporaine dans le contexte de l'autoreprésentation littéraire. La performativité chez Novalis n'est pas basée sur une relation de ressemblance (iconicité). Même si elle n'exclut pas ce type de relation, l'accent y est mis sur la compénétration logico-temporelle du dire (ce qui est énoncé) et du faire (ce que l'énonciation réalise) du texte ([120]).

La variété des objets et discours auxquels s'applique ce postulat indique qu'il est valable pour tout le champ encyclopédique, ce qui est d'ailleurs confirmé par la remarque qui conclut l'entrée #53 tout en l'ouvrant à d'autres applications: «et ainsi de suite». Cette ouverture indéfinie d'une série confère une validité très générale au principe

---

([119]) *OC*, II, p. 236. La traduction étant difficile, voici le texte allemand: «ARCHEOLOGIE. Definition der Antike. Antike Darstellung der Antike. Erziehung zu den Antiken» (*SCH*, III, p. 255).

([120]) En retour, il faut bien se rendre à l'évidence qu'un grand nombre de traits caractéristiques que notre analyse du *Brouillon* fait ressortir au niveau de sa constitution textuelle sont par la suite devenus les traits d'une modernité — et même postmodernité — littéraire. Dans cette perspective historique le travail de Novalis et de ses amis du premier romantisme allemand se révèle être paradigmatique d'une conception et d'une pratique de la littérature qui ont duré jusqu'à nos jours.

ainsi décrit. En fait, la performativité est loin de représenter un postulat particulier au *Brouillon*. Tout au contraire, en affirmant ce principe de la manière la plus explicite, le *Brouillon* ne fait que reproduire et appliquer un des principes qui fait partie intégrante de la théorie littéraire commune au groupe de l'*Athenäum*. À plusieurs reprises et sous différentes formes, nous trouvons sous la plume de ses représentants le principe instaurant que la théorie de la poésie soit elle-même poésie. Dans *L'Entretien sur la poésie*, Friedrich Schlegel le formule au sujet du roman:

> Une telle théorie du roman devrait elle-même être un roman qui rende de manière fantastique chaque ton éternel de la fantaisie et qui confonde encore une fois le chaos du monde chevaleresque([121]).

Ce qu'il y a de nouveau chez Novalis, c'est qu'il étend ce principe de la poétologie romantique au vaste champ du genre encyclopédique, en conférant de la sorte au travail encyclopédique une caractéristique poétique.

Appliqué plus spécifiquement au projet du livre encyclopédique que Novalis écrivait, son intérêt tant pour l'auto-générativité que pour la performativité du texte se cristallise dans ce qu'il a lui-même appelé «l'encyclopédistique». Du moins, cet intérêt si explicitement marqué pourra-t-il jeter sur ce terme une lumière qui aidera à mieux l'insérer dans la cohérence et dans la spécificité de l'entreprise novalisienne. Il me semble qu'on a trop rapidement et trop unilatéralement interprété l'encyclopédistique comme une théorie ou comme une méthodologie de l'encyclopédie.

Or, le *Brouillon* comporte effectivement une théorie dans la mesure où il inclut une réflexion générale et abstraite sur ce que c'est qu'une encyclopédie en termes de structures et de fonctions. Il comporte également une

---

([121]) *Athenäum*, Eine Zeitschrift von August Wilhelm Schlegel und Friedrich Schlegel, ausgewählt und bearbeitet von Curt Grützmacher, Hamburg, Rowohlt, 1969, vol. II, p. 192, traduction W. M.

méthodologie, car il présente un grand nombre d'indications sur la manière de procéder en réalisant l'œuvre encyclopédique. Dans les deux cas, on se situe à un niveau méta-discursif par rapport à l'encyclopédie; il s'agit de réflexions *sur* l'objet concret qu'il s'agit de produire, ainsi que sur la démarche à suivre lors de sa réalisation. Ce type de réflexion constitue une partie intégrante du *Brouillon*, mais si on substitue cette partie au tout en lisant le texte dans son ensemble comme un traité théorique ou méthodologique sur l'encyclopédie, on risque de manquer sa spécificité et sa position difficile et originale dans la tradition du genre encyclopédique. Novalis devient alors un de ces théoriciens de l'encyclopédie dont parle Taffarelli[122] et qui n'ont jamais réalisé d'encyclopédie. On interprète alors le terme «encyclopédistique» comme désignant uniquement un méta-discours sur l'encyclopédie, en effaçant de la sorte et l'auto-générativité et la performativité du texte, et en s'obligeant d'expliquer sa fragmentarité uniquement comme l'expression d'un échec. Ce serait là une lecture réductrice. J'aimerais plutôt montrer ici que l'encyclopédistique est à relier à la mise en pratique simultanée de ces trois qualités.

Dans l'élaboration du texte que nous connaissons sous le titre *Das allgemeine Brouillon*, le terme «encyclopédistique» apparaît, et surtout prend de l'importance, plutôt tardivement. Contre 6 occurrences à l'intérieur des entrées, on en compte 74[123] en position de titre d'entrée. C'est dire que le terme a été introduit pratiquement après coup, du moins dans cet après coup de la mi-temps que représente le bilan auquel Novalis a procédé en octobre 1798 pour faire le ménage des matériaux recueillis jusqu'à cette date. L'ajout du titre «encyclopédistique» relève donc d'un souci de mise en ordre et de classification qui est venu

---

[122] Jean-Louis Taffarelli, *op. cit.*, *passim*.

[123] «Encyclopédistique» figure ainsi parmi les 20 substantifs les plus fréquents du texte. Pour évaluer l'importance de cette fréquence, il faut évidemment tenir compte du fait qu'il s'agit d'un terme technique dans un ouvrage encyclopédique.

se surimposer à un matériau déjà très riche, réuni dans la perspective du projet encyclopédique. Si le terme «encyclopédistique» connote ainsi une volonté de systématisation et instaure un niveau de réflexion sur le Système, il ne faut pas oublier que cette volonté d'une réflexion systématique se manifeste d'emblée dans et avec les matériaux destinés à remplir les cases du Dictionnaire.

Rappelons que, dans la lettre que Novalis écrit à Friedrich Schlegel peu après cette «critique de [son] entreprise»([124]) et «mise en ordre de [ses] papiers»([125]), il utilise le terme «encyclopédistique»:

> [Ce projet] ne sera rien d'autre qu'une critique du projet de Bible — une tentative pour élaborer la méthode universelle du commerce livresque — l'introduction à une encyclopédistique véritable([126]).

Ici Novalis utilise trois expressions différentes pour désigner son projet. Chacune éclaire un aspect particulier, mais elles convergent toutes sur le même projet, ce qui les rend quasi-synonymes. Une première chose qui frappe dans cette énumération, c'est le cumul d'éléments qui expriment l'aspect inchoatif de l'entreprise. Sémantiquement, cet aspect est produit par *Project, Versuch, Einleitung*, à quoi s'ajoute la modélisation *soll... werden*. Novalis dit vouloir développer une «méthode universelle de la constitution et de l'usage du livre total»([127]), et il confirme par là l'aspect méthodologique d'«encyclopédistique». Mais ce ne sera qu'une «tentative pour...»([128]),

---

([124]) *Kritik meines Unternehmens*, cf. *SCH*, III, pp. 356 et 359, # 526 et # 534.

([125]) *Ordnung meiner Papiere*, cf. *SCH*, III, pp. 359 et 372, # 534 et # 597.

([126]) *SCH*, IV, p. 263, traduction W. M.

([127]) Je propose par là une traduction de *Biblisiren*.

([128]) *Versuch* pourrait aussi se traduire par «traité», mais le contexte sémantique concourt à produire l'aspect inchoatif et rend la traduction «tentative» ou «essai» plus probable.

une «introduction à...» une telle entreprise totalisante. Ces deux expressions — en particulier la seconde — illustrent à la fois l'auto-générativité et la fragmentarité constitutive. En transposant ces relations à l'objet livre et à son fonctionnement interne, Novalis dira:

> # 599 PHILOLOGIE. L'introduction est l'encyclopédistique du livre — peut-être le texte philosophique qui formule le plan([129]).

On pourrait expliciter ce texte en le complétant: l'introduction est au livre ce que l'encyclopédistique est à l'encyclopédie. Fonctionnellement homologues, elles se placent dans les marges de l'ouvrage auquel elles appartiennent, dans cette zone du hors-livre, qui est déjà partie du livre, mais partie inscrite en position marginale. Détail important, il ne s'agit pas de n'importe quelle marge, mais de celle qui se situe en position initiale, réservée «peut-être [au] texte philosophique accompagnant le plan». L'entreprise appelée «introduction à une véritable encyclopédistique» sera donc aussi philosophie première. *Kritik des Bibelprojects* est donc d'abord à prendre dans le sens de la philosophie critique([130]). Novalis y annonce la partie la plus théorique et la plus abstraite de son projet.

Mais l'expression *Kritik meines Unternehmens*, qu'il utilise à deux reprises en parlant de son évaluation critique du mois d'octobre 1798([131]), ouvre encore une autre piste de lecture: *Kritik* dans le sens de «critique de l'œuvre d'art». Walter Benjamin a montré l'importance de ce concept pour le premier romantisme allemand et pour son

---

(129) *OC*, II, p. 330, traduction modifiée par W. M. Texte allemand *SCH*, III, p. 372.

(130) Comme le suggère Novalis dans ce texte extrait de l'entrée # 463, qui présente la *Doctrine de la science* de Fichte comme une introduction à la philosophie critique: «Seine Wissenschaftslehre ist also die Philosophie der Kritik — ihre Einleitung — ihr reiner Theil. Sie enthält die Grundsätze der Kritik» (*SCH*, III, p. 335).

(131) Cf. *SCH*, III, pp. 356 et 359, # 526 et # 534.

développement — en particulier chez Friedrich Schlegel et chez Novalis — dans le contexte de la philosophie fichtéenne. Selon Benjamin, la notion romantique de critique de l'œuvre d'art résulterait d'une transposition de la structure de la réflexion fichtéenne dans le domaine de l'art et en particulier dans la poésie.

Pour illustrer le fonctionnement de cette notion, Benjamin rapporte le bon mot de Friedrich Schlegel qui, dans une lettre à Schleiermacher, a appelé son essai sur *Wilhelm Meister* de Goethe le *Uebermeister*[132]. Grâce à un jeu de préfixe[133], cette heureuse abréviation permet deux lectures illustrant la double opération contenue dans la critique romantique. *Uebermeister* désigne d'abord un texte critique écrit *sur Wilhelm Meister*. En tant que tel, il le surplombe et le dépasse, puisqu'il constitue un niveau de réflexion supérieur au texte critiqué. Mais en même temps c'est encore *Wilhelm Meister*, mais élevé en quelque sorte à une puissance supérieure[134], puisque l'acte critique, par définition, n'est que le déploiement du potentiel réflexif déjà contenu dans l'objet critiqué. Cet acte s'inscrit donc dans l'Idée de l'œuvre; il libère l'Idée (*das Ideale*) de son inscription dans le texte concret et fini (*das Reale*). Chaque acte critique porte l'Idée et le texte à un degré de coïncidence plus élevé, sans que l'écart entre les deux ne puisse, cependant, jamais être aboli entièrement. Ainsi, le mouvement critique ne saurait être qu'approximation du moment idéal et infiniment lointain où l'Idée finirait par coïncider positivement avec le texte.

La critique romantique opère donc ce double mouvement qui l'élève au-dessus de l'œuvre critiquée en même temps qu'il porte cette œuvre elle-même à un degré de développement supérieur. Selon la même logique, si l'ency-

---

(132) Walter Benjamin, *Gesammelte Schriften*, Frankfurt a.M., Suhrkamp, vol. I,1, 1974, p. 67.

(133) D'ailleurs le même que dans l'expression *Uebermensch* de Nietzsche.

(134) C'est ce que Novalis, dans une métaphore mathématique, appelle *Potenziren*. Cf. à ce sujet notre chapitre VI.

clopédistique est aussi une critique du projet du livre encyclopédique, elle devient *Ueberenzyklopädie*: réflexion sur l'encyclopédie et en même temps réalisation supérieure de l'encyclopédie. Avec la différence cependant que les deux moments — production et critique de l'encyclopédie — ne s'y trouvent pas différés, pas plus que production et théorie, production et méthodologie.

Revenant au *Brouillon*, on constate que les entrées identifiées par le titre «encyclopédistique», le plus souvent, sont celles qui établissent un très grand nombre de contacts et de liens entre les données provenant de disciplines différentes. L'intérêt principal de ces textes porte sur le réseau des relations, mais cet intérêt est très souvent poursuivi dans l'épaisseur des matériaux concrets. Plutôt que d'aborder le Système encyclopédique — car c'est bien en premier lieu le Système qui est l'objet de l'encyclopédistique — d'une hauteur théorique, ces textes installent la réflexion théorique dans la présentation des matériaux concrets. Plutôt que de donner dans la méthodologie pure, ils offrent une illustration concrète mais fragmentaire des interactions entre Système et Dictionnaire: des échantillons d'une encyclopédie à venir. Tout fragmentaires que soient ces entrées, elles ne tendent pas moins vers une cohérence de système maximale.

Dans une des entrées qui documentent, parfois avec beaucoup de détails, l'emploi du temps de Novalis lors de son séjour à Freiberg, celui-ci prévoit de consacrer une partie de son temps justement à l'encyclopédistique, comme s'il s'agissait là d'une discipline à part:

> # 233 1 heure d'encyclopédistique générale. Celle-ci comprend de l'algèbre scientifique — des équations. Des proportions — des ressemblances — des identités — les effets réciproques entre les sciences([135])...

Comme «contenu» de l'encyclopédistique, Novalis ne mentionne ici — à part «l'algèbre scientifique» — que des

---

([135]) *SCH*, III, p. 280, traduction W. M.

types de relation pouvant s'établir entre les différentes parties (les sciences) du Système encyclopédique; en particulier les proportionnalités analogiques, la ressemblance, l'identité, l'action réciproque. L'encyclopédistique apparaît ainsi comme la science des relations, la science qui a pour objet la cohérence du Système. L'algèbre scientifique, dans ce contexte précis serait la tentative de formaliser([136]), de mettre cette systémicité en formules et en équations, ce qui rejoint le fantasme du pouvoir auto-génératif du texte dans sa figuration mathématique.

Un travail exclusivement en formules et en relations: telle est le travail encyclopédistique à l'état pur auquel Novalis entendait consacrer une heure par jour. Voilà la perspective du constructeur de Système, la perspective la plus abstraite qui soit. Dans une métaphore spatiale, il la définit — tout en l'attribuant d'ailleurs à Fichte — comme «le regard qui va exclusivement du haut vers le bas» (*blos von oben herunter [betrachten]*)([137]). Vue par l'autre bout de la lorgnette — ce qu'on pourrait appeler la perspective du Dictionnaire — l'encyclopédistique se présente comme l'exigence d'un traitement sytématiquement intégré de chaque donnée concrète:

> # 365 Chaque découverte scientifique est une découverte scientifique de nature générale. Une chose n'est seulement expliquée que par sa considération complète, encyclopédistique, scientifique([138]).

Aucun objet concret ne saurait être expliqué, et par conséquent connu, sans être intégré entièrement dans le réseau de relations encyclopédistiques. Inversement, faudrait-il ajouter, ce réseau ne saurait se constituer sans objets concrets. S'instaure de la sorte l'espèce de pulsation entre le

----

(136) C'est ce que, dans une autre entrée, Novalis appelle *Ency-klopaedisirungsCalcul* (*SCH*, III, p. 290, # 282).

(137) Cf. *SCH*, III, p. 249, # 59.

(138) *OC*, II, p. 266, traduction modifiée par W. M.; texte allemand *SCH*, III, p. 306.

plus abstrait et le plus concret, entre le général et le particulier, qui est propre au *Brouillon* et qui se concrétisera, au niveau de l'opérativité du Système, comme l'exigence d'une double activité: *Potenciren/Specificiren*.

Dans ce sens précis, Novalis reste méfiant à l'égard de la *Doctrine de la science* de Fichte qui, par ailleurs, continue à exercer une forte attraction sur lui[139]. Cette œuvre de Fichte, par certains côtés, lui semble comme prédestinée à assumer la place et la fonction du Système dans la nouvelle encyclopédie[140]. Il est donc tenté de l'adopter dans son travail comme une logique abstraite de la fondation des différentes disciplines scientifiques et de leur cohérence en tant que système. Mais voici que ce système lui paraît frappé d'un défaut congénital: il est trop abstrait et trop homogène, incapable de prendre en charge la masse des matériaux concrets recueillis par l'encyclopédiste, inapte à en assumer la radicale hétérogénéité. À moins qu'on ne la particularise, fragmente et multiplie:

> # 429 ENCYCLOPED. Une doctrine de la science, il y en a une philosophique, une critique, une mathématique, une poétique, une chimique, une historique[141].

Un peu plus loin, Novalis reprend la même idée, en lui donnant un statut plus hypothétique, mais en l'élaborant davantage:

---

(139) Même si l'époque appelée par la critique période des études fichtéennes (située dans les années 1795 et 1796) est révolue, Novalis continue, dans le *Brouillon*, la discussion et l'interaction conflictuelle avec les idées de Fichte. On trouve des mentions explicites de la *Doctrine des sciences* dans les entrées # 50, 56, 57, 264, 429, 463, 527, 553, 624, 631, 634, 635, 640, 661, 1 015, 1 017. Avec 48 mentions, Fichte est de loin le nom propre (y compris les formes dérivées: *Fichtism, fichtesche*) le plus fréquemment cité; contre 32 mentions de Kant, en deuxième position.

(140) Dans l'entrée # 624 Novalis dit: «Die Wissenschaftslehre oder die reine Philosophie ist das Relationsschema der Wissenschaften überhaupt...» (*SCH*, III, p. 378).

(141) *OC*, II, p. 276, texte allemand *SCH*, III, p. 321.

> # 464 On pourrait songer à une série extrêmement instruc-
> tive de présentations spécifiques des systèmes de Kant et de
> Fichte; par exemple un exposé poétique, chimique, mathé-
> matique, musical, etc. Un exposé où ils seraient considérés
> en tant que scientifiques du génie philosophique, un exposé
> historique, d'autres encore. J'ai une quantité de fragments
> là-dessus([142]).

Sous l'effet de ces transformations novalisiennes, la *Doctrine de la science* perd son unité, elle se multiplie. Et en se
multipliant, elle perd sa généralité, elle se particularise.
C'est ainsi qu'il devient possible de lui adjoindre les quali-
ficatifs de chimique, poétique, historique, etc. — la série
n'étant pas fermée.

Novalis nous donne ici une illustration de plus de sa
manière spécifique de travailler les matériaux discursifs
donnés, préconstruits. Il ne rejette pas l'idée de la *Doctrine
de la science*, mais il reprend en quelque sorte à son compte
cette vaste configuration philosophique de la pensée de
Fichte. Ce faisant, toutefois, il se met à la concrétiser dans
son propre travail encyclopédique en conjuguant ce qu'elle
a de général avec le particulier. Or, le syntagme *chemische
Wissenschaftslehre*, par exemple, peut se lire dans deux
sens, l'intervention de Novalis se fait dans deux directions
à la fois et produit une double signification. Grammaticalement, on pourrait parler du cumul d'un génétif *nomina-
tivus* et d'un génitif *accusativus* dans la même expression.
Dans le premier cas il s'agit d'une concrétisation: la *Doctrine de la science* se fait chimique, s'énonce et se transcrit
dans les termes spécifiques de la chimie. Elle «s'abaisse»
au niveau d'une science particulière et perd par là sa validi-

---

([142]) *OC*, II, p. 313, texte allemand *SCH*, III, p 336. Un autre
type de transformation de la *Doctrine de la science* est proposé dans
l'entrée # 553. À une version générale s'opposerait une version spécifiquement historique, et, par l'opération de l'action réciproque, on obtiendrait
une synthèse syncritique: «Allgemeine Wissenschaftslehre. Uebergänge
— Speciell historische Wissenschaftslehre — Anwendung beyder auf
einander — Verhältnißlehre beyder zu einander — synkritische Wissenschaftslehre...» (*SCH*, III, p. 362).

tié globale. Dans le deuxième cas, c'est la chimie qui s'adjoint sa propre introduction théorique et abstraite[143], son propre schéma de relations[144]. Elle s'élève[145] de la sorte, elle-même, au niveau abstrait et général de la *Doctrine de la science*.

Cette double opération représentée ici comme une double transformation du système fichtéen réaffirme les qualités auto-générative (une formule systémique générale peut produire un nombre infini de sciences concrètes) et performative (les principes généraux du Système s'énoncent dans les termes concrets de leur propre mise en pratique) du texte encyclopédique de Novalis.

La fragmentarité constitutive se trouve également impliquée dans cette opération à double sens. D'abord au niveau de la réalisation textuelle de l'entrée # 464: les particules *etc.* et *u.s.w.* («d'autres encore») indiquent que la série dont il est question est ouverte; elle peut et doit donc être continuée au-delà des membres explicitement fournis par le texte. Mais une telle continuation devra suivre la règle de construction immanente dans le texte. Ensuite au niveau de la réalisation du projet encyclopédique: Novalis dit «avoir» déjà un grand nombre de fragments reliés à la transformation proposée. Les textes réalisés, par rapport à l'idée énoncée, n'ont donc qu'un statut fragmentaire. Cet état concret du texte se révèle être une mise en pratique des exigences théoriques du Système dans la mesure où chaque point local de ce dernier doit donner accès à sa totalité, chaque réalisation partielle doit contenir la potentialité du tout. Pour développer cette dernière qualité du texte du *Brouillon*, il sera utile de la contraster avec la fragmentarité contingente. Due aux aléas de l'histoire, celle-ci se trouve souvent rattachée à l'histoire biographique, tandis que celle-là a partie liée avec la logique du Système. Un

---

[143] Cf. entrée # 363, *SCH*, III, p. 335.

[144] Cf. entrée # 624, *SCH*, III, p. 378.

[145] Au niveau de l'opérativité du Système, cette mobilité verticale s'avérera être un des axes de fonctionnement principal.

retour au biographique et à l'histoire de la production du texte s'impose donc.

Dans son ouvrage indispensable pour la critique du *Brouillon, Symbolismus und symbolische Logik*, John Neubauer propose une explication du passage biographique que Novalis a effectué de la version encyclopédique à la version romanesque du livre total:

> Dès le début, Novalis poursuivait dans *Le Brouillon général* l'objectif non pas de recueillir des faits, mais de représenter le mode d'action combinatoire et l'art de combiner les signes. À cet objectif s'associait bien naturellement le désir d'explorer systématiquement aussi les formes rhétoriques de la représentation et, par là, d'intégrer dans l'œuvre également la réflexion. [...] Les difficultés qui surgissaient lors de l'intégration de la représentation constituent une des raisons principales pour la décision de Novalis de finir par abandonner son projet d'encyclopédie et de chercher à réaliser plutôt une encyclopédie des genres dans le roman [146].

Résumé schématiquement, l'argument de ce passage dit que le projet encyclopédique, visant essentiellement le Système, est un projet impossible à réaliser; s'étant rendu à cette évidence, Novalis a passé à un projet plus réalisable: le roman. Implicitement, l'échec de l'encyclopédie se trouve donc opposé à une possible réussite du roman. On donne de la sorte une explication négative à la fragmentarité constitutive du *Brouillon* et implique que le roman était la bonne voie pour Novalis. La fragmentarité du roman serait-elle donc de nature exclusivement contingente, due uniquement à la mort prématurée de l'auteur? Car, fragmentaires, ils le sont tous deux, le *Brouillon* et *Henri d'Ofterdingen*.

Or, concrètement, le fragment de roman est différent du fragment d'encyclopédie, ce qui se confirme d'ailleurs dans la différence des problèmes d'édition que posent les deux textes. De *Henri d'Ofterdingen*, nous avons toute la première partie, un début de chapitre pour la deuxième

---

[146] John Neubauer, *op. cit.*, pp. 136-137, traduction W. M.

partie, beaucoup de commentaires et de matériaux s'y rattachant et un rapport de Ludwig Tieck sur la manière dont Novalis avait l'intention d'achever son roman s'il avait vécu. De l'encyclopédie, il n'existe pas de première partie; aucune de ses parties n'a été achevée et n'aurait donc pu passer à l'imprimeur du vivant de l'auteur. Les inégalités d'achèvement et d'inachèvement sont distribuées assez également sur la totalité du texte. Toutes ses parties portent la marque de la fragmentarité. Peut-on en conclure que le *Brouillon* est moins achevé que *Henri d'Ofterdingen*? Et encore qu'il était donc plus inachevable? Son échec en tant qu'inachèvement aurait-il été plus constitutivement programmé dans le projet même?

Regardons de plus près l'histoire de la production du texte du *Brouillon*. Une des particularités de ce texte consiste dans le fait qu'il contient, de manière sporadique et fragmentaire, l'histoire de sa propre genèse. Du moins est-ce le cas dans l'édition de Mähl, tandis que le traducteur et éditeur de l'édition française, Armel Guerne, a jugé bon d'éliminer la plupart des entrées se référant à la genèse de l'ouvrage. Il s'est cru autorisé à procéder à ces amputations par la volonté de l'auteur. Lors de sa révision en octobre 1798, Novalis a en effet élagué son texte en raturant un grand nombre d'entrées, et surtout des entrées à contenu «génétique». Mähl a retenu ces entrées, tout en marquant les traces du travail de révision de l'auteur. Apparemment, Guerne a appliqué le critère de la dernière main et de la fidélité à la volonté auctoriale, à moins qu'il n'ait simplement trouvé les entrées génétiques inintéressantes. Mähl, à part le rétablissement de la chronologie de la genèse, visait la complétude du texte.

On ne se prononcera pas ici sur les critères des éditeurs, ni sur la qualité de leur résultat. Mais, pour l'argument de notre lecture, il est important de pouvoir retracer dans le même matériau textuel le travail de réflexion et d'expérimentation sur le Système encyclopédique, le travail qui consistait à réunir les matériaux encyclopédiques les plus disparates et finalement l'enregistrement des commentaires sur le déroulement et sur la démarche de l'entreprise. Tel que constitué par Mähl, le texte permet et sollicite une lecture aux trois niveaux à la fois.

Il me semble que c'est justement dans la simultanéité de ces trois éléments que se jouent les qualités spécifiques du *Brouillon* sur le plan tant textuel que discursif. Enlever le dernier niveau, comme Armel Guerne l'a fait, nous prive d'un accès documentaire et herméneutique à la mise en relation des deux premiers. Négliger le deuxième comme étant de moindre importance, comme l'a fait John Neubauer (*Ziel, nicht Tatsachen zu sammeln...*), c'est ignorer une dimension du *Brouillon* en faveur du premier niveau, ce qui revient à assimiler le travail encyclopédique de Novalis à la seule construction philosophique d'un système. Or c'est justement en prenant en considération les matériaux se situant au troisième niveau qu'on est obligé de reconnaître l'importance du deuxième niveau et, par conséquent, de conclure à un plus grand équilibre, ou à une plus grande interaction entre les deux premiers.

De la période que Novalis a passée à l'Académie des Mines de Freiberg, nous avons aujourd'hui, en plus de la correspondance, trois recueils de textes et de documents, tous réunis dans le troisième volume de la nouvelle édition intitulée *Schriften*: Les Écrits techniques ayant trait à la vie professionnelle, les Études scientifiques de Freiberg [147], et finalement le «Brouillon général ou matériaux pour une encyclopédistique». Ces trois recueils, en particulier les deux derniers, sont étroitement liés entre eux. Dans les Études scientifiques de Freiberg, on trouve réunies les notes et commentaires de Novalis se référant aux lectures directement ou indirectement reliées à ses études. Dans le *Brouillon*, par contre, se trouvent réunis tous les matériaux qu'il recueillait pour son projet encyclopédique du livre total. Ces matériaux, même ceux qui ne sont pas directe-

---

[147] *SCH*, III, pp. 713-808 et 34-203 respectivement. L'édition de ces deux recueils a été réalisée par les soins de Gerhard Schulz qui est également l'auteur de l'article «Die Berufslaufbahn Friedrich von Hardenberg (Novalis)», in Id. (éd.), *Novalis. Beiträge zu Werk und Persönlichkeit Friedrich von Hardenbergs*, Darmstadt, Wissenschaftliche Buchgesellschaft, 1970. Cet article fournit des informations importantes sur l'Académie des Mines et sur les études que Novalis y fit.

ment liés à une situation, à une lecture, à un événement concrets, portent tous la marque des préoccupations scientifiques et intellectuelles inspirées par le contexte, les personnalités ([148]) et les activités à l'Académie des Mines.

Ce lien étroit entre circonstances et texte est représenté dans le texte même. Le *Brouillon* contient en effet un type d'entrée qui a pour objet, souvent de manière biographique, la genèse du texte. Il y est question de la manière de procéder, d'organiser le travail, des difficultés rencontrées par Novalis. Ces entrées sont plutôt clairsemées et dispersées, mais par moments elles se concentrent, comme par exemple dans la suite des numéros 231 à 233 où Novalis organise les diverses activités constituant sa vie à Freiberg. Devant le grand nombre de matières à étudier, et d'activités à poursuivre, il établit des priorités, se compose un curriculum qui doit ordonner le processus d'apprentissage en une chronologie de matières, planifie son programme de la journée:

> # 231 Ce sont la théorie de la gravitation et l'arithmetica universalis que je veux travailler en premier. Je consacrerai une heure à celle-là, deux à celle-ci. Les idées qui me viennent à côté de cela, je les note également dans le brouillon général. Le reste du temps sera consacré en partie au roman, en partie à des lectures diverses, ainsi qu'à la chimie et à l'encyclopédistique en général.
>
> Je ne visiterai le cabinet de Heynitz et de Hofmann qu'après avoir terminé la partie préparatoire de l'oryctognose.
>
> Après la théorie de la gravitation suivra la mécanique ([149]).
>
> # 232 1 heure sera consacrée aux préparations chimiques ([150])...

([148]) Parmi ces personnalités, la plus forte était sans doute celle du géologue de grande réputation Abraham Gottlob Werner.

([149]) *SCH*, III, p. 279-80, traduction par W. M. Notons, en passant, dans cette entrée l'expression *das allgemeine Brouillon* que Hans-Joachim Mähl a prélevée ici pour en faire le titre de tout le recueil.

([150]) *SCH*, III, p. 280, traduction W. M. Suit une énumération des différents types de travaux expérimentaux à faire en chimie.

233 1 heure d'encyclopédistique en général. Celle-ci comprend l'algèbre scientifique — des équations — des proportions — des ressemblances — des identités — les effets réciproques entre les sciences.

Ces heures se suivent le matin de 6 à 12. L'après-midi il y aura roman et lecture, à moins que des heures aient été perdues le matin. Toutes les heures sont interrompues par des lettres. L'heure qui reste vacante le matin peut être consacrée aux pauses ainsi qu'à l'exercice physique. De 9 à 10 par exemple je me promène à cheval, ou de 11 à 12. Si l'heure de 6 à 7 du matin est consacrée à la lecture, alors il y aura du rattrapage à faire l'après-midi ([151]).

Ce qui nous intéresse dans ces textes, c'est moins leur valeur documentaire permettant de reconstruire la vie de l'auteur à Freiberg que la manière étonnante dont le plus abstrait, la pensée de système (*Encyklopaedistik überhaupt*), y côtoie le quotidien (l'emploi du temps journalier). Ils illustrent la difficulté de séparer le biographique, c'est-à-dire la situation contingente dans laquelle Novalis travaillait à son projet encyclopédique de la structure et du contenu mêmes de ce projet. Ils confirment la quasi-impossibilité de séparer le travail de la collecte des données et des faits qui, dans l'encyclopédie, sont destinés à constituer le Dictionnaire, de celui qui a pour objectif la construction abstraite du Système.

Il est vrai que, selon ce projet, Novalis réserve une heure à la *Encyklopaedistik überhaupt* qui, nous l'avons vu, concerne en premier lieu la construction abstraite du réseau de relations, mais cette heure est située comme un îlot au milieu d'un grand nombre d'autres activités qui, se déroulant parallèlement, sont d'une nature bien plus concrète sinon terre à terre. Ainsi, ce qui est élevé (*das Höhere*), ce qui est commun (*das Gemeine*) et ce qui est appliqué à la sphère pratique (*das Angewandte*), trois catégories que Novalis distinguera dans ses classifications encyclopédiques, coexistent et se compénètrent tant dans

---

[151] *SCH*, III, pp. 280, traduction W. M. Ces trois entrées (## 231, 232, 233) n'ont pas été traduites par A. Guerne.

son vécu quotidien que dans le texte du *Brouillon*. Il n'est pas étonnant d'apprendre que ce voisinage de l'hétérogène génère, en quelque sorte comme un produit dérivé d'une mise en contact à la fois fortuite et systématique, des idées que Novalis recueille: il note les idées qui lui passent par la tête([152]) dans le *Brouillon général*. L'expression exacte est *mit hineinschreiben*, c'est-à-dire qu'il inscrit ces idées *ensemble avec* d'autres matériaux. Ce «brouillon général» est donc, du moins en partie, tributaire des inspirations les plus fortuites.

Si le texte, en tant que brouillon, se produit de cette manière hétérogène et aléatoire, il est très difficile de faire, après coup, le partage entre les réflexions sur l'organisation systémique de l'encyclopédie et la collecte des matériaux concrets. Séparer ces deux aspects comme deux niveaux d'importance inégale équivaut à vouloir démêler des choses qui sont étroitement interconnectées tant dans le *Brouillon général*, que dans l'idée même que Novalis se faisait de son entreprise.

En fait, dans ses lettres et dans certaines entrées du *Brouillon*, Novalis utilise souvent le terme *sammeln* (collectionner, recueillir) en se référant à ses activités des années de Freiberg:

> # 229 Maintenant j'ai l'intention de travailler, une après l'autre, toutes les sciences — et de recueillir des matériaux pour l'encyclopédistique. D'abord les sciences mathématiques — puis les autres — pour finir la philosophie et la morale, etc. ([153])

([152]) *Was mir nebenher einfällt* se réfère explicitement à des idées latérales (*nebenher*) et fortuites (*einfällt*). Ceci peut être relié à une remarque que Novalis fait dans sa lettre du 10 janvier 1797 à Friedrich Schlegel, dans laquelle il se plaint d'une blessure à la main: «Lesen kann ich jetzt nicht recht, weil ich dabei unaufhörlich die Feder haben muß» (*SCH*, IV, p. 194). «Avoir besoin de la plume pour lire» veut dire que, pour Novalis, lire et écrire sont deux activités inséparables et qu'il développe ses idées en interaction directe avec ses lectures.

([153]) *SCH*, III, p. 279, traduction W. M.

La formulation de ce projet concret indique le degré d'interpénétration du particulier et du général, du concret et de l'abstrait. Si on pose l'encyclopédistique comme occupant le pôle abstrait et général de ces oppositions, alors Novalis se propose de l'aborder à partir du pôle opposé. Il alimente le travail sur l'encyclopédistique de matériaux prélevés aux sciences particulières. Cette collection de matériaux apparaît donc comme faisant partie intégrante d'une autre opération qu'il appelle *encyklopädisiren* et qui consiste dans la construction du réseau de relations. Dans ce sens, il faut reconnaître que «encyclopédistique» chez Novalis, de même que l'opération correspondante «encyclopédiser», est intrinsèquement constituée de la mise en relation et, plus encore, de l'interaction entre le concret (collection de matériaux) et l'abstrait (pensée de système).

Il est bien vrai que, dans une réflexion de nature méthodologique et pédagogique, Novalis considère l'activité de collectionner des matériaux comme la première dans une série de trois étapes consécutives:

> # 480 ... Le penseur génial situe son travail dans la sphère précédente — c'est dire que 1. il rassemble des observations sur l'homme naturel — sur l'homme commun et sur le savant systématisateur — 2. il rapporte les unes aux autres cet ensemble d'observations — il les antinomise — 3. il les systématise([154])...

Or, ce que Novalis présente ici comme une succession d'étapes (*Stufenfolge*) et comme une démarche (*Gang*)([155]), son texte encyclopédique le comprime et le transforme en réalité en une simultanéité. Les indications génétiques con-

---

([154]) *ENC*, p. 69. Texte allemand *SCH*, III, p. 344. Il faut préciser que le «penseur génial» apparaît ici comme le sujet intervenant à un deuxième niveau cognitif. Il entre en action après l'homme naturel (*Naturmensch*), sujet de la même opération tripartite au premier niveau et constituant la «sphère précédente» mentionnée dans la citation.

([155]) Ces deux termes (*Stufenfolge et Gang*) apparaissent un peu plus loin dans l'entrée # 480.

tenues dans le même texte encyclopédique ont confirmé que, au niveau des circonstances de production du texte, ces étapes différentes coexistaient de manière inextricable dans les occupations quotidiennes de Novalis à Freiberg.

Il est important de voir que l'aspect contingent (genèse du texte due aux aléas d'une vie d'étudiant de l'Académie des Mines) et l'aspect constitutif (développement d'une logique de système) deviennent indissociables. Ou, ce qui est la même chose en termes positifs: les deux aspects se déterminent réciproquement. L'ordre événementiel du vécu détermine, jusqu'à un certain point, la pensée théorique en lui fournissant les matériaux dans un ordre imprévisible; la pensée systématique, en échange, rejoint en quelque sorte l'expérience quotidienne dans la mesure où elle est directement alimentée et même structurée par elle.

Au niveau de la constitution du texte-système, nous rencontrons donc ici un principe important qui, dans sa formulation chronologique s'appellera co-originarité et, dans l'opérativité du système, sera représenté par l'action réciproque. Dans les deux concrétisations, le fondement commun est l'exclusion de toute hiérarchie unilatérale. Dans l'entrée # 454, Novalis conclut par exemple que «toute exclusivité unilatérale se nuit à elle-même»[156] (*alle Einseitigkeit sich selbst Schaden thut*), ayant par ailleurs déjà appliqué ce principe à la médecine contemporaine, qu'il trouve trop unilatéralement empirique et dépourvue de réflexion théorique, selon ce qu'il n'hésite pas à formuler comme une loi générale: «Pas d'observation sans réflexion — et inversement». (*Keine Beobachtung ohne Nachdenken — und umgekehrt*)[157].

Dans le domaine de l'écriture encyclopédique, le texte du *Brouillon* est une application fidèle de cette loi. Or la critique a développé une tendance à ne vouloir la lire que dans un des deux sens possibles en donnant à la réflexion théorique (*Nachdenken*) la primauté sur la collecte des

---

(156) *OC*, II, p. 311. texte allemand *SCH*, III, p. 332, # 454.

(157) *OC*, II, p. 310, texte allemand *SCH*, III, p. 331, # 451.

données concrètes (*Beobachten*). Afin de pouvoir faire cette lecture unilatérale, elle a été obligée de négliger l'épaisseur de données concrètes que contient le texte, en dissociant de la sorte ce qui ne devait pas être dissocié (au niveau de la loi, du principe de construction) et en séparant ce qui, de fait, n'est pas séparé dans le texte (au niveau de sa constitution réelle). Et elle a établi une hiérarchie entre les deux aspects ainsi dissociés en leur conférant un statut de niveaux superposés. Il est vrai, toutefois, que dans la logique du système novalisien, la superposition de niveaux de réflexion et d'abstraction constitue un trait important. Mais nous verrons que dans la mise en opération du système cet axe d'organisation verticale peut et doit se parcourir dans les deux sens: du bas vers le haut et du haut vers le bas.

Appliquée à nouveau à la poétique de l'encyclopédie, cette longue réflexion aboutit à la constatation que, même si Novalis est particulièrement attiré par le niveau logiquement plus puissant du Système et de la formule générative, il travaille simultanément au Système et au Dictionnaire. Il établit de la sorte une interconnexion pratique entre les deux parties de l'encyclopédie, qui représente une infraction à la loi du genre et, par conséquent, une intervention originale dans son histoire.

Transposé à la discursivité du *Brouillon*, le résultat de notre réflexion nous amène à reconnaître que le contingent et le constitutif cessent de s'opposer, ou que leur opposition cesse d'être signifiante. L'écriture au jour le jour, adoptant le rythme d'une quotidienneté déterminée par les choses les plus aléatoires, réagissant aux lectures les plus variées, enregistrant le hasard des rencontres et événements, rejoint directement la pensée de système, la réflexion abstraite et totalisante. Étrangement, ces deux aspects du texte et de sa constitution ne se contredisent, ni ne s'excluent, mais s'alimentent l'un l'autre, se présupposent réciproquement.

Pour ce qui est de la constitution du texte, cela veut dire que l'histoire de sa genèse est devenue une partie intégrante du texte. De là à dire qu'il n'y a plus de texte, qu'il n'y a plus que l'histoire ou la genèse textuelle, comme le soutient, dans ses positions extrêmes, la critique génétique de nos jours [158], me paraît une exagération. Surtout par rapport au *Brouillon*, c'est une manière de voir unilatérale, répétant encore une fois le geste qui dissocie produit et processus, cette fois-ci en faveur du pôle «processus». Une telle affirmation n'a de sens que polémique, quand il s'agit de défaire une opinion établie afin d'attirer le regard sur des aspects de l'objet que cette opinion avait laissés pour compte.

Un texte comme le *Brouillon* nous oblige à considérer comme «nouvel» aspect sa qualité de processus. Mais cela n'efface pas pour autant sa nature d'objet matériel. Il est objet en devenir. Il est fragment d'une espèce très particulière, car il rend inopérante la distinction générique entre fragment contingent et fragment constitutif. Du même coup, il rend problématique toute tentative, quelqu'élaborée qu'elle soit, d'apporter des explications différentes à l'inachèvement du *Brouillon* et d'*Henri d'Ofterdingen*, les deux réalisations fragmentaires du livre total par Novalis. Le premier s'expliquerait alors par une espèce de vice de conception, donc comme une nécessité négative inscrite constitutivement dans le projet même, tandis le second ne serait qu'accidentel. Non seulement la différence n'est-elle pas si évidente, mais le cas du *Brouillon* est considérablement plus complexe, ce qui fait de ce texte un cas d'espèce.

Novalis avait conscience de cette particularité; il la percevait à la fois comme une difficulté de réalisation, même comme une nécessaire impossibilité de réalisation, et comme une nouveauté et productivité historiques: son encyclopédie serait conçue et construite de manière à contenir en puissance et à pouvoir engendrer tous les savoirs futurs. Et il inscrivait cette conscience à même le texte. C'est ce qui nous ramène à l'entrée # 557, déjà identifiée ici comme une formule succincte, proposée par l'auteur lui-même, et permettant de résumer le concours inusité de traits et de qualités apparemment antagonistes dans son texte:

---

(158) Cf. par exemple Louis Hay, «Le texte n'existe pas. Réflexions sur la critique génétique», in *Poétique*, 62, 1985, pp. 147-58.

Mein Buch soll eine szientifische Bibel werden, ein reales und ideales Muster — und Keim aller Bücher([159]).

Mon livre doit devenir une Bible scientifique, un échantillon réel et idéal — et germe de tous les livres.

Dans cette entrée, en adoptant une pose énonciative identifiée comme typique du *Brouillon* (*soll... werden*), Novalis se réfère à son propre livre et lui attribue comme «devoir être» les trois qualités qui ont fait l'objet d'une discussion ici: l'auto-générativité, la performativité et la fragmentarité constitutive.

En tant qu'échantillon, ce livre sera fragment. Mais il le sera nécessairement, dans la mesure où il devra concilier l'Idée de l'encyclopédie parfaite, en tant que livre total, avec sa réalisation, toujours imparfaite, inachevée par définition. Les deux adjectifs *ideal* et *real* actualisent chacun une composante sémantique différente du terme «échantillon».

En tant que *ideales Muster*, l'échantillon contient l'Idée, la conception du tout. Et il devient figure de ce tout, appelé à le représenter. Il a une fonction de modèle. Dans un espace textuel limité, il comporte l'Idée de l'œuvre totale, l'ensemble de ses règles de construction, le réseau des relations déterminant la démarche de toute exécution future. En tant qu'échantillon-modèle, donc, le *Brouillon* occupe la place du Système de l'encyclopédie novalisienne.

En tant que *reales Muster*, l'échantillon est morceau textuel, objet matériel déjà réalisé. On serait tenté de dire un morceau textuel déjà prélevé sur la future réalisation de l'encyclopédie projetée. Dans ce sens, le *Brouillon* représente aussi une réalisation partielle du Dictionnaire de cette future encyclopédie.

La coexistence simultanée de l'idéalité et de la réalité dans l'échantillon définit la performativité du *Brouillon*. Il est toujours déjà, toujours aussi la mise en pratique, du moins inchoative, de ce qu'il propose, planifie ou postule. Et pourtant, le *Brouillon* n'est que réalisation-échantillon.

([159]) *SCH*, III, p. 363.

Il comporte de manière constitutive un déséquilibre entre l'idéal et le réel, dans la mesure où l'idéal est posé comme la catégorie qui transcende le réel. C'est là une des caractéristiques fondamentales de la poétique romantique de l'*Athenäum*. La spécificité novalisienne, dans ce contexte, consiste à inscrire dans le *Brouillon* cette caractéristique non pas comme une négativité, comme une ironisation du réel, mais comme une incitation urgente à dépasser le réel accompli, à le compléter, transformer, perfectionner dans une activité productive de nouveauté. Cet appel urgent à une pratique nouvelle, inscrite dans le texte comme une modalisation énonciative, nous l'avons vu, par moments, prendre l'ampleur d'un véritable éthos révolutionnaire.

Cette puissante force illocutoire du texte est concomitante avec le statut fragmentaire du texte actuellement réalisé. Dans la métaphore organologique utilisée par Novalis, le livre ne sera que le germe, une infime partie, un fragment de ce à quoi il incite. Mais ce fragment est doué d'auto-générativité, il produira donc nécessairement — dans la métaphore organologique il s'agit d'une nécessité naturelle — ce qui est anticipé et offert comme échantillon.

Dans son (in)accomplissement, le *Brouillon*, en tant qu'échantillon de livre ou livre-échantillon, viendrait donc se placer quelque part entre le livre vide, potentialité pure, de E. T. A. Hoffmann et la bibliothèque de Babel de Borges, dont la masse de livres dissimule la formule qui rendrait son organisation intelligible. La proportion entre la part de potentialité et la part de réalité accomplie est en effet très particulière dans l'ouvrage de Novalis. L'interaction de ces deux composantes est telle qu'elle relève presque du mélange chimique qui offrait, à l'époque, un modèle scientifique pour penser des processus qui, de deux substances, font une troisième, qualitativement différente des deux premières, sans que pour autant les composantes perdent leurs caractéristiques propres ([160]).

([160]) Dans son livre *Die frühromantische Theorie der Mischung* (München, Hueber, 1968), Peter Kapitza a étudié l'utilisation transférée en poétologie de cet élément prélevé au discours de la chimie.

Novalis écrivait donc un texte et un livre d'une espèce très rare, même inédite. Son entreprise tenait de l'expérimentation; il s'agissait d'essayer la viabilité d'une nouvelle formule de livre. Engagé dans cette voie exploratoire, il avait des doutes, se posait des questions sur la faisabilité de son projet, même lorsque sa réalisation était déjà bien entamée. Ces doutes et questions font partie du texte puisqu'ils y sont intégrés sous la forme de commentaires génétiques dans lesquels les arguments biographiques et les arguments poétologiques se trouvent, à nouveau, inextricablement mêlés. Dans l'entrée # 870, par exemple, on le voit évoquer le spectre de la maladie et anticiper les limitations de sa «sphère d'activité»[161] qui pourraient en découler. En tant que cause externe et contingente, la maladie aurait donc un impact direct sur la configuration du texte encyclopédique et en particulier sur la relation s'établissant en lui entre l'idéal et le réel.

Dans d'autres entrées du même genre, la difficulté de l'entreprise est attribuée à des causes internes, par exemple aux dimensions gigantesques que le projet prendrait nécessairement lors de son exécution:

> # 526 Critique de mon entreprise — Théorie et contre-théorie. Résolution et preuve. (Le principe — toutes les sciences sont une science.)

(Si mon entreprise devait s'avérer trop vaste pour la réalisation — je ne donnerais alors que la méthode d'application — avec des exemples — la partie la plus générale et des fragments des parties particulières)[162].

Cette entrée montre d'abord une particularité presque technique du texte du *Brouillon*; c'est que Novalis a, ici et là, intercalé des commentaires au milieu d'un manuscrit soit déjà écrit, soit en voie de rédaction. L'éditeur a identifié ces intercalations par la mise en retrait et par les parenthèses.

---

[161] *SCH*, III, p. 436.

[162] *OC*, II, p. 322, traduction modifiée par W. M. Texte allemand *SCH*, III, p. 356.

L'entrée citée porte les marques d'une telle écriture en deux temps: une espèce de dialogue interne où texte et reprise du texte, texte et commentaire se répondent. Pourtant, le rapport entre la première partie de l'entrée et le commentaire qu'elle contient sur l'entreprise encyclopédique[163] en général, et qui nous intéresse ici en particulier, n'est pas évident. Le commentaire exprime-t-il une réaction que Novalis aurait eue en relisant ses propres «matériaux pour une encyclopédistique»? N'aurait-il reconnu les dimensions excessives de son entreprise et commencé à douter de la «faisabilité» de son entreprise que tardivement? Quoi qu'il en soit, la première partie réaffirme les postulats totalisant et unifiant de son projet sous la forme de cette proposition fondamentale: «Toute la science est une»[164]. L'énoncé de cette partie se situe donc au niveau du principe le plus abstrait, tandis que la deuxième partie propose, comme dans une réplique, la solution pratique qui affirme alors les catégories de la fragmentarité et de la pluralité.

En cas de démesure pratique, c'est-à-dire de réalisation quantitativement impossible, Novalis envisage une réalisation partielle. Ce qui présuppose, par ailleurs, qu'il n'aurait pas exclu, au préalable, la possibilité de donner une existence réelle à son fantasme du livre total en tant qu'encyclopédie. Cette réalisation quantitativement partielle entraîne une division de l'encyclopédie en deux parties qualitativement différentes: une partie générale comportant «la méthodologie de la démarche» et une partie particulière. Cette division coïncide, *grosso modo*, avec la distinction entre Système et Dictionnaire dans la poétique de l'encyclopédie, avec la différence, cependant, que du côté du Système Novalis ne parle pas que d'un «réseau de relations»[165] mais d'une logique de l'opérativité

---

[163] L'expression allemande *mein Unternehmen* est la seule qui apparaît dans les deux parties de l'entrée; de ce fait, elle a une fonction de connecteur entre les deux parties.

[164] Cette proposition pourrait avoir un statut analogue au *Grundsatz* dans la *Doctrine de la science* de Fichte.

[165] Cf. *SCH*, III, p. 378, # 624.

(*Methodik des Verfahrens*). Ce qui importe, c'est que, limité par les circonstances, il accorderait un traitement quantitativement inégal aux deux parties: intégral pour la méthodologie et fragmentaire pour la partie concrète. Dans le deuxième cas, le texte propose les termes *Bruchstücke* et *Beyspiele*, la logique implicite étant que, avec l'opérativité générale d'une part et le fragment complet et exemplaire de l'autre, toutes les instructions nécessaires pour compléter le tout quantitatif seraient données. En d'autres termes, Novalis est confiant qu'une telle fragmentarité comporterait un pouvoir auto-générateur suffisant pour assurer une exécution ultérieure et complète, même si celle-ci doit être projeté dans un futur lointain et utopique.

Dans l'entrée # 555 on trouve un commentaire qui a un statut analogue:

> # 555 Genres et degrés d'égalité — théorie de la synonymie — de l'équation — et théorie de la distinction.
>
> (Une fois que j'aurai seulement achevé un morceau véritable (un membre) de mon ouvrage, le point capital sera franchi)([166]).

Ce commentaire est plus métaphorique et plus énigmatique que le précédent, tout en se référant à la même difficulté de réalisation. Mais il relie bien plus étroitement la difficulté pratique et la logique interne de l'entreprise. Pour commencer, il ne maintient pas la distinction entre deux parties qualitativement différentes. Il n'est plus question que d'un «véritable morceau de mon livre». Morceau de Système ou morceau de Dictionnaire? — cela reste indécidable. Mais deux termes de ce bref commentaire pourront apporter des précisions pour déchiffrer ce texte énigmatique: l'adjectif *wircklich* (véritable) que je rapprocherais de *ächt*([167]), terme utilisé par Novalis pour identi-

---

([166]) *OC*, II, p. 325, traduction modifiée par W. M. Texte allemand *SCH*, III, p. 362.

([167]) Avec 86 occurrences, «ächt» est parmi les adjectifs les plus fréquents du texte.

fier ce qui est conforme aux lois encyclopédistiques, c'est-à-dire intégré dans l'opérativité du nouveau Système encyclopédique. Par un côté, *wircklich* se recoupe avec la signification de *ächt*, mais, en plus, il indique le statut réel (vs idéal) du fragment en question. Ce serait donc le morceau achevé réllement et en conformité avec les règles systémiques.

L'autre terme, le substantif *Glied* (membre) ne peut que corroborer cette lecture. Nous avons déjà relevé que l'usage de ce terme pour désigner une partie dans un tout évoque toujours un contexte organologique où la partie a ceci de particulier qu'elle contient l'organisation du tout. *Glied* se trouve apposé entre parenthèses à *Stück* pour préciser de quel type de morceau il s'agit: il y va d'un fragment qui contient, tout en la manifestant, l'organisation du Tout.

Si une telle partie, un tel fragment — qui intégrerait donc totalement Système et Dictionnaire, idéalité et réalité du texte, abstraction et concrétisation — pouvait être réalisé, il est évident que «la montagne principale serait franchie» (traduction littérale), c'est-à-dire la difficulté majeure vaincue. Dans ce commentaire, Novalis est donc lui-même au plus haut degré conforme à la logique complexe de son entreprise. Mais il n'est pas sans importance que l'existence d'un tel fragment soit énoncée dans une modalité hypothétique: «si je réussis à... alors...», car ce dont il est question ici c'est un fragment tout aussi fantasmatique que l'est toute l'entreprise encyclopédique novalisienne.

Car la réalisation de ce fragment, «morceau véritable» du livre total, impliquerait, et mieux encore présupposerait la réalisation du tout, puisque chaque partie de l'encyclopédie novalisienne ne saurait être construite et par conséquent réalisée que par sa mise en relation systémique avec toutes les autres parties. Dans ce sens, réaliser véritablement n'importe quelle partie de l'entreprise globale équivaudrait à la réalisation complète, ce qui correspondrait effectivement au franchissement de l'obstacle principal!

Ce fragment total, c'est-à-dire logiquement impossible, Novalis ne l'a pas réalisé. Et pourtant il n'est pas faux de dire que tout le texte du *Brouillon*, et une grande partie de ses «morceaux», les entrées, considérés séparément, manifestent les qualités requises pour la constitution de ce *Fragment*, sans pour autant en présenter l'accomplissement posé hypothétiquement: une fois que j'aurai seulement achevé... C'est ce qu'une analyse plus détaillée du texte (chapitre VI) devra nous permettre de montrer.

Conclusion

L'insertion du projet encyclopédique de Novalis dans la tradition du genre encyclopédique a permis de réévaluer le cas de ce que, faute de mieux, nous avons appelé la précarité textuelle du *Brouillon*. Dès le début de cette étude, il est apparu que cette caractéristique particulière du texte représente un défi adressé au discours critique ainsi qu'à ses catégories établies. Les critiques, y compris les éditeurs-interprètes, ont eu des réactions défensives — de rejet ou d'assimilation — face à ce qui a été perçu par eux soit comme une difformité soit comme une résistance de l'objet textuel. Il fallait «rapatrier» l'objet inquiétant dans des catégories rassurantes; par exemple, en expliquant la nécessité de son échec en tant qu'œuvre, en dénonçant la disproportion entre le projet et son exécution, en procédant à l'extraction exclusive de son contenu spéculatif et philosophique, en l'attribuant à une incapacité personnelle de son auteur, etc. Ces tentatives ont en commun de réduire la complexe difficulté de l'objet à un aspect dominant qui permette une saisie cognitive ou herméneutique, fût-elle négative.

Or, relever le défi de cet objet consisterait justement à ne pas opérer une telle réduction, voire négation de l'objet, à ne pas effacer sa précarité et à penser sa complexité aux différents niveaux où se situent ses enjeux: textuel, discursif, générique, historique.

Dans l'intention de faire contrepoids à une approche «idéaliste» de l'encyclopédie, nous avons mis la textualité du *Brouillon* au premier plan de notre examen. À ce niveau c'est le jeu concomitant des qualités auto-générative, performative et constitutivement fragmentaire qui a retenu notre attention et permis de préciser conceptuellement l'aspect précaire de ce texte. Ce jeu nous oblige à envisager le texte comme un objet-procès et de reconnaître que, étant donné sa forte modalisation énonciative, la distinction entre objet textuel et objet discursif se fait ténue, puisqu'on est continuellement obligé de franchir la ligne de partage conceptuelle entre le faire discursif et son enregistrement textuel.

Pour rendre compte de cette particularité, on pourrait recourir à cette formulation: le texte du *Brouillon* met massivement en scène sa discursivité. Et ceci à deux niveaux différents. D'abord dans sa forte tendance à modaliser tout ce qui s'y trouve énoncé et à proposer de la sorte au lecteur la configuration explicite d'un sujet discursif qui assume une position discursive déterminée. Pour abréger, on pourrait appeler les effets de cette modalisation un utopisme qui combine contrainte éthique et exploration hypothétique tout en effectuant sur le mode inchoatif les actions auxquelles elle incite. Ensuite, dans sa prise en charge de matériaux discursifs préconstruits. Cette réutilisation est puissamment transformatrice, d'autant plus que, en tant qu'encyclopédistique, elle vise moins telle ou telle pratique encyclopédique que les règles de formation de toute une tradition. Son impact se situe au niveau de l'ordre du discours, à quoi correspond le rôle de législateur discursif que Novalis y assume souvent. Ceci est particulièrement évident dans la manière dont Novalis traite la tradition générique de l'encyclopédie et plus spécifiquement l'utilisation de la figure de l'arbre des sciences dans ce contexte.

La «poussée sauvage» de l'arbre des sciences, chez Novalis, comporte un aspect de critique idéologique dans la mesure où elle rend apparentes, et par là inopérantes, des implications idéologiques véhiculées par l'instrument cognitif qu'est la figure de l'arbre. C'est à ce point précis que l'enjeu historique du texte novalisien se concrétise. En premier lieu Novalis s'inscrit en faux contre une certaine pratique des sciences qu'il identifie comme l'épiphénomène d'une pratique sociale de plus en plus fonctionnaliste, basée sur une logique de la division du travail. Celle-ci est à relier à l'idéologie des Lumières qui s'affirme comme un courant dominant à la fin du XVIIIe siècle tout en montrant des signes de crise. Face à ce développement, Novalis adopte une position discursive mixte puisque d'une part il y réaffirme l'éthos émancipatoire de la modernité des Lumières, et d'autre part il s'oppose au fonctionnalisme instrumental de sa mise en pratique, et ce, en faveur d'une intégration holiste qui prend des accents à la fois poétiques et religieux. Énoncés à partir d'une telle position, les matériaux discursifs de l'instrumentalisme scientifique, paraissent comme détournés de leur contexte premier et deviennent méconnaissables, intégrés qu'ils sont dans un nouveau jeu de langage.

Il faut admettre que, en tant que prise de position historique et intervention dans une situation historique en vue de la changer, le texte de Novalis est faible, sinon impuissant. Plus exactement, son inefficacité historique établie sous le regard de la postérité se trouve vivement en contraste avec l'intérêt que suscite la vigueur de son innovation discursive. Sa faiblesse est inversement proportionnelle à la force de la foi qu'avait Novalis en une discursivité poïétique, qualificatif que, comme nous l'avons vu, il étendait à toute l'encyclopédie. Un credo implicite animait le travail de Novalis: que par une pratique discursive révolutionnaire, par une poétisation de tous les savoirs, on puisse changer le monde. Transformer le monde par une intervention discursive, voilà l'espèce d'idéalisme qui est intimement liée à l'insuccès historique de Novalis encyclopédiste.

Au-delà de l'acte discursif qu'il est et qu'il exécute, le *Brouillon* n'a en fait guère eu d'impact historique. La perspective de la postérité historique nous permet, nous oblige même de l'affirmer. La perspective contemporaine, malgré l'état impubliable du manuscrit, ne devait pas permettre de prononcer un verdict aussi net, surtout pas aussi négatif. Efficacité, réussite et signification historiques ne sont, cependant, pas à confondre. Car, si on tient compte des changements majeurs qui s'opéraient historiquement du temps de Novalis, alors on ne saurait dénier au travail encyclopédique et encyclopédistique de Novalis toute signification historique. Mais cette signification est à construire par nous, et ce, jusqu'à un certain point, à contrecourant, contre le déroulement de l'histoire elle-même. Il s'agit d'éviter que l'insuccès, établi par le courant dominant de l'histoire, ne se traduise automatiquement en insignifiance. C'est que le sens et la production du sens ont partie liée avec les vainqueurs. Il est ardu d'établir la signification d'un insuccès historique, d'évaluer l'importance — en quelque sorte virtuelle — d'un événement qui représentait, à un moment donné dans le passé, une alternative, une invitation à bifurquer, peut-être même une incitation à changer le cours de l'histoire, parce que nos instruments conceptuels de connaissance et de compréhension sont eux-mêmes forgés par le courant qui l'a emporté.

D'où l'importance de relever le défi que nous lance cette entreprise encyclopédique, nouvelle et différente en son temps, qui n'a pas eu l'heur de fonder une nouvelle tradition encyclopédique, comme l'espérait son auteur. Elle est restée soit oubliée, soit perçue comme incompréhensiblement difforme par rapport aux régularités discursives qui nous sont familières, qui articulent notre propre mode de fonctionner discursivement. Il ne s'agit pas de relever ce défi pour vaincre cognitivement et herméneutiquement la résistance que nous oppose l'altérité de cette pratique de Novalis, mais pour adapter nos propres instruments à une analyse et compréhension plus positive, plus curieuse de ce travail resté expression d'une crise, une alternative, tout au plus une utopie du passé. Dans ce sens, l'étude de ce texte précaire implique un questionnement de nos propres instruments cognitifs.

Ces réflexions expliquent pourquoi la réponse à donner à la thèse d'Alain Rey a été différée, a dû être différée pour ne pas être réductrice par rapport au *Brouillon*. Dans cette attente, elle a cependant pris de l'ampleur, s'est chargée d'une complexité qui dépasse de loin la logique du oui et du non. Vu l'enjeu historique du travail de Novalis, elle déborde désormais même les termes de la thèse, puisque celle-ci s'est établie sur l'évidence des encyclopédies réalisées, à l'exclusion des alternatives qui ne se sont pas imposées. Pour commencer, elle rend problématique cette autre question qu'elle implique: le *Brouillon* est-il, oui ou non, une encyclopédie? Oui, le *Brouillon* aurait pu être une encyclopédie au sens d'Alain Rey, si l'histoire avait bifurqué dans sa direction. Dans la perspective de ce qui est devenu réalité historique aujourd'hui, il faut peut-être répondre qu'il représente une des interventions les plus fondamentalement critiques et révolutionnaires dans la tradition du genre encyclopédique. On donnerait alors raison à Alain Rey en disant que c'est pour cela justement que Novalis n'a pas réussi historiquement, n'a pas pu achever son projet. Mais le *Brouillon* n'est pas devenu une encyclopédie se conformant à la définition proposée par Alain Rey. Selon cette définition l'encyclopédie ne peut être que conservatrice, puisque, de par sa fonction principale qui est didactique, elle ne peut faire que reproduire, et par là confirmer, un ordre, une idéologie donnés par rapport à quoi elle n'est qu'un instrument de diffusion et de consolidation. Dans ce sens la grande *Encyclopédie* française entre parfaitement dans la définition, ce qui ne veut point dire qu'elle soit dépourvue de toute critique à l'égard de l'Ancien Régime, mais bien qu'elle reproduisait un paradigme de la modernité qui remonte jusqu'à Bacon.

Novalis, pour sa part, reproduisait beaucoup d'éléments de la tradition générique de l'encyclopédie. Il se situait délibérément dans cette tradition, puisque, parmi les trois options qu'il considérait pour réaliser le livre total, se trouvait l'encyclopédie, à côté de la Bible et du roman. Son choix se limitait donc à ces trois grandes configurations culturelles déjà bien solidement établies. Or son insertion active, mais au fonds passagère, dans la tradition encyclopédique se fait sous le signe d'une grande ambivalence qui fonde pour nous le potentiel de sens de son travail. Il reproduit des éléments formels, thématiques, figuratifs, mais en les retravaillant, il ne reproduit point l'idéologie de la modernité fonctionnaliste et instrumentaliste qui remonte au pragmatisme scientifique d'un Bacon. C'est donc au niveau de sa position discursive, c'est-à-dire de la valorisation des symboles collectifs, qu'il s'écarte de la tradition encyclopédique, si on considère celle-ci comme un instrument de reproduction de la modernité scientifique.

Encore faut-il préciser le terme de modernité, utilisé ici pour identifier une attitude discursive de longue durée. Car si Novalis rejette une certaine mise en pratique socio-politique et scientifico-technique de l'attitude moderne, il n'en adopte pas moins l'éthos du changement en tant que perfectionnement, de l'invention d'un avenir meilleur afin de porter l'être humain — individu et espèce — vers le déploiement de tout son potentiel. Dans ce sens, la manière dont Novalis réassume la tradition encyclopédique n'est pas anti-moderne en soi. Ce qu'il rejette, c'est une certaine mise en pratique de la modernité qui se concrétisait à la fin du XVIIIe siècle et instrumentalisait de plus en plus les relations d'abord entre l'homme et la nature, ensuite aussi entre les humains. Il fait valoir un intérêt émancipatoire qui opérerait une intégration sociale et cosmique de l'être humain. Plutôt que de la fin de la modernité, il sera donc indiqué de parler d'une crise de la modernité. Il fallait sortir de la fausse route que la modernité était en train de prendre, tout en réaffirmant certaines de ses valeurs profondes.

C'est ainsi que, au niveau de ses enjeux historiques, la position de Novalis combinait continuité et discontinuité. Il fallait que la reprise d'éléments traditionnels se fasse de manière à opérer leur transformation radicale. Il fallait qu'une nouvelle pratique discursive en résulte. C'est ici que notre argument est renvoyé au niveau discursif qu'il s'agit désormais de mieux cerner. Notre analyse a illustré cette réutilisation innovatrice en se concentrant sur la figure de l'arbre des sciences. Retravaillés par Novalis à partir d'une position discursive différente par rapport à celle d'un Bacon ou d'un d'Alembert, les éléments de l'arbre des sciences, bien que textuellement les mêmes, sont discursivement différents. Ils font partie d'un nouveau faire discursif. L'arbre des sciences n'est plus reconnaissable, bien que les éléments de sa figure persistent. Analoguement, l'encyclopédie n'est plus reconnaissable, bien que sa tradition générique, certains de ses objectifs, ses thématiques, les aspirations fantasmatiques dont elle est investie, persistent. C'est bien à ce niveau du faire discursif, d'une nouvelle pratique de l'encyclopédie, que l'enjeu historique du travail novalisien s'offre à voir comme une pratique concrète, quelle que soit par ailleurs son efficacité historique. Voilà pourquoi il est important que notre étude vise à rendre compte surtout de ce qui se passe à ce niveau.

Cependant, ce niveau nous renvoie à l'objet textuel. La marque la plus évidente du changement discursif opéré par Novalis s'enregistre dans la textualité dans laquelle son faire discursif nous est conservé et transmis. Le fait que le processus de la transmission-conservation fasse lui-même problème peut être lu comme un révélateur de l'altérité historique de notre objet. Cet aspect supplémentaire doit être intégré dans notre travail, puisqu'il a en soi une valeur cognitive. Notre objet premier est donc double: le texte établi et transmis par Hans-Joachim Mähl et l'histoire de sa difficile constitution. L'effet révélateur de cette dernière nous oblige à prendre la précarité textuelle au sérieux et nous met en garde contre la tentation de la faire disparaître. C'est en elle que réside l'altérité difficile de notre objet, c'est-à-dire à la fois son défi épistémique et sa signification historique.

Voilà pourquoi il nous faudra procéder à la description minutieuse, quelque peu positive, des particularités textuelles récurrentes qu'on peut dire typiques du *Brouillon*. Ensuite viendra l'analyse détaillée de quelques modalités énonciatives, avant de proposer la reconstruction de son opérativité systémique. Mais, au préalable, dans un intermède historique, nous adopterons une perspective extérieure au *Brouillon* afin d'esquisser le carrefour historique, le moment de changements majeurs dont il fait partie.

Chapitre V

Intermède historique:
le carrefour de 1800

Prendre encore une fois du recul avant d'aborder, en détail, le texte du *Brouillon* — voilà le mouvement qu'on essaiera d'exécuter dans ce chapitre. Il s'agit en fait d'élargir notre problématique afin d'ouvrir une perspective plus vaste sur notre objet. Pour ce faire, il faudra provisoirement quitter la trajectoire historique du genre encyclopédique, et laisser de côté le projet fantasmatique du livre total et ses transformations, pour se pencher sur la constellation historique qui les fait émerger dans la forme concrète qui est l'objet de notre analyse, ainsi que sur les questions théoriques et méthodologiques afférentes à cet objet élargi: le carrefour de 1800.

Par cette expression figurée nous désignons ici une conjoncture historique des plus intéressantes et complexes, dans laquelle il s'agit maintenant d'insérer le *Brouillon* et dont, en réalité, il participe activement. Ce mouvement d'intégration dans sa contemporanéité de 1800 doit conférer à notre objet l'épaisseur historique dont il faudra tenir compte pour lui donner sens, ou plus précisément, qui servira d'appui à notre tentative de construire un sens historique.

Il ne s'agit pas, cependant, d'un passage de la diachronie à la synchronie. Comme nous le verrons, cette constel-

lation est caractérisée — schématiquement — par la superposition simultanée et conflictuelle de deux courants ou
tendances qui ne sauraient se figer cognitivement en une
coupe synchronique. Constituée essentiellement par la rencontre de deux mouvements, elle relève d'une dynamique
historique qu'il s'agit d'aborder à partir des catégories non
pas de la structure, mais de l'événement et du changement.
Le défi que nous nous lançons ici consiste dans la description d'un objet événementiel. Il faut cependant prévenir un
malentendu: même si l'œuvre de Novalis s'inscrit chrono-
logiquement dans les suites de l'événement historique de
l'époque, la Révolution française, l'événement discursif
qu'elle représente elle-même n'intervient pas sur une linéarité historique pour marquer une rupture nette, pour articuler le temps historique en un avant et un après comme
deux blocs nettement taillés et totalisables, qu'on les appelle des époques, des épistémès, des classes de discours,
ou encore des paradigmes.

Le carrefour de 1800 est fait de mobilité, d'hésitations, de contradictions — du moins est-ce là l'aspect que
je souhaite mettre au premier plan de ces considérations.
Dans ce sens, j'aurai recours à la notion de crise pour désigner sa spécificité historique[1]. Afin d'évaluer l'ampleur
de cette crise en termes de fonctionnements discursifs, tout
en maintenant le discours littéraire stratégiquement au centre de notre analyse, il faudra donc aller au-delà de cet
objet privilégié, l'insérer dans son environnement discursif
pour déterminer la place précise qu'il y occupe, les fonctions spécifiques qu'il y assume.

---

[1] Dans le numéro 25 de la revue *Communications* (1976), la
notion de crise fait l'objet de considérations théoriques et historiques —
entre autres de la part d'Edgar Morin et de René Thom — qui orientent
cette notion vers un emploi moins négatif et affirment «l'ambiguïté radicale» (p. 159) du phénomène de la crise: à la fois «forces de désordre» et
«créativité en action» (p. 159). Cf. aussi Walter L. Bühl, *Krisentheorien,
Politik, Wirtschaft und Gesellschaft im Übergang* (Darmstadt, Wissenschaftliche Buchgesellschaft, 1984) qui contient un aperçu sur les approches théoriques du concept de crise («Zum Stand der Theorie», pp. 23-
57).

Les pulsations de la littérature

Cependant, comment obtenir cette précision et comment déterminer cette spécificité, puisque, dans ce moment de crise, la place de la littérature est maximalement instable et sa fonction extrêment contestée? Il faudra donc s'attacher à décrire en premier lieu cette instabilité et cette contestation. En fait, dans la constellation historique de 1800 se manifeste, en Allemagne, toute l'amplitude des pulsations dont la notion de littérature a été le théâtre à travers sa longue histoire. Qu'ils admettent cette pulsation ou non, les historiens de la littérature ont fourni une riche documentation pour l'illustrer. En abordant la question au niveau des discours qu'on a tenus sur la littérature, Robert Escarpit a proposé un aperçu historique sur l'évolution du terme «littérature»[2]. Sous sa plume, cette évolution se cristallise en un nombre impressionnant de définitions différentes, allant de la plus vaste (la chose écrite ou imprimée) à la plus restreinte (écriture artistique à valeur esthétique).

Il serait facile de continuer ce travail de différenciation en y introduisant des distinctions de plus en plus fines, mais c'est un autre type de travail qui nous retiendra ici: regrouper cette myriade de définitions pour faire apparaître la figure d'une bipolarité qui habite le terme de littérature dans ses emplois les plus variés. Et ceci non pas pour réduire un état de choses complexe à une simplicité artificielle, mais pour rendre apparentes les lignes de force d'une tension qui caractérise la littérature et qui est constitutive de son fonctionnement discursif depuis trois siècles dans les pays occidentaux[3]. Cette tension ou ambiva-

---

[2]   Robert Escarpit, «La définition du terme [littérature]», in Id. (éd.), *Le littéraire et le social*, Paris, Flammarion, 1970, pp. 259-72.

[3]   Une telle détermination est évidemment de la plus grande généralité et demande à être complétée par un travail de différenciation historique et géographique. Elle n'en confirme pas moins la co-originarité de la notion moderne de la littérature avec une notion de modernité dans le développement des sciences. Dans ce sens, et à ce niveau de généralité, je suis d'accord avec l'étendue que Timothy Reiss a donnée à la notion de

lence ne se manifeste pas toujours à l'intérieur du champ littéraire exclusivement, souvent elle ne devient apparente que lorsqu'on tient compte conjointement des regards interne et externe jetés sur la littérature. Elle résulte donc davantage de l'insertion de la littérature dans son environnement discursif et social que d'une quelconque qualité intrinsèque et méta-historique. Cette «qualité intrinsèque» — le plus souvent décrétée par l'institution littéraire elle-même: qu'on se souvienne de la «littérarité» ou de la «poéticité» des années '60 et '70 — tend au contraire à dissimuler le statut ambivalent du discours littéraire.

Le premier des deux pôles en question peut être représenté par un usage extérieur, et le plus souvent négatif, du terme «littérature». Il se cristallise dans des expressions du langage courant, comme par exemple:
— «ceci n'est que de la littérature»,
— «... le reste, c'est de la littérature» ([4]).

En général ce type d'énoncé est produit dans un lieu autre que littéraire, il désigne la littérature de l'extérieur, par exemple à partir de la politique, à partir de la science, à partir de la philosophie, bref à partir d'une pratique discursive et sociale qui se dit «sérieuse», ayant trait aux ou ayant prise sur les «vraies» questions agitant les humains. Et tout en la désignant, il fait peser un soupçon, si ce n'est un rejet sur la littérature: ce serait une pratique discursive qui, tout en produisant un effet de réel, ne manipule cependant que des mots. Elle serait donc trompeuse, voire dangereuse. Ces bouts de phrase, qui pourraient être tirés de tant de situations de notre vie quotidienne, ces gestes de rejet à l'égard de la littérature, quelque laconiques qu'ils

---

modernité dans son *The Discourse of Modernism* (*op. cit.*), tout en ajoutant que le travail historique qu'il nous reste à faire consiste à décrire l'articulation et le développement internes d'une si vaste modernité, y compris ses crises.

([4]) Jean-Luc Nancy intitule la première partie de son article «Logodaedalus (Kant écrivain)» (In *Poétique* n° 21, 1975, pp. 24-52) «Tout le reste est littérature» pour marquer le souci de l'auteur philosophique de pratiquer un discours purement notionnel et de rejeter en littérature les éléments philosophiquement «impurs».

soient, transmettent les connotations négatives, les anathè-
mes, qu'a pu s'attirer l'activité littéraire à travers les âges:
de Platon jusqu'à Freud qui tenaient à prendre leurs distances par rapport aux poètes, qui en philosophe, qui en
scientifique.

Ce geste de détermination négative comporte deux
moments: d'abord il reconnaît et affirme l'existence d'une
chose appelée littérature, ensuite il la discrédite, l'abaisse.
Il adopte un double mouvement qui rappelle celui de la
dénégation. Il aménage une place à la littérature, certes,
mais il faut que cette place soit un ailleurs, un lieu aménagé
en creux dans les pratiques sérieuses, mais avec une séparation étanche par rapport à elles, par exemple d'après la
logique du ghetto ou encore selon le modèle de l'internement de «l'autre». Ou alors, si on situe les choses sérieuses
dans le centre, cette altérité est rejetée dans un lieu périphérique. Quelle que soit sa figuration spatiale, cette perception négative de la littérature la fait toujours apparaître
comme un usage du langage se situant aux antipodes de ce
qui est sérieux, véridique et digne d'attention.

Au pôle opposé de cette acception de la littérature on
trouve par exemple ceci:

> Poetry is indeed something divine. It is at once the centre
> and circumference of knowledge; it is that which com-
> prehends all science; and that to which all science must be
> referred[5].

Produit par un poète, provenant donc de l'intérieur de la
littérature, cet énoncé renverse la perspective: la poésie ou
la littérature[6] apparaît elle-même comme ce qu'il y a de

---

[5] Percy Bysshe Shelley, «A Defense of Poetry», in *The Complete Works*, volume VII: Prose, New York, Gordian Press, 1965, p. 135.

[6] Évidemment, ces deux termes ne sauraient être utilisés comme
synonymes que dans la perspective globale qui est la nôtre ici. En principe
une différenciation sémantique s'impose. Notons seulement que cet exemple tiré de Shelley illustre une tendance générale de l'époque romantique:
l'expansion et la valorisation positive de «poésie» (poetry) par rapport à
«littérature». En allemand cette question terminologique se complique

plus sérieux, véridique et digne d'attention. Dans cette vision, qui relève de la tradition néo-platonicienne, elle ne se trouve point réduite au statut d'un reste dangereux, chassé du centre, de la *polis*, ou reléguée dans une altérité contrôlée, mais elle occupe elle-même ce centre et s'étend en même temps à tout le reste. Étant à la fois centre et circumférence, elle comprend tout. Dans cette définition, la littérature trouve donc son étendue maximale en même temps que sa valorisation la plus positive. Grâce à sa qualité englobante, elle devient hiérarchiquement supérieure à tous les autres discours, et en particulier au discours scientifique.

Certes, ces deux indications extrêmes, et diamétralement opposées, ne prouvent rien en soi. Aussi les utiliserons-nous seulement comme les indices du statut ambivalent de la littérature, et comme les marques de l'amplitude maximale de la pulsation sémantique du terme «littérature». Elles sont en fait si différentes qu'on croirait ne pas parler de la «même chose», qu'on a l'impression d'avoir affaire à deux objets différents. L'objet littéraire risque ainsi de porter la logique à son point de rupture, puisque la littérature semble être à la fois elle-même et aussi son propre contraire[7]. Et pourtant, je soutiendrai ici que ces deux «moitiés» de définition ne vont pas l'une sans l'autre, que le champ de tension qui se manifeste dans cette extrême pulsation sémantique est constitutif de l'objet «littérature», du moins depuis le carrefour de 1800. Et ce, malgré la différence des manifestations historiques, sociales, institutionnelles et indépendamment des points de vue changeants qui, le plus souvent, atténuent cette tension ou la font disparaître tout à fait.

Cela ne veut point dire que nous dérivons de nouveau, et imperceptiblement, vers une définition essentialiste de la

---

encore par l'existence d'un troisième terme: *Literatur, Poesie* et *Dichtung*. Dans le *Brouillon*, on trouve 20 occurrences pour *Litteratur* (y compris ses composés et dérivés), 20 pour *Dichtung* et 122 pour *Poesie*.

[7]   Ce résultat presque paradoxal rappelle l'exploration philologique de la notion *das Unheimliche* (l'inquiétante étrangeté) par Freud dans l'essai du même titre.

littérature qui serait alors susceptible d'une description sur la base de prédicats universels tout en admettant des concrétisations différentes selon les particularités des situations historiques et nationales. Loin de là, nous continuons à soutenir que la définition elle-même ne saurait se passer de paramètres historiques. Mais ce qui importe encore davantage, c'est de rendre apparente l'instabilité de l'objet «littérature», malgré les assurances de son contraire provenant de l'intérieur de l'institution littéraire. Il nous faut donc gagner une perspective extérieure sans pour autant négliger sa compréhension, ses descriptions internes. Le face à face de la littérature et de la science, tel que suggéré par Shelley, est la figure toute trouvée qui répond aux besoins heuristiques d'une telle alternance de perspectives.

La première chose qui frappe quand on considère cet objet «bicéphale», c'est le traitement historiographique inégal des deux unités ainsi mises en relation. On a si souvent et si spontanément accordé à la littérature ce que Wlad Godzich appelle une «naturalité préalable»([8]). Ainsi la notion moderne de littérature s'est-elle vue appliquer à des objets de plus en plus reculés — le cas le plus patent étant l'Odyssée — d'après la règle qui veut que toute institution, pour se légitimer, a tendance à «reprendre sous sa coupole des activités qui antédatent sa mise en place»([9]). Poussé à son extrême, ce phénomène à la fois institutionnel et herméneutique produit un objet tout à fait anhistorique, reflet de la cécité qu'a l'institution ou le sujet interprétant à l'égard de sa propre position historique.

L'histoire des sciences, de son côté, semble être plus prudente quant à l'étendue historique de son objet. Il est assez généralement admis aujourd'hui que l'activité scientifique n'est pas une et identique à elle-même à travers

---

([8]) Wlad Godzich, «La littérature manifeste», préface à Jeanne Demers et Line Mc Murray, *L'enjeu du manifeste, Le manifeste en jeu*, Montréal, Le Préambule, 1986, p. 9.

([9]) Wlad Godzich, *op. cit.*, p. 11.

les âges, mais qu'il y a une pluralité de paradigmes scientifiques se succédant dans le temps ou s'opposant à un moment donné([10]). Peut-on parler de «science» au sens moderne, voire contemporain du terme, en se référant au XVIIIᵉ siècle, par exemple? La question a été soulevée, entre autres, par Gaston Bachelard qui a proposé le terme «préscientifique» pour désigner une activité différente de, et antérieure à celle qu'il appelle scientifique en la limitant essentiellement, dans son étendue historique, aux XIXᵉ et XXᵉ siècles([11]). Cette différence marque en même temps — et parfois indifféremment — une rupture d'époque et un seuil évolutif([12]). Son choix terminologique a l'avantage de nous sensibiliser à la transformation historique de ce qu'on entend communément par «science». Si nous renonçons cependant à l'adopter, c'est pour éviter la vision téléologique de l'histoire qu'il implique. Cette vision introduit une perspective finaliste dans la succession temporelle en subordonnant ce qui précède à ce qui suit dans le processus historique. Par préscientifique Bachelard désigne ce qui n'est *pas encore* de la science, fait encore obstacle à l'esprit scientifique, mais mène nécessairement à l'éclosion

---

([10]) Il faut rappeler à ce sujet un livre qui a fait date: Thomas S. Kuhn, *The Structure of Scientific Revolutions*, Chicago, University of Chicago Press, 1962.

([11]) Gaston Bachelard, *La formation de l'esprit scientifique*, Paris, Librairie Vrin, 8ᵉ édition, 1972. Il faut préciser que, dans ce livre, Bachelard distingue le travail de l'historien des sciences de celui de l'épistémologue (cf. p. 17) tout en réclamant pour son propre ouvrage le qualificatif d'épistémologique. Il n'en est pas moins vrai qu'il procède de manière historique et que sa notion d'«esprit scientifique» — elle-même définie, entre autres choses, par la rationalité, l'esprit systématique, l'abstraction, le détachement de l'empirisme immédiat, l'expérimentation, l'auto-dépassement critique et permanent de l'esprit investigateur — représente à son tour une compréhension historiquement datée de l'activité scientifique.

([12]) Ainsi parle-t-il de la «maturité scientifique» d'un auteur savant du XVIIIᵉ siècle (p. 111).

ultérieure d'une véritable activité scientifique([13]). En plus cette vision téléologique et évolutive se double d'une valorisation: «une des thèses principales de notre livre [...] est la suprématie de la connaissance abstraite et scientifique sur la connaissance première et intuitive [préscientifique]»([14]). Il nous semble préférable de ne pas réduire toute une époque — celle qui précède 1800 — à un statut épistémologiquement inférieur et historiquement préliminaire par rapport à l'époque postérieure qui, du fait d'être scientifique, deviendrait supérieure([15]). Il ne s'agit pas d'effacer la conscience d'une transformation historique de l'activité scientifique, mais nous utiliserons ici plutôt le terme d'«auteurs savants» pour désigner les représentants d'une pratique historique des sciences qui se situe dans une constellation des discours et des disciplines où la découpe du savoir était différente([16]) et où le partage entre philosophie, sciences, théologie et littérature était encore bien plus flou qu'aujourd'hui. Il s'agit justement de contribuer à décrire le processus qui produit ce partage vers 1800.

La frontière mouvante entre science et littérature se révèle être un poste d'observation idéal, de même que la période autour de 1800 promet d'offrir une vue particulièrement intéressante sur le trafic frontalier entre ces deux champs discursifs.

([13]) Cf. Wolf Lepenies, *Das Ende der Naturgeschichte* (*op. cit.*, pp. 205-206 qui est critique à l'égard d'une distinction entre pré-histoire et histoire des sciences et préfère, en se référant à la fin du XVIIIe s., parler d'un «nouvel esprit scientifique» (*der neue wissenschaftliche Geist*).

([14]) *Op. cit.*, p. 105.

([15]) Françoise Gaillard a montré que, dans cette valorisation, se manifeste le fantasme de la pureté rationnelle et conceptuelle que Bachelard partage avec les alchimistes relégués dans les limbes préscientifiques («L'imaginaire du concept: Bachelard, une épistémologie de la pureté», in *MLN* 101, 4, 1986, pp. 895-911).

([16]) Dans *Les Mots et les choses* (*op. cit.*, p. 139), Michel Foucault nous met en garde de ce que «la découpe du savoir, qui nous est familière depuis plus de cent cinquante ans, ne peut pas valoir pour une période antérieure».

Le carrefour de 1800

En fait, l'intérêt et l'importance historiques de 1800 comme moment de changements vastes et profonds ne sont plus à établir. Des auteurs et historiens de provenance aussi diverse que le sont Gaston Bachelard, Michel Foucault et Wolf Lepenies([17]) s'accordent en effet pour reconnaître au passage du XVIIIe au XIXe siècle la valeur d'un seuil décisif dans l'élaboration et dans l'articulation de la constellation moderne des champs du savoir et de leur institutionnalisation.

Ces auteurs s'accordent d'ailleurs aussi dans leur utilisation de la catégorie historique de la «modernité» pour situer autour de 1800 justement *die Wende zur Moderne*([18]). Or ce tournant vers notre propre modernité comme un courant devenu historiquement dominant ne devrait pas nous faire oublier que ce qui apparaît ainsi comme le moment d'émergence d'une nouveauté historique était tout d'abord un moment d'instabilités conflictuelles dans lequel les forces et les courants en jeu ne se présentaient pas avec la netteté que nous leur prêtons grâce à notre recul historique. Montrer ces instabilités dans le texte du *Brouillon* est d'ailleurs un des objectifs de cette étude. En tant que période de crise — au sens kuhnien du terme — il offrait non pas la clarté d'un mouvement unique, mais la controverse de différentes lignes de développement possibles, dont le sort historique n'était pas encore arrêté en 1800. En simplifiant la complexité de la situation, j'aimerais en particulier rappeler ici que, au moment de l'émergence de la science moderne, la poésie romantique — de pair avec la *Naturphilosophie* — représentait un contre-courant important. La coexistence conflictuelle de courant et contre-courant fonde la figure du «carrefour de 1800» qu'il s'agit maintenant d'élaborer.

([17]) Avec, respectivement, les titres: *La formation de l'esprit scientifique, Les mots et les choses* et *Das Ende der Naturgeschichte.*

([18]) Wolf Lepenies, *op. cit.*, p. 63.

Du côté du courant devenu dominant, on observe le développement de ce que Bachelard appelle l'esprit scientifique: l'émergence d'une scientificité qui se rapproche de plus en plus du positivisme et qui va de pair avec une organisation institutionnelle et professionnelle de l'activité scientifique([19]). Ce processus, promu et accéléré par la communauté scientifique elle-même, peut s'interpréter comme une émancipation des sciences de la tutelle philosophique et théologique. Par rapport à ces disciplines, détentrices des vérités transcendantes et éternelles, les sciences menaient une lutte de libération et d'autonomie. Sur un autre front, celui qui oppose les sciences à la littérature, il y allait plutôt d'un combat de «purification» interne, d'une homogénéisation des objets et méthodes scientifiques afin de détacher la pratique des sciences, aussi nettement que faire se peut, d'une utilisation littéraire de la langue.

C'est surtout ce deuxième front qui nous intéresse ici. Il devient, vers 1800, le lieu d'une différenciation et d'une spécialisation de plus en plus poussée qui semble s'opérer aux dépens de la littérature dans la mesure où ce qui est soupçonné être littéraire ou poétique est rejeté et de la philosophie et des sciences. En d'autres termes: ce qui ne répond pas aux lois de formation des discours philosophique et scientifique est dit être «de la littérature» et et se trouve ainsi discrédité.

Un exemple: lorsque Herder publie en 1784 son ouvrage monumental *Ideen zur Philosophie der Geschichte der Menschheit*, ouvrage difficile à attribuer à une seule discipline, car il recoupe et relie les domaines de la philosophie, de l'histoire de la nature, de l'histoire humaine, Kant s'empresse de le bannir de la philosophie d'un geste assez

---

([19]) Ce processus est mis en évidence spécialement par les historiens des sciences à orientation sociologique, par exemple, dans le cas de la chimie qui joue un peu le rôle d'une science-pilote autour de 1800, par H. Gilman McCann, *Chemistry Transformed: The Paradigmatic Shift from Phlogiston to Oxygen*, Norwood, Ablex Publishing Corporation, 1978 ou par Karl Hufbauer, *The Formation of the German Chemical Community*, Berkeley, University of California Press, 1982.

violent([20]). Et il invoque comme raisons de cette réception négative l'excès de métaphores audacieuses, d'images poétiques dont Herder aurait chargé son texte. Il aurait ainsi contrevenu aux règles de la bonne formation du discours philosophique. Avec trop d'insouciance, il aurait inscrit son travail à cheval entre philosophie et poésie, et en effaçant la netteté de la frontière entre les deux domaines, il aurait mis en danger la production de la vérité philosophique. Le verdict de Kant est clair: quels que soient par ailleurs les mérites de cet ouvrage, il représente une malformation du discours philosophique, à cause de son style trop fleuri, il est donc à reléguer dans le domaine de la poésie([21]).

Kant croit de la sorte avoir rétabli un ordre du discours, et en particulier avoir préservé la pureté conceptuelle du discours philosophique à laquelle il tient beaucoup et qui est menacée par la figuralité du langage([22]). Mais l'ironie veut que, tout en critiquant le style fleuri de Herder, il s'appuie lui-même sur un métaphorisme très élaboré. Et pas n'importe lequel! Il recourt en fait à des métaphores relevant sémantiquement de la souveraineté territoriale et des incursions frontalières entre états. Les relations entre champs discursifs sont ainsi représentées d'après un modèle politique et militaire, ce qui fait d'ailleurs apparaître les relations de force qui sont impliquées lorsque la mappemonde des savoirs, discours et disciplines subit des changements. Afin d'expliciter les enjeux agonistiques à la frontière entre science et littérature, j'ai moi-même eu

---

([20]) Kant a écrit trois comptes rendus de cet ouvrage, dont deux s'y réfèrent directement et le troisième est une réplique à un compte rendu positif. Cf. Immanuel Kant, *Werke in sechs Bänden*, éd. par Wilhelm Weischedel, vol. VI, Darmstadt, Wissenschaftliche Buchgesellschaft, 1975, pp. 779-806, en particulier pp. 799-800.

([21]) Cette réaction négative de Kant au grand ouvrage de Herder est à inscrire dans le contexte des relations généralement tendues entre les deux philosophes. Mark Poster a essayé de rendre compte de leur antagonisme par une explication de type psychologique («Kants Crooked Stick», in *The Psychoanalytic Review* 63, 1974, pp. 475-80).

([22]) Cf. à ce sujet l'article de Jean-Luc Nancy, «Logodaedalus (Kant écrivain)», in *Poétique*, 21 (1975), pp. 24-52.

recours à la métaphore politico-militaire en parlant de «lutte» et de «front».

En fait, la constitution ou la restructuration des disciplines et des champs discursifs s'opère et se représente — souvent explicitement — selon le modèle métaphorique des conflits territoriaux. Schématiquement, ces conflits se déroulent en trois étapes. Dans un premier temps, il s'agit de tracer des frontières, de circonscrire un terrritoire en le découpant d'un espace extérieur ou «autre». Ensuite, il faut établir le contrôle sur le territoire ainsi constitué; il s'agit alors d'établir des règles régissant la pratique discursive admise dans ce domaine nouveau ou redéfini. Cette réglementation peut s'étendre à tous les aspects de la pratique discursive: prise de parole, conditions et modalités d'énonciation, formation des énoncés, enchaînement des énoncés, structures d'argumentation, appareil conceptuel, véridiction, définition de l'objet, options méthodologiques, etc. Cette étape se solde par une raréfaction des formes et des procédés admis, et — de manière concomitante — par le rejet à «l'extérieur», dans «l'altérité» des éléments douteux ou indésirables. Finalement, il s'agit de défendre le territoire ainsi constitué contre les intrusions, contre toute menace extérieure.

Dans la deuxième moitié du XVIIIe siècle ce processus est pris en charge, avec une certaine agressivité, par les sciences qui développent une dynamique toute particulière en vue d'acquérir une plus grande autonomie. Wolf Lepenies choisit la figure historique de Buffon, qui, réunissant les qualités de savant et d'homme de lettres, fondait sa réputation autant sur ses connaissances scientifiques que sur le beau style, pour montrer comment, jusqu'au milieu du XVIIIe siècle, le partage entre sciences et littérature restait flou[23]. Il se peut bien, d'ailleurs que la célébrité individuelle de Buffon, du fait qu'il réunissait le beau style et la véridiction scientifique, ait retardé en France la différenciation entre science et littérature[24]. Quoi qu'il en

---

[23] Wolf Lepenies, *op. cit.*, p. 135.

[24] Wolf Lepenies: «In Frankreich setzt die Abspaltung der Wissenschaft von der Literatur sich erst viel später durch» (*op. cit.*, p. 136).

soit, l'initiative de cette différenciation, tant en France qu'en Allemagne, vient des sciences, elle s'opère comme une dissociation des sciences par rappport à la littérature. Ce sont les scientifiques qui tiennent à tracer une frontière bien nette du côté de la littérature, comme qui installerait un cordon sanitaire pour se prémunir contre une contagion.

Souvent, cependant, les auteurs scientifiques se détournent des frontières pour ne se préoccuper que du réaménagement interne de leur territoire. Dans l'introduction à la troisième édition de son *Grundriß der Naturlehre*([25]), un manuel qui fait autorité du temps de Novalis, Friedrich Albrecht Carl Gren distingue trois approches différentes:

a) *Naturgeschichte* (histoire naturelle): taxinomie et classification systématique des objets naturels, mise en ordre spatial.

b) *Geschichte der Natur* (histoire de la nature): récit historique de l'évolution de la nature, mise en ordre chronologique de ses objets.

c) *Naturlehre* (science naturelle): explication causale des phénomènes naturels.

Il présente les deux premières approches comme des possibilités encore praticables, et en fait encore pratiquées, bien que déjà désuètes en son temps([26]). Aussi s'en détourne-t-il pour s'engager exclusivement dans la troisième voie en indiquant de la sorte quelle orientation nouvelle l'activité scientifique est en train de prendre.

Parler de «l'activité scientifique» est au fond une généralisation très superficielle, et par là problématique, d'autant plus que l'époque en question a vu se différencier cette activité et naître des disciplines scientifiques de plus en plus spécialisées. Il faudrait tenir compte de la trajec-

---

([25]) Halle: Hemmerde und Schwetschke, 1797; la première édition date de 1787.

([26]) Le livre de Wolf Lepenies (*Das Ende der Naturgeschichte, op. cit.*) porte essentiellement sur le passage de a) à b), le facteur décisif dans cette transformation étant, selon lui, l'intervention de la dimension temporelle (*die Verzeitlichung*).

toire différente de chacune de ces disciplines et de leur degré de développement inégal. Ainsi pourrait-on distinguer des zones «dures» dans le développement des sciences, constituées par des disciplines bien établies et institutionnalisées, et des zones «molles» où se situent des disciplines qui se cherchent encore et qui n'ont pas atteint le même degré de respectabilité que les premières. À l'époque de Novalis, la mécanique newtonienne et la chimie appartenaient à la zone «dure», tandis que la théorie de l'électricité, en pleine évolution, et plus encore le galvanisme, qui n'atteindra jamais la respectabilité d'une discipline scientifique moderne, trouvaient leur place dans la zone «molle».

Prenons l'exemple de deux disciplines qui se situent aux pôles opposés de cette classification peu conventionnelle, mais qui exerçaient une attraction égale sur le Novalis du *Brouillon*: la chimie et le galvanisme [27]. À la fin du XVIIIe siècle, la chimie, en tant que discipline scientifique, a connu un essor lui permettant d'atteindre le statut d'une science-pilote et de devenir, dans l'esprit des contemporains, un symbole du développement scientifique. À tort ou à raison — nous n'avons pas à en débattre ici — cette position privilégiée de la chimie était attachée au nom du chimiste français Antoine-Laurent Lavoisier. La réception que le groupe d'Iéna fait de ce progrès révolutionnaire en chimie est très éloquente. Sans évaluer ici les connaissances exactes qu'ils pouvaient avoir de cette science et de ses derniers développements [28], nous nous intéressons à la manière enthousiaste dont les premiers romantiques allemands ont répercuté ces hauts faits scientifiques dans leurs écrits, tout particulièrement dans l'*Athenäum* et dans la correspondance entre Friedrich Schlegel et Novalis.

---

[27] Si on considère uniquement la distribution quantitative des mentions textuelles de ces deux disciplines, la chimie l'emporte sur le galvanisme: dans le texte du *Brouillon*, contre 139 occurrences de «chimie» (y compris les composés et dérivés) on n'en trouve que 29 pour «galvanisme».

[28] Une telle évaluation se trouve dans Peter Kapitza, *Die frühromantische Theorie der Mischung*, München, Hueber, 1968.

Ce dernier écrit dans une lettre du 26 décembre 1797 à Friedrich Schlegel:

> Tu es un Lessing déphlogistiqué. Tes fragments sont complètement neufs — de véritables affiches révolutionnaires[29].

Moins d'un an plus tard (le 9 septembre 1798), il écrit à Caroline Schlegel au sujet de Friedrich:

> J'espère que notre correspondance comprendra de véritables *fermenta cognitionis* en abondance, et qu'elle allumera plus qu'une révolution à la Lavoisier. C'est comme si je siégeais maintenant au Comité du Salut public universel[30].

Ces allusions à la chimie et à son grand représentant français appellent plusieurs commentaires. D'abord, la notoriété de la chimie était telle que ses termes techniques étaient transposés dans des contextes autres que chimiques, pour être utilisés de manière métaphorique[31]. Ensuite, même si cette notoriété était bien rattachée au nom de Lavoisier, ces usages métaphoriques de termes chimiques ne reflétaient pas forcément l'état contemporain (c'est-à-dire après l'intervention de Lavoisier) de la discipline: *dephlogistirt* est justement un des termes chimiques critiqués et rejetés par le chimiste français[32]. Finalement, et c'est là peut-être la chose la plus intéressante, dans ces allu-

---

[29] Traduction W. M. Texte allemand *SCH*, IV, p. 241.

[30] Traduction W. M. Texte allemand *SCH*, IV, p. 262.

[31] L'exemple le plus frappant étant l'usage transposé — surtout dans un contexte esthétique — du terme *Mischung* (mélange), analysé par Peter Kapitza (*op. cit.*).

[32] On constate le même phénomène de retardement dans le cas de la transposition des *Affinités électives* de Goethe: c'est bien la chimie qui sert de modèle analogique à l'action racontée dans le roman, mais la chimie à laquelle renvoie le romancier ne représente pas l'état le plus récent de la discipline scientifique. Cf. Jeremy J. David Adler, *A Study in the Chemistry of Goethe's Novel «Die Wahlverwandtschaften»*, thèse de doctorat, Université de Londres, 1977.

sions à la chimie française se trouvent superposés, de manière à peine dissociable, progrès scientifique et révolution politique. Cette connotation révolutionnaire est transposée dans le domaine esthétique lorsque les romantiques allemands se servent métaphoriquement de termes chimiques, ce qui, indirectement, transfère le prédicat «révolutionnaire» au champ esthétique. Dans les deux passages de lettres cités, cette transposition s'opère même de la manière la plus directe et explicite: la chimie devient la science révolutionnaire par excellence[33], et le transfert d'éléments chimiques dans le discours esthétique — comme par magie — confère à ce dernier à son tour la caractéristique d'un faire révolutionnaire. Dans un fragment de l'*Athenäum*, Friedrich Schlegel va jusqu'à faire de la chimie le prédicat de toute la nation française, de toute l'époque:

> Il est naturel que les Français exercent une certaine domination sur notre époque. Il sont une nation chimique, le sens chimique connaît chez eux l'éveil le plus universel, et jusque dans la chimie morale ils font toujours leurs expériences en grand. L'époque est de même une époque chimique. Les révolutions sont des mouvements universels, non pas organiques mais chimiques. Le grand commerce est la chimie de la grande économie; il en existe d'ailleurs aussi une alchimie. La nature chimique du roman, de la critique, du Witz, de la socialité, de la rhétorique moderne et de l'histoire jusqu'ici, est évidente[34].

Dans ce texte, «chimique», employé dans un sens fortement figuré, n'a plus qu'un sens assez vague: ce qui, par une permanente combinaison et séparation d'éléments hétérogènes, produit du nouveau. Certes, cet emploi du terme est dépourvu de toute rigueur scientifique, mais il est indicateur d'une perception extérieure des changements

---

[33] Ceci malgré le fait que le chimiste révolutionnaire a péri dans les violences de la Révolution, cf. Henry Guerlac, *Antoine-Laurent Lavoisier, Chemist and Revolutionary*, New York, Scribner's, 1975.

[34] Philippe Lacoue-Labarthe et Jean-Luc Nancy, *L'absolu littéraire*, p. 171.

«révolutionnaires» qui se sont opérés sur le plan scientifique. C'est, en réalité, le développement interne à la discipline de la chimie qui a donné lieu à de tels usages transposés.

Grâce à l'intervention de Lavoisier, la chimie permet
en fait d'illustrer de manière exemplaire le processus de
différenciation des champs discursifs qui a lieu vers 1800.
Prenons par exemple le cas de l'établissement d'un champ
objectal homogène. Ce champ est longtemps resté flou,
avec une délimitation très imprécise, surtout par rapport à
une des questions «chaudes» sur laquelle se concentraient
expérimentation et réflexion dans la période qui nous intéresse ici: la combustion([35]). La notion de «phlogiston»,
désignant une espèce de substance calorique négative et
défendue tout particulièrement par Priestley, permettait
d'expliquer le phénomène de la combustion. Cette explication s'avérait de plus en plus problématique et finit par être
contestée, et par la suite rejetée par Lavoisier, lorsqu'il
améliora les méthodes quantitatives d'expérimentation et
découvrit ce qu'il devait appeler «le principe oxygine»([36]).
Lavoisier n'en retenait pas moins, parmi les substances
élémentaires (précurseurs des éléments chimiques), une
«substance calorique», et ce au même titre que le «principe
oxygine». Selon les chimistes de l'époque, même selon
ceux qui se disaient «antiphlogistiques», la liste des subs-

([35]) Cf. par exemple le «Mémoire sur la combustion en général»
de 1777 d'Antoine-Laurent Lavoisier, in *Œuvres*, volume II: *Mémoires
de chimie et de physique*, Paris, Imprimerie Impériale, 1862, pp. 225-33.
Ce mémoire date d'avant la découverte de l'oxygène, du moins d'avant le
moment où Lavoisier commença à utiliser le terme «principe oxygine».
Pour ce qui est de la difficulté de situer historiquement la découverte de
l'oxygène, voir le chapitre VI de Thomas S. Kuhn, *The Structure of Scientific Revolutions*.

([36]) Antoine-Laurent Lavoisier, «Considérations générales sur la
nature des acides et sur les principes dont ils sont composés»: «... je dési-
gnerai dorénavant l'air déphlogistiqué ou air éminemment respirable dans
l'état de combinaison et de fixité, par le nom de principe acidifiant, ou, si
l'on aime mieux la même signification sous un mot grec, par celui de principe oxygine...». Ce mémoire date de 1777 et se trouve dans le 2e volume
des *Œuvres*, p. 249.

tances élémentaires, en plus de cette substance calorique, pouvait inclure une substance lumineuse, une substance électrique, magnétique, etc. Le champ objectal de la chimie avait donc une frange d'imprécision qui, du côté de ces substances, s'ouvrait sur toutes sortes de spéculations. L'objet de la chimie était mal délimité et peu homogène, avant que le critère de pondérabilité ne soit introduit.

Le chimiste allemand Alexander Nikolaus Scherer rend hommage à Lavoisier dès la première édition de son *Grundzüge der neuern chemischen Theorie*[37], mais, comme son modèle français, il maintient à côté de l'oxygène les substances calorique et lumineuse[38]. Dès 1796, cependant, dans ce qu'il appelle lui-même son credo de chimiste (*chemisches Glaubensbekenntnis*), il introduit le critère de la pondérabilité:

> Pour ma part, j'ai exclu les substances calorique et lumineuse de la série des matières. Ce ne sont pas des matières pondérables [...]

> N'est objet de l'investigation chimique que ce qui est pondérable. Car nous ne pouvons rendre compte de manière satisfaisante que des substances pondérables — comme l'immortel Lavoisier l'a bien montré — tout le reste n'est que, et restera, un pur jeu de la fantaisie et ne fait qu'alimenter la manie des hypothèses[39].

Ce geste d'exclusion rétrécit l'objet de la chimie, certes, mais en même temps il coupe les ponts avec une science aussi peu sérieuse que l'est le galvanisme, ou avec l'espèce de mysticisme scientifique pratiqué par Franz Xaver

---

[37] Jena, Joh. Christ. Gottfr. Göpferdt, 1795.

[38] Les mots composés allemands rendent encore plus évidents la mise en parallèle et le traitement égal de ces trois substances: *Wärmestoff, Lichtstoff, Sauerstoff* (Scherer, *op. cit.*, p. 71).

[39] Alexander Nikolaus Scherer, «Introduction» (sans pagination) à *Nachträge zu den Grundzügen neuerer chemischen Theorie*, Jena, 1796. Traduction W. M.

Baader([40]). Il rend l'objet chimique conceptuellement plus pur et plus homogène, et plus maniable empiriquement. Aux yeux de Scherer, ce geste de délimitation doit constituer une fois pour toutes, et de manière scientifique, l'objet sur lequel portera le travail chimique.

Revenons encore une fois à Lavoisier et à ses efforts pour rendre la chimie scientifique dans le sens moderne du terme. Avec trois autres chimistes français (Fourcroy, Berthollet et Guyton de Morveau), il publia en 1787 une *Nomenclature chimique*. Cette initiative importante pour systématiser et fixer la terminologie d'une discipline scientifique, et pour légiférer de la sorte sur la pratique discursive dans cette science, suscita beaucoup de commentaires et de discussions qui contribuèrent à expliciter l'usage spécifiquement scientifique des langues naturelles et à préciser le partage avec d'autres usages du langage, par exemple par rapport à celui de la littérature. Voici un passage, tiré du Discours préliminaire au *Traité élémentaire de chimie* de 1789, où Lavoisier fait figure de législateur discursif:

> L'impossibilité d'isoler la Nomenclature de la Science, et la Science de la Nomenclature, tient à ce que toute science physique est nécessairement formée de trois choses: la série des faits qui constituent la science; les idées qui les rappellent; les mots qui les expriment. Le mot doit faire naître l'idée; l'idée doit peindre le fait: ce sont trois empreintes d'un même cachet; et comme ce sont les mots qui conservent les idées et qui les transmettent, il en résulte qu'on ne peut perfectionner le langage sans perfectionner la science, ni la science sans le langage, et que quelque certains que fussent les faits, quelque justes que fussent les idées qu'ils auraient fait naître, ils ne transmettraient encore que des impressions fausses si nous n'avions pas des expressions exactes pour les rendre([41]).

([40]) Cf. Franz Xaver Baader, *Vom Wärmestoff, seiner Vertheilung, Bindung und Endbindung vorzüglich beim Brennen der Körper*, Wien und Leipzig, Johann Paul Kraußische Buchhandlung, 1786.

([41]) Antoine-Laurent Lavoisier, *Pages choisies*, Paris, Éditions Sociales, 1974, p. 179.

Lavoisier reconnaît ici de la manière la plus explicite que la pratique de la science est indissociable du maniement des mots, c'est-à-dire de la pratique discursive. Selon lui la spécificité du discours scientifique réside dans une observance très stricte de la référentialité. Tout se concentre sur l'alignement représentationnel de trois instances:

le mot----------------------l'idée--------------------------le fait

exprime   rappelle
fait naître   peint
conserve
transmet

Quelle que soit l'opération précise qu'on exécute sur cette chaîne de représentation, ou sur un de ses tronçons, l'idée fondamentale qui garantit le travail scientifique, c'est que les trois instances ne sont que les «empreintes d'un même cachet». Lavoisier pose donc une certaine identité (ontologique) sous-jacente entre mot, idée et fait, et c'est ce principe qui permet au chimiste de dire vrai sur un état réel de choses. Mais ceci seulement à condition que le chimiste s'impose une grande discipline dans l'emploi des mots, qu'il suive des règles de formation discursive strictes. Il faut que cet emploi soit stabilisé par une relation d'univocité, d'où l'importance de la «nomenclature» qui propose une telle stabilisation à la communauté scientifique, avec l'intention légiférante de la lui imposer. Il faut non seulement que chaque mot du discours chimique renvoie de manière fixe et récurrente à une seule idée, et celle-ci à un seul fait, toujours le même, mais aussi que tout mot composé exprime une idée composée qui, elle, doit rappeler une substance composée. C'est ainsi que le principe analytique de la chimique s'inscrit dans sa terminologie même. Ce principe veut qu'il y ait homologie entre la manière dont les choses du monde matériel sont structurées et les catégories ainsi que leur articulation dans les structures linguistiques.

Les expressions «on doit», «il faut», «on ne doit pas» — très fréquentes sous la plume de Lavoisier — qui opèrent une modalisation de ses énoncés, indiquent son attitude de législateur discursif. Il veut réglementer le discours scientifique, instaurer une pratique bien formée pour le domaine qui est sous sa juridiction, la chimie[42]. Ce geste, chez Lavoisier, prend de l'ampleur, presqu'au point de s'articuler en une éthique sémiotique — il y va du bon emploi scientifique des signes — qui aura sa prolongation dans une éthique professionnelle.

Si les règles établies de la sorte (la fixation univoque de la série représentationnelle fait-idée-mot) sont suivies avec toute la rigueur nécessaire, en principe aucun accident de parcours ne peut plus arriver au chimiste. Il pourra parcourir dans les deux sens la chaîne ainsi fixée, il pourra y entrer en principe à n'importe quelle position et accéder de là aux deux autres positions: «Par le mot seul [le chimiste] reconnaît sur-le-champ quelle est la substance»[43], «à condition de n'admettre dans sa nomenclature aucun mot sans y attacher une idée»[44].

Les chimistes allemands, quand ils adoptent le système révolutionnaire de Lavoisier, non sans force luttes intestines, sont dithyrambiques. Voici le commentaire enthousiaste dont Scherer accueille la nouvelle nomenclature, quand il la présente dans son *Allgemeines Journal der Chemie* en 1798:

> Ces signes ont le grand mérite de peindre aux yeux, non pas des mots, mais des faits et de donner ainsi de véritables concepts des substances qu'ils représentent (*vorstellen*); comme en outre on a déjà fixé les signes pour des substances encore à découvrir, la découverte effective de ces substances n'admettra plus d'arbitraire[45].

---

[42] Le caractère général de ses arguments, dans ce Discours préliminaire, indique cependant que Lavoisier vise le faire scientifique en général ou, en d'autres termes, que la chimie est en passe de devenir une science-modèle qui doit guider les autres disciplines scientifiques dans leur développement.

[43] Antoine-Laurent Lavoisier, *op. cit.*, p. 190.

[44] Antoine-Laurent Lavoisier, *op. cit.*, p. 187.

[45] Zweites Heft, 1798, p. 124, traduction par W. M.

Ici la force du système terminologique apparaît telle que le chimiste attribue à ce système le pouvoir de préfigurer le réel (les faits) à découvrir. Il s'aventure donc temporairement sur un terrain sans fondement ontologique. Bien sûr, ce réel est posé comme existant déjà objectivement, à l'extérieur du discours scientifique, mais dans la démarche scientifique qui finira par dire vrai par rappport à ce réel, sa représentation verbale et notionnelle précède et détermine sa découverte proprement dite, le moment de sa saisie cognitive. Dans ce cas spécial, le discours chimique triomphe en même temps qu'il prend un risque[46], puisqu'il parle de substances dont il pose et postule l'existence, sans pouvoir s'y référer concrètement. On pourrait dire qu'il adopte provisoirement — en attendant de découvrir ces substances — le statut d'une fiction. En vertu de son intégration systémique dans la logique de la nomenclature analytique, cependant, cette fiction est reconnue comme une hypothèse scientifique et non pas comme «de la littérature». Le risque est donc à la fois calculé et contrôlé, n'importe que l'hypothèse constitue un moment périlleux dans la démarche scientifique, le moment où, temporairement du moins, la différence entre les emplois scientifique et littéraire du langage s'efface.

Tout serait donc pour le mieux dans la meilleure des sciences, ne fussent la possibilité et même le plaisir d'utiliser les signes improprement, c'est-à-dire de manière non-scientifique. Cette possibilité est identifiée, thématisée, et aussitôt rejetée hors du domaine scientifique par Lavoisier. Il parle de «noms impropres [qui] font naître des idées fausses»[47]. Le meilleur exemple en est le phlogiston, sur lequel s'est concentrée la bataille de la chimie moderne. Le système de Lavoisier aura permis de démasquer le phlogiston comme une substance fictive[48] et de conclure sans

---

[46] Scherer, dithyrambique, ne perçoit que le triomphe, sans voir le risque.

[47] Antoine-Laurent Lavoisier, *op. cit.*, p. 190.

[48] Cf. Wilda Anderson, «The Rhetoric of Scientific Language: An Example from Lavoisier», in *MLN*, 96, 1981, p. 747.

équivoque que «ce principe n'existe pas; ... c'est un être hypothétique, une supposition gratuite»[49]. Lavoisier parlera également d'«impressions fausses»[50] que transmettraient des expressions inexactes, c'est-à-dire des «noms adoptés» dont l'utilisation va «entraîner des idées évidemment fausses»[51]. Il évoquera le cas des «assertions sans preuves»[52] et la pratique de «suppléer au silence des faits»[53]. Il mentionnera encore la «pure hypothèse imaginée quand on n'avait point encore de faits et que l'on formait des systèmes»[54]. Toutes ces pratiques sont des abus en science, elles mènent à des égarements et à des erreurs. Ce sont des pratiques d'autant plus dangereuses pour la science qu'elles semblent comme intrinsèquement inscrites dans le matériau de la langue dont le chimiste est bien obligé de se servir. Il s'agit donc de lutter contre ce penchant naturel de la langue en réglementant de manière rigoureuse le comportement discursif des auteurs scientifiques.

Nous n'avons cité ici qu'une infime partie des mises en garde, des avertissements, des condamnations que Lavoisier formule pour dénoncer et, en quelque sorte, conjurer le mauvais usage des signes langagiers en science. Ce rejet est massif et inconditionnel, par moments violent. C'est qu'il y va de la constitution d'un territoire discursif que Lavoisier veut autonome et homogène. Pour atteindre cet objectif, il est prêt à restreindre son étendue en retranchant les zones limitrophes qui sont désormais identifiées comme des malformations du discours scientifique. Malgré leur apparence variée, ces «malformations» ont un dénominateur commun. Elles comportent toutes une déviation de la

---

[49] Antoine-Laurent Lavoisier, *Œuvres*, vol. II, p. 623.

[50] Antoine-Laurent Lavoisier, *Pages choisies*, p. 176.

[51] Antoine-Laurent Lavoisier, *Pages choisies*, p. 187.

[52] Antoine-Laurent Lavoisier, *Pages choisies*, p. 185.

[53] Antoine-Laurent Lavoisier, *Pages choisies*, p. 183.

[54] Antoine-Laurent Lavoisier, *Pages choisies*, p. 184.

chaîne représentationnelle mot-idée-fait, soit qu'elles troublent l'univocité postulée entre les trois instances constituant la chaîne, soit qu'elles interrompent cette chaîne à un endroit quelconque en détruisant de la sorte la continuité ontologique sous-jacente qui garantit la véridiction scientifique. Plus particulièrement, elles affaiblissent, jusqu'à le couper tout à fait, le lien entre «mot-idée» d'une part et «fait» de l'autre. Représenter verbalement ce qui n'a pas d'existence empiriquement avérée, produire un discours qui ne soit pas amarré dans les faits, voilà le péché capital pour la pratique discursive scientifique. Différents auteurs scientifiques, avec plus ou moins de désapprobation, dénoncent cette malformation de leur discours comme «faire de la fiction», «produire des chimères», «donner dans le roman», etc.

Dans ces dénominations négatives des rebuts du discours scientifique se fait jour une relation de complémentarité très étroite entre science et littérature: d'une part la littérature apparaît comme l'absolument «autre» de la science, elle vient se situer aux antipodes des sciences; d'autre part elle est la voisine immédiate qui a même quelques traits en commun avec le discours scientifique. À ces points de recoupement le tracé de la frontière, établi avec tant de minutie par Lavoisier, devient flou. C'est dans la pensée hypothétique et dans le raisonnement analogique que sciences et littérature se rapprochent maximalement, se superposent et se confondent. Le raisonnement analogique est en principe nécessaire à la science dans la conquête de l'inconnu à partir du connu, l'hypothèse représente un moment essentiel à la démarche scientifique. Pourtant ces deux procédés sont dangereux pour les sciences dans la mesure où leur emploi trop généreux fait glisser le discours scientifique dans son péché capital en le coupant de son fondement dans les faits. Il s'agit donc de les contrôler en bannissant les excès de leur usage, toujours attribués à l'arbitraire subjectif du chercheur.

Deux traits, deux particularités discursives émergent ainsi comme constituant la différence radicale par rapport à la pratique scientifique:

a) L'intervention de l'imagination qui apparaît comme

une force productive indépendante des faits objectifs, capable de «suppléer au silence des faits» en donnant lieu à un discours dépourvu de tout ancrage référentiel.

b) L'intervention d'une gratuité ou d'un arbitraire attribuable uniquement à une instance subjective qui entraîne la perte de tout contrôle par vérification référentielle, car elle prive la pratique des signes de son fondement ontologique dans les faits objectivement donnés.

Lavoisier aura ainsi défini en négatif deux traits qui, de l'autre côté de la barrière, deviennent constitutifs de la poésie. Il aura en quelque sorte donné un portrait négatif de la littérature. Ce n'est pas dire que tout ce qui est rejeté des sciences en voie d'émancipation soit automatiquement littéraire, ou soit récupérable du côté littéraire de la frontière. Ce serait aller trop vite en besogne. Mais on peut d'ores et déjà affirmer qu'une logique de complémentarité lie les voisins discursifs, qu'aucune frontière discursive ne saurait être déplacée sans que cela n'affecte les territoires de part et d'autre de cette frontière.

L'exemple de la chimie, devenue un modèle du développement scientifique très vite après l'intervention de Lavoisier, est indicateur d'une forte tendance de l'époque vers une différenciation et spécialisation de plus en plus marquées des champs discursifs. Cette tendance opère en particulier la dissociation entre science et littérature. Les auteurs scientifiques jouent un rôle très actif[55], et par moments agressif, dans cette transformation dont l'impact se répercute bien au-delà des quelques disciplines scientifiques concernées en premier lieu.

Cependant, toutes les activités scientifiques de l'époque ne s'inscrivent pas dans cette tendance forte. L'exem-

---

(55) Il importe, cependant, de prendre conscience d'une restriction importante: il ne faudra pas confondre ce qu'on trouve dans les déclarations explicites que font les auteurs au sujet des règles du discours qu'ils disent vouloir pratiquer et leur pratique effective. Ici je n'ai tenu compte que de l'ordre scientifique du discours tel qu'explicitement codifié par les auteurs scientifiques eux-mêmes. Dans l'analyse du *Brouillon*, par contre, nous nous intéresserons à la relation entre la législation discursive et la pratique discursive. Cf. à ce sujet également Jürgen Link, *Elementare Literatur und generative Diskursanalyse*, p. 136.

ple du galvanisme montre qu'il y a diversité dans la transformation du système discursif, et même simultanéité de tendances contraires. Pendant que la chimie, en tant que discipline scientifique, atteint un «stade de maturité» qui se manifeste à la fois par le rétrécissement et par l'«épuration» de son champ objectal, d'autres activités également dites scientifiques en sont à un autre stade de développement ou suivent une trajectoire évolutive bien différente, sinon opposée. Le galvanisme devient en fait, autour de 1800, un terme capable de rallier toutes sortes d'activités empirico-spéculatives qui prennent la configuration d'une nouvelle discipline en voie de constitution, mais qui n'atteindra d'ailleurs jamais un stade de développement institutionnel comparable à celui de la chimie de l'époque. Notre point de vue rétrospectif nous permet aujourd'hui d'affirmer que le galvanisme ne jouira jamais de la respectabilité scientifique d'une science institutionnellement reconnue, comme c'est le cas de la chimie. Il n'aura été que l'embryon d'une science, la convergence de multiples intérêts et un regroupement éphémère d'activités, d'objets, de méthodes d'expérimentation. Il n'en est pas moins intéressant historiquement et reflète la crise de 1800 — peut-être mieux encore que tout développement qui a obtenu une consécration institutionnelle.

Or il n'était pas évident aux contemporains de Novalis que le galvanisme n'atteindrait jamais cette consécration. Les romantiques, et en particulier Novalis, y portaient un intérêt tout aussi vif qu'à la chimie. C'est que, centré sur le phénomène électro-chimique du muscle animal qui se contracte sous certaines conditions expérimentales, même après la mort de l'animal, il proposait un objet hybride appelé «électricité animale» qui, suivant la différenciation institutionnelle des sciences, devait se trouver dispersé plus tard dans différentes disciplines scientifiques: la chimie, l'électricité, la physiologie, la biologie. Si la chimie représentait l'exemple d'une science qui réussissait par voie de spécialisation et d'homogénéisation interne [56], le galva-

_____

(56) Ce qui n'empêchait pas Coleridge, éminent partisan anglais de l'intégration des sciences, ainsi que de science et de poésie, d'accorder

nisme, lui, avait surtout un pouvoir rassembleur. Au fur et à mesure que la chimie se constituait discipline scientifique moderne, le galvanisme devenait le point de mire des désirs auxquels la chimie répondait de moins en moins: trouver des réponses aux questions complexes et synthétiques, unifier le champ des sciences de la nature. Tandis que les disciplines scientifiques déjà institutionnalisées suivaient la voie de l'autonomie et de la spécialisation, le galvanisme rassemblait les espoirs de voir naître une discipline qui puisse opérer une intégration scientifique de plusieurs champs. Même si les chercheurs engagés dans le domaine du galvanisme n'étaient pas moins sérieux et ne procédaient pas moins scientifiquement (au sens de «empirique» et «expérimental») que leurs collègues, les chimistes antiphlogistiques, cette jeune discipline indiquait ainsi, ne fût-ce que par les projections faites sur elle, une autre orientation, une tendance possiblement opposée, du développement scientifique.

Encore une fois, cette opposition était loin d'être nette à l'époque, du moins n'était-elle pas consciente. Novalis par exemple semblait porter sur les deux disciplines apparemment si différentes un intérêt tout à fait analogue. Il y cherchait un modèle, susceptible d'être transposé dans d'autres domaines, pour penser et figurer la même question fondamentale: comment produire du nouveau, comment penser de manière unifiée la productivité et de l'esprit et de la nature, comment augmenter le potentiel générateur

---

à la chimie un intérêt privilégié. Bien sûr, il opposait une pratique atomiste et mécaniste des sciences (franco-anglaise) à une pratique dynamique et unifiante (allemande), mais il attendait de la chimie, pourvu qu'elle résiste au courant atomiste, des apports décisifs pour la construction de son système dynamique de la nature. Dans ce système, par ailleurs, chimie moderne et alchimie se côtoyaient (Cf. Trevor H. Levere, «Coleridge, Chemistry and the Philosophy of Nature», in *Studies in Romanticism*, 16, 1977, pp. 349-79). Malgré les affinités entre Novalis et Coleridge, il ne faut pas oublier que leurs ouvrages s'inscrivent dans les mouvements romantiques de deux pays différents et qu'ils appartiennent à deux générations intellectuelles consécutives, moins par leur âge que par le fait que l'apparition des grands ouvrages de Coleridge ne commence que 15 ans après la mort de Novalis.

(*Zeugung et Erzeugung*) de l'un et de l'autre? À ses yeux, le mélange chimique et la chaîne galvanique avaient en commun d'offrir un élément analogue de réponse à ces questions. Dans les deux cas, l'enjeu est la productivité, la génération nouvelle, le procédé est la mise en contact de l'hétérogène([57]). Le potentiel producteur ou générateur est, dans les deux cas, une fonction de la différence entre les éléments qui entrent en contact, que ce soit par voie chimique ou galvanique. Dans cette exigence commune d'une hétérogénéité au départ des processus chimique et galvanique se fait jour ce qui constitue un des principes fondamentaux de la *Naturphilosophie*, la polarité([58]).

Ce rapprochement de la chimie et du galvanisme par Novalis, quelque fragmentaire que soit son articulation ici, n'est pas fortuit. Il s'inscrit dans la recherche d'une théorie générale du principe dynamique ou de l'activité (*Thätigkeit*) qui constitue la visée ultime de certains galavanistes, comme par exemple d'Alexander von Humboldt et de Johann Wilhelm Ritter. Or ce sont justement les œuvres de ces deux chercheurs infatigables([59]) que Novalis connaissait probablement le mieux dans le domaine du galvanisme, tout particulièrement celles de Ritter, car, vers la fin de sa vie, il entretenait une relation personnelle avec ce dernier. On peut supposer qu'une grande partie de ses con-

---

([57]) Pour ce qui est du galvanisme, ceci ressort assez clairement des entrées ## 509 à 514 du *Brouillon* où le galvanisme est rapproché d'une «théorie du contact» (*Berührungstheorie*). Cf. *SCH*, III, p. 354.

([58]) Ce principe est déjà affirmé par Schelling dans ses deux livres *Ideen zu einer Philosophie der Natur, als künftige Grundlage eines allgemeinen Natursystems*, 1797, et *Von der Weltseele, eine Hypothese der höheren Physik zur Erklärung des allgemeinen Organismus* (Hamburg, Perthes, 1798), ouvrages auxquels Novalis renvoie plus d'une fois dans ses lettres de la deuxième moitié de l'année 1798. Par ailleurs, un indice que cette recherche du principe producteur unifié ne devait pas se limiter, pour Novalis, au domaine des sciences de la nature nous est fourni par Friedrich Schlegel, quand il résume certains projets de Novalis par l'expression «le galvanisme de l'esprit» (*Galvanismus des Geistes*, lettre de la fin du mois de juillet 1798 à Novalis, *SCH*, IV, p. 498).

([59]) Leurs œuvres et activités ne se limitaient d'ailleurs point au domaine du galvanisme.

naissances en galvanisme provenaient de cette fréquenta-tion, même si, par ailleurs, Novalis n'ignorait pas les ouvrages récents dans le domaine[60].

Dès son ouvrage *Aphorismen aus der chemischen Physiologie der Pflanzen*[61], Humboldt manifeste une forte tendance à intégrer l'explication scientifique des règnes animal et végétal. Il rapproche autant que possible le monde végétal du monde animal afin de les réunir sous une même théorie organique[62]. Ritter, quelques années plus tard, sera bien plus audacieux dans ses spéculations qu'il pousse jusqu'à un hylozoïsme explicite, par ailleurs combiné à la plus grande rigueur empirique dans ses expé-rimentations qu'il rapporte avec une précision minutieuse dans *Beweis, daß ein beständiger Galvanismus den Lebens-prozeß in dem Thierreich begleite*[63]. Néanmoins, ces expérimentations s'inscrivent nettement dans l'horizon conceptuel d'une théorie unifiée de tous les phénomènes de la nature[64]: il doit y avoir «un processus dynamique

---

[60] Il faut signaler tout particulièrement ces deux ouvrages parus du vivant de Novalis: Alexander von Humboldt, *Versuche über die gereizte Muskel-und Nervenfaser*, 2 volumes, Posen et Berlin, 1795; et Johann Wilhelm Ritter, *Beweis, dass ein beständiger Galvanismus den Lebensprocess in dem Tierreich begleite*, Weimar, Industrie-Comptoir, 1798.

[61] Leipzig, Voß und Compagnie, 1794.

[62] Ceci s'inscrit dans une évolution générale que François Dela-porte résume ainsi: «La physiologie des plantes aurait aussi connu les mêmes vicissitudes que la physiologie animale. Elle aurait été mécaniste jusqu'à la fin du XVIIᵉ siècle, puis l'impossibilité d'expliquer le fonction-nement de la machine végétale par les seules lois du mouvement aurait déterminé la plupart des botanistes à se tourner vers le règne animal. Aussi la démarche qui consiste à expliquer l'inférieur par le supérieur, le végétal par l'animal, signalerait-elle le rejet du mécanisme du XVIIᵉ siè-cle» (*Le second règne de la nature. Essai sur les questions de la végétalité au XVIIIᵉ siècle*, Paris, Flammarion, 1979, p. 11).

[63] *Op. cit.*

[64] Ce cadre conceptuel de son travail est annoncé, dès l'intro-duction du livre, comme une conviction profonde: «Ich wurde immer kräftiger überzeugt, daß es nur *Eine wahre* Theorie aller Naturerschei-nungen geben könne...» (Ritter, *op. cit.*, p. IX).

total»(^{65}) qui soit coextensif au concept de nature. Ce processus est animé par le principe de la différence ou de l'hétérogénéité originaire, qui est dit fonder également l'activité de la chaîne galvanique. L'homogénéité qualitative ou l'équilibre des forces, par contre, équivaudrait à l'inactivité, c'est-à-dire à la mort dans le monde organique(^{66}). Si le galvanisme ou l'analyse de l'électricité animale prend une valeur exemplaire pour les sciences de la nature et semble ainsi représenter, sinon fonder ce que Trevor H. Levere appelle «le style dynamique» (opposé au «style mécaniste») en sciences(^{67}), il en découle avec une certaine logique que le concept de totalité naturelle adopte, du moins dans sa figuration heuristique, les traits d'un animal universel. Ritter parlera, en effet, de «l'univers organique» (*das organische All*) ou du «grand animal universel» (*das große All-Thier*)(^{68}). Toute science de la nature deviendra de la sorte, du moins métaphoriquement, physiologique. Généralisé et valorisé de la sorte, le galvanisme se situe au centre de l'activité scientifique et se trouve être doué d'un grand pouvoir d'intégration. Aux yeux de Ritter, cette discipline répond le mieux aux aspirations d'unifier les divers champs de l'activité scientifique puisque c'est elle qui permet d'articuler l'analogie, sinon «l'identité fon-

---

(^{65}) *Der totale dynamische Proceß*, Ritter, *op. cit.*, p. 173.

(^{66}) «Sie [sämtliche Glieder der Kette] mußten verschiedener Qualität seyn; denn erst damit sind überhaupt Bestimmungsgründe für Thäthigkeit gegeben. Alles Handeln in der Natur geht auf Gleichgewicht aus. Bey homogener Qualität ist aber schon Gleichgewicht mit sich selbst da, und der Grund für Thätigkeit fehlt» (Ritter, *op. cit.*, p. 156).

(^{67}) Trever O. Levere, *op. cit.*, pp. 358-361. Cette opposition de deux «styles» plutôt que de deux «paradigmes» relève d'une attitude prudente face aux dichotomies conceptuelles et aux ruptures historiques trop nettes, prudence que, vu l'évidence du matériau textuel du *Brouillon*, je partage avec Trever O. Levere. Novalis ne rejette pas simplement la métaphore mécaniste pour n'employer plus que la métaphore organiciste; il utilise les deux. La spécificité de sa position romantique s'inscrit alors plutôt dans la valorisation et dans la position discursive qu'il adopte que dans les métaphores heuristiques elles-mêmes.

(^{68}) Ritter, *op. cit*, p. 171.

damentale entre les forces naturelles de l'électricité, du galvanisme et de l'affinité chimique»[69].

Il est évident qu'une telle aspiration à l'unification,
sous l'égide d'une métaphore heuristique organiciste, va
dans le sens opposé du développement que des hommes de
sciences comme Lavoisier en France et Scherer en Allemagne ont imprimé à la chimie. En fait, avec le galvanisme de
Ritter, nous avons glissé imperceptiblement dans le champ
de la *Naturphilosophie*[70]. Ce mouvement étroitement lié
au mouvement romantique représente un phénomène
éphémère mais non moins complexe qui, vu son postulat
intégrationniste central, continue à occuper les historiens
de la philosophie, de la littérature, des sciences et des idées.
Il ne saurait être question de reprendre ici le débat général
— apologétique ou critique — sur la *Naturphilosophie*
ou sur la «science romantique»[71], ni même de le
résumer[72].

Il s'agit pour nous plutôt de situer Novalis au carrefour de deux courants qu'une historiographie qui affec-

---

[69] Trevor O. Levere (*op. cit.*, p. 357) attribue cette recherche
d'unité à Coledridge, mais elle s'applique au galvanisme de Ritter exactement dans les mêmes termes (cf. Ritter, *op. cit.*, pp. 172-73).

[70] Pour les relations entre Ritter et la *Naturphilosophie*, voir la
monographie de Walter D. Wetzels, *J. W. Ritter, Physik im Wirkungsfeld der Romantik*, Berlin, De Gruyter, 1973.

[71] Dans son article «The Romantic as Scientist: Lorenz Oken»
(in *Studies in Romanticism* 16, été 1977, pp. 381-99), Pierce C. Mullen
commence par relever le paradoxe potentiel qui habite l'expression
«science romantique»: «Romantic science would appear to be a contradiction in terms. Science was mechanistic and mathematical; Romanticism was qualitative and organic» (p. 381).

[72] Je me contenterai de renvoyer à deux publications récentes
qui représentent des interventions synthétiques et critiques dans ce débat:
Richard Brinkman (éd.) *Romantik in Deutschland, Ein interdisziplinäres
Symposium*, Stuttgart, J.B. Metzlersche Verlagsbuchhandlung, 1978 (en
particulier la section 2: «Romantik im Spannungsfeld von Naturgefühl,
Naturwissenschaft und Naturphilosophie», pp. 167-330); Hans Eichner,
«The Rise of Modern Science and the Genesis of Romanticism», in
PMLA 97, 1, 1982, pp. 8-29.

tionne les dichotomies ou les ruptures claires ([73]) a présentés comme diamétralement opposés. Le fait que Novalis pouvait se montrer à la fois enthousiaste de la révolution chimique de Lavoisier et graviter vers le champ de la *Naturphilosophie* émergente, contredit en soi l'existence de divisions nettes et suggère, du moins dans l'analyse de cas concrets, qu'il faut faire une plus grande place à l'éclectisme et au mélange des opposés, considérer les constellations nationales, locales, institutionnelles et tenir compte du cheminement biographique des tenants de l'un ou de l'autre camp. On découvrira alors que, dans l'esprit des chercheurs ou dans les interactions entre groupes, ces camps existent bel et bien, mais que les divisions et dissensions entre eux s'installent davantage dans les convictions, dans les credo, dans les déclarations idéologiques que dans la réalité d'un face à face objectivement donné de deux pratiques nettement différentes de la science ([74]).

Pour reprendre le cas concret de Novalis, deux précisions s'imposent quand on le situe dans ce champ de tension entre une science normale et la dissidence ou la con-

---

([73]) Ces divisions claires — nous les trouverons dans l'évaluation de l'œuvre scientifique de Novalis par Olshausen — sont elles-mêmes tributaires d'un développement ultérieur qui les accentuera jusqu'au diagnostique de l'existence de «deux cultures» différentes.

([74]) À ce sujet j'adhère entièrement à cette mise en garde de Trevor O. Levere: «Schelling is said to have castigated Ritter as an empiricist Philistine; Ritter was latterly too careless of facts for Oersted's taste; Oersted knew that the English thought him too much of a German metaphysician, and Coleridge was offended by his mingling the speculative with the empirical. Yet Ritter and Oersted provided at least empirical fodder for Davy who still remained critical of German philosophy of nature. And Barzelius recoiled before Davy's hypotheses. The line dividing experiment from speculation was important for every scientist, but there was clearly no unanimity in England or Germany about where the line should be drawn or how it should be interpreted. Scientists did not fit into a clean dichotomy of respectable scientists on one hand and Romantic ones on the other» (*op. cit.*, pp. 375-376). L'auteur a repris et élaboré en profondeur cette problématique dans sa monographie *Poetry realized in Nature. Samuel Taylor Coleridge and Early Nineteenth-Century Science*, Cambridge, Cambridge University Press, 1981.

currence d'une science alternative. D'abord, sa brève vie s'est terminée avant même que la *Naturphilosophie* et la science romantique aient connu un développement suffisant pour être reconnues ou identifiées comme une alternative articulée. C'est tout juste si, lorsqu'il produisait ses matériaux pour une encyclopédistique en 1798/99, le mouvement de la *Naturphilosophie* avait commencé à s'articuler, en particulier dans les ouvrages de Schelling[75] et de Ritter. Mais les livres qui prendraient par la suite la place de véritables manifestes, comme par exemple *Lehrbuch der Naturphilosophie* de Lorenz Oken[76], ne devaient voir le jour qu'une décennie plus tard. Si on considère que la période de la *Naturphilosophie* en médecine et en physiologie, ses principaux terrains d'activité, s'étend de 1798 à 1820[77], il faut reconnaître que les dernières années de Novalis coïncident avec les toutes premières de ce nouveau développement qui devait s'étendre très rapidement — comme une contagion maladive[78] — pour perdre tout aussi vite son importance.

Ensuite, Novalis n'a point aspiré à une quelconque orthodoxie de groupe, pas plus pour être romantique que pour être *Naturphilosoph*. Quelles que soient les légendes biographiques fabriquées après coup sur sa vie, nous avons

---

[75] Il n'en est pas moins vrai que Schelling, dès ses ouvrages *Ideen zu einer Philosophie der Natur, als künftige Grundlage eines allgemeinen Natursystems* et *Von der Weltseele, eine Hypothese der höheren Physik zur Erklärung des allgemeinen Organismus* commence à faire figure de chef de file d'un mouvement nouveau qui commençait vite à rallier des chercheurs, tout particulièrement en médecine.

[76] 3 volumes, Jena, 1809-11. Muller (*op. cit.*, p. 388) dira au sujet de cet ouvrage: «The *Compendium of the System of Nature Philosophy* stands as the best known of all nature philosophy books».

[77] Cf. Karl Ed. Rothschuh, «Naturphilosophische Konzepte der Medizin aus der Zeit der deutschen Romantik», in Richard Brinkman (éd.), *op. cit.*, p. 250.

[78] La métaphore est de Karl Ed. Rothschuh, «Ansteckende Ideen in der Wissenschaftsgeschichte, gezeigt an der Entstehung und Ausbreitung der romantischen Physiologie», in *Deutsche Medizinische Wochenschrift*, 86, 1961, pp. 396-402.

déjà vu qu'il a su se tenir en quelque sorte à la périphérie du groupe dit d'Iéna dont faisaient pourtant partie ses meilleurs amis. Il en est de même de sa position par rapport à la *Naturphilosophie* naissante: il était fortement attiré par elle, il étudiait les premiers ouvrages de Schelling avec grand intérêt, mais toujours avec un esprit critique[79]; il s'intéressait vivement aux travaux de Ritter, mais jamais n'a-t-il adhéré inconditionnellement à une doctrine ou à une pensée individuelle. Pour la *Naturphilosophie* ceci est ponctuellement confirmé par une remarque de Henrik Steffens qui, de manière générale, le trouve plus poète qu'homme scientifique, et lui reproche en particulier de ne pas avoir adhéré à la *Urduplicität* (duplicité originaire) qu'il érige, par le même geste, en dogme de la *Naturphilosophie*. Il faut ajouter que cette remarque critique à l'égard de Novalis est formulée dans une lettre adressée à Schelling, datée du mois de septembre 1799[80], et doit donc être considérée comme un document émanant du cercle étroit des philosophes de la nature, cercle alors en voie d'émergence et qui se constituait en groupe homogène, avec un souci pour des vérités dogmatiques, exactement par les mêmes gestes d'exclusion/inclusion que ceux que nous avons pu observer dans l'«autre camp», chez les chimistes antiphlogistiques.

Cette prise en considération des situations concrètes aboutissant à des réalités complexes qui n'admettent pas de simplifications dichotomiques — science moderne vs *Naturphilosophie* — ne devrait cependant pas faire disparaître le fait que les ouvrages de Novalis s'inscrivent dans le champ historique d'une forte tension qui se polarise de

---

[79] Voici, à titre d'exemple, un de ses commentaires critiques au sujet de Schelling, qu'il communiquait à Caroline Schlegel en septembre 1798: «Je tiefer ich in die Unreife von Schellings Weltseele eindringe — desto interressanter wird mir sein Kopf — der das Höchste ahndet und dem nur die reine Wiedergebungsgabe fehlt — die Göthe zum merckwürdigsten Physiker unsrer Zeit macht. Schelling faßt gut — er hält schon um vieles schlechter und nachzubilden versteht er am Wenigsten» (*SCH*, IV, p. 261).

[80] *SCH*, IV, p. 637.

plus en plus. On peut en fait observer d'une part un courant qui est en passe de s'affirmer comme historiquement dominant, et d'autre part un contre-courant qui s'articule vers 1800: la *Naturphilosophie*. Celle-ci s'entend comme une réaction, une résistance aux excès de la science empirique moderne. Dans la mesure où elle s'aligne également sur des enjeux nationalistes et politiques — ce qui est le cas par exemple de Lorenz Oken — elle provoque des situations antagonistes en termes idéologiques et institutionnels. Il y a donc réellement des confrontations, même si elles se jouent davantage dans les déclarations de principe et dans les prises de position que dans le travail scientifique proprement dit.

Ce qui nous intéresse ici, c'est cette situation de carrefour historique qui se présente comme un moment de mobilité et d'instabilité où courant et contre-courant s'opposent et se mélangent à la fois, c'est cette croisée des chemins où se rencontrent des possibles historiques avec des réalités déjà en voie d'institutionnalisation. Nous y repérons surtout l'antagonisme de deux exigences fondamentales: l'une vers la différenciation-spécialisation, vers la séparation des divers champs d'activité, vers l'autonomie de plus en plus marquée des différentes pratiques discursives, autonomie que surtout les sciences mettaient de l'avant pour s'émanciper de leur tutelle métaphysique et théologique. L'autre exigence vise l'intégration qui ne devait pas seulement enrayer les effets négatifs de la tendance opposée mais aussi, bien au-delà, unifier toutes les sciences, que ce soit négativement, dans le rejet unanime de l'atomisme et du mécanisme qui deviennent des modèles scientifiques négatifs, ou positivement dans un «style dynamique» qui affirmait une historicité réelle des objets naturels (évolutionnisme), remplaçait la notion de force par celle d'énergie([80bis]), admettait des transmutations entre énergie et matière et, sur cette base conceptuelle commune,

---

(80bis) Cette transformation a été analysée en détail pour le domaine francophone, dans le cadre de l'histoire des idées, par Michel Delon, *L'idée d'énergie au tournant des Lumières (1770-1820)*, Paris, Presses Universitaires de France, 1988.

s'autorisait à établir des analogies, sinon des identités entre les différentes disciplines scientifiques (en particulier entre électricité, galvanisme et chimie) qui n'en avaient pas moins déjà acquis un statut d'entitités institutionnellement distinguées.

Cette volonté d'intégration de la *Naturphilosophie* allait encore plus loin dans la mesure où elle ne visait pas seulement à soumettre toutes les sciences à une seule théorie unifiée de la nature, mais aussi à unifier les lois de la nature et celles de l'esprit humain. C'est en ce point précis que la *Naturphilosophie* se révèle être très proche de l'idéalisme philosophique qui a de profondes affinités avec les sciences romantiques. Et c'est à ce niveau d'intégration qu'il faut situer l'enjeu de l'intervention de Novalis dans la situation instable de 1800.

Comme on a déjà pu le voir à l'occasion de l'analyse des entrées # 327 et # 330 du *Brouillon*, cette intégration est proposée comme une programmation au niveau du système encyclopédique tout en adoptant une tournure pratique en tant qu'écriture combinatoire. Selon ce «programme», les sciences et la philosophie sont à intégrer, ou à harmoniser, avec la poésie et avec l'histoire. Cependant, la faculté directrice de cette intégration, celle qui a le prédicat intrinsèque de la *Selbstthätigkeit* (activité autonome) et doit le transmettre aux autres facultés, c'est l'imagination. Il en découle que la poésie, en plus d'être une parmi d'autres activités à harmoniser entre elles, deviendra elle-même le lieu et le moteur de cette intégration. De partie elle devient totalité. La poésie est ainsi conçue comme le dénominateur commun de tout le système des discours, capable d'unifier tous les discours spécialisés dont chacun resterait par ailleurs articulé selon ses propres règles en son lieu pragmatique propre. Car, si Novalis dit combinatoire ou intégration, la dernière chose qu'il envisage c'est une fusion indifférenciée ou chaotique de toutes les unités ou éléments constitués.

À ce niveau de généralité qui affecte tout le système des discours et détermine la place et le rôle de chacun dans leurs interactions complexes, l'intervention de Novalis ne saurait être plus diamétralement opposée à celle d'un

Lavoisier. Pour Novalis il s'agit de concevoir et de pratiquer une espèce de poésie encyclopédique dont la devise est son célèbre «il faut poétiser toutes les sciences» [81], tandis que Lavoisier — et avec et après lui les scientifiques modernes — travaille systématiquement à dé-poétiser les sciences, à nettoyer la pratique scientifique d'éléments discursifs qui sont à reléguer dans le domaine littéraire ou poétique.

Il ressort de cet établissement de territoires discursifs bien délimités et de leur diversification selon une logique de la division du travail un rétrécissement du domaine littéraire ou poétique qui reste cependant inscrit dans une esthétique de la mimésis. Ce rétrécissement va de pair avec une dévalorisation qui, dans la perspective des auteurs savants et scientifiques, prend la forme d'une véritable dépréciation. À ceci, le camp romantique répond par une stratégie de l'unification qui, sous l'égide d'un concept de poésie se détachant de la tradition mimétique, opère une généralisation du domaine littéraire tout en y apportant une valorisation positive. Dans un même moment historique les deux définitions extrêmes de la littérature sont donc représentées et coexistent, bien que de manière conflictuelle. Chose historiquement rare, le carrefour de 1800 manifeste dans une simultanéité toute l'amplitude de pulsation du concept de littérature.

Dans cette situation, Novalis est clairement du côté de l'intégration poétique. Il prône et produit, en conséquence, une pratique discursive du mélange, de la mise en contact, bref du non-respect des frontières établies ou en voie d'établissement. Il développe le geste du passeur discursif en un travail systématique. Ce travail sera perçu comme une transgression de l'ordre discursif et institutionnel une fois que, le conflit entre les deux courants esquissés résolu, la crise aura été dissipée, et que l'instabilité du carrefour de 1800 aura disparue.

---

[81] Voici un extrait de sa lettre du 24 février 1798 à August Wilhelm Schlegel: «Künftig treib ich nichts als Poësie — die Wissenschaften müssen alle poëtisirt werden — von dieser realen, wissenschaftlichen Poësie hoff ich recht viel mit Ihnen zu reden» (*SCH*, IV, p. 252).

Une telle évolution a effectivement lieu. Nous en trouvons la confirmation dans une thèse de doctorat sur Novalis. Cet ouvrage académique est en soi assez insignifiant, mais c'est dans son insignifiance justement qu'il reproduit fidèlement les règles de jeu du faire discursif dont elle fait partie, et en particulier du tracé postromantique des frontières entre science et littérature. Il s'agit de la thèse de Waldemar Olshausen, présentée en 1905 à la faculté de philosophie de l'Université de Leipzig et intitulée *Friedrich v. Hardenbergs (Novalis) Beziehungen zur Naturwissenschaft seiner Zeit*([82]). Nous nous déplaçons donc d'un siècle par rapport à l'époque de Novalis pour obtenir cette confirmation et pour faire apparaître, par contraste, la configuration particulière du premier romantisme allemand en termes d'histoire des discours.

La lettre de Henrik Steffens à Schelling a montré que déjà du vivant de Novalis des doutes sur la «scientificité» de son travail, ou du moins sur les prétentions scientifiques de ses publications, virent le jour. Rappelons cependant que Trevor O. Levere a fait remarquer à juste titre que le qualificatif «scientifique» s'appliquait, à cette époque mouvementée, à une bande extrêmement large d'attitudes, de positions, de méthodes et de manières, des plus rigoureusement empiriques aux plus librement spéculatives.

Or Olshausen, dans sa thèse qui porte justement sur les liens que le poète Novalis entretenait avec les sciences de la nature, met de nouveau en doute la «scientificité» de ses travaux, mais cette fois-ci à partir d'une conception et d'une position des sciences nettement raffermies et mieux délimitées par rapport à leur instabilité autour de 1800. Un premier trait intéressant de cette thèse, trait qui déterminera d'ailleurs toute son orientation, consiste dans le fait qu'elle porte sur une relation. Et l'auteur commence par justifier cette décision en faisant ressortir ce qui à ses yeux fait la particularité de l'œuvre novalisienne:

([82]) Publiée en 1905 à Leipzig, sans indication d'éditeur.

> ... il serait contraire à l'être véritable de Hardenberg que d'explorer le processus de sa pensée exclusivement dans l'une ou dans l'autre des directions qu'il a prise et de faire par exemple de sa «philosophie morale» ou de sa «philosophie religieuse» un objet à étudier à part. Lui-même ne pratiquait pas ce type d'exploration séparée de problèmes particuliers. Bien au contraire, il ne demandait qu'à réunir, et même à identifier complètement des domaines séparés[83].

Ceci confirme entièrement la volonté d'intégration que nous venons de constater chez Novalis et le situe bien dans les enjeux historiques de 1800. Olshausen en tire une conclusion très juste: on aura donc tort de vouloir réduire l'œuvre de Novalis à une discipline unique, une telle attitude critique manquerait l'essentiel. La particularité de l'objet exige qu'on fasse de la multiple mise en relation de différentes disciplines chez Novalis l'objet même de tout travail d'analyse ou d'interprétation. Ce postulat me paraît valable encore aujourd'hui et jette d'ailleurs une lumière critique sur les études qui ont essayé de faire de Novalis exclusivement un philosophe, ou un poète, ou un auteur religieux, etc.

Or cette qualité intégrationniste et pluri-disciplinaire, si justement identifiée par Olshausen dans son introduction, apparaît sous un jour différent une cinquantaine de pages plus loin:

> Un trait particulier nous frappe dans sa manière d'aborder les questions de quelque science que ce soit. Il consiste dans la transposition permanente de la terminologie d'une science à une autre science, dans la mise en analogie de tous les phénomènes de la nature entre eux, ainsi que de leurs approches scientifiques. Cette méconnaissance de toutes les différences spécifiques, cet effacement arbitraire de toutes les séparations, qui prend souvent l'allure d'un simple jeu avec des termes apparentés et débouche souvent délibérément sur le jeu de mot, semble, à première vue, sans méthode aucune

---

[83] Traduction W. M. *Op. cit.*, p. 1.

et dépourvue de toute intention scientifique. C'est pourtant un procédé méthodique et une démarche délibérée([84]).

Ce qui frappe ici, contrairement à la première citation, c'est une certaine ambivalence dans l'attitude d'Olshausen, car d'une part il décrit avec une remarquable précision la pratique intégrationniste que Novalis a tout particulièrement développée dans le *Brouillon*, et il reconnaît dans cette pratique un procédé méthodique (le recours permanent à la transposition et à l'analogie). Mais d'autre part il est comme irrité justement par ce procédé et laisse bien transparaître sa désapprobation dans la description même: ainsi Novalis ne respecte-t-il pas les différences spécifiques entre les disciplines scientifiques ni entre leurs méthodes et objets. Pire encore, il en efface délibérément les frontières. Et surtout s'adonne-t-il, en pratiquant de simples jeux de mots et en séparant de la sorte les mots des faits, à ce qui est apparu chez Lavoisier comme le péché capital de l'usage scientifique du langage. Novalis enfreint donc les lois fondamentales de la pratique discursive scientifique: séparation et délimitation nette des disciplines et des territoires discursifs, et véridiction référentielle.

On sent clairement ici qu'Olshausen prête sa voix à un ordre discursif, tout particulièrement en défendant la bonne formation du discours scientifique par rapport à laquelle la particularité de l'œuvre de Novalis ne peut être perçue que comme une absence d'ordre, un désordre dangereux. En fait, le procédé méthodique qu'Olshausen concède ici à Novalis, il l'appellera plus tard une *Unmethode*, une non-méthode([85]). Il doit en réalité voir dans cette «non-méthode» une transgression et par là une menace pour l'ordre discursif auquel il marquera son adhésion au

---

([84]) Traduction W. M. *Op. cit.*, p. 51.

([85]) *Op. cit.*, p. 55. Il est à remarquer que le terme *Unmethode*, très rare dans la langue allemande, obéit à la même loi de la formation des mots que *das Unheimliche*, terme rendu célèbre par l'intérêt qu'y attachait Freud.

fur et à mesure qu'il rejettera l'altérité discursive de Novalis.

Par conséquent, il mettra tout en œuvre pour neutraliser cette menace et pour rendre la transgression inopérante. Sa principale stratégie consiste en une argumentation *ad personam*. Ainsi s'efforce-t-il de discréditer Novalis comme auteur scientifique, en fondant ses arguments sur des énoncés portant sur les penchants personnels, sur l'être (*das Wesen*), sur l'esprit, sur le caractère et sur la personnalité de Novalis[86]. Il choisira le récit biographique, et plus particulièremet la figure narrative de la conversion, comme stratagème discursif pour faire apparaître, puis effacer les monstruosités discursives de Novalis. Schématisée, son argumentation se développe en quatre étapes:

1) La malformation du discours novalisien, dans la mesure où il se veut scientifique ou philosophique, se manifeste par les traits suivants:

— un usage excessif de l'analogie,

— un manque général de rigueur logique,

— l'absence d'une pensée systématique,

— le non-respect des distinctions établies,

— l'usage des mots pour eux-mêmes, sans fixation conceptuelle, ni référentielle.

2) Cette malformation est due à des traits pathologiques de la personnalité de l'auteur, traits qui le rendent inapte à assumer la fonction de sujet dans les discours scientifique ou philosophique:

> Mais, au plus profond de sa personnalité, il n'avait de vocation ni pour les sciences ni pour la philosophie, ce qui apporte une explication supplémentaire — essentielle celle-ci — à son comportement en science et philosophie[87].

3) Novalis étant, de par son être, incapable de se constituer auteur scientifique, ses écrits ne sont donc d'au-

---

(86) Il attribuera ainsi à la personne de Novalis des états pathologiques, de l'incohérence et de la superficialité (pp. 4 et 66), de la duplicité (p. 4), un caractère maladif (pp. 64 et 70).

(87) Traduction W. M. *Op. cit.*, p. 70.

cun intérêt pour le domaine scientifique. Ils sont à rayer de
ce domaine:

> ... ne représente en fait rien qu'un jeu arbitraire d'associa-
> tion des idées. En conséquence, la science ne s'intéresse
> point aux connaissances auxquelles Novalis a pu accéder par
> cette voie, ni à ces configurations dues au hasard. En optant
> pour cette démarche spécifique en vue de produire de nou-
> velles connaissances, il avait au fond déjà préfiguré l'échec
> de son entreprise. Il appert dès lors que, dans le développe-
> ment ultérieur des idées de Hardenberg, il ne s'agira pas de
> pensées sujettes à une critique scientifique, mais d'intuitions
> qu'il faut comprendre à partir de leurs motivations et qui ne
> sont intéressantes qu'en tant qu'expressions d'une excep-
> tionnelle et étrange personnalité[88].

4) Ce commentaire sur Novalis annonce la conversion. Ce qui, du point de vue de la science, apparaît comme
une malformation de l'esprit et du discours novalisiens,
n'est autre chose que la marque du génie poétique. Ces
malformations se sont accentuées avec les années pour cul-
miner dans une véritable crise en 1799, crise qui mettra à
jour la vraie identité de l'auteur Novalis, celle du poète:

> Le grand tournant décisif dans l'esprit de Hardenberg se
> produit au début de l'année 1799. [...] Auparavant déjà on
> pouvait observer des signes précurseurs d'une pulsion inté-
> rieure vers l'acte de création artistique et génial. On com-
> prend, par conséquent, que Hardenberg ressentit une déli-
> vrance lorsque, en été 1799, cette pulsion de plus en plus
> urgente de l'artiste se fit définitivement jour en lui[89]...

La prestidigitation interprétative a réussi: le désordre
scientifique s'est changé en ordre poétique, puisque ce qui
semblait être monstruosité scientifique n'est en réalité que
génialité poétique. En chassant Novalis du domaine scientifique pour l'installer exclusivement, puisqu'essentielle-

---

[88] Traduction W. M. *Op. cit.*, p. 56.

[89] Traduction W. M. *Op. cit.*, pp. 70-71.

ment, dans le domaine poétique, Olshausen a accompli plusieurs choses. Il a conjuré et éliminé la menace que Novalis représentait pour l'ordre du discours. Il a en particulier débarrassé le discours scientifique d'une pratique déréglante. Et il a, en fait, rétabli tout l'ordre discursif, puisque les frontières entre science et littérature sont de nouveau bien tracées et que l'élément qui dérangeait par sa mobilité interdiscursive sur tous les territoires est désormais confiné à sa case propre, la poésie.

Cette remise en ordre de la mappemonde des discours, et en particulier de la frontière entre science et littérature, même si son argumentation ne convainc pas et a pour effet de nier la portée encyclopédique de la poésie novalisienne, a l'avantage de rendre tangible ce qui est si difficile à concrétiser: un ordre du discours. Olshausen ne fait en réalité qu'appliquer des règles de formation discursives intériorisées, et ceci de manière défensive et conservatrice. Il efface de la sorte ce que la pratique de Novalis pouvait avoir de révolutionnaire dans l'intention et dans les faits. Il s'agit de rétablir ces règles, même si leur transgression est vieille d'un siècle.

Après l'ouverture et l'expansion maximales du domaine poétique par Novalis et par les romantiques, Olshausen affirme de nouveau, et exclusivement, l'autre pôle de ce champ de tension. Il confirme de la sorte la provincialisation, si ce n'est la mise en ghetto du littéraire. Il le caractérise d'ailleurs d'une manière qui nous est désormais bien connue et qui corrobore le fait que le courant que nous avons vu amorcé explicitement chez des auteurs savants et scientifiques du XVIIIe siècle (Lavoisier et Scherer) est sorti victorieux de la situation conflictuelle de 1800 et est devenu historiquement dominant.

Des mêmes auteurs il reproduit d'ailleurs ce qu'on pourrait appeler le portrait négatif de la littérature, qui résulte d'une perspective purement extérieure. Ce portrait est reconnaissable à plusieurs traits, dont trois qui sont d'une généralité valable bien au-delà du cas de Novalis et de son interprète académique à peine connu:

1) La littérature est inférieure aux sciences. Elle est caractérisée par des prédicats dévalorisants. Ceux-ci la

manœuvrent systématiquement en position axiologiquement négative: elle est moins sérieuse et moins utile, demande moins de rigueur et partant moins de compétences. Elle admet et exige même un comportement discursivement déréglé, excessif, transgressif. Ce trait introduit une discrimination hiérarchique et verticale.

2) Un tel comportement discursif désordonné est dangereux, il menace l'ordre de tout le système. Il faut donc, pour peu qu'on veuille maintenir cet ordre, et pour quelque raison que ce soit, le contenir, l'entourer d'une espèce de dispositif de sécurité pour éviter qu'il ne contamine le travail sérieux qui se fait alentour. On procède, à toute fin pratique, à une espèce d'internement: que le poète s'en tienne au territoire précis qui lui est imparti et n'empiète pas sur celui des autres. Ce trait introduit une séparation horizontale, une territorialisation qui reconnaît à la littérature son altérité en lui assignant un champ bien délimité au sein de toutes les autres pratiques discursives.

3) Cet ordre rétabli s'appuie fortement sur une discrimination au niveau du concept d'auteur. Olshausen suggère qu'on *est* auteur scientifique, philosophique ou littéraire et qu'on ne le devient pas. Il s'agit presque d'identités substantialistes. *Er war ganz Dichter*, disait Henrik Steffens déjà en 1841[90]; cette identité de poète en quelque sorte innée ne pouvait pas ne pas se faire jour, tôt ou tard, à travers et contre une fausse identité de philosophe et de scientifique que se donnait Novalis en se trompant sur sa vraie vocation. Cependant, il n'y a pas simplement antagonisme entre les deux identités il y a plutôt complémentarité dans la mesure où l'incapacité pathologique du Novalis philosophe et scientifique se convertit en génialité poétique, ce qui installe Novalis de plain-pied dans le discours poétique, comme dans son territoire propre. Ce sont les mêmes caractéristiques qui font le mauvais homme scientifique et le poète génial. Ce trait opère une séparation des sujets habilités à tenir tel ou tel discours spécifique, et ceci en vertu de leur être et identité personnels.

---

[90] Cf. *SCH*, IV, p. 639.

L'altérité, la spécificité poétique que Novalis entendait pratiquer comme une ouverture, comme un prédicat généralisé à tout le système, opérant à la fois son intégration et son innovation productive, se trouve ainsi réduite à n'être qu'une partie dans un système qui l'englobe. Mais, paradoxalement, c'est dans cette partie que le système recouvre et renferme sa propre extériorité. C'est ainsi que ce qui est rejeté comme malformé et déréglant peut être récupéré comme étant confiné à un territoire spécifique, celui de l'ordre esthétique. Dans le système des discours, la littérature joue donc le rôle du fou du roi. C'est le lieu bien délimité et se situant à l'intérieur du système dans lequel le système peut jouer en permanence sa transgression et sa propre carnavalisation. Dans ce lieu, c'est-à-dire sous les conditions d'énonciation qui sont celles du discours littéraire, le fonctionnement ordonné de tous les autres discours peut être représenté avec distorsion et excès. Ici, convertis en génie poétique, le disfonctionnement, la monstruosité et la folie discursifs sont tolérés, même accueillis avec enthousiasme, à condition cependant de respecter la compartimentalisation des pratiques discursives et de ne pas affecter les autres discours. Cette liberté poétique qui apparaît de la sorte comme un privilège, ne s'obtient en réalité qu'au prix d'une impuissance: il ne faut pas que la littérature se mêle des choses sérieuses imparties aux sciences: dire vrai sur les faits du monde réel en vue de leur saisie cognitive et de leur maîtrise technologique. Pour Novalis, par contre, l'activité poétique devait directement participer à la transformation du monde réel. Il ne voulait pas de cette liberté surveillée qui était une forme de dépossession et qui devait permettre au système des discours, fonctionnant d'après le principe de la division du travail, d'intégrer et de neutraliser sa propre extériorité. Et peut-être aussi de se doter d'une soupape de sécurité en maintenant en son for intérieur une zone de désordre contrôlé, espèce de laboratoire discursif d'où pourrait émerger l'innovation...

Une fois que cette division discursive du travail s'installe, s'est historiquement installée, comme un ordre normal qu'un auteur de thèse, par exemple, reproduit sans y porter la moindre réflexion, et encore moins une réflexion critique, il s'avère très difficile d'évaluer une pratique discursive comme celle de Novalis, de comprendre historiquement un contre-courant comme celui de la *Naturphilosophie* ou de la «science romantique» sans les rabattre sur le schéma devenu dominant. C'est-à-dire sans les rejeter en les «normalisant». Comprendre un développement alternatif qui n'a pas vraiment eu lieu historiquement, puisqu'il ne s'est pas réalisé institutionnellement, représente un véritable défi historiographique qui relève de la difficulté d'écrire l'histoire des vaincus. On a beau affirmer «l'équivalence entre toutes les langues d'une culture»[91] ou, de manière plutôt provocante, proclamer la primauté des mythes, légendes et fictions qui prennent en charge tous les savoirs d'une société, y compris ceux produits scientifiquement[92], le fait est que, dans notre culture, et surtout depuis 1800, s'est installée une certaine évidence du partage inégal, de la différenciation fonctionnelle des discours et une axiologie des disciplines. Cette évidence se manifeste tout aussi «naturellement» dans le discours sagement académique d'un Olshausen que dans les décisions institutionnelles qui, se concrétisant, année après année, dans les attributions budgétaires, expriment le poids inégal des différents secteurs.

Mais l'emprise de cet ordre discursif peut se faire jour bien plus subtilement, sans pour autant perdre son efficacité qui consiste à modeler notre manière de percevoir les objets historiques. Quand un historiographe, par exemple, commence son travail en affirmant la nature paradoxale de l'expression «science romantique»[93], il reconnaît implicitement que la science est en soi quelque chose qui ne saurait «normalement», sans effet paradoxal, se mêler à du romantique. On part donc là, comme chez Olshausen, d'une idée dominante de l'activité scientifique, et il devient

---

(91) Cf. Françoise Gaillard, «Histoire de peur», in *Littérature*, 64, 1986, p. 20.

(92) Cette position apparaît comme une des constantes qui traversent l'œuvre de Michel Serres.

(93) Pierce C. Mullen, *op. cit.*, p. 381.

dès lors historiquement et herméneutiquement très difficile de comprendre une alternative historique à ce dogme scientifique sans simplement lui dénier le prédicat «scientifique». Cette difficulté se négocie très ouvertement dans le texte récent de Hans Eichner «The Rise of Modern Science and the Genesis of Romanticism»([94]) qui a recours à une argumentation dialectique et à des théories récentes sur l'histoire des sciences (Kuhn, Feyerabend) pour ne pas donner dans le piège des dichotomies simplistes d'une histoire perçue comme normale et qui finit nécessairement par constater la non-scientificité de tout ce qui est romantique. Il formule quelques contre-arguments permettant de ne pas réduire la complexité de la situation historique de 1800 et de laisser ainsi la question de sa compréhension ouverte. Et pourtant, il lui arrive également de glisser inopinément dans le discours dominant en parlant par exemple de «real scientists»([95]). Il s'agit aujourd'hui de continuer cet effort, de faire de cette marche sur la corde raide entre la glorification de tout ce qui est romantique et la «normalisation» des choses discursives à la Olshausen, une voie d'exploration plus assurée.

Questions méthodologiques

La question du statut de notre objet, et par là celle de la méthode (comment procéder pour arriver à connaître cet objet?), sont ainsi à nouveau posées. Depuis le premier intermède, où il y allait surtout de la possibilité de différencier les objets «texte» et «discours», ces questions se sont élargies et approfondies en assumant une dimension historique et en s'enchâssant dans un cadre herméneutique. Cette manière narrrative de présenter le cheminement de notre réflexion semble aboutir à une figure en cercles concentriques: l'analyse des textes et discours serait comprise dans une question historique qui, elle, s'articule dans un

---

([94]) *Op. cit.*

([95]) *Op. cit.*, p. 24.

horizon herméneutique. Cette figure peut nous aider à concrétiser un parcours méthodologique, mais on aurait tort
d'en faire une construction figée en y inscrivant une hiérarchie fixe de plans strictement séparés qui seraient à parcourir dans un mouvement d'ascension linéaire. Au contraire,
si cette figure est d'une quelconque utilité heuristique, elle
doit admettre, et même exiger le retour sur soi de ce mouvement, la rétroaction d'un cercle à un autre, une dynamique qui prévoit une interférence nécessaire entre les questions inscrites à différents niveaux.

Ce que cette figure permet de rejeter, cependant, c'est
l'exclusivité des méthodes, c'est le comportement méthodologique qui consiste à adopter une étiquette, de l'ériger
en dogme et de décréter la nullité de toutes les autres
approches. Je suis persuadé, au contraire, que, sans tomber dans un éclectisme à tous azimuts, une démarche qui
négocie la relation entre différentes méthodes, même entre
celles qui prétendument s'excluent, comme l'analyse discursive et l'herméneutique(⁹⁶), peut favoriser une meilleure, ou du moins une nouvelle connaissance d'un objet
donné. Et ce travail commence par une redéfinition de
l'objet qui, sous les feux croisés des méthodes, n'a de
donné que le matériau phénoménal transmis par l'histoire
mais dont la configuration intellectuelle est à construire.

Aujourd'hui les grandes totalités conceptuelles sont
en train de se briser. En particulier le concept totalisant de
l'Histoire se dissout. Dans l'horizon totalisant de l'Histoire capable de subsumer toutes ses parties, d'intégrer
tous les secteurs, on pouvait autrefois se consacrer à l'his-

---

(⁹⁶) Encore faut-il savoir et préciser de quelle analyse discursive et
de quelle herméneutique on parle, car ces étiquettes couvrent des pratiques très différentes selon les contextes historiques, nationaux, institutionnels. À ce sujet le dialogue que Jürgen Link a ouvert dans son livre
Elementare Literatur und generative Diskursanalyse avec des représentants de «l'autre camp» (Jochen Hörisch und Hans-Georg Pott) est intéressant. Dans ce débat entre une approche scientifiquement analytique et
une attitude basée sur l'herméneutique philosophique, l'analyse discursive se voit reléguée dans une case — le scientisme — qu'elle n'a jamais
occupée dans son élaboration foucaldienne.

toire [...] ne seule discipline (par exemple l'histoire des sciences [...] l'histoire de la littérature) sans avoir à s'inquiéter de cette [...] rcellisation, puisque son effet de fragmentation était an [...] é à un niveau d'intégration plus élevé et plus abstrait [...] Histoire. Avec la débâcle des totalités, cependant, af [...] e Hans-Ulrich Gumbrecht[97], l'histoire de la littératur [...] sque de se trouver fragment d'une totalité disparue. O [...] line de l'Histoire, elle aura à assumer sa fragmentarité [...] ne saurait dissimuler une autonomie institutionnelle p [...] ndroits très développée, surtout à l'intérieur des univers [...]. Gumbrecht esquisse une réponse à la question de sav [...] omment remédier au caractère fragmentaire de l'histoir [...] la littérature. Si nous adoptons ici son analyse de la si [...] ion, nous ne le suivrons cependant pas dans sa propositi [...] d'intégrer l'histoire de la littérature dans un nouvel hori [...] totalisant, celui de l'histoire des mentalités[98].

C'est tou [...] l'abord que notre propos est moins théorique, ou moins [...] clusivement théorique. Il est plus modeste aussi, dans la [...] sure où il faut l'adapter à la taille locale et à la nature co [...] ète de notre objet premier, le *Brouillon*. Nous venons c [...] endant d'esquisser la complexité qu'entraîne l'insertio [...] de cet objet dans la situation historique qui est celle de s [...] production. En fait cet objet n'appartient en propre ni à l' [...] stoire des sciences ni à l'histoire de la littérature, étant d [...] né qu'il déborde toute identité disciplinaire et défie tou [...] appropriation sectorielle. Projet d'une encyclopédie, il c [...] mprend par définition tous les savoirs, mais avec sa prét [...] tion très particulière de poétiser toutes les sciences, de fai [...] de la poésie le dénominateur commun de toute productio [...] de savoir, il ramène toute l'étendue encyclopédique à l' [...] ntérieur de la poésie tout en donnant à celle-ci une amplit [...] de maximale. Pour revenir à notre

---

[97] Dans son article «Literaturgeschichte — Fragment einer geschwundenen Totalität?», in Lucien Dällenbach et Christiaan L. Hart Nibbrig (éds.), *Fragment und Totalität*, Frankfurt a.M., Suhrkamp, 1984, pp. 30-45.

[98] Cf. *op. cit.*, pp. 35-45.

figure à double face «science-et-littérature», modèle réduit de cette complexité, qui offre une fenêtre choisie stratégiquement pour jeter un regard investigateur sur la spécificité de notre objet, il faut bien reconnaître que le *Brouillon* se situe *entre* science et littérature([99]). Force nous est donc de concevoir un nouveau type d'objet, un objet relationnel. En fait, le *Brouillon* concrétise les relations qui existaient vers 1800 entre sciences et littérature. Une telle redéfinition de l'objet aura des conséquences, même si elle ne met pas en cause la nature textuelle et discursive de l'objet. Au contraire, ce n'est que dans leur concrétisation textuelle et discursive que ces relations peuvent être analysées([100]).

Si nous continuons à œuvrer à partir de la discipline des études littéraires, si nous maintenons donc l'objectif premier de déterminer la spécificité du discours littéraire, nous devons maintenant admettre que notre objet, le texte littéraire, n'est pas d'emblée donné. Il résulte de l'évolution historique d'un réseau de relations et se transforme selon les contingences de cette évolution. La littérature ne saurait donc faire l'objet d'une détermination immanente, puisqu'elle est à redéfinir dans chaque contexte historique, et ceci en quelque sorte de l'extérieur, c'est-à-dire en prenant en considération son insertion dans, et ses échanges avec un plus grand ensemble.

Pour des raisons pratiques, plutôt que par une conviction fonctionnaliste, ce plus grand ensemble a été appelé ici le système des discours. Ce terme renvoie au fait que la différenciation des champs discursifs et leurs interactions ne sont intelligibles que dans une logique d'ensemble. L'existence d'un tel système est posée, à un niveau très général, comme une donnée de nature anthropologique: en prin-

---

([99]) Si tant est que, pour des raisons de stratégie de recherche, nous nous concentrons sur cette relation en particulier. Face au *Brouillon*, le chercheur pourrait choisir d'autres relations interdiscursives pour en faire son foyer d'intérêt.

([100]) À ce sujet, je suis entièrement d'accord avec Gumbrecht qui accorde un statut privilégié à la catégorie «texte» parmi les «objectivations de l'action et du comportement humains du passé» (*op. cit.*, p. 38).

cipe, les pratiques discursives de toute société donnée, à tous les moments de son histoire, sont articulées dans un système de discours. Évidemment, la notion de système implique un certain pouvoir d'intégration, une certaine cohérence interne, sans pour autant remplacer une totalité métaphysique par une autre. Son utilité se situe ici sur un plan bien différent. Lors des quelques vérifications ponctuelles qui nous ont permis d'insérer le *Brouillon* dans un plus grand ensemble, nous avons en effet pu observer des phénomènes, des régularités qui suggèrent une cohérence de système dans les relations entre les différentes disciplines qui se rencontrent dans le carrefour de 1800. Il s'agissait de relations de complémentarité, de processus d'interaction et de rétroaction. Mais, tout en ayant ainsi recours à une logique de système pour rendre compte de ces observations, à aucun moment ne faudrait-il en conclure à l'existence d'un système fermé, homogène et régulier. Tout au contraire, 1800 est un moment où l'activité discursive se caractérise par un grand nombre de recoupements, d'irrégularités, de zones de désordre, par l'enchevêtrement de différentes durées, par des hétérogénéités conflictuelles, par la coexistence d'éléments non-contemporains. C'est l'étendue et l'importance de tous ces phénomènes troublant une régularité systémique, telle que la présuppose par exemple Olshausen, qui déterminent ce moment historique et qui justifient le recours à la notion de crise pour le décrire. D'où la nécessité d'appliquer la notion de système avec souplesse, plutôt comme un instrument d'investigation que comme une qualification réelle de la situation historique.

L'objet relationnel, corollaire d'une logique de système, fonde ce que Françoise Gaillard appelle «une recherche transversale»[101]. Il s'agit de travailler «un ensemble de textes ou d'énoncés appartenant à des registres variés et relevant de champs disciplinaires différents»[102]. C'est

---

[101] «Histoire de peur», p. 17.

[102] Françoise Gaillard, *op. cit.*, p. 17. Cette option méthodologique, si elle n'est pas inscrite dans l'horizon d'une histoire des mentalités comporte le risque, selon Gumbrecht (*op. cit.*, p. 45), de nous aveugler

ce type de recherche qui a inspiré ce travail et qu'il s'agit maintenant d'expliciter sur le plan méthodologique. Nous pouvons nous appuyer sur les réflexions de quelqu'un qui, venu institutionnellement de l'autre côté de la barrière, de l'histoire des sciences, est arrivé à des conclusions et positions analogues quant à la démarche à suivre. Dans son étude «Hommes de science et écrivains. Les fonctions conservatoires de la littérature»([103]), Wolf Lepenies commence par rappeler que, vers la fin du XVIIIe siècle, le domaine des «belles lettres» que, surtout en France, on attribuait à une configuration d'auteur appelée «homme de lettres», s'est scindé en deux. L'homme de lettres a dû se faire soit auteur scientifique, soit auteur littéraire. Du moment que sciences et littérature obtiennent de la sorte une certaine autonomie en tant que discours, disciplines et institutions, on pourra écrire l'histoire de leurs relations et interactions. En fait, Lepenies généralisera ce constat et en fera un principe méthodologique:

> Pour moi, l'histoire actuelle des sciences est caractérisée par un changement fondamental de perspectives: on ne cherche plus à suivre une seule discipline de sa préhistoire jusqu'à aujourd'hui, mais plutôt à analyser un ensemble de disciplines, et ce sur une période beaucoup plus courte et bien déterminée([104]).

Au lieu d'études disciplinaires et longitudinales, il propose l'étude transversale. À la place de l'objet mono-disciplinaire, posé comme autonome, mais en réalité fragmentaire

---

sur ses implications éthiques ou politiques: «Denn ohne diesen Bezugspunkt gerät die Arbeit des Historikers, wie genau er auch immer die Verzahnung historischer Teildiskurse antizipierend berücksichtigt haben mag, unweigerlich zum Fragment eines — ganz nach Geschmack 'ethisch' oder 'politisch' — blinden wissenschaftlichen Interaktionsgefüges». La conscience de ce risque est déjà le premier pas pour l'éviter, c'est au lecteur de juger si une telle cécité caractérise ce travail.

([103]) In *Information sur les sciences sociales* 18, 1, 1979, pp. 45-58.

([104]) *Op. cit.*, p. 52.

car isolé de son entourage historique, il propose l'objet relationnel: «un ensemble de disciplines». Il attribue ce changement de perspective et de méthode en premier lieu à Michel Foucault et constate que cette nouvelle perspective peut être issue du structuralisme, mais qu'elle n'est certainement pas anhistorique. Et il renchérit:

> Aujourd'hui, on ne peut plus écrire l'histoire d'une seule discipline. Ce que l'on doit faire, c'est essayer l'histoire d'un ensemble de disciplines sur une période courte, ou l'histoire d'un problème qui n'est pas nécessairement lié à une certaine discipline scientifique[105].

La volonté de procéder à de nouveaux découpages du champ objectal devient très explicite ici; c'est elle qui nous intéresse. Faut-il en faire un principe au point d'exclure l'histoire disciplinaire? J'en doute, mais le fait est que, venant d'une autre discipline, la complexité pluri-disciplinaire que contient le texte du *Brouillon*, ainsi que son insertion dans son environnement historique, nous ont amené aux mêmes conclusions et à une position méthodologique très proche de celle prônée par Lepenies.

Un double mouvement venant à la fois de l'histoire des sciences et de l'histoire de la littérature peut donc produire une large convergence quant à la nécessité du dépassement des frontières disciplinaires et d'une nouvelle orientation des recherches. Lepenies nous invite à ne plus penser et à ne plus traiter les différentes disciplines et les types de discours qui sont nos objets comme des unités autonomes et préétablies, ni leur histoire comme celle d'évolutions indépendantes. Les disciplines et les discours — malgré les apparences d'une certaine pratique dans l'institution universitaire — ne sont pas des solitudes parallèles. Il nous invite à penser et à analyser ce nouvel objet qu'est le réseau de leurs relations, que sont les interactions qui en découlent. Les conséquences pour nos habitudes de travail sont importantes: la définition intrinsèque, et plus encore essentialiste, d'un objet devient impossible, il n'y a plus que des

---

[105] *Ibid.*

définitions relationnelles, car la constitution d'une discipline, d'un discours, apparaît désormais comme une fonction de l'évolution de toutes les autres unités et de leur interaction. À la limite, la constitution et l'évolution d'une seule discipline deviennent incompréhensibles en dehors de ses connexions avec l'ensemble du réseau dont elle fait partie.

Mais quelle peut être la mise en pratique de ces vues et principes? Lepenies donne quelques exemples. J'aimerais en résumer deux pour leur valeur d'exemplarité, mais aussi pour les problèmes qu'ils soulèvent. Il s'agit, dans les deux exemples, d'une illustration de la fonction conservatoire que la littérature a par rapport à la science. Il expose les mécanismes de cette fonction d'abord dans le cas de la reprise des idées scientifiques de la lignée Buffon-Cuvier par le romancier Balzac:

> Une certaine tradition scientifique est expulsée d'un discours scientifique — dans le cas précis du discours de la biologie — puis elle est transformée et conservée dans le discours littéraire, où elle retrouve une certaine valeur scientifique. C'est pourquoi je parle de fonctions conservatoires de la littérature; il s'agit de processus au cours desquels des théories scientifiques, abandonnées pour des raisons très diverses, en viennent à survivre dans le discours littéraire[106].

La relation science-littérature serait donc activée par la migration d'une théorie scientifique — il s'agit ici de la théorie de la fixité des espèces, devenue désuète avec l'avènement de l'évolutionnisme — vers la littérature[107].

---

[106] *Op. cit.*, p. 53.

[107] Cette «migration» se trouvait déjà au centre de l'intérêt de Marjorie H. Nicolson qui a magistralement analysé des phénomènes de type conservatoire (par exemple dans *The Breaking of the Cercle, Studies in the Effect of the «New Science» upon Seventeenth-Century Poetry*, New York, Columbia University Press, 1965) et est devenue de la sorte une des pionnières d'une problématique qui s'est institutionnellement muée en sous-discipline académique ces dernières années aux États Unis: Literature and Science. Cf. à ce sujet l'article de George S. Rousseau «Literature and Science: The State of the Field», in *Isis*, 69, 1978, pp. 583-592.

Celle-ci devient discours d'accueil et peut ainsi conserver, moyennant une transformation non spécifiée, des matériaux discursifs d'origine scientifique ([108]).

Le deuxième exemple est plus complexe parce qu'il prévoit un aller et retour de matériaux discursifs entre science et littérature:

> Dans le cas de l'*Histoire naturelle*, il ne s'agit que de la conservation et de la transformation d'une théorie; dans l'exemple qui va suivre, il s'agira non seulement de la transformation et de la conservation d'une théorie spécifique, mais encore de sa renaissance et de sa réintroduction dans le discours scientifique originel, c'est le cas des relations entre l'histoire de la littérature et l'histoire de la psychologie ([109]).

Cet exemple montre que, lors de la constitution académique de la discipline psychologique au début du XIXe siècle, celle-ci ne retenait dans son champ d'objet que la vie psychique se déroulant dans la conscience de l'adulte normal. Étaient donc rejetés et trouveront «refuge» dans la littérature des phénomènes psychiques que, presque un siècle plus tard, Freud y retrouvera et introduira dans l'élaboration de la psychanalyse: les problèmes du développement (psychologie de l'enfant), de l'anormal (psychopathologie) et de l'inconscient (*Tiefenpsychologie*). Dans ce deuxième exemple ce sont des objets de discours qui sont transférés d'un discours à l'autre.

Sous l'éclairage de cette fonction conservatoire, la littérature apparaît comme une espèce de dépôt d'éléments

---

([108]) Dans «La science: modèle ou vérité? Réflexions sur l'Avant-propos à la *Comédie Humaine*» (*manuscrit*), Françoise Gaillard a analysé le même exemple. Elle montre que cette transplantation discursive est d'une grande complexité et surtout que cette «conservation» est loin d'être innocente, parce qu'elle modélise le discours de Balzac sur la société de manière idéologique. De conservatoire, l'opération devient ainsi conservatrice, ce qui illustre bien l'intérêt qu'on a à dépasser la pure et simple description analytique de l'objet relationnel en vue de l'établissement de sa signification historique.

([109]) *Op. cit.*, p. 53.

discursifs de provenance non littéraire. Non seulement le discours littéraire pourrait-il ainsi accueillir et stocker ces éléments, mais aussi les tenir disponibles pour des usages ultérieurs, ailleurs dans le système des discours. Implicitement, cela revient à reconnaître à la littérature la capacité de prendre en charge les matériaux discursifs les plus divers, ce qui représente une performance culturelle non négligeable tout en confirmant la fonction interdiscursive de la littérature. Cependant, identifiée comme une conservation, cette capacité fait problème, surtout si la notion de «conservation» suggère que les matériaux discursifs peuvent rester inchangés à travers une période de temps potentiellement illimitée. Une telle conception ne serait pas seulement contraire à la logique de système à l'intérieur de laquelle Lepenies situe son travail, mais elle contreviendrait surtout aussi aux données fondamentales de la problématique discursive. Même conservé pendant tout un siècle, de la manière décrite par lui, un objet discursif, par exemple, ne sera plus le même objet par le fait même que, le système ayant changé, il se trouvera inséré dans un nouvel environnement discursif.

Voilà pourquoi, dans un geste qui tient de l'oxymore, Lepenies accole à «conservation» la notion de «transformation», sans pour autant élaborer cette dernière qui me paraît décisive pour la compréhension de l'histoire des discours. Et plus particulièrement pour comprendre l'évolution récente de la littérature dans ses relations avec d'autres discours. Pour apporter une composante dynamique à la notion de «conservation» d'une part, et pour rendre compte du cumul quasi-paradoxal de conservation et transformation de l'autre, je propose d'employer le terme «réutilisation». Il nous permettra de parler de la réutilisation de matériaux non littéraires dans le texte littéraire tout en distinguant des modalités différentes. Car la réutilisation peut être à dominante conservatoire, transformatrice, critique, innovatrice ou autre.

Ceci nous donne l'occasion de préciser la distinction entre «texte» et «discours». Les matériaux discursifs dont parle Lepenies peuvent, en effet, rester textuellement identiques dans leur passage d'un discours à un autre, ou d'une époque à une autre. L'auteur peut réutiliser exactement les mêmes énoncés, mais ce ne sera en aucun cas le même acte discursif. Le même énoncé, inséré dans deux contextes discursifs, ou réactivé à deux moments historiques différents n'est pas le même événement discursif. Le meilleur modèle heuristique que je puisse imaginer pour penser cette distinction importante est à son tour un texte littéraire: «Pierre Ménard, autor del Quijote» par Jorge Luis Borges. Si Pierre Ménard veut récrire, quelque trois cents ans après sa production originale, un *Don Quijote* textuellement identique, son ouvrage sera radicalement différent en tant que pratique discursive, puisque énoncé dans un contexte historique et discursif changé de fond en comble.

La pratique interdiscursive de Novalis dans le texte du *Brouillon* présente une problématique analogue, bien que infiniment plus dispersée et éclatée dans un matériau d'une hétérogénéité maximale. Sa réutilisation de matériaux discursifs qu'il choisit et prélève autour de lui et qu'il réinsère dans une nouvelle logique discursive en créant de la sorte une dynamique toute particulière, un événement discursif, sera à décrire plus en détail.

Un dernier point reste, cependant, à éclaircir. Car, si on parle de réutilisation, on s'avance dans une région qui est jalonnée, à ses extrémités, par le postulat d'originalité d'un côté, et de l'autre par le problème du plagiat. Ces questions sont abordées par Norman Fruman dans son livre sur Coleridge([110]), plus précisément au douzième chapitre qui porte sur la *Theory of Life* et les écrits de Coleridge sur la science. Coleridge et Novalis étant à bien des égards engagés dans des activités analogues, nous pouvons appuyer nos réflexions sur l'analyse de Norman Fruman, du moins jusqu'au point où nos choix se séparent des siens.

En suivant des chercheurs qui ont consacré leurs efforts à la recherche et à l'identification des sources scientifiques de Coleridge, Fruman arrive à un constat très

---

([110]) Norman Fruman, *Coleridge, the Damaged Archangel*, New York, George Braziller, 1971.

négatif pour le grand poète anglais: sous sa prétention excessive à l'originalité scientifique se dissimule le plagiat systématique. Coleridge aurait régulièrement pillé les œuvres de Schelling et de Steffens sans jamais reconnaître ses dettes à leur égard. En rappelant ces faits, Fruman contribue donc à la démystification de l'originalité scientifique de Coleridge et s'inscrit, dans un conflit des interprétations, en faux contre les «revisionary studies»([111]) qui, négligeant la question philologique des sources, essaieraient d'attribuer à Coleridge un mérite scientifique, ou du moins un prophétisme scientifique, qui ne lui reviendrait en aucun cas.

Cette intervention interprétative à la frontière entre science et littérature n'est pas sans rappeler celle d'Olshausen, mais elle est moins simpliste et s'appuie sur une argumentation différente, même si l'enjeu idéologique consistant à préserver une certaine pureté scientifique face aux intrusions impures est par moments le même([112]). L'argument principal est d'ordre philologique: il s'agit surtout d'identifier les sources de Coleridge, d'identifier les influences exercées sur lui et de vérifier dans quelle mesure ces sources et influences sont reconnues par l'auteur lui-même.

Il me semble que ce type de travail, appelé philologique au sens large du terme, ne perd pas son importance. Répondre aux questions: Que savait Novalis? — Qu'avait-il lu? — Où prélevait-il les matériaux discursifs qu'il réutilisait? constitue une étape de travail qu'on ne saurait sauter,

---

([111]) *Op. cit.*, p. 133.

([112]) Fruman n'assume pas explicitement cet enjeu idéologique qui s'exprime alors plutôt par sous-entendus et dans le ton: «Coleridge's whole approach to natural phenomena was by way of metaphysical abstraction, and thus it was possible for him to commit himself — with all his usual passionate attachment — to the most anti-scientific movement of his day. Since his ultimate aims were theological, it is not really surprising that his «organicism» should prove not to prefigure fresh ideas in biology, but rather to represent a free-floating mysticism. Precisely like Schelling, Coleridge never grasped the basic distinction between the amateur speculator and the professional scientist whose theories must be guided and tested by direct observation and experiment» (*op. cit.*, p. 126).

même si, par ailleurs, notre travail vise à dépasser ce moment empirique. Les réponses à ces questions constituent un fond de savoir dont ne saurait se passer le critique de Novalis, quelle que soit son orientation. Mais là n'est pas la question, comme on verra.

Rappelons d'abord l'état de cette question philologique dans le cas de Novalis. Ce fond de savoir est aujourd'hui constitué dans une très large mesure, grâce aux travaux d'un grand nombre de critiques et d'éditeurs. Les grandes influences philosophiques sur Novalis ont été identifiées et étudiées: Kant, Fichte, Schelling, Plotin[113]. La notion d'influence est cependant insuffisante pour décrire la relation que Novalis entretenait avec ces grands systèmes de pensée, surtout si on prend «influence» dans un sens causal, mécaniste et généalogique. Novalis n'avait pas ces systèmes de pensée dans le dos comme une influence qu'on subit passivement. Il y faisait face, au contraire, et c'est en engageant un dialogue critique avec eux qu'il développait ses propres idées. Dans le *Brouillon* il a lui-même formulé le principe d'une telle interaction:

> # 220 THÉORIE DE LA FORMATION DE L'ESPRIT. —
> On étudie les systèmes d'autrui pour trouver le sien propre. Un système étranger (le système d'un autre) est ce qui incite à en avoir un à soi. Je prends conscience de ma philosophie, de ma physique, etc., tandis que je suis «affecté» (*afficirt*) par le système d'autrui — bien entendu si je suis suffisamment autonome (*selbstthätig*). Ma philosophie ou ma physique peut seulement être ou ne pas être en accord avec l'étrangère. Dans le premier cas cela montre l'homogénéité — similitude du caractère scientifique, du moins sous ce rapport. (Mariage des systèmes hétérogènes.)[114]

---

[113] Le cas de Plotin est différent des trois autres, puisqu'il s'agit d'une réception indirecte, Novalis n'ayant eu connaissance des idées de Plotin que par l'intermédiaire de l'historien de la philosophie Tiedemann. Cf. à ce sujet l'article de Hans-Joachim Mähl, «Novalis und Plotin», *op. cit.*

[114] *OC*, II, p. 252, traduction légèrement adaptée par W. M. Texte allemand *SCH*, III, p. 278.

Et il reprend la même réflexion plus loin en condamnant de manière explicite la recherche de l'originalité:

> # 716 La recherche de l'originalité est une forme grossière de l'égoïsme savant. Il n'est pas un savant véritable, celui qui n'est pas capable de traiter les pensées étrangères comme étant les siennes propres, et ses propres pensées comme si elles lui étaient étrangères.
>
> Produire des idées nouvelles peut devenir un luxe inutile: il s'agit effectivement d'un groupement actif, et la préparation, le travail sur ce qui a été rassemblé représente déjà un haut degré d'activité et d'occupation. Pour le véritable savant, il n'y a rien qui lui soit en propre, et rien d'étranger. Tout lui est à la fois chose étrangère et possession personnelle. (Au corps philosophique, le corps lui-même est à la fois propre et étranger, l'incitant et l'incitabilité.)
>
> Le savant sait s'assimiler, se rendre propre ce qui lui est étranger, et il sait rendre étranger ce qui lui appartient en propre([115])...

Le modèle d'interaction esquissé ici, et présenté avec emphase, me semble déjà contenir le noyau d'une critique à laquelle on pourrait et devrait soumettre les notions d'influence, d'originalité et de plagiat telles que les reproduit par exemple Fruman.

Pour ce qui est du plagiat en particulier, deux commentaires s'imposent, l'un se référant à Novalis en particulier, l'autre étant d'ordre général. Novalis est, autant que faire se peut, explicite dans ses réutilisations d'autres œuvres, auteurs ou disciplines. On trouve dans ses recueils de fragments des notes de lecture, des réflexions qui attestent et documentent ces interactions de la manière la plus directe. Le plus important de ces recueils est certainement constitué par ce qu'on a convenu d'appeler les «Études fichtéennes» qui datent des années 1795-96. Mais les «Cahiers d'études de Freiberg» montrent bien que ce travail de lecture active et de traitement des matériaux re-

---

([115]) *OC*, II, p. 278. Texte allemand *SCH*, III, p. 405.

cueillis([116]) continue pendant les années passées à Freiberg et ne se limite pas au débat philosophique, puisque, dans ces Cahiers, Novalis commente des ouvrages de chimie, physique, mathématique, géologie, médecine. En plus, grâce au travail des éditeurs, nous disposons aujourd'hui de listes des livres que Novalis possédait et avait lus([117]), ainsi que, pour le *Brouillon* en particulier, d'un appareil critique qui identifie les références exactes des ouvrages et auteurs que Novalis ne mentionne souvent qu'à mi-mot et indirectement([118]).

«Autant que faire se peut»: ce travail de repérage et d'identification de textes-sources a cependant des limites. Car tout ce qui détermine et influence le travail d'un auteur spéficique n'a pas son lieu d'origine dans un texte précis et positivement identifiable. Il y a des «influences» qu'on ne saurait épingler de la même manière empirique. Ceci tient au fait que les règles de formation discursive échappent par définition au contrôle par un auteur individuel et se situent à un niveau transindividuel. Ainsi reproduisons-nous les régularités — ou subissons-nous les influences — d'un environnement discursif dont les règles de formation ne sont pas toutes, ou ne sont pas du tout présentes à notre conscience et ne sauraient par conséquent faire l'objet d'un choix. Novalis, de même que Coleridge, ne pouvait donc pas identifier tous les cas de réutilisation que l'analyse discursive peut faire apparaître.

Dans l'espoir de gagner un certain pouvoir discriminatoire, je propose d'utiliser comme concept opératoire la

---

([116]) Le texte allemand de l'entrée # 716 dit *actives Sammeln* et *Bearbeitung des Gesammelten*.

([117]) *SCH*, IV, pp. 687-99 et 1045-73.

([118]) Ces instruments de travail ont encore été complétés et perfectionnés dans le cinquième volume de l'édition *Schriften* (*SCH*) qui comprend en particulier les registres facilitant l'accès aux quatre volumes de texte. Ce volume annonce, par ailleurs, la redécouverte, en Pologne, d'un fonds important de manuscrits de Novalis. Il s'agit surtout d'œuvres de jeunesse, d'écrits des salines et de lettres. Ces textes étant en partie inédits, il est prévu d'ajouter un sixième volume aux *Schriften*.

distinction entre la relation intertextuelle et la relation interdiscursive. Il est vrai que cette distinction n'est pas facile à appliquer, étant donné que la relation entre textes implique toujours aussi une relation de discours à discours, et que, en retour, cette dernière relation ne saurait se passer de support textuel. Mais elle pourra quand même être utile pour décider dans quels cas la question du plagiat a du sens. Cette question devient absurde quand il est question d'interdiscursivité, puisque les discours, en tant que règles de formation, n'appartiennent à aucun locuteur ou auteur individuel et que leurs régularités ont tendance à échapper aux «utilisateurs» les plus avertis, sauf dans le cas des législateurs discursifs dont le travail porte explicitement sur ces régularités.

Pour ce qui est de la dimension intertextuelle du *Brouillon*, nous nous trouvons dans une situation très avantageuse puisque, non seulement Novalis a-t-il très souvent identifié ses vis-à-vis textuels, mais aussi les éditeurs ont-ils complété ces identifications si nécessaires, tout en explicitant les liens intertextuels à l'intérieur de l'œuvre novalisienne. Nous pouvons ainsi partir du fait que le travail philologique de l'identification des sources est dans une très large mesure accompli. Nous n'avons plus à nous attarder à ce travail, comme Fruman le fait au sujet de Coleridge tout en s'indignant de ses pratiques de réutilisation dans le domaine scientifique. Aussi éviterons-nous pour Novalis le débat dans lequel Fruman s'est laissé engager: faut-il dénier à l'auteur romantique toute compétence scientifique ou le glorifier comme un génie, un visionnaire scientifique, capable d'anticiper de futurs développements en sciences([119])? Nous avons vu que, étant donné l'auto-interprétation de l'activité scientifique qui entre en jeu ici, cette question est d'emblée piégée.

Le travail d'identification des sources et intertextes doit donc être fait, mais il est pour nous de peu d'intérêt en soi; loin de constituer le travail critique proprement dit, il ne saurait prétendre qu'à un statut de phase préliminaire à

([119]) Cf. Fruman, *op. cit.*, p. 133.

ce travail. Ce qui reste à faire est d'ordre analytique et critique. Il s'agit de décrire de manière analytique les modalités spécifiques de la réutilisation novalisienne. Et ceci sur le plan tant intertextuel qu'interdiscursif, ce qui constitue en soi déjà un travail gigantesque, sinon illimité, puisque l'insertion d'un texte concret dans un réseau de textes et de discours est par définition inépuisable. Il faudra donc procéder de manière sélective.

Chapitre VI

Entre texte et système: vers l'événement discursif

Le travail descriptif et analytique qui est à entreprendre dans ce chapitre a pour objectif de montrer la nature systémique du *Brouillon*, et plus particulièrement de retracer la réalisation de cette nature dans la fragmentarité textuelle. À travers cette analyse on articulera la relation entre système et processus, non pas pour les opposer comme deux catégories antagonistes et réciproquement exclusives, comme cela a été le cas dans certaines discussions autour du structuralisme dans les années 60, mais pour mieux en comprendre la complexe interaction chez Novalis.

Cet objectif nous situe dans le voisinage d'une des seules études qui ait sérieusement pris en considération la textualité des fragments de Novalis: *Abstraktion und Poesie im Werk des Novalis*([1]). Hannelore Link, l'auteur de cette étude, désigne par *das prozessuale Denken*([2]) ce qui cons-

---

([1]) Hannelore Link, *Abstraktion und Poesie im Werk des Novalis*, Stuttgart, Kohlhammer, 1971. Parmi les études qui abordent les œuvres de Novalis en tant qu'objets textuels, il faut également mentionner la thèse de doctorat de Jurij Striedter, qui date de 1953 mais a tardé à paraître sous forme de livre: *Die Fragmente des Novalis als «Präfiguration» seiner Dichtung*, Munich, Fink, 1985.

([2]) *Op. cit.*, p. 26.

titue peut-être l'objet principal de son analyse. Elle cherche à connaître une pensée qui relève de la catégorie du processus, qui se donne à voir comme un processus dans le texte. La visée de mon travail est légèrement différente dans la mesure où le processus, cette qualité événementielle propre au texte novalisien, ne sera pas abordé comme une pensée, mais — au niveau du discours — comme une pratique du langage. En le situant ainsi dans la relation entre la matérialité textuelle et la mise en opération d'un système, j'aimerais cerner cet objet fuyant qu'est l'événement discursif du *Brouillon*. Après la longue approche à travers les chapitres précédents, qui, de ce fait, revêtent une fonction préparatoire, on peut s'attendre à voir cet événement se concrétiser au point d'entrecoupement entre la tradition encyclopédique et la tradition poïétique. Mais quelles seront ses formes et sa configuration?

Cette dernière étape de notre travail n'est pas sans poser des problèmes, qui sont cependant d'ordre moins méthodologique que procédural. Il s'agit de trouver une démarche qui permette de donner à voir, en tant qu'objet cognitif, la dynamique qui s'instaure, chez Novalis, entre texte et système, et ceci en la présentant dans les étapes consécutives d'un parcours critique. Si cette difficulté est commune à tout discours critique, il semble que, comme le dit ici Hannelore Link, le texte novalisien lui donne un aspect particulièrement incontournable:

> Nous sommes consciente de la difficulté résultant du fait qu'il ne nous sera en aucun cas possible de donner une interprétation exhaustive des passages cités pour illustrer la notion d'abstraction. C'est qu'aucune de ces interprétations ne saurait éluder l'obligation de déployer au complet le monde de la pensée novalisienne[3].

---

(3) *Op. cit.*, p. 26. Voici le texte allemand: «Wir sind uns der methodischen Schwierigkeit bewusst, die dadurch entsteht, dass wir die hier zitierten Belege zum Abstraktionsbegriff in keinem Fall erschöpfend interpretieren können, weil sich für jede solche Interpretation die Notwendigkeit ergäbe, Novalis' gesamte Gedankenwelt zu entfalten».

Hannelore Link signale ici une des caractéristiques que nous aurons justement à considérer et à décrire et que Novalis a lui-même reconnue en affirmant que son travail principal consisterait à réaliser «un véritable morceau ou membre»(4) de son livre. Il s'agit de l'organisation systémique du *Brouillon* qui fait en sorte que tout fragment du texte contient potentiellement tout le système de l'encyclopédie. En d'autres termes, il s'agit de la fragmentarité dynamique que nous avons déjà abordée à partir des catégories de l'auto-générativité et de la performativité.

Le découpage analytique d'un tel objet a toujours quelque chose d'arbitraire. Aussi, en présentant sélectivement certains de ses aspects et en les enchaînant dans la démarche d'un itinéraire critique sera-t-il parfois nécessaire de retraverser les mêmes lieux, tout en les abordant sous un angle de vue nouveau. On tentera de la sorte de construire progressivement notre objet le plus difficile à concrétiser: l'événement discursif.

Le texte

En entamant la description du texte du *Brouillon*, il sera bon de rappeler sa précarité qui a fait l'objet du premier chapitre de ce livre. Rappelons également que le texte, tel qu'établi par Hans-Joachim Mähl, nous donne «les matériaux pour une encyclopédistique» dans leur état brut, en indiquant à l'aide de symboles graphiques les différentes étapes de la production et de la révision du texte par son auteur. Toutes ces informations supplémentaires par rapport au texte proprement dit sont d'une grande utilité, il est vrai, mais elles ne facilitent point la lecture qui est une tâche ardue et difficile quand on se trouve face à un texte aussi morcelé.

Nous avons vu que l'intervention la plus importante de la part de l'éditeur tenait à sa décision de rétablir l'ordre

---

(4) Cf. *SCH*, III, p. 362, #555: «Hab ich nur erst ein wirckliches Stück (Glied) meines Buchs fertig, so ist der Hauptberg überstiegen».

de la genèse de ces morceaux textuels. Mähl espérait de la sorte intégrer la fragmentarité des matériaux dans l'unité d'une activité pensante en mouvement. Pour les raisons indiquées, nous nous passerons ici du recours à ce principe d'unification, en n'attribuant de signification particulière ni à la succession ni aux liens syntagmatiques entre les différentes entrées. Le principe qui nous guide est la volonté de ne pas révoquer ou neutraliser l'inachèvement radical du texte, que ce soit dans son ensemble ou dans ses parties, et de relever le défi de décrire cet aspect du texte précisément.

Les entrées numérotées de 1 à 1 151, que nous abordons ici sélectivement non pas comme des textes constitués, mais comme des segments textuels tels que proposés dans leur découpage matériel par l'éditeur, sont d'une extrême inégalité, tant quantitative que qualitative.

La longueur des entrées varie de deux mots au minimum (cf. # 29) jusqu'à deux pages et demie au maximum (cf. # 446 qui est l'entrée la plus longue). On ne compte que 25 entrées qui atteignent ou dépassent la longueur d'une page entière contre 112 qui ne dépassent pas l'extension d'une seule ligne ([5]). La longueur moyenne des entrées est de six lignes environ.

Les inégalités qualitatives, de leur côté, sont de nature très variée. Il faut signaler en premier lieu que Novalis a parfois recours à des modes de représentation autres que verbaux, que ce soient des formules arithmétiques et algébriques, ou de simples schémas graphiques servant à abréger ou à renforcer visuellement les relations qu'il établit verbalement entre les termes utilisés par lui ([6]). Ces modes de représentation n'acquièrent cependant jamais un statut

---

([5]) Dans la première partie du *Brouillon*, révisée par Novalis, ces entrées courtes ont presque toutes été raturées par l'auteur, comme si elles avaient eu pour seule fonction de servir d'aide-mémoire et, une fois cette fonction remplie, ne contribuaient plus vraiment au travail encyclopédistique.

([6]) L'emploi de ces procédés n'est pas fréquent, pas plus que par exemple dans les *Études fichtéennes*. Il se limite aux entrées ## 240, 290, 296, 438, 660, 702, 719, 773, 933.

autonome, ils ne font qu'accompagner le texte verbal, en répétant, en illustrant et en précisant le contenu sémantique des mots et surtout de leur mise en relation.

Une autre particularité consiste dans le fait que, telles qu'éditées, les entrées comportent et permettent de distinguer plusieurs couches génétiques. C'est que Novalis a non seulement — comme nous l'avons déjà vu — fait le ménage des premières quelque six cents entrées en donnant à chacune un titre classificatoire et en rayant et corrigeant des parties d'entrée ou des entrées entières, mais il a aussi intercalé dans le texte initial des commentaires ou des ajouts à une date ultérieure à la première rédaction. Certaines entrées en deviennent de véritables palimpsestes, qui présentent cependant l'avantage que l'éditeur a pris soin de préserver et de rendre co-présentes toutes les étapes génétiques du processus d'écriture. Le maintien de ces différentes couches génétiques est d'une utilité inappréciable pour la lecture interprétative de ces fragments, puisqu'il permet au lecteur de retracer une dynamique interne qui documente en quelque sorte l'évolution de la relation qu'entretient l'écrivain avec son texte([7]).

Finalement, il faut rappeler que le texte du *Brouillon* comporte à la fois des «matériaux pour une encyclopédistique» et une réflexion sur le travail de l'encyclopédie et de l'encyclopédistique. Mais il n'est pas toujours facile de séparer ces deux niveaux, une des spécificités du travail encyclopédistique consistant à intégrer le Système et le Dictionnaire de la tradition encyclopédique. La réflexion sur l'entreprise en cours, telle qu'inscrite dans le *Brouillon*, peut à son tour se diviser en deux catégories, la première étant d'ordre théorique et portant sur des questions générales du genre pratiqué par Novalis. La seconde offre des commentaires plus spécifiquement reliés au projet novalisien ainsi qu'aux circonstances de sa réalisation. Ces com-

---

([7]) Dans ce sens, il est regrettable que le traducteur français Armel Guerne ait décidé de retrancher assez systématiquement du texte les entrées raturées par Novalis, même si, en faveur de sa décision, il peut faire valoir qu'il n'a fait qu'exécuter une volonté explicitement manifestée par l'auteur dans le manuscrit.

mentaires, souvent critiques quant au projet lui-même et révélateurs des difficultés de son exécution, sont en petit nombre[8], il est vrai, mais, avec les réflexions théoriques sur le système et l'écriture encyclopédiques, ils constituent un niveau logiquement différent, une espèce de méta-discours encyclopédique qui — comme nous l'avons vu dans le chapitre IV — n'est cependant pas vraiment hiérar-chiquement séparé du traitement encyclopédique des maté-riaux. Il n'occupe pas non plus une place privilégiée (par exemple celle d'une préface ou d'une introduction) dans le recueil et se trouve dispersé dans la masse des fragments. Ces remarques critiques sont d'un intérêt tout particulier pour comprendre les enjeux et les difficultés de l'entreprise de Novalis. À plusieurs reprises, nous avons déjà eu recours à ce niveau d'auto-réflexivité inscrit à même le texte.

Les types d'entrées et l'entrée-type

Malgré cette grande variété de formes et inégalité d'as-pects, qui peut paraître déroutante à première vue, une fré-quentation assidue du *Brouillon* permet de reconnaître des récurrences et de repérer des régularités dont il s'agit main-tenant de rendre compte. Ces éléments de construction réguliers peuvent se situer à tous les niveaux du texte. Nous commencerons par nous concentrer sur les segments tex-tuels appelés «entrées» ici. Si on prend ces segments comme des unités de fait[9], il est possible de distinguer différents types d'entrées, différents modes de construc-tion et de fonctionnement à l'intérieur de ces unités.

Ces types, peut-on les subsumer sous la problématique des genres? Novalis a lui-même posé la question de l'écri-

---

[8]   Il s'agit des entrées ## 218, 229, 231, 232, 233, 373, 526, 534, 552, 555, 557, 558, 571, 597, 616, 724, 762, 870, 877, 880, 945, 954.

[9]   C'est-à-dire ce sont des «morceaux textuels» — *Bruchstücke* comme dit Novalis dans l'entrée # 218 — transmis tels quels et qui ne sont conformes à aucune théorie du texte, ne répondent à aucune règle de pro-duction du texte bien formé.

ture encyclopédique en termes de genres. Et il a évoqué la possibilité de réaliser cette écriture dans une gamme remarquablement large de genres:

> # 218 Mes occupations principales seront maintenant 1. l'encyclopédistique. 2. un roman. 3. la lettre à Schlegel. Dans cette dernière je présenterai un fragment de 1. d'une manière aussi romantique que possible. (Est-ce que cela doit devenir une recherche (ou un essai), un recueil de fragments, un commentaire à la manière de Lichtenberg, un rapport, une expertise, une histoire, un traité, un compte rendu, un discours, un monologue ou le fragment d'un dialogue, etc.?)([10]).

Dans le *Brouillon* Novalis n'a réalisé aucune des possibilités génériques, envisagées ici de manière hypothétique pour le projet d'une lettre à Friedrich Schlegel dans laquelle il aurait présenté un fragment de son projet encyclopédique. C'est comme si, resté à l'état de chantier pour une œuvre encyclopédique, le *Brouillon* était resté en-deça de toutes ces formes spécifiques, en quelque sorte dans les limbes de la décision quant au(x) genre(s) à pratiquer. Et pourtant le texte n'est pas amorphe pour autant. Il n'est point dépourvu d'articulations et de structures internes, mais il ne saurait être question d'y appliquer une poétique des genres, par exemple une poétique des formes simples ou des formes brèves([11]). Et ceci malgré le fait qu'un nombre très limité d'entrées répond effectivement aux préceptes d'un genre ou d'une forme codifiée et actualise ainsi un programme de construction préétabli, par exemple celui de la sentence ou de l'aphorisme.

Le plus grand nombre des entrées, vu leur degré d'inachèvement, est plutôt à regrouper selon la prédominance

---

([10]) *SCH*, III, pp. 277-78.

([11]) Il serait pourtant concevable d'aborder le *Brouillon* en utilisant comme cadre de référence par exemple l'étude d'André Jolles sur les *Formes simples* (traduction française: Paris, Seuil, 1972) et de mesurer l'écart des textes de Novalis par rapport aux formes recensées. Ce n'est pas cette démarche que nous allons suivre.

de catégories fonctionnelles et pragmatiques, qui vont parfois de pair avec des traits formels spécifiques. On ne saurait donc appliquer des catégories permettant de constituer des unités discrètes qui se démarqueraient clairement les unes des autres. Surtout ne saurait-on les appliquer selon une logique digitale binaire. Ces catégories renvoient à des degré de finition et d'ouverture textuelles; leurs frontières sont floues, leurs transitions continues. Elles se combinent souvent à l'intérieur d'une même entrée. Leur application ne permet pas de trancher des questions d'appartenance classificatoire. Elles servent plutôt à procéder à un premier tri des matériaux disparates qu'offre le texte.

Voici donc quelques-uns des principaux types d'entrée qu'on peut trouver dans le *Brouillon*:

— l'indication bibliographique
— l'extrait de lecture
— la note de lecture
— le titre
— l'aide-mémoire
— le problème à résoudre
— le programme à exécuter
— la réflexion essayiste
— le méta-commentaire
— l'aphorisme
— la sentence.

Il est évident que ces types sont très hétérogènes. Aussi les trouve-t-on souvent combinés dans une même entrée. Il serait donc très difficile de développer une typologie sur la base de ces catégories. Il apparaît plus intéressant de nous situer résolument à un niveau d'abstraction plus élevé et, en assumant la part de spéculation que cet exercice implique, de reconstruire le déroulement type de toutes les entrées du *Brouillon*. Le résultat de cette construction n'aura de statut qu'hypothétique, puisqu'aucune entrée réelle ne lui correspondra exactement, aussi aurait-on tort de lui attribuer une valeur autre qu'heuristique. Et pourtant, il me semble que cette construction est nécessaire en ce point de notre exploration, au même titre que l'est à l'indogermaniste la forme hypothétique qu'il postule et (re)construit afin de pouvoir mieux expliquer et comprendre les formes réelles qui sont ses vrais objets.

Cette entrée-type comporterait un cheminement en trois temps. Dans un premier temps l'auteur procède au prélèvement d'éléments «étrangers». Ensuite il soumet ces éléments à un travail de transformation. Finalement il tire de ce travail un programme d'expérimentation-invention qu'il propose tout en le mettant à l'essai. Regardons la succession de ces trois étapes de plus près.

La première étape est entièrement ouverte sur ce que Novalis a appelé dans l'entrée # 220 *fremde Systeme* (des systèmes étrangers, ou systèmes d'autrui) et dans l'entrée # 716 *fremde Gedancken* (des pensées étrangères, ou pensées d'autrui). Il est important de voir que le texte novalisien ne prétend pas se tenir de lui-même en prenant origine ou en se fondant en lui-même. Il ne se pose même pas comme un commencement. Comme geste initial, il prend appui sur un autre texte, renvoie à un autre système. Il prend ainsi son élan plus loin, dans un ailleurs textuel et discursif.

Cela veut dire aussi que le début du texte — et n'oublions pas qu'on parle ici des entrées du *Brouillon*, donc d'un mouvement qui se répète en commençant toujours à nouveau — est dû à une impulsion venue de l'extérieur et dépend ainsi d'un pré-texte contingent. Nous avons déjà vu que la cueillette des données par Novalis se fait au jour le jour et s'alimente, avec une certaine voracité et selon les circonstances biographiques des lectures, des cours et des rencontres, de tout ce qui était à la portée de Novalis. Certes, il a des préférences, s'intéresse davantage à certains domaines qu'à d'autres, et y prélève certains matériaux plutôt que d'autres, mais il n'exclut rien de prime abord, ce qui fait que, somme toute, les matériaux qui constituent ce mouvement initial de l'entrée peuvent être extrêmement hétéroclites.

Ils ont cependant tous en commun d'inscrire dans le moment initial du texte une relation intertextuelle ou inter-discursive d'une première espèce et de fonder en quelque sorte le texte sur cette relation vers ce qui lui est extérieur et antérieur. Quant à la distinction entre ces deux types de relation, l'exemple des entrées ## 327 et 330 nous a déjà

permis de voir que si Novalis, en retravaillant la figure de
l'arbre des sciences, se réfère en premier lieu et directement
au texte de d'Alembert (intertextualité), il n'en vise pas
moins, et en même temps, à travers le contact ponctuel
avec un texte, une longue tradition de l'organisation encyclopédique des savoirs (interdiscursivité). Il s'agit donc là
d'un premier type d'interaction avec un autre usage langagier, interaction qui pourrait relever de la filiation ou de
l'influence, mais qui déborde la linéarité causale de cette
relation à sens unique. En tout cas, cette interaction implique toujours une dimension génétique, elle lie le texte aux
aléas du biographique, aux menus faits du quotidien, elle
fait tenir les matériaux premiers du texte dans le vécu de
l'auteur. Et ceci moins selon une logique déterministe
qu'au gré du hasard ([12]).

Chose remarquable, ce lien est très souvent établi de
manière explicite: le texte-source, l'auteur auquel référence
est faite, le discours d'origine des matériaux repris est souvent mentionné par Novalis. Voici quelques exemples:

70 Sur l'idéalisme — voir Spinoza, cité par Humboldt...

197 Les sciences morales naissent, selon Hemsterhuis, de
l'application du sens moral aux autres sens....

647 Une bonne expérimentation en physique peut servir
de modèle pour une expérimentation intérieure et est, à son
tour, une bonne expérimentation intérieure, subjective (voir
les expérimentations de Ritter).

Dans tous ces cas, l'entrée prend son origine génétique
dans une lecture faite par Novalis et adopte, du moins dans
sa première étape, l'allure d'une note de lecture qui identifie explicitement les sources. Le texte de Novalis, issu du

---

([12]) Il faut, cependant, faire la part des choses: le fait que Novalis
consacre beaucoup de temps à la réception critique d'ouvrages appartenant à la philosophie critique et idéaliste (Kant, Fichte, Schelling) ne
relève certainement pas du hasard, tandis que sa décision de faire des études à Freiberg et, par la suite, les rencontres avec tel plutôt qu'avec tel
autre professeur sont davantage dues à un concours de circonstances assez
fortuites.

contact avec un autre texte, se présente ainsi comme ouvertement intertextuel.

Parfois le renvoi n'est pas à un texte particulier, mais à un discours dont un élément est prélevé pour devenir l'objet d'un travail de transformation, comme ici, par exemple, la notion de multiplication:

> # 111 MATHÉMATIQUES. Concept général — pas seulement mathématique — de la multiplication. Même chose pour la division, l'addition, etc.
>
> Traitement philosophique des concepts et opérations qui, préalablement, n'étaient que mathématiques...

Dans ce cas — qui est fréquent — l'entrée porte en premier lieu sur un terme technique emprunté à un discours spécialisé, qu'il s'agira par la suite, dans une opération interdiscursive, de transférer dans un nouveau contexte discursif. Ici il est proposé de généraliser philosophiquement des concepts et opérations originairement mathématiques.

Parfois, même sans que des noms ou titres soient mentionnés, la provenance d'un élément ainsi réutilisé est évidente, par exemple quand il est question du «jugement synthétique a priori» (Kant) ou des «figures acoustiques de sable» (Chladenius), de «classifications oryctognostiques» (Werner), de «l'analyse combinatoire» (Leibniz et Hindenburg), etc. Novalis pouvait, bien sûr, présupposer de la part d'un possible lecteur contemporain l'existence d'une mémoire vive collective qui n'est plus la nôtre et qu'il nous faut reconstituer aujourd'hui. L'éditeur a en grande partie fait ce travail en montrant que la plupart des entrées du *Brouillon* s'inscrivent dans des traces de lecture très concrètes et en identifiant ces lectures. S'agissant d'une écriture encyclopédique, il n'est pas étonnant d'ailleurs qu'il en soit ainsi, la production de l'encyclopédie pouvant être considérée, sur une base très générale, comme un travail de transformation textuelle.

Ce qui paraît donc extrêmement important dans notre configuration idéale, c'est cette ouverture «en amont» qu'opère ainsi, et potentiellement à chaque fois, l'entrée du *Brouillon*. Elle prend son élan plus loin, renvoie comme geste initial à ce qui est déjà là, a toujours déjà commencé: le texte d'autrui ou le système étranger. Cette première espèce d'intertextualité ou d'interdiscursivité entraîne une non-délimitation du texte, qui est une forme d'inachèvement à l'origine, dans le mouvement initial même de la forme textuelle que nous considérons ici dans une reconstruction idéale.

La deuxième étape consiste essentiellement en une prise en charge active des matériaux ainsi repérés, identifiés, prélevés. Si le moment initial comportait déjà un geste de sélection, il s'agit maintenant d'une appropriation délibérée. Les éléments étrangers sont intégrés dans une nouvelle logique discursive et cette intégration constitue des actes discursifs propres à Novalis. Ce n'est donc ni le matériau en soi, ni les structures logiques du discours qui font la différence et la particularité de la poésie encyclopédique de Novalis, c'est l'insertion de l'un dans l'autre. Non pas le fait qu'il s'intéresse par exemple à la théorie de l'irritabilité du médecin écossais John Brown, ni le fait qu'il fasse un usage massif de l'analogie comme forme d'articulation discursive, mais le fait qu'il relie le concept d'irritabilité analogiquement à des phénomènes qui constituent le champ objectal de discours et de disciplines autres que la physiologie et la médecine, lieux discursifs d'origine de l'irritabilité brownienne.

Dans ce sens, la réutilisation des «éléments étrangers» par Novalis ne laisse pas ces éléments intacts, elle les transforme en les réinscrivant dans un contexte différent, en créant des liens intertextuels et interdiscursifs inédits, en les prenant en charge par une logique nouvelle. C'est ce deuxième moment qui constitue le moment poïétique par excellence, puisqu'il «fait» de nouvelles réalités discursives; ou plutôt c'est ici, au cœur de notre entrée hypothétique, que le principe poïétique et le principe encyclopédique se rencontrent et se combinent.

Dans cette activité de réinscription il peut paraître surprenant que l'activité poïétique consiste essentiellement dans la fabrication de nouvelles relations, dans l'invention d'un nouveau réseau de liens et, comme nous le verrons, dans la création d'un nouveau système. On peut qualifier cette création de spéculative, théorique, expérimentale, mais elle est toujours aussi d'ordre pratique dans la mesure où elle consiste à manipuler des matériaux concrets. Elle est essentiellement pratique intertextuelle et interdiscursive, puisqu'elle met en contact et induit en interaction les matériaux les plus hétérogènes. C'est à ce niveau que la dimension encyclopédique entre en jeu, car il n'y a, en principe, pas de restrictions — sinon celles, contingentes, dues aux aléas du vécu concret — quant aux lieux de provenance de ces matériaux: tous les savoirs sont combinables.

Dans cette deuxième étape, nous observons une interaction d'une deuxième espèce entre textes et discours: ce n'est plus seulement une relation établie exclusivement entre la lecture-écriture novalisienne et des textes ou systèmes autres. Il y a maintenant une démultiplication de cette relation active dans la mesure où le texte de Novalis organise et met en scène l'interaction entre potentiellement tous les textes et discours, surtout aussi entre des éléments que l'ordre de discours environnant dissocie et sépare. Dans ce sens la pratique interdiscursive qui caractérise cette partie de l'entrée comporte un aspect transgressif et innovateur. Il ne s'agit plus d'une relation génétique, mais d'une combinatoire illimitée, d'une redistribution inédite de tous les matériaux collectionnés. En tant qu'encyclopédistique, le *Brouillon* devient une espèce de grammaire combinatoire, une logique du mélange et de l'interaction, capable d'orchestrer les rencontres les plus surprenantes.

Si la première étape pouvait se résumer par le terme *aktives Sammeln* (assemblage actif des matériaux) que Novalis propose dans l'entrée #716, la deuxième correspond à ce qu'il appelle *Bearbeitung des Gesammelten* (travail sur les matériaux assemblés). Cette «activité d'un degré plus élevé» se situe, encore selon les termes de Novalis, au point de recoupement entre les notions de *Selbstthätigkeit* (activité autonome) — attribut intrinsèque de l'imagination — et d'*Experimentiren* (expérimentation). Il s'agit de produire *dans* et *avec* le langage [13] des pensées

---

(13) La précision est importante pour distinguer l'activité philosophique de l'activité poétique, puisque Novalis dit de cette dernière que

et des connaissances nouvelles en imaginant activement de nouvelles combinaisons, c'est-à-dire en réorganisant expérimentalement les matériaux donnés. Ce moment central de l'entrée idéale apporte donc une mise en application de ce que Novalis appelle «l'art véritable de l'expérimentation» (^{14}) ou l'expérimentation poétique. Dans un sens très particulier, Novalis pratique donc une poésie expérimentale, dont il établit d'ailleurs lui-même le lien analogique avec l'activité scientifique:

> #911 Faire dans notre faculté représentative des expériences avec des images et des concepts, de la même manière exactement que se font les expériences en physique. Réunir, rassembler, faire surgir, etc. (^{15}).

À l'instar de l'expérimentation scientifique, cette activité poétique doit combiner une démarche rigoureuse, permettant de produire de nouvelles combinaisons, avec l'écoute attentive aux effets du hasard: composer (*zusammensetzen*) d'abord pour ensuite laisser surgir, faire advenir (*entstehen lassen*) un résultat. Elle devient une production intentionnelle et systématique du nouveau qui — activement recherché et provoqué — surgira cependant comme un produit du hasard:

> #953 Le poète emploie les choses et les mots comme des touches, et toute la poésie repose sur l'efficace association d'idées, sur une production spontanée et fortuite, mais

---

«Poësie bezieht sich unmittelbar auf die Sprache...» (*SCH*, III, p. 399, #688).

(^{14}) *Ächte Experimentirkunst*, cf. *SCH*, III, p. 445, #924. Il faut noter que, dans cette conception de la poésie, se manifeste l'intérêt de Novalis pour la pensée de Plotin.

(^{15}) *OC*, II, p. 305. Voici le texte allemand qui utilise deux fois le terme *experimentiren* et ne parle pas d'identité, mais d'analogie de méthode entre les deux domaines reliés: «Experimentiren mit Bildern und Begriffen im Vorstellungs Vermögen ganz auf eine dem physikalischen Experimentiren analoge Weise. Zusammen Setzen. Entstehen lassen — etc.» (*SCH*, III, p. 443).

personnellement attendue, intentionnelle, idéale (un enchaînement, mais du hasard, et librement). (Casuistique —
fatum. «Casuation») (Jeu)[16].

À la lumière d'une poésie conçue et pratiquée de la sorte,
on comprend que l'opposition entre plagiat et originalité,
ainsi que le postulat d'une séparation nette entre science et
poésie, tels que réaffirmés par Fruman au sujet de Coleridge, s'appliqueraient mal à Novalis. Ce sont des instruments conceptuels qui nous feraient manquer l'enjeu spécifique du *Brouillon*.

La troisième étape apporte le dépassement du texte
par lui-même. Elle met en pratique l'auto-générativité dont
nous avons vu qu'elle représente, dans le *Brouillon*, une
des modalités concrètes de la forme fragmentaire. Cette
dernière partie de notre entrée hypothétique ouvre le texte
en faisant un lien entre la nouvelle pratique échafaudée
dans la deuxième étape et l'espace illimité de toutes ses
futures réalisations. Cette pratique expérimentalement
interactionnelle a créé un nouveau réseau de relations, qui
garde cependant encore le caractère virtuel du programme
à exécuter. La dernière étape dans le cheminement du texte
constitue le relais entre virtualité et exécution.

Elle pratique l'ouverture radicale et nécessaire du
texte. Dans cette zone marginale, le texte relance l'activité
conçue et amorcée dans son déroulement intérieur. Il se
fait ici programme, et parfois presque mode d'emploi
d'une nouvelle pratique qui est encore à réaliser. Concrètement, cette ouverture — ou fragmentarité — se marque
dans la matière textuelle par divers moyens langagiers: par
le recours à des verbes modaux, ou des modes verbaux
(surtout le subjonctif potentiel) qui représentent l'action
comme non-accomplie, mais comme une virtualité à advenir; par la relance, en fin d'entrée, d'une idée qui vient

---

[16] *OC*, II, p. 349. Texte allemand: «Der Poet braucht die Dinge
und Worte, wie Tasten und die ganze Poësie beruht auf thätiger Ideenas-
sociation — auf selbstthätiger, absichtlicher, idealischer Zufallsproduk-
tion — (zufällige — freye Catenation.) (Casuistik — Fatum. Casuation.)
(Spiel)» (*SCH*, III, p. 451).

d'être développée et serait à appliquer à un nouveau domaine dans un développement ultérieur; par des énumérations et des séries ouvertes qui sont à compléter; par le recours à la particule «etc.» (en allemand *usw, und so fort*) qui marque l'inachèvement d'un développement textuel tout en appelant une continuation, une exécution à venir. Il est intéressant à ce sujet d'observer que Novalis n'a presque jamais recours aux points de suspension comme signe de l'inachèvement. Par contre, il utilise fréquemment le «etc.». Les points marquent la supension, l'arrêt d'un mouvement sur un vide qui peut être occupé par le lecteur selon sa fantaisie, tandis que la particule «etc.» comporte une instruction donnée au lecteur pour qu'il continue ailleurs et ultérieurement, et selon la logique proposée, ce qui est amorcé dans le texte.

Tous ces traits formels contribuent à opérer une ouverture «en aval» du texte. Cette forme spécifique de l'inachèvement appelle, en fait, une activité au-delà des limites matérielles du texte, d'après le programme élaboré et expérimentalement essayé dans le texte. Ce type de non-délimitation du texte fait écho à l'ouverture «en amont» que nous avons observée dans la première étape et qui tenait de la relation génétique que l'auteur entretient avec le texte qu'il est en train d'écrire ainsi qu'avec d'autres textes, tandis que cette ouverture «en aval» de la fin (provisoire) de l'entrée comporte une forte interpellation du lecteur pour qu'il accomplisse le programme dont la logique est tracée comme une ligne pointillée. Ou bien, dans les termes de l'encyclopédie: le lecteur est invité — et, comme nous le verrons, plus qu'invité: sollicité — à réaliser le potentiel de nouveaux savoirs, de nouvelles sciences, contenu dans l'invention expérimentale de nouvelles relations entre les matériaux réutilisés et retravaillés par l'auteur.

Or le type idéal de l'entrée dont on vient de tracer le portrait, avec son déroulement interne en trois temps, ne se trouve nulle part réalisé tel quel et en entier dans le *Brouillon*. La plupart des entrées réelles n'en actualisent que des parties, insistent davantage sur certains aspects que sur d'autres, ou encore modifient l'ordre séquentiel. On peut cependant constater qu'il est possible de situer la plupart des entrées par rapport à ce schéma tripartite, ce qui confirme sa valeur heuristique.

Inachèvement et incomplétude

Il faudra maintenant décrire un trait général qui marque les entrées réelles par rapport à la construction hypothétique d'une entrée type. C'est leur incomplétude. Elle constitue un aspect important de la fragmentarité des textes, aspect que j'aimerais toutefois distinguer de l'inachèvement, décrit sous sa double forme de l'ouverture «en amont» et «en aval» du texte, bien que cette distinction ne soit pas toujours facile à appliquer.

L'inachèvement peut caractériser un texte qui, par ailleurs, est bien formé et complet du point de vue linguistique. Le «Monologue»([17]) est un bon exemple d'un texte novalisien qui montre les traits de l'inachèvement du fragment, sans pour autant porter les marques de l'incomplétude. Il est parfaitement bien constitué du point de vue de l'usage grammatical de la langue allemande, il est logiquement bien articulé et permet au lecteur sans problème d'établir le type de communication que permet de réaliser le discours littéraire. Je distinguerai donc une incomplétude grammaticale, argumentative et pragmatique.

L'incomplétude grammaticale se présente sous son aspect le plus radical quand l'entrée est d'une extension minimale et se limite à des mots détachés ou à un syntagme nominal. Voici quelques exemples:

\# 136 La notion de contagion.

\#1 41 Philosophie de la pathologie humorale.

\# 165 NUMISMATIQUE. Galvanisme de l'argent.

\# 241 Le livre de Camper.

\# 304 TECHNIQUE. Manufacture — Fabrique.

([17]) *OC*, II, pp. 86-87. Texte allemand *SCH*, II, pp. 672-673.

404 Le Dictionnaire de Musique de Rousseau.

543 Expérimentations logiques.

689 Symptôme — étymologie.

Ce sont toutes des entrées minimales — documentant d'ailleurs la richesse et la variété des intérêts de Novalis — qui n'atteignent pas l'unité de la phrase, au sens syntaxique du terme. Leur trait commun est l'absence d'un verbe conjugué. Cette absence est source de difficultés de compréhension, car, même si on comprend les termes qui sont souvent des termes techniques de provenance hétérogène, on ignore toujours ce que ce mini-texte veut (nous) dire avec ces termes, ou ce que son auteur entend faire avec ces termes simplement juxtaposés (## 304 et 689), ou réunis dans ces syntagmes.

C'est ainsi que l'incomplétude grammaticale — ici des énoncés dont la forme se situe en deçà de la structure syntaxique de la phrase — pose, par implication, la question de l'incomplétude pragmatique. En tant que lecteur, on est tenté, sinon obligé de suppléer au manque en complétant la phrase afin de résoudre le problème de communication auquel on fait face. Par exemple:

136 La notion de contagion [est importante en médecine].

165 [En] numismatique [il faudrait appliquer le] galvanisme [à la théorie] de l'argent.

404 [Une lecture que j'ai l'intention de faire:] le Dictionnaire de la musique de Rousseau.

543 [Mon écriture encyclopédique consiste à faire des] expérimentations logiques.

Mais on se rend vite compte que les solutions sont multiples et qu'on doit affronter une indécidabilité pragmatique. Les éléments de chacune de ces entrées minimales pourraient s'insérer dans plusieurs phrases et alors avoir des significations bien différentes. Voici par exemple ce que cela donnerait pour l'entrée # 543:

— [Il ne faudrait pas oublier de développer des] expérimentations logiques.

— [Je dois essayer de transposer la notion d']expérimentation [dans le domaine de la] logique.

— [Mon projet encyclopédique appartient à la catégorie de l']expérimentation logique.

— etc.

Comment décider laquelle de ces «solutions» est la bonne? Peut-on décider? Parfois le contexte — au sens syntagmatique ou paradigmatique du terme — aide à réduire le nombre de possibilités. Par exemple en proposant des entrées parallèles qui ont une structure analogue, et qui fournissent explicitement l'élément dont le manque fait problème:

660 Espace et temps — des intuitions sensorielles a priori — qu'est-ce que cela veut dire?...

Par cette question explicite, Novalis indique qu'il s'intéresse à ce concept kantien et aimerait en approfondir critiquement la compréhension. La même lecture pourrait alors se faire des entrées ## 136, 141 ([18]) et 534.

Cette question de la «bonne» lecture est moins indécidable quand une entrée, tout aussi incomplète du point de vue grammatical, comporte plus d'éléments:

212 COSMOLOGIE. Chaos qualitatif — quantitatif — et relatif.

214 SCIENCE DES ACTIVITÉS. Activité chaotique — activité polaire — activité synthétique.

Dans ces deux entrées les éléments continuent à être simplement juxtaposés, leur agencement reste en deçà du seuil

---

([18]) Dans ce cas précis, cette lecture est confirmée par l'entrée consécutive (contexte syntagmatique) qui dit: «IDEM. — La philosophie de la médecine — et son histoire — est un énorme champ encore entièrement incultivé...» (*OC*, II, p. 245).

structural de la phrase. Ils s'insèrent cependant dans l'organisation logique d'une énumération, d'une série complète. Dans les deux cas, il s'agit d'une série à trois termes: trois adjectifs modifiant un nom déterminé par eux. Novalis y propose des classifications dans lesquelles intervient le passage — très important dans le *Brouillon* — d'une construction à deux termes à une construction à trois termes. Une opposition terminologique (qualificatif vs quantitatif, chaotique vs polaire) est médiatisée et dépassée par un troisième terme qui réunit et sépare les deux premiers. Ce passage — qu'on pourrait qualifier de proto-dialectique — joue un rôle important dans notre texte; il a été exposé par Novalis lui-même:

> # 295 ... Sans séparation, pas de liaison.
> Le contact (*Berührung*) est séparation et liaison à la fois.
> Les deux sont à la fois séparés et reliés par le troisième[19].

Les deux termes antagonistes «séparation» et «liaison» s'appellent mutuellement et constituent un ensemble régi par la logique de la non-contradiction, ensemble auquel vient s'ajouter une troisième position (le contact) créant de la sorte une configuration d'une complexité plus élevé. Grâce à ce troisième terme il est possible de transcender la non-contradiction dans la dualité par une dynamique de la médiation entre les deux premiers termes.

Cette configuration dynamique est fréquente dans le *Brouillon*[20]. La plupart des séries à trois termes présentent cette organisation logique, ce qui permet de connaître leur démarche argumentative même si le texte ne l'explicite pas. Souvent la relation logique entre les trois termes se

---

(19) *SCH*, III, p. 293. Le traducteur français des *Œuvres Complètes* n'a pas jugé «indispensable» d'inclure ce texte dans son édition. Il n'a traduit de cette entrée que deux lignes et a ajouté en bas de page cette note: «Treize lignes suivent, reprenant des idées maintes fois exposées ailleurs et dont la répétition n'apporte rien ici d'indispensable» (*OC*, II, p. 256).

(20) Une analyse plus détaillée de cette configuration est proposée dans la partie du chapitre VI qui porte sur les figures de la non-disjonction.

double d'un ordre chronologique, d'une espèce de généalogie idéale. Dans la série «activité chaotique-polaire-synthétique» (# 214), par exemple, les termes sont présentés dans leur ordre généalogique. Dans un tel cas, l'incomplétude textuelle de l'entrée crée un minimum d'incertitude pour le lecteur, étant donné que les trois termes juxtaposés de manière purement énumérative constituent un ensemble organisé et complet.

Il n'en est pas de même quand les séries ne présentent pas cette organisation interne, quand les énumérations — fréquentes dans le *Brouillon* — alignent des éléments très hétérogènes et, par-dessus le marché, se terminent en «etc.». Par exemple:

> # 527 ... Traitement d'un objet de manière tomique, gnostique, logique, génétique, métaphysique, mathématique, etc.

Cette énumération laisse au lecteur le soin de trouver la loi de sa constitution sériale et surtout, cette loi une fois trouvée, de continuer la série. La sérialité constitue un fonctionnement logique capital dans le *Brouillon* et mériterait à elle seule une analyse plus soutenue. Nous retenons ici surtout le fait que la série ouverte dont plusieurs termes — mais pas la loi de construction — sont donnés, représente une forme d'incomplétude du texte qui sollicite tout particulièrement la participation du lecteur, en quelque sorte la continuation et finition par le lecteur du travail amorcé par l'auteur. Ces séries ouvertes ont leur place dans la troisième étape de l'entrée hypothétiquement reconstruite. Elles illustrent la générativité à la fois inscrite *dans* le texte et pointant *au-delà* de ses limites matérielles.

Il est vrai que, dans la plupart des cas, ces séries ouvertes sont intégrées dans des entrées plutôt longues, ce qui fait que leur lecture est en partie déterminée par le contexte immédiat, mais il y a aussi les entrées qui sont entièrement rédigées dans un style-télégramme qui est incomplet sur le plan tant grammatical qu'argumentatif:

#371 PHYSIOLOGIE ANALOGIQUE. Mouvement musculaire de l'esprit — sa sécrétion.

Exercice obligatoire de réflexion (extension) et d'abstraction (contraction). Force musculaire de l'esprit.

Combat avec la maladie. Déplacement de la maladie dans des organes plus commodes ou plus soumis à la volonté.

L'accoutumance à un seul remède est un moyen fortifiant pour le système [21].

Cette entrée ne comporte qu'une seule phrase complète. Tout le reste est pure juxtaposition d'éléments nominaux et présente une espèce de sténographie argumentative dont l'interprétation incombe au lecteur. Il s'agit de suppléer les liens logiques entre une suite de syntagmes nominaux.

On observe dans ce type de texte quelque chose d'analogue au style paratactique pratiqué par le dernier Flaubert qui a assez systématiquement travaillé à éliminer les éléments sémantiques exprimant explicitement l'enchaînement logique entre les phrases. Ce travail a pour conséquence une écriture de plus en plus asyndétique et transfère au lecteur la responsabilité de suppléer l'enchaînement logique du texte et d'en expliciter l'argumentation. Le texte de Novalis présente les mêmes caractéristiques, mais à un degré de radicalité plus avancé, puisque nous sommes confrontés avec un texte grammaticalement incomplet.

La lecture de ce type de fragment demande donc un double travail: pour obtenir des énoncés linguistiquement maniables, il faut d'abord insérer les syntagmes nominaux dans des structures syntactiques minimales. Ensuite, il s'agit de les agencer dans un ordre argumentatif. Par conséquent, la part du lecteur est importante, son activité doit

---

[21] *OC*, II, p. 266. Traduction modifiée par W. M.; en particulier *Absonderung* a été traduit par «sécrétion», au lieu de «s'isoler», après vérification de toutes les autres occurrences de ce mot allemand, surtout en contexte physiologique. Texte allemand *SCH*, III, p. 307. Une des tendances de l'opération traduisante — qu'il faut tout particulièrement tenir en échec ici — consiste à rendre le texte plus explicite et grammaticalement plus complet, d'effacer donc l'indétermination du texte.

diminuer l'indétermination du texte afin de lui permettre l'élaboration d'un sens possible.

Dans le cas concret de l'entrée #371, l'explicitation du déroulement argumentatif est fortement prédéterminée par le titre «physiologie analogique»([22]). Par ce titre, ajouté lors de la révision en octobre 1798, Novalis a en quelque sorte déjà commencé le travail du lecteur, du moins a-t-il fortement orienté ce travail. Toute l'entrée est alors à comprendre dans le cadre d'une mise en analogie du fonctionnement de l'esprit humain avec celui du corps, celui-ci fournissant le modèle pour celui-là. En explicitant son déroulement logico-syntaxique, on pourrait donc compléter le texte comme suit:

[En prenant la] physiologie [comme modèle] analogique [du fonctionnement de l'esprit humain, on pourrait parler d'un] mouvement musculaire de l'esprit [et se demander quelle serait] sa sécrétion.

[À l'instar des exercices physiques, on pourrait faire des] exercices obligatoires de réflexion [(correspondant à] l'extension [du muscle)] et d'abstraction [(correspondant à] la contraction [du muscle). C'est ainsi que se développerait] la force musculaire de l'esprit.

[Dans le cas d'un] combat avec la maladie, [ces exercices nous mettraient en mesure d'effectuer] le déplacement de la maladie dans des organes plus commodes ou plus soumis à la volonté.

L'accoutumance à un seul remède est un moyen fortifiant pour le système.

Cette explicitation n'a rien de logiquement contraignant. Ce n'est qu'une solution probable, établie sur la base de certains indices internes au texte, ainsi que d'une fréquentation assidue de tout le *Brouillon*. D'autres lectures sont

---

([22]) Le manuscrit comporte l'abréviation «Anal. Physiol.» ce que Mähl complète en «physiologie analogique», tandis que Guerne, le traducteur français, propose «physiologie analytique». Vu le contenu de l'entrée, la première version me paraît bien plus probable.

possibles. L'ouverture du texte n'est donc jamais entièrement annulée ou révoquée par le travail du lecteur. La lecture ne saurait être déterminée de manière univoque, ni produire une seule signification qui soit bonne.

Cela tient en partie au fait que les entrées du *Brouillon* sont incomplètes également du point de vue pragmatique. On ignore tout, par exemple, sur le statut pragmatique de l'analogie entre la physiologie du corps et celle — imaginée par Novalis — de l'esprit: s'agit-il d'une spéculation purement ludique, dépourvue de tout fondement pratique et de tout sérieux? Faut-il la mettre en parallèle avec le «galvanisme de l'esprit» auquel s'est intéressé Novalis et y reconnaître un projet vaste d'intégration cognitive du matériel et de l'immatériel sur la base d'une analogie tissée du premier au second? Y reconnaîtrait-on plutôt un intérêt concret et pratique de la part de Novalis? Ou s'agit-il d'un des multiples liens systémiques qui constituent la cohérence de l'encyclopédie à venir que Novalis élabore dans son livre encyclopédique total? Incomplet, le texte de l'entrée n'autorise aucune décision à ce sujet, il ne permet pas de donner la préférence à une réponse sur une autre réponse possible. Il en est de même dans deux types d'entrée très brefs: le titre et l'aide-mémoire.

Un assez grand nombre d'entrées brèves adoptent en fait, dans leur formulation, le moule d'un titre d'ouvrage: il s'agit en général d'un syntagme nominal plus ou moins long, précédé par la préposition *von*, et plus souvent encore *über*. Voici quelques exemples:

> # 253 Sur les moyens pour trier un composé mécanique — une application à la chimie.

> # 301 ÉTHIQUE. Sur les premières manifestations de la moralité.

> # 302 ÉCONOMIE POLITIQUE. Sur le système physiocratique.

> # 379 Sur notre maniement et attitude à l'égard des livres.

> # 424 Sur l'expression: *sich selbst Besinnen*.

> # 551 Sur le jeu de construction des enfants — jeu d'échecs.

606 Sur les phénomènes du baromètre.

619 Sur le monde du poète et sur le poète — fantaisie — artiste — monde etc.

1 059 De l'esprit mercantile...

Dans ce recueil d'exemples — assez fortuitement constitué et loin d'être complet — c'est tout d'abord, et encore une fois, la diversité extrême des matériaux qui frappe et qui documente l'envergure véritablement encyclopédique du travail novalisien. Ces notations brèves et incomplètes signalent autant de champs du savoir et de la pratique. Ce sont, en quelque sorte, les noyaux atomiques de la construction encyclopédique, les éléments divers et hétérogènes qui devront trouver leur place dans la réalisation finale du projet.

En présentant ces entrées-titres de la sorte, j'ai implicitement pris une décision quant à leur intégration pragmatique. J'ai pratiquement donné le statut explicite d'un acte de langage à chacune de ces notations en suggérant de les compléter par un énoncé d'intention explicite: «Dans mon encyclopédie, il me faudra parler de...», ou bien: «Il est important que j'intègre dans mon encyclopédie une réflexion sur...». Ces entrées auraient donc la fonction pragmatique d'un aide-mémoire qui documenterait une phase préliminaire du travail encyclopédique dans laquelle il s'agirait de noter tous les matériaux, quitte à les travailler ultérieurement. Cette interprétation a l'avantage d'expliquer pourquoi Novalis a, par la suite, raturé une grande partie de ces entrées: ayant rempli leur fonction, elles n'auraient plus été nécessaires dans le texte encyclopédique.

Mais il est bien possible que, même interprétées comme des aide-mémoire, ces entrées-titres soient à traiter de manière moins uniforme et aient des fonctions moins unifiées dans l'élaboration du travail encyclopédique. Elles marqueraient tantôt un intérêt très particulier et personnel de Novalis (par exemple ## 379, 551), tantôt une question de détail à ne pas oublier (## 301, 424), tantôt un champ encore à travailler (## 302, 1 059), etc. Dans ce cas les différents problèmes, questions, domaines, détails ainsi identifiés et retenus n'auraient en commun que le fait d'être évoqués dans un contexte encyclopédique, mais auraient par ailleurs une valeur pragmatique extrêmement divergente.

Ces exemples illustrent encore une fois la large part qui revient au lecteur, étant donné le degré d'incomplétude du texte. Dès que l'aide-mémoire sous forme de titre ne constitue plus une entrée entière et se trouve intégré dans une entrée plus longue, l'indétermination pragmatique tend à diminuer en fonction du contexte plus élaboré. En voici un exemple:

> # 1 051 Sur les transitions de cristaux à cristaux. Application de cette théorie aux métamorphoses des figures en général. L'acoustique n'aurait-elle pas une influence? La période de transition est absolument la plus nombreusement diverse[23].

L'énoncé initial de cette entrée «sur les transitions de cristaux à cristaux» identifie un sujet auquel Novalis fait référence déjà dans les entrées ## 648 et 944 et qu'il a également abordé dans ses études sur le système oryctognostique de Werner[24]. Pragmatiquement parlant, cette entrée a donc une valeur différente de l'aide-mémoire qui rappellerait à Novalis un domaine à ne pas oublier dans son encyclopédie. Il s'agit plutôt de la reprise, de la reformulation d'une question centrale pour toute la construction encyclopédique. Ceci est confirmé par le contexte immédiat qui déplace la notion-clé de la transition par rapport à son utilisation particulière dans la classification des fossiles (ocryctognosie). L'allusion hypothétique à l'acoustique et l'association avec la notion de figure me semblent actualiser

---

[23] *OC*, II, p. 355. Texte allemand *SCH*, III, p. 463, #1 051.

[24] Cf. *SCH*, III, pp. 135-61, où il est surtout question de Abraham Gottlob Werner, *Von den äußerlichen Kennzeichen der Foßilien*, Wien, 1785. D'après Mähl (*SCH*, III, p. 951) Novalis aurait également lu Carl Immanuel Löscher, *Übergangsordnung bei der Kristallisation der Fossilien, wie sie auseinander entspringen und in einander übergehen*, Leipzig, Crusius, 1796.

une deuxième intertextualité, reliant cette entrée au texte de Chladenius sur les figures du son[25], ouvrage auquel Novalis renvoie indirectement dans plusieurs entrées. Finalement, l'idée-clé de la transition est reprise au même niveau de généralité, mais cette fois-ci associée avec la notion de période, c'est-à-dire dans un contexte d'évolution et d'histoire. À travers ce cheminement très rapide qui va du particulier au général, tout en touchant aux domaines de la géologie, de l'acoustique, de la théorie des figures ainsi que de la théorie historique, c'est la notion de transition qui est maintenue comme thème et qui constitue le centre d'intérêt. Elle ne représente pas en elle-même un champ de savoir, mais plutôt une configuration dynamique permettant de relier différents champs de savoir et de les engager dans une interaction encyclopédique que nous qualifierions aujourd'hui d'interdisciplinaire.

L'incomplétude pragmatique est une fonction du degré d'explicitation des structures syntaxiques et argumentatives. Plus les textes sont grammaticalement complets, plus leur cheminement argumentatif est explicite — quelle que soit par ailleurs leur longueur —, moins il y a d'incertitude quant à leur insertion pragmatique dans le projet global. Il y a aussi des entrées qui sont parfaitement explicites du point de vue pragmatique, surtout quand Novalis identifie des problèmes à résoudre et quand il établit des programmes concrets à exécuter. Voici un exemple pour chacun de ces deux cas:

Un problème à résoudre:

> # 54 HISTOIRE PHYSIQUE. — Question à creuser: savoir si la nature s'est changée essentiellement avec le progrès de la civilisation[26].

Un programme à exécuter:

---

[25] Ernst Florens Friedrich Chladni, *Entdeckungen über die Theorie des Klanges*, Leipzig, Weidmann und Reich, 1787.

[26] *OC*, II, p. 228. Texte allemand *SCH*, III, p. 248.

#278 Pour le traitement d'une langue: liste des syllabes. Composantes caractéristiques de la langue. Lexique scientifiquement systématique([27]).

Il nous a paru important de distinguer dans la description de ce texte radicalement fragmentaire qu'est le *Brouillon*, deux des modalités dans lesquelles se manifeste cette fragmentarité: l'inachèvement et l'incomplétude. Ces deux caractéristiques font appel à une activité qui est ultérieure à la production du texte, tout en étant inscrite dans le texte, ne fût-ce qu'en creux. Il s'agit d'une activité qui revient essentiellement au lecteur.

L'inachèvement fait intrinsèquement partie de l'encyclopédie novalisienne. Elle y est intégrée sous la forme d'une programmation discursive expérimentale, d'une nouvelle logique qui est à appliquer selon les instructions données et selon une pratique déjà amorcée dans le texte. Elle se manifeste donc essentiellement comme une ouverture du texte, ouverture qui, cependant, n'est pas manque ou imperfection, mais plutôt générativité. Actualisée par tous les futurs lecteurs, cette potentialité produira — idéalement — non seulement la nouvelle encyclopédie mais aussi tous les nouveaux savoirs concevables. Les lecteurs sont ainsi mis à contribution pour réaliser le livre total dont le texte ressemble à une partition prévoyant une part particulièrement active et innovatrice à l'interprétation.

L'incomplétude fait également appel à la collaboration du lecteur. Mais elle a un aspect bien plus aléatoire que l'inachèvement, puisqu'elle se manifeste par une indétermination et une incertitude textuelles qui affectent la réalisation langagière du texte. Il incombe donc au lecteur de commencer par déterminer, dans le sens le plus rudimentaire du terme, ce que le texte «veut dire» aux niveaux grammatical, argumentatif et pragmatique. S'y ajoute le fait que le degré d'incomplétude varie d'entrée en entrée. Elle relève davantage des aléas génétiques du texte — tel jour Novalis avait le temps et l'envie de bien formuler,

---

([27]) *SCH*, III, p. 289.

d'expliciter son projet, tel autre jour ce n'était pas le cas —
que de l'inachèvement qui, lui, relève de la poétique de
l'œuvre encyclopédique novalisienne.

Malgré leurs différences, ces deux caractéristiques
convergent dans une mise à contribution active du lecteur
qui, de ce fait, devient à la fois le complice et l'opérateur
de la créativité poétique du texte encyclopédique. Cette
modalité spécifique de la fragmentarité du texte fait débor-
der le processus enregistré et entamé dans le texte au-delà
de ses matérialités et situe l'encyclopédie de Novalis, ou ce
qui nous en a été transmis, aux antipodes de l'encyclopédie
traditionnelle qui, aux dires d'Alain Rey, ne ferait que
recueillir et redistribuer des savoirs existants et connaîtrait
un mode de réception essentiellement passif.

Quelques modalités énonciatives

Vers une énonciation impersonnelle

En observant les marques linguistiques de l'énonciation dans le *Brouillon*, on constate que l'énonciateur se
met très peu en scène dans son propre discours. Ce texte,
dont l'appartenance au mouvement romantique ne saurait
être mis en doute, présente une forte tendance à un mode
d'énonciation général et impersonnel. Ceci déçoit l'attente
qu'on pourrait avoir à partir d'une idée-cliché qui voit
dans la mise en scène et dans la mise à nu de la subjectivité
écrivante un des traits caractéristiques du romantisme littéraire. Or Novalis, en tant qu'encyclopédiste, pratique une
écriture qui ne répond pas à ce cliché. Ceci ne veut point
dire cependant que, dans le *Brouillon*, il adhère à l'idéal du
type de scientificité discursive qui est en train de s'imposer
institutionnellement autour de 1800 et qui exige l'efface-
ment de toute marque de subjectivité dans les énoncés à
teneur scientifique. Nous avons vu, au contraire, que certains fantasmes culturels — comme celui du livre total —
étaient assumés de manière personnelle par Novalis et han-
taient son projet encyclopédique, et que l'échafaudage

logique et systématique de ce projet ne saurait donc être dissocié des aléas du cheminement biographique de l'auteur.

Et pourtant l'auteur du *Brouillon* utilise peu la première personne du singulier. Autant, dans sa correspondance, il parle volontiers et sur un mode très personnel de son projet, autant il évite de s'identifier comme énonciateur au cours de sa réalisation. Contrairement à ce qu'on observe dans ses lettres, dans le texte du *Brouillon*, Novalis ne s'attribue guère son projet personnellement. Le texte encyclopédique porte directement sur les matières, sur leurs articulations, sur les opérations qui devraient assurer une mise en pratique dynamique de ces articulations, mais il n'y est question qu'avec une extrême parcimonie d'expériences personnelles, de sentiments ou d'opinions attribuables à la personne de l'auteur. Du moins cette personne ne se donne-t-elle pas, moyennant l'usage des marques qui rendent l'instance locutrice présente dans son discours, le statut d'un personnage dans son écriture encyclopédique. Il lui arrive, bien qu'exceptionnellement, d'utiliser des formules du discours oral qui mettent l'énonciateur en scène: «à ce qu'il me semble» (# 138), «à ce que je sache» (# 662), «que je connais» (# 894). Parfois, pour marquer la différence par rapport à d'autres idées, il identifie comme sienne une idée développée par lui: «mon idéalisme magique» (# 399), «mes propositions...» (## 648, 654), «mes idées de....» (# 1 095). Parfois il use de la première personne du singulier, mais de manière plutôt rhétorique, par exemple dans

> # 275 ... je dois être capable de faire ce que je comprends, apprendre à faire ce que je veux comprendre([28])...

où le «je» pourrait être remplacé par «nous», et même par «on», vu la valeur générale et sentencieuse de l'énoncé.

([28]) *SCH*, III, p. 289. Il s'agit là de la seule phrase à la première personne dans une entrée qui, pour le reste, se tient dans un style constatif et n'utilise que la troisième personne.

Cette rareté de l'énonciation personnelle et subjective, cette retenue de se mettre personnellement en scène comme protagoniste, sinon propriétaire d'une pensée en élaboration trouve une explication partielle dans cette entrée:

> # 751 C'est extraordinaire ce qu'une idée peut perdre si je lui imprime le sceau de mon invention et si j'en fais une idée patentée ([29]).

C'est dire que les idées n'appartiennent pas à celui qui les a inventées et ne doivent pas porter sa marque, la construction encyclopédique doit se tenir d'elle-même, par la force et par l'agencement des idées, non pas par les prétentions de son architecte. Loin de se l'approprier personnellement, celui-ci doit au contraire se détacher de son ouvrage et s'effacer derrière lui ([30]). Ceci n'empêche pas le système encyclopédique d'emprunter, du moins en partie, les structures logiques du Moi transcendantal, ce qui n'est pas à confondre avec une appropriation personnelle de ces structures par un moi empirique. En tout cas, Novalis distingue bien clairement entre les renvois explicites à son moi empirique — ces renvois sont peu fréquents et se font moyennant l'appareil d'auto-référence dont dispose l'instance discursive — et le problème philosophique du Moi transcendantal dont il parle le plus souvent à la troisième personne: *das Ich*.

Le seul domaine où l'énonciation personnelle est de mise et sera utilisée de manière régulière, c'est celui de l'auto-référence: lorsque, dans une espèce de méta-récit intermittent, Novalis rapporte l'histoire de son projet au fur et à mesure qu'elle évolue et qu'il fait état du cheminement difficile de sa réalisation. Dans toutes les entrées consacrées à cette tâche — nous avons vu qu'elles sont relati-

---

([29]) *OC*, II, p. 284. Texte allemand *SCH*, III, p. 414.

([30]) Novalis avait formulé une idée analogue au sujet de la relation entre l'artiste et son œuvre: «... avec chaque touche de son perfectionnement, l'œuvre se détache du maître [...] L'artiste appartient à l'œuvre, non pas l'œuvre à l'artiste...» (*SCH*, III, p. 411, #737).

vement peu nombreuses — il s'attribue explicitement le rôle d'auteur et d'artisan. Il assume la responsabilité de son projet, s'impute des erreurs commises en parlant à la première personne du singulier, mais il s'attribue également l'originalité de son ouvrage. Il lui arrive de se référer à son travail de manière possessive: «mon entreprise» (## 534, 571) et d'en anticiper le résultat comme «mon livre» (## 552, 557).

Au pluriel, l'usage de la première personne est un peu plus fréquent, mais encore une fois Novalis n'y recourt guère pour mettre en scène sa propre subjectivité, que ce soit dans la fonction de sujet de discours ou dans celle de l'objet auquel se rapporte le discours.

Il lui arrive parfois de se glisser dans cette première personne pour marquer, en quelque sorte de l'intérieur, une différence conceptuelle qui l'oppose, lui avec ses semblables, à des êtres non-humains du monde vivant (par exemple ## 74, 117, 446). De même, ce «nous» contrastif peut avoir une valeur temporelle, il oppose alors un sujet collectif humain d'un moment historique à celui d'un autre moment. Novalis fait aussi, occasionnellement, un usage que j'appellerai didactique du «nous», le plus souvent pour mettre en relief un pas dans une chaîne argumentative: «nous en concluons que...» (# 76), «nous venons de voir que...» (# 409).

Le «nous» produit parfois un effet d'actualisation et presque de dramatisation. Parlant par exemple des phénomènes de la conscience, Novalis crée souvent un «nous» personnage, comme pour illustrer de l'intérieur les phénomènes représentés et discutés. Il donne alors la parole à ce «nous» qui occupe la scène du discours philosophique:

> # 820 ... Il est évident que nous ne comprenons tout ce qui est étranger qu'en nous rendant étrangers nous-mêmes, en nous changeant nous-mêmes, en nous observant nous-mêmes.
>
> Maintenant seulement nous reconnaissons les vrais liens entre sujet et objet. Nous reconnaissons qu'il y a également un monde extérieur en nous-mêmes. Ce monde entretient avec notre intérieur une relation analogue à celle qu'entre-

tient le monde extérieur à l'extérieur de nous avec notre extérieur([31])...

Malgré la première personne que le discours philosophique utilise ici, ces énoncés ne mettent en jeu aucune subjectivité particulière. Il y va bien plutôt de vérités philosophiques d'une validité générale qui se trouverait diminuée par des références à tel sujet individuel ou à tel groupe de personnes. Le «nous» devient ici une figure d'énonciation pour le sujet humain tout court.

Dans d'autres occurrences, la part de subjectivité que comporte cet emploi du «nous» s'amenuise encore davantage. L'énonciation se dépersonnalise au fur et à mesure que le contenu énoncé se généralise. Souvent il semble qu'au «nous» on substituerait facilement, et sans changement de la signification, le pronom indéfini «on»:

612 ... Si la nature d'un problème donné consiste dans l'impossibilité de le résoudre, alors nous le résolvons en décrivant cette impossibilité([32])...

Finalement, voici un début d'entrée qui fait alterner — pratiquement comme échangeables — les formes «nous» et «on»:

516 PSYCHOLOGIE. Ressemblance de penser et de voir. Les forces divinatoire et mnémonique se rapportent à la presbytie.

(Tout se produit en nous bien avant que cela ne devienne événement. Prophètes.)

(Les distances temporelle et spatiale se confondent.)

Comme l'œil, on peut apprendre à évaluer les distances. On forme l'œil et la pensée de façon mathématique([33])...

([31]) *SCH*, III, p. 429.

([32]) *SCH*, III, p. 376.

([33]) *SCH*, III, p. 355.

Cette citation illustre un pas supplémentaire sur la voie de la dépersonnalisation: le phénomène décrit — la ressemblance entre pensée et vision, un idéologème fondamental du logocentrisme — peut être rapporté indifféremment à «nous» ou à «on». Le pas qui va du personnel à l'impersonnel est franchi.

Man («on») est en fait le pronom le plus fréquemment utilisé dans le *Brouillon*(34). Novalis efface de la sorte les marques personnelles, subjectives et individuelles de l'opérateur auquel, grammaticalement, il attribue les pensées, réflexions, procédés et activités décrits dans les entrées. Il le réduit à cette instance impersonnelle et anonyme du «on» qui, plus encore que tout autre pronom dit personnel, renvoie à une non-personne. Il a recours à cette instance même là où on aurait pu s'attendre à un «nous» contrastif avec une identité historique:

> # 805 Recherches et expériences sont encore menées trop insoucieusement. On ne sait pas les utiliser. On considère trop peu les expériences comme des données pour la solution du problème, comme des combinaisons diverses fournies pour le calcul. On ne prend pas assez sérieusement en considération l'expérience relativement aux conclusions à en tirer. On ne tient pas chaque expérience comme une fonction et un membre d'une série; on ne les met pas en ordre, on ne les compare, on ne les simplifie pas assez; on n'éprouve pas le sujet avec tous les réactifs; on n'établit ni d'assez soigneuses, ni d'assez nombreuses et diverses comparaisons. (Par comparaison s'entend la différence.)(35)

Grâce à la modification temporelle «*encore* trop insoucieusement, ... trop peu, ... pas assez sérieusement, ... pas assez», le «on», dans cette entrée, renvoie au sujet collectif

---

(34) À part les formes qui réunissent plus d'une fonction comme *sie* (troisième personne du singulier au féminin et aussi troisième personne au pluriel, avec 283 occurrences) et *es* (troisième personne du singulier au neutre et aussi sujet grammatical dans les expressions impersonnelles, 241 occurrences), *man* a 205 occurrences, contre 157 pour *ich* (comportant aussi le concept *das Ich*) et 121 pour *wir*.

(35) *OC*, II, pp. 293-294. Texte allemand *SCH*, III, p. 427.

de tous les chercheurs contemporains — pour lequel Novalis utilise souvent «nous» — qui est implicitement opposé à un sujet collectif futur, le «nous»/«on» de l'expérimentation parfaite que l'encyclopédie de Novalis aidera à instaurer. On voit dans cette entrée que la question du sujet d'énonciation est étroitement liée à celle de l'énonciation utopique que nous aurons encore à analyser dans le contexte des modalités d'énonciation.

Cette tendance vers l'énonciation impersonnelle et indéfinie est confirmée et encore renforcée par l'apparition fréquente de formes qu'on peut considérer, dans ce contexte, comme des variantes du pronom «on» en position de sujet grammatical. Il s'agit d'une part de *wer*, utilisé dans la fonction de pronom indéfini («quiconque»), et de l'autre de *der Mensch* («l'homme», «l'être humain») qui est une autre forme du sujet indéfini[36]. Les deux se trouvent réunis dans cette entrée:

> # 322 C'est une âme musicale que possède celui qui voit tout en figures et en formes plastiques dans l'espace, où elles naissent et apparaissent par des vibrations inconscientes. C'est une âme plastique qu'a celui qui voit en lui-même les mouvements, les sons, etc. car la diversité des sons, des mouvements se forme par une figuration.
>
> (Le grand mécanicien est rare.)
>
> L'homme musical pourra-t-il devenir bon sculpteur et bon peintre, attendu que toute exclusivité unilatérale se nuit à elle-même, et pareillement à l'inverse l'homme plastique pourra-t-il devenir bon musicien, etc.[37])? Ou bien le génie réside-t-il précisément dans l'union — et la culture, le développement du génie dans la «construction» de cette union? — Le génie réside-t-il dans les soins apportés au développe-

---

(36) L'étymologie du «on» français montre d'ailleurs que, dans son développement historique, le pronom «on» est dérivé du nom «homme». Un même lien historique existe, en allemand, entre *der Mann* et *man*.

(37) Ce «etc.» illustre l'ouverture en aval du texte: il constitue une invitation au lecteur pour qu'il continue une série permutative dont la logique est déterminée par les éléments fournis dans le texte.

ment du plus faible des germes d'union? Chaque homme
posséderait le germe génial — seulement à des degrés différents de développement et d'énergie[38].

«Celui qui», «chaque homme» — ce sont autant de sujets
qui renvoient à l'humain au plus haut degré de généralité,
dénué de toute spécification. L'utilisation massive des
adjectifs indéfinis «chaque» (*jeder*) et «tout» (*alle*) renforce encore la validité générale et, partant, l'imperson-
nalité.

Quand, par contre, le texte spécifie «l'homme musi-
cal», «l'homme plastique», «le musicien», il s'agit, bien
sûr, d'un type mais dont la particularité est à nouveau
abordée en général. Novalis aime en fait attribuer les activités professionnelles, intellectuelles ou artistiques à un
représentant-type:

> Le logicien part du prédicat — le mathématicien du sujet, le
> philosophe de la copule. Le poète du prédicat et du sujet en
> même temps. Le poète philosophique de tous les trois en
> même temps. (Déduction des méthodes de la figure de base
> de la logique.)[39]

Il a souvent recours à ces identifications catégorielles qui
résument un type d'activité sous le nom de son opérateur,
précédé de l'article défini. Ici: *le* logicien, *le* mathémati-
cien, *le* poète, ailleurs *l'*observateur, *l'*expérimentateur, *le*
véritable savant, etc. Il est vrai qu'il parle également de
poètes particuliers (il «caractérise» par exemple Jean Paul,
Goethe), mais son intérêt principal le porte à déterminer ce
qu'est et fait «le poète» en général. Il s'intéresse à l'activité
poétique en tant que telle, non pas à son opérateur individuel.

Ayant ainsi décrit la rareté des marques de l'énonciation subjectives et personnelles comme une caractéristique
du texte du *Brouillon*, force nous est d'en conclure à un

---

[38] *OC*, II, p. 311, traduction modifiée par W. M. Texte allemand *SCH*, III, p. 332.

[39] *SCH*, III, p. 415.

état de choses surprenant pour qui identifie romantisme avec écriture subjective. L'énonciation du *Brouillon* est très peu personnalisée. Si on va jusqu'à parler d'une écriture impersonnelle, indéfinie ou indifférente aux marques laissées par la personne qui y parle, il faut quand même se garder de parler d'une écriture impersonnelle au sens qu'a pu prendre ce terme après Mallarmé ou encore Flaubert, et surtout au sens qu'a voulu donner à ce terme le post-structuralisme, ou le post-modernisme, après avoir cru opérer à tout jamais la dissolution du sujet [40].

Ce serait là brûler des étapes historiques et aller trop vite en besogne dans l'analyse du texte. Car il y a bien, chez Novalis, une «exténuation du sujet» comme Lacoue-Labarthe et Nancy le formulent un peu globalement pour le romantisme [41]. Mais ce processus, observé ici exclusivement dans le texte du *Brouillon*, n'a pas pour effet de dissoudre ou d'anéantir le sujet tout court. Il n'affecte que certaines de ses formes d'énonciation. Le sujet n'en disparaît pas, mais il s'articule autrement. Il adoptera une configuration discursive très particulière qui sera à explorer dans la suite de l'analyse. Deux traits de cette configuration ont déjà été développés en tant qu'idées philosophiques ou théorèmes par Lacoue-Labarthe et Nancy; il s'agit du «système-sujet» et du «sujet moral» [42]. Il s'agira maintenant de les concrétiser dans leur fonctionnement discursif.

Dans le *Brouillon*, en fait, le sujet contingent et empirique de l'énonciateur cède le pas à une construction performative, une forme-sujet qui se constitue dans l'énoncia-

---

[40] Cf. à ce sujet la mise en garde formulée par Paul de Man dans sa lecture de Rousseau: «We speak perhaps too easily nowadays of the impersonality of writing, of writing as an intransitive verb, 'disparition élocutoire qui laisse l'initiative aux mots' (Mallarmé)» (in *Allegories of Reading*, New Haven, Yale Universty Press, 1979, p. 200).

[41] Cf. *L'Absolu littéraire, Théorie de la littérature du romantisme allemand*, Paris, Seuil, 1978, p. 44. Il faudrait cependant différencier cette observation qui ne s'applique pas aux *Hymnes à la nuit* ou à *Henri d'Ofterdingen* au même titre qu'au *Brouillon*.

[42] *Op. cit.*, cf. le chapitre intitulé «Le système-sujet», pp. 39-52.

tion logico-poïétique du système encyclopédique. Le sujet, s'étant vidé des contenus contingents, ayant renoncé aux appropriations personnelles et individuelles, est devenu en quelque sorte la forme et l'opérativité logique mêmes de la poïésis encyclopédique. En même temps il inscrit dans cette activité comme une dynamique morale, capable de dépasser en permanence ce qui est vers ce qui pourrait ou devrait être. En tant que sujet moral, il vise à faire advenir la perfection du système à partir de son état imparfait qui coïncide avec le moment de l'actualité énonciative.

L'énoncé nucléaire

Dans ce qui précède nous avons disposé les matériaux dans l'ordre *decrescendo* des marques personnelles de l'instance énonciatrice dans la fonction de sujet grammatical. Ceci nous a permis d'illustrer une tendance vers l'énonciation impersonnelle qui accorde une très grande place à la forme la plus indéterminée des pronoms personnels, le «on». Dépourvue de toute marque individualisante ou personnalisante, cette forme situe la validité des énoncés au plus haut niveau de généralité. Aucun sujet en particulier ne s'énonce — et en même temps tous les sujets particuliers sont inclus dans cette généralité, ce qui a justement pour effet d'effacer leurs particularités et leurs différences.

Si on fait un pas de plus et qu'on abandonne toute inscription de l'instance-sujet dans le discours, quelqu'indéfinie et impersonnelle que soit sa présence formelle, on arrive à un énoncé rudimentaire du type

$$\text{Telle chose} \quad \text{est} \quad \text{telle autre chose.}$$

Un exemple:
$$X \quad \text{est} \quad Y$$

$$\# 382 \text{ L'algèbre} \quad \text{est} \quad \text{la poésie.}$$

Adoptant la forme syntaxique de la phrase

$$\text{Sujet — copule — attribut,}$$

cet énoncé simple peut être considéré comme l'énoncé nucléaire du *Brouillon*. Du point de vue de l'acte d'énonciation qu'il comporte ou représente, c'est-à-dire du point de vue pragmatique, cet énoncé semble être du type purement constatif [43]. À en juger par ses apparences formelles [44], il serait donc dénué de toute force illocutoire. Cependant, nous essaierons de montrer qu'il n'en est pas ainsi, et pour ce faire nous construirons une deuxième série, dans laquelle la force illocutoire des énoncés deviendra de plus en plus explicite en vertu d'une modalisation de l'énonciation dont il s'agit d'analyser ici quelques manifestations particulières.

La première chose qui frappe, c'est la fréquence de ce type d'énoncé. L'utilisation massive du verbe *seyn* (être) à la troisième personne du présent de l'indicatif constitue en fait une des particularités saillantes du texte du *Brouillon* [45]. Voici quelques exemples de cet énoncé nucléaire:

63 ... Chaque personne est le germe d'un génie infini...

88 La passivité absolue est un conducteur parfait...

477 ... De véritables contacts sont des excitations réciproques...

---

[43] J'utilise ici certaines notions tirées de l'analyse des actes de langage telle que développée par l'école d'Oxford de la philosophie analytique. Je prends la liberté de détacher ces notions de leur contexte d'origine en les maniant sans m'astreindre à la rigueur logico-analytique propre à la philosophie analytique. Mon usage de ces notions est moins technico-analytique qu'heuristique, elles servent essentiellement à dépasser la valeur purement propositionnelle des énoncés textuels pour accéder à leur dimension performative. Cf. John Langshaw Austin, *How to do Things with Words*, Oxford, Oxford University Press, 1962, traduction française: *Quand dire c'est faire*, Paris, Seuil, 1970.

[44] Austin (traduction française) parlera lui-même d'une «affirmation apparemment descriptive» (p. 38) ou de «maquillage grammatical» (p. 47) et développera son propre argument de manière à devoir pratiquement révoquer l'opposition constatif/performatif, puisque toute constatation comporte aussi un acte illocutoire, quelque ténu qu'il soit.

[45] On compte 1 355 occurrences de la forme *ist* et 357 de la forme *sind*, dont environ les trois quarts sont à attribuer à l'énoncé nucléaire «X est Y».

585 ... La finalité est la substance...

623 ... Chaque science est elle-même une philosophie spé-cifiée...

724 ... L'activité philologique (*Philologisiren*) est l'acti-vité véritablement savante...

785 La doctrine fondamentale de Lambert est une chimie intellectuelle[46]...

966 ... La nature est une harpe éolienne...

1 026 L'eau est une flamme mouillée...

1 048 Notre esprit est le lien entre ce qui est absolument inégal.

Ces exemples peuvent bien donner une idée du type d'énoncé dont il s'agit ainsi que de la variété de ses emplois, mais ils ne sauraient documenter son importance quantitative. Même certaines entrées qui sont grammatica-lement incomplètes présentent la même structure et peu-vent facilement être complétées par l'ajout de la copule:

162 POLITIQUE. Une ville, en tant que machine [est] la figure simple d'une ville.

410 L'électricité [est] peut-être un feu immature, comme l'aurore boréale [est] de l'électricité immature.

635 La critique de la langue [est] le travail préparatoire pour la doctrine des sciences.

Ces exemples présentent une simple juxtaposition de syn-tagmes nominaux, mais en réalité ils reproduisent égale-ment la structure de l'énoncé «X est Y» même si le verbe n'est pas explicitement donné.

Une première approche analytique de cet énoncé fait apparaître une structure prédicative très simple: moyen-nant la copule *ist/sind*, un terme (Y) est attribué à un autre

---

(46) Novalis se réfère ici à Johann Heinrich Lambert, *Neues Orga-non oder Gedanken über die Erforschung und Bezeichnung des Wahren und dessen Unterscheidung vom Irrthum und Schein*, Leipzig, 1764.

terme (X) qui se trouve en position de sujet. La prédication affirme — ou nie[47] — de manière attributive une qualité spécifique (Y) qui a pour effet de modifier le sujet (X). Du point de vue pragmatique, toutes les occurrences de cet énoncé semblent donc pouvoir se subsumer sous la catégorie du constatif, étant donné que leur fonction semble se limiter à enregistrer et à représenter ce qui est le cas.

Or, lus et analysés de la sorte, les énoncés du type nucléaire réellement donnés dans le texte de Novalis font problème. Ils présentent une plus grande complexité et résistent à cette lecture à plusieurs égards; force nous est donc de dépasser cette analyse. Pour commencer, l'attribut est souvent réalisé sous la forme d'un nom ou d'un syntagme nominal, ce qui donne à l'énoncé l'aspect logique d'une équivalence, voire d'une identification: «X est [identique à] Y». Mais une telle identification se révèle être problématique. Dire par exemple que «l'algèbre est [identique à] la poésie» (# 382) ou que «l'eau est [identique à] une flamme mouillée» (# 1 026), c'est, pour le moins, établir des identifications étonnantes, si ce n'est enfreindre la loi logique du simple constat. «L'algèbre» et «la poésie» sont en réalité deux activités ou disciplines bien distinctes, l'une relevant du domaine artistique, l'autre du domaine scientifique. Affirmer que l'une *est* l'autre, c'est bien davantage poser une énigme que constater une identité de termes ou de choses. Ou alors, c'est poser une identité sous une forme constative qui cache en vérité un autre acte de langage.

---

[47] Ce qui est très rarement le cas. En anticipant sur notre réflexion, nous pouvons être surpris de voir ainsi prédominer le geste affirmatif dans une activité discursive qui vise à transformer l'ordre du discours. Très souvent une telle visée se concrétise davantage, ou du moins autant, dans le geste de la négation et du rejet de ce qui est. Le discours du manifeste politique et artistique en général, et plus particulièrement celui des avant-gardes artistiques en offre un exemple éloquent. Mais on trouve la même prépondérance de la proposition négative par exemple dans *L'Archéologie du savoir*, en particulier quand son auteur expose la nouveauté ou la différence de son entreprise archéologique par rapport à des méthodes linguistico-philologiques ou historiographiques existantes.

Le problème est encore plus patent quand «l'eau» et «la flamme» sont mis en relation de manière prédicative sous la forme d'une attribution identificatrice de «la flamme» à «l'eau». Accolé au substantif «flamme», l'adjectif «mouillé» ne parvient pas à résoudre le problème logico-sémantique, puisque, au contraire, il le reproduit en le concentrant en un oxymore. À plus forte raison donc la lecture de cet énoncé comme une assertion constative, dont il adopte la forme, fait problème.

Dans les deux exemples considérés, nous sommes amenés à conclure à la non-identité, sinon à l'opposition ou à l'exclusion des deux termes rapprochés de la sorte. Le moins qu'on puisse dire, c'est que leur insertion dans la formule «X est Y» crée une tension, une dynamique à l'intérieur de cet énoncé nucléaire. Certes, il est possible de parler d'un usage impropre de l'un des deux termes et de tenter de résoudre le problème en recourant aux catégories de la tropologie. L'usage de «flamme» dans «l'eau est une flamme mouillée» serait alors à interpréter comme métaphorique, ce qui ferait disparaître la pierre d'achoppement. Une telle issue de la difficulté sémantico-logique n'est pas satisfaisante, cependant, car elle ne fournit pas vraiment une explication (comment exactement la métaphore, fonctionne-t-elle?), mais surtout elle ne saurait s'appliquer à tous les énoncés du même type. Parler de métaphore par exemple dans le cas de «la passivité absolue est un conducteur parfait» (# 88) ne nous avancerait pas beaucoup.

Et pourtant la notion tropologique de métaphore peut nous aider à faire un premier pas vers une meilleure compréhension du type d'énoncé qui nous intéresse ici. En fait, tous ces énoncés contiennent un élément constitutif de la métaphore: une mise en relation, voire une interaction conflictuelle entre deux domaines, entre deux aires sémantiques différentes. Seulement, cette relation ou interaction n'est pas réalisée — comme c'est le cas de la métaphore — à l'intérieur d'un seul terme, mais elle adopte la forme explicite d'une prédication attributive «telle chose est telle autre chose». Et pourtant, que ce soit d'après l'ordre sémantique de la langue ou d'après l'ordre expériential du monde, il est évident que «algèbre» n'est pas «poésie», pas plus que «eau» n'est «flamme». En rapprochant ces deux termes distincts, sinon opposés, dans cette structure d'énoncé, Novalis crée donc une tension entre eux, et par conséquent un conflit par rapport à l'ordre discursif dans lequel ils fonctionnent normalement et qui est transgressé par l'usage particulier qu'il en fait.

Face à ce constat, il nous reste le choix de prendre le parti de cet ordre et de rejeter les énoncés transgressifs comme «mal formés», un peu comme l'avait fait Olshausen quand il réaffirmait l'ordre discursif donné en rétablissant la séparation entre poésie et science. Ou alors nous devons faire un travail interprétatif qui nous permette de donner sens à cette apparente malformation par son inclusion dans un plus vaste contexte. C'est cette deuxième alternative qui sera la nôtre, et l'élargissement du contexte s'opérera par la prise en considération de la problématique des actes de langage. Il faudra en fait dépasser l'analyse purement formelle et prédicative de l'énoncé et se demander quels gestes discursifs ou actes de langage l'auteur accomplit en eux. J'en distinguerai trois — la définition, la position et la révélation — que j'analyserai maintenant plus en détail.

Dans sa version la plus simple, la définition adopte en fait la forme de l'énoncé nucléaire de Novalis. Le verbe «être» établit une équivalence attributive entre un terme à définir (X) et un ou plusieurs termes (Y) qui servent à définir le premier. Voici, parmi les exemples déjà cités, ceux qui ressemblent le plus à la définition:

#477 ... Des véritables contacts sont des excitations réciproques...

#1 048 Notre esprit est un lien entre ce qui est absolument inégal.

Du fait, ces énoncés deviennent des propositions à incorporer à un acte locutoire qu'on peut expliciter comme suit:

Je définis que [X est Y].

Même interprétés comme des actes de définition, ces énoncés restent cependant assez surprenants. Ce sont des définitions inédites, originales. Or à l'intérieur du jeu de langage qu'est toute activité discursive il appartient à tout sujet discursif de définir ses propres termes, c'est-à-dire de fixer l'usage qu'il entend faire des termes. Novalis use de cette liberté constitutive du faire discursif de manière extrême. Il établit en quelque sorte sa propre convention avec le lecteur quant à l'emploi qu'il fera de certains termes, et ceci jusqu'à la limite de la grammaticalité([48]) ainsi que de la communicabilité. Il s'expose ainsi à l'incompréhension qui est la part de tout législateur discursif. Mais sur le versant positif de cette activité qui rompt avec les traditions et avec les conventions établies, il faut mentionner l'innovation et l'invention: les actes définitoires de Novalis ouvrent la voie à de nouveaux jeux de langage, dégagent la possiblité de combiner des termes restés cloisonnés jusque-là en vertu de l'ordre sémantico-logique de la langue et de ses usages codifiés.

Vu sa nature insolite, le geste définitoire de Novalis dans le *Brouillon* a souvent un aspect arbitraire par rapport à des usages établis, par exemple dans le système conceptuel de la philosophie, ou plus généralement dans la division discursive du travail. Cet arbitraire n'est cependant que l'expression de la liberté que réclame le poète dans sa pratique à la fois expérimentale et créatrice du langage. Novalis se sert en fait de l'acte définitoire pour créer des liens nouveaux, et par conséquent surprenants, entre les termes X et Y de l'énoncé nucléaire. Ces liens, c'est lui

---

([48]) En fait, ce geste dépasse parfois cette limite, par exemple quand Novalis donne dans le néologisme, c'est-à-dire quand il crée et utilise des termes que le système de la langue ne connaît pas. Ce faisant, il prend cependant toujours appui sur des vocables existants et procède par analogie: à partir de *Universum*, il crée *Multiversum, Omniversum* (# 285), à partir de *Pluralism* il crée *Omnilism* (# 1 004). D'autres néologismes se trouvent dans les entrées ## 288, 405, 407, 495, 498, 685, 743. Cf. à ce sujet ce que dit Hannelore Link des néologismes et des «étymologies pragmatiques» de Novalis en rapport avec son expérimentation poétique (*op. cit.*, pp. 92-93).

qui les propose ou qui les pose. Car définir, chez Novalis, prend souvent l'allure d'un autre acte de langage qui consiste à poser un état de choses moyennant le langage. Ce geste de la position est particulièrement perceptible dans des énoncés tels que

88 La passivité absolue est un conducteur parfait...

585 ... La finalité est la substance...

1 000 ... L'acte de modifier est un faire et un détruire relatifs...

Ce geste tient à la fois de la position fichtéenne et de la nomenclature de Lavoisier. Comme chez Fichte, l'acte énonciateur pose ce qui est énoncé; il émane d'une liberté dont il constitue la première détermination. Et c'est à partir de cette fondation pragmatique que s'enchaînera le reste du travail encyclopédique avec une logique systémique. De Lavoisier, il tient la proximité avec le geste de la nomination, l'idée que les termes tels que posés et agencés nomment les choses du monde et leur articulation. Chez Novalis, cependant, ce monde est moins une réalité donnée d'avance et à l'extérieur du langage, que posée par l'acte de langage même. Il ne devient réalité qu'en vertu de son énonciation ou du moins, s'il y a une donnée prélinguistique, celle-ci peut être transformée par l'énonciation positionnelle.

Novalis use beaucoup, et de manière volontaire, de cette liberté de se servir efficacement du langage pour poser un monde conceptuel et pour le structurer à sa guise. Dans ce sens l'énoncé «X est Y» est à intégrer dans l'acte de langage

Je pose que [X est Y],

ce qui permet à Novalis de «refaire le monde», de le réinventer par la force de son geste discursif. C'est ici que se réalise le plus efficacement la réinterprétation plotinienne de l'étymologie de «poésie» comme un faire, une activité poïétique.

Ce geste a donc une valeur thétique très marquée dans la mesure où il pose un contenu de pensée et constitue un monde. En ceci, il vient à se situer à l'opposé du geste langagier de la science moderne telle que représentée et postulée par exemple par Lavoisier: la véridiction référentielle. Au lieu de renvoyer à une réalité qui serait ontologiquement donnée en dehors du langage et constituée préalablement à l'activité discursive, le geste positionnel se veut efficace, c'est-à-dire doué d'un pouvoir de créer — ou du moins de transformer — le réel. On se trouve donc aux antipodes de la proposition protocollaire, et, par conséquent, de la modalité constative dont l'énoncé «X est Y» ne garde pas moins les apparences formelles.

Une autre variante pragmatique, toujours du même type d'énoncé, est indiquée dans le texte par la restriction «ne... que»:

> # 124 PHYSIQUE SPIRITUELLE. Notre pensée n'est au fond qu'une galvanisation...

> # 402 L'idéalisme n'est rien que le véritable empirisme.

> # 717 ... Le poète n'est que le degré le plus élevé du penseur...

Dans ces exemples, la relation entre les deux termes rapprochés par l'identification attributive («pensée» et «galvanisation», «idéalisme» et «empirisme», «poète» et «penseur») est précisée par les formules «n'est que» et «n'est rien que». C'est dire que le terme X est identifié ici comme représentant une réalité de surface, une apparence, qu'il faut connecter avec le terme Y qui, lui, révèle son être véritable, sa réalité profonde. Ce qui ne veut point dire, cependant, que le premier terme soit effacé en faveur du second, en vertu d'une supériorité ontique de celui-ci. Au contraire, les deux termes sont maintenus, restent tous les deux engagés dans cette prédication attributive qui leur assigne les fonctions précises de sujet et d'attribut. Mais leur séparation, leur distinction est désormais abolie par le renvoi du terme X à une identité «en profondeur», rendue par le terme Y et révélée par cet énoncé qui, de ce fait, devient un acte de révélation:

Je révèle que [X n'est que Y]

Encore une fois, cet acte langagier de la révélation ne fait pas que constater ce qui est. Il tend à changer notre perception du réel ou du moins du dispositif qui nous sert à capter ou à construire ce réel[49]. En abattant ainsi des cloisons conceptuelles et en rapprochant des termes jusque-là restés séparés, il opère essentiellement une mise en contact entre des entités instaurées, dans l'ordre du discours, comme dissociées ou à dissocier. Ceci devient d'ailleurs très explicite dans le contexte immédiat d'où sont tirés ces citations illustrant l'énoncé-révélation. Pour le rapprochement de «poète» et de «penseur», voici la réinsertion de l'énoncé dans le contexte de l'entrée dont il fait partie:

> # 717 ... Le poète n'est que le degré le plus élevé du penseur ou de l'homme sensible, etc. (Degrés de la qualité du poète.)

> La séparation entre le penseur et le poète n'est qu'apparente et leur est à tous deux préjudiciable. C'est un signe de

---

(49) On peut d'ailleurs observer que, historiquement parlant, le geste révélateur accompagne et marque souvent des moments de critique majeurs. Il intervient activement dans le dépassement critique d'un système de valeurs, d'une habitude discursive, dans la dissolution de structures dominantes. Ou encore dans le «renversement de toutes les fausses croyances» comme dira le texte de «Le plus ancien programme systématique de l'idéalisme allemand» (in Lacoue-Labarthe et Nancy, *L'absolu littéraire*, pp. 53-54). Dans ce contexte on peut mentionner son usage par les moralistes français du XVIIe siècle qui s'attaquent à la configuration de «l'honnête homme», d'ailleurs à partir de deux positions différentes: janséniste et libertine. Deux siècles plus tard, Nietzsche utilise le même geste révélateur pour s'attaquer à la vérité scientifique par le célèbre «ceci n'est que de l'interprétation» (cf. par exemple l'aphorisme # 22 d'*Au-delà du Bien et du Mal* ou *De la vérité et du mensonge au sens extra-moral*). Chez Novalis, le recours fréquent au geste révélateur qui a pour effet d'ouvrir les yeux sur une autre configuration du monde, en établissant des connexions nouvelles et surprenantes, n'a pas une dimension agonistique aussi marquée que chez Nietzsche qui dénonce l'erreur ou la fausse conscience scientifique. Mais il n'en participe pas moins d'une revalorisation générale et, touchant aux régularités discursives établies, peut s'attaquer jusqu'aux règles de formation, et contribuer de la sorte, au sens historique du terme, à un événement discursif.

maladie ou de disposition pathologique, un signe de constitution maladive...([50]).

Si le premier geste consiste ici à rejeter la séparation — les activités de poète et de penseur ne sont pas foncièrement différentes —, Novalis n'en maintient pas moins la différence des termes, mais ce sera une différence de «degrés»: tout penseur est plus ou moins poète, mais le poète représente le degré le plus élevé de l'activité de penser. En d'autres termes, pour Novalis il n'y a pas exclusion ou opposition entre poésie et philosophie, mais plutôt inclusion de celle-ci dans celle-là.

Pour ce qui est du rapprochement de «pensée» et de «galvanisme»([51]), voici sa mise en contexte:

> # 124 PHYSIQUE SPIRITUELLE. — Notre pensée n'est au fond qu'une galvanisation — un attouchement de l'esprit terrestre — de l'atmosphère spirituelle — par un esprit céleste, extra-terrestre. Toute pensée, etc. est ainsi en elle-même déjà une *sympraxis* au sens supérieur([52]).

Ici la pensée, qui est l'activité spirituelle, immatérielle par excellence et qui, selon la théorie traditionnelle des deux mondes, doit être strictement séparée du monde matériel, se trouve être rapprochée d'un phénomène relevant du monde organique: le galvanisme. Ce rapprochement, adoptant la forme de la prédication attributive avec un acte de révélation, s'inscrit d'ailleurs déjà dans le titre, concentré dans le syntagme nominal qui voit l'adjectif «spirituel» accolé au nom de la discipline scientifique dont l'objet est le monde matériel. Il est suggéré que le galvanisme pourrait fournir un modèle d'intelligibilité pour l'explication de

---

([50]) *OC*, II, p. 280, traduction adaptée par W. M. Texte allemand *SCH*, III, p. 406.

([51]) Une idée chère à Novalis, que nous avons d'ailleurs déjà rencontrée dans la formulation «le galvanisme de l'esprit».

([52]) *OC*, II, p. 242, traduction adaptée par W. M. Texte allemand *SCH*, III, p. 263.

l'activité pensante, à condition cependant d'être projeté dans une organicité d'un ordre de grandeur cosmique.

Le texte de cette entrée est intéressant aussi par son aspect performatif: il met en pratique, en tant que mise en contact de deux domaines discursifs, les attouchements qu'il thématise. La pensée, en tant qu'activité, trouve son principe moteur dans l'attouchement de deux instances distinctes et inégales; elle est *Sympraxis*, c'est-à-dire dans une terminologie plus récente, activité essentiellement dialogique. De même la pratique discursive de Novalis, dans cette entrée, s'articule essentiellement comme un rapprochement, comme une interaction dialogale de deux registres discursifs. Les deux éléments discursifs («pensée» et «galvanisme») qui se sont «touchés» dans ce maniement expérimental, s'en trouvent discursivement déplacés, transformés. Et il en résulte la possibilité d'une nouvelle articulation conjointe des mondes matériel et immatériel.

Dans les deux cas, l'acte révélateur opère donc une mise en contact dont l'enjeu est, entre autres choses, de nature interdiscursive: sont mises en contact deux entités discursives (poésie et philosophie, pensée humaine et galvanisme animal) qui, selon l'ordre du discours, appartiennent à des catégories séparées. Cet «attouchement» forcé les affecte toutes les deux, ne les laisse pas intactes. Dans ce sens, à l'instar de la définition et de la position pratiquées par Novalis, le geste révélateur représente une intervention dans un *statu quo* et comporte la dynamique d'une transformation. Dans cette variante pragmatique aussi, l'énoncé «X est Y» comporte une force illocutoire ne nous permettant plus de n'y reconnaître qu'une proposition constative.

Une dernière observation est à faire au sujet de l'énoncé nucléaire: ces trois actes de langage — définition, position, révélation — se combinent souvent avec deux traits discursifs que nous aurons encore à examiner plus en détail. En fait l'affirmation identificatrice qui attribue un prédicat déterminé (est Y) à un sujet donné (X) se trouve souvent atténuée par une particule qui relève soit de l'hypothèse (*vielleicht, wohl*) soit de l'analogie (*wie, gleichsam*). Voici deux exemples pour l'analogie:

#439 La science de la vie est comme (*gleichsam*) la politique physiologique...

#986 Le conte de fée est au fond comme (*wie*) une image de rêve...

Souvent la particule comparative «comme» n'est pas explicitement donnée dans le texte, mais son insertion lors de la lecture aide à faire le pont logique entre les deux termes entre lesquels un «est» identificateur établirait une relation problématique sinon alogique:

#409 ... L'esprit est [comme] l'oxygène du corps — l'âme est [comme] la base infuse de l'oxygène. La vie est [comme] un processus de combustion([53])...

#489 Une proposition est [comme] une molécule de la science.

#966 La nature est [comme] une harpe éolienne.

L'ajout de la particule «comme» dans ces exemples n'est pas à entendre comme une correction indue du texte, il fait plutôt déjà partie du processus de compréhension dans la mesure où il explicite une relation faite d'identité et de différence — l'analogie — qui permet à Novalis de rapprocher et d'induire en interaction les domaines les plus éloignés. Nous verrons plus loin l'importance systémique de l'analogie dont l'usage est presqu'illimité dans le *Brouillon*.

Souvent la construction analogique se limite, dans son étendue, au face à face de deux termes, comme c'est le cas dans l'entrée #966. Parfois elle est bien plus élaborée et s'étend alors à plusieurs termes. Ceci est le cas dans l'entrée #409 qui enchaîne des énoncés du type «X est Y» en série et les développe dans le cadre d'une mise en analogie du monde de l'activité mentale et de celui de la chimie. Comme dans l'exemple qui établissait un lien entre l'acti-

---

([53]) *OC*, II, p. 274, traduction modifiée par W. M. Texte allemand *SCH*, III, p. 318.

vité de la pensée et le galvanisme, celui-ci montre que Novalis attribue aux récents développements de certaines sciences (en particulier ceux de la chimie et du galvanisme) une fonction modélisante pour la compréhension de phénomènes immatériels. Ceci ne veut point dire qu'il soit matérialiste, mais plutôt qu'il «spiritualise» ou «anime» la chimie et le galvanisme.

Finalement, l'énonciation hypothétique contribue également à atténuer ce que les actes langagiers de la définition, de la position et de la révélation peuvent avoir d'apodictique. Elle modifie le parler thétique de l'affirmation tranchée en un parler hypothétique qui évoque des possibilités d'identification, propose des mises en relation qui sont encore à exécuter ou à vérifier. Souvent on peut transformer la «thèse» en «hypothèse» en intercalant une simple particule modalisante dans l'énoncé nucléaire:

> # 335 ... La sécrétion n'est probablement (*wohl*) qu'un effet fortuit de l'activité...

> # 804 ... Tout mouvement mécanique n'est peut-être (*vielleicht*) que langage de la nature...

Ces derniers exemples marquent un nouveau pas dans notre démarche critique dans la mesure où ils rendent la modalisation énonciative explicite par une particule qui s'ajoute à l'énoncé nucléaire. Il s'agit en l'occurrence d'une particule d'incertitude qui atténue la force assertive de l'énoncé et introduit l'énonciation hypothétique.

Jusqu'ici nous n'avons considéré cet énoncé que dans sa forme minimale «X est Y», et nous avons pu confirmer ce que J. L. Austin a formulé ainsi: «Ces énonciations [*utterances*] ont l'air, à première vue, d'«affirmations» ou du moins en portent-elles le maquillage grammatical» ([54]). La forme grammaticale est trompeuse, du moins ne dit-elle pas tout. Ce qu'elle ne dit pas est plutôt de l'ordre du «faire». Dans le contexte de la poïétique encyclopédique de

---

([54]) John Langshaw Austin, *op. cit.*, traduction française, p. 47.

Novalis, ce «faire» — certes indissociable des contenus propositionnels — est peut-être l'essentiel, surtout dans la perspective de notre tentative de déterminer l'événement discursif qu'est le *Brouillon*.

Nous avons essayé de cerner la performativité des énoncés nucléaires en distinguant trois types d'actes qu'ils permettent à Novalis d'accomplir: la définition, la position et la révélation. Il faut préciser qu'il ne s'agit pas là de catégories linguistiquement établies et scientifiquement reconnues, aussi ne les avons-nous pas abordés de manière rigoureusement analytique comme des «actes de langage». Et pourtant, il nous a semblé que ces trois catégories nous permettent de dépasser l'analyse de la forme grammaticale pour décrire ce qui se passe dans l'emploi fréquent de cette forme d'énoncé par Novalis. Au sens fort du terme, il se passe quelque chose qui dépasse de loin la fonction pure-ment «constative» des énoncés: inséré dans la logique per-formative, le lien attributif établi entre sujet et attribut moyennant la copule se révèle être une mise en contact interactionnelle d'un dynamisme remarquable. Ce dyna-misme comporte un potentiel transgressif par rapport à l'ordre discursif puisque, dans l'acte de définir, poser et révéler, Novalis effectue — pour dire peu — une articula-tion discursive inusitée des éléments utilisés: il établit des liens nouveaux et surprenants, il redistribue les matériaux de manière inédite.

Quelque volontaire et apodictique que soit parfois le geste de Novalis, surtout quand il se fait thétique (je pose que X est Y) ou presqu'iconoclaste (je révèle que X n'est que Y), on ne saurait affirmer qu'il instaure pour autant un nouvel ordre discursif. Pour ce faire, Novalis devrait d'abord établir un contact communicationnel sinon con-tractuel avec un public récepteur[55] et obtenir une recon-naissance minimale de son statut de «législateur discur-

---

(55) Ce qui n'est pas le cas, ou n'est le cas que de manière différée, étant donné l'état inachevé du manuscrit et le fait qu'il n'a pas été publié du vivant de l'auteur.

sif»([56]). Son travail a donc plutôt valeur de construction
tâtonnante et changeante, d'expérimentation. En définissant, il redéfinit sans cesse en abordant le même terme à
définir sous l'éclairage de différents termes définissants.
En posant, il n'impose pas, il propose en multipliant le
geste thétique. En révélant, il ne fixe rien, mais laisse plutôt la force décapante du «n'est que» agir dans un glissement répété qui fait apparaître les termes-sujets sous le
jour toujours nouveau de l'identité déplacée. Étonnam-
ment donc, ces gestes en principe stabilisateurs, introdui-
sent par leur multiplication une grande mobilité dans la
construction encyclopédique. Tout devient possible, peut
être essayé, est soumis à l'expérimentation discursive.
Dans le cadre grammatical de l'énoncé nucléaire «X est
Y», toute connexion devient praticable et potentiellement
productrice de nouveauté.

La modalisation hypothétique

L'instrument discursif qui est le plus explicitement
utilisé pour effectuer ce travail de «possibilisation», c'est
la modalisation hypothétique de l'énoncé. Elle se réalise
moyennant une grande variété de traits formels, qui peuvent apparaître séparément ou se combiner dans le même
énoncé. Mention a déjà été faite des adverbes modalisa-
teurs exprimant une incertitude *vielleicht, wohl, etwa*. Parfois c'est la proposition conditionnelle qui sert à effectuer
cette modalisation:

> # 273 Si l'activité de penser est aussi une sécrétion — alors
> l'activité de sentir est peut-être une nutrition.

> # 886 Si l'histoire de la philosophie est une histoire des essais
> philosophiques [...] alors toute histoire doit être (*ist wohl*)

([56]) Dans le cas de Lavoisier par exemple tel était le cas grâce à la
discussion prolongée qui portait sur sa nomenclature en chimie et qui était
suivie de l'adhésion d'une partie de plus en plus importante de la communauté scientifique.

quelque chose d'analogue, et chaque objet historique un *analogon* de la philosophie...

Ces exemples montrent, cependant, que la proposition conditionnelle ne semble pas suffire pour obtenir la modalisation hypothétique. Celle-ci se trouve précisée et renforcée par l'ajout des particules de doute ou d'incertitude *vielleicht* et *wohl*.

Une manière bien plus fréquente de donner à l'énoncé l'allure d'une hypothèse consiste dans le recours à la forme interrogative-négative:

> # 382 ... Mais à vrai dire, est-ce proprement le corps ou bien l'air qui résonne? N'est-ce pas le fluide élastique qui est la voyelle, et le corps qui est la consonne? L'air n'est-il pas le soleil, dont les corps seraient les planètes: lui la première voix, et eux la seconde([57])?

> # 418 Dieu et la nature, ne jouent-ils pas également? Théorie du jeu. Jeux sacrés. Théorie du jeu pure — ordinaire — et plus élévée. Théorie du jeu appliquée.

> # 456 Ne pourrait-on pas trouver un système numérique plus parfait? Chercher mathématiquement? Des systèmes numériques.

> # 673 Ce qu'on ne saurait décomposer directement, il faut le décomposer de manière indirecte ou idéale [...] Les substances animales, par exemple, ne révèlent-elles pas leurs composantes précises moyennant le galvanisme, etc.

> # 995 ... Toutes les attractions caloriques ne sont-elles pas reliées à des attractions oxygéniques?

Combiner l'interrogation et la négation constitue une rhétorique de l'hypothèse très particulière: la question formule une possibilité incertaine, tout en lui donnant une formulation sémantique très précise, tandis que la négation

---

([57]) J'ai suivi ici la traduction de *OC*, II, p. 268. Dans le texte allemand (*SCH*, III, p. 309) il n'y a pas de points d'interrogation.

renforce l'effet de la question rhétorique qui consiste à suggérer une réponse affirmative. C'est comme si la proposition était introduite par la formule «n'est-il pas vrai que...?» qui sollicite l'assentiment quant au contenu propositionnel. Cette double forme a donc pour effet de rendre la proposition doublement performative, d'abord en posant l'état de choses énoncé comme possible, ensuite en exprimant le désir, en cherchant la confirmation que cette possibilité soit déjà réalité. À l'hypothèse se mêle ainsi un élément qui tient du mode optatif, ce qui peut trouver confirmation dans la ponctuation. En fait, Novalis ne met pas souvent de point d'interrogation après ce type de phrase, et ce malgré la forme grammaticale qui est clairement interrogative.

Une grande partie de la modalisation hypothétique est prise en charge par les verbes modaux, tout particulièrement par *dürfen* et *können*:

> #111 ... La phrase binominale pourrait/devrait (*dürfte*) obtenir une importance encore plus grande — une application plus intéressante en physique — en ce qui concerne les polarités...

> #362 Pour finir, les signes dits arbitraires pourraient (*dürften*) ne pas être si arbitraires qu'ils paraissent — et quand même être attachés à ce qu'ils désignent par un lien réel (*Realnexus*)...

> #423 L'esthétique pourrait bien (*dürfte wohl*) faire partie intégrante de la psychologie.

> #1 043 Ne pourrait-on pas (*könnte man nicht*) amener l'eau sur la roue par intervalles (*stoßweise*)?

> #1 054 La pesanteur pourrait bien (*dürfte wohl*) n'être qu'une composition de toutes les forces?

L'usage massif et répété des verbes modaux peut être considéré comme un des traits stylistiques saillant du *Brouillon*. Toutefois, leur signification n'est pas toujours univoque. Dans les exemples cités, *dürfen* — tout comme «devoir» en français — exprime, à part l'idée de la possibilité, plus ou moins nettement aussi celle de la nécessité logique(^{58}): ce qui est hypothétique devient *aussi* logiquement nécessaire selon un certain ordre des choses. La production hypothétique n'est donc pas arbitraire, mais elle découle avec rigueur d'une logique dont nous aurons l'occasion de décrire la nature systémique.

À ce sujet, le verbe modal le plus nettement à cheval entre deux significations est *sollen*. Voici d'abord un exemple qui accorde un jeu interprétatif plutôt restreint au lecteur:

> # 364 TÉLÉOLOGIE. Notre ignorance serait-elle (*ist etwa...*) la condition de notre moralité — serions-nous ignorants (*sollen wir... seyn...*), parce que, selon les circonstances, nous devons vouloir l'être...

Dans cette entrée, une variante de *sollen wir... seyn...* serait: «devons-nous être...». Mais il y a des entrées où l'aspect «hypothèse» et l'aspect «contrainte logico-morale», se superposant dans le verbe modal *sollen*, sont moins faciles à dissocier:

> # 532 ENCYCLOPÉDISTIQUE. La physique, au sens strict, serait-elle/devrait-elle être (*sollte... seyn*) la politique entre les sciences naturelles?...

> # 544 ... La goutte serait-elle/devrait-elle être (*sollte... seyn*) une sthénie chronique — indirecte.

> # 765 Les lois fondamentales de la fantaisie seraient-elles/devraient-elles être (*sollten... seyn*) opposées (non pas renversées) par rapport à celles de la logique?

> # 913 Les corps et les figures seraient-ils/devraient-ils être (*sollten... seyn*) les substantifs — les forces les verbes — et la science naturelle l'art du déchiffrement.

(^{58}) Selon le contexte, et surtout dans la forme négative du verbe, cette deuxième composante sémantique peut exprimer une obligation morale.

L'énoncé nucléaire[59] se trouve ici augmenté d'un élément — le verbe modal — qui modalise son énonciation comme suit:

en allemand: *sollte X Y seyn*

en français: X serait-il/pourrait-il être Y pour «hypothèse»

Mais une autre traduction est également possible

X devrait-il être Y[60] pour «nécessité»

Dans les exemples considérés jusqu'ici, la modalisation exprimée par le verbe *sollen* est donc double ou ambivalente. *Sollen* exprime la conjecture (pourrait être) aussi bien que l'obligation logique ou morale (devrait être). Certes, il y a des indices grammaticaux, des éléments contextuels qui donnent plus ou moins de probabilité à l'une ou à l'autre des deux traductions possibles. Mais la désambiguïsation du verbe modal n'est pas toujours possible. Dans les exemples cités, la forme du subjonctif *sollte*, combinée souvent avec la forme interrogative, fait pencher la balance en faveur de la conjecture, sans qu'on puisse pour autant éliminer la deuxième signification.

---

[59] Cette construction modale est possible aussi avec d'autres verbes, par exemple: «# 122 ROMANTISME. Le roman ne devrait-il pas embrasser toutes les espèces de style en une suite reliée diversement à l'esprit commun?» (*OC*, II, p. 247). Dans le plus grand nombre de cas, cependant, il s'agit effectivement d'une élaboration de l'énoncé nucléaire dans le sens d'une explicitation de son statut énonciatif.

[60] Je rappelle que, dans la plupart de ces cas, Novalis omet le point d'interrogation après ce type de phrase. Faut-il attribuer cette omission au style télégraphique, à la réalisation grammaticalement incomplète de ces fragments? Ou faut-il lui attribuer une signification plus positive? — elle marquerait alors le fait que, malgré le «maquillage grammatical», pour reprendre le terme d'Austin, il ne s'agit pas vraiment d'une question, ou tout au plus d'une question rhétorique qui exprime cette double modalité d'une possibilité nécessaire ou d'une nécessité possible. Je penche pour cette deuxième interprétation et, contrairement à A. Guerne, ne rétablis pas le point d'interrogation là où le texte de Mähl l'omet.

Je plaiderai en fait pour la non-réduction de cette ambivalence, malgré les éléments grammaticaux qui, dans certains cas, permettraient d'opérer la détermination univoque de *sollen*[61]. C'est que la possibilité énoncée sous cette modalisation est en fait hypothétique, dans le sens qu'elle représente un état de choses qui n'est réalisé qu'en tant qu'acte discursif, dans cet énoncé même. Mais en même temps il s'agit d'une possibilité qui découle avec une certaine nécessité de la logique poétique de l'encyclopédie dont elle fait partie. Cette modalisation indique de la sorte le statut poïétique de ce qui est énoncé. L'énoncé renvoie à un état de choses qui n'existe qu'en vertu de cette énonciation. Il produit cet état de choses, tout en lui laissant un caractère programmatique, puisqu'il est encore à réaliser; de même qu'une hypothèse scientifique, par définition, est encore à vérifier.

La modalité hypothétique exprimée par le verbe modal se trouve encore renforcée quand l'interrogation se double de la négation:

566 ... Ne pourrait/devrait-on pas atteindre son objectif à travers des erreurs régulières...

577 ... La mastication ne pourrait/devrait-elle pas avoir une grande influence sur l'estomac.

622 MÉDECINE. Chaque maladie, chaque vie ne pourrait/devrait-elle pas être simultanément ou successivement sthénique et asthénique...

Même si ces énoncés ne sont pas insérés dans un contexte formellement dialogal, ils ont une force d'interpellation, un pouvoir de suggestion considérables. À l'instar de la

---

[61] Par exemple, dans cette entrée, l'ajout de l'adverbe «nécessairement» qui, conjointement avec la forme de l'indicatif du présent du verbe modal (*soll*) accentue la signification «obligation»: «# 690 ... La beauté doit être le symbole inséparable, la marque extérieure et le signe distinctif de la bonté. La Beauté doit nécessairement symboliser et signifier tout à la fois la Bonté — et la Bonté nécessairement symboliser et signifier la Beauté...» (*OC*, II, p. 345).

question rhétorique, ils suggèrent une réponse: «ne faudrait-il pas...?» — «si, il faudrait...». Ceci acquiert plus de netteté quand le verbe modal — toujours à la forme interrogative-négative — est à l'indicatif: «# 879 ... Ne faudra-t-il pas progressivement abolir le sommeil?»(⁶²).

Tant que le verbe modal reste au subjonctif — ce qui est de loin le cas le plus fréquent — il y a énonciation hypothétique, quelle que soit par ailleurs la force interpellative de l'énoncé. C'est dire que la possibilisation de ce qui est énoncé se double d'une invitation à réaliser, ou au moins à affirmer le possible ainsi créé, ce qui constitue un trait particulier de l'encyclopédie novalisienne.

Sollen est le verbe modal le plus fréquemment utilisé dans ce contexte, ce qui donne la transformation hypothétique de l'énoncé nucléaire:

X ne serait-il pas (peut-être) Y
ou: X ne devrait-il pas (éventuellement) être Y

Comme nous avons pu le voir, d'autres verbes modaux peuvent entrer dans cette construction à la place de *sollen*, dont ils n'atteignent cependant jamais la fréquence. Par exemple *können*:

1 043 Ne pourrait-on pas (*könnte man nicht*) amener l'eau sur la roue par intervalles (*stoßweise*)?...

Ou bien le verbe modal *dürfen*:

1 054 La pesanteur pourrait bien (*dürfte wohl*) n'être qu'une composition de toutes les forces.

Comme dernier trait formel de la modalisation hypothétique, il faut signaler le recours au *conjunctivus potentialis*. Bien des exemples cités plus haut, surtout ceux qui impliquent le verbe *sollen*, en offrent déjà des illustrations. En voici deux autres exemples:

_____

(⁶²) Texte allemand: «... Soll der Schlaf nicht allmählich abgeschafft werden?» (*SCH*, III, p. 438).

> # 464 On pourrait songer (*es ließe sich denken*) à une série
> extrêmement instructive de présentations spécifiées des
> systèmes de Kant et de Fichte; par exemple un exposé poé-
> tique, chimique, mathématique, musical, etc. Un exposé où
> ils seraient considérés en tant que scientifiques du génie phi-
> losophique, un exposé historique, d'autres encore. J'ai une
> quantité de fragments là-dessus [63].

> # 501 ... Le philosophe ne serait que (*wäre nur*) [64], pour
> finir, le poète inférieur, et tout le réel, donc, poétique de
> bout en bout [65]...

L'exemple # 464 est particulièrement intéressant: à partir
de la pure potentialité introduite par la formule *es ließe sich
denken*, Novalis échafaude un important programme de
transformations et d'élaborations concrètes des systèmes
de Kant et de Fichte. Malgré la quantité de fragments déjà
recueillis en vue de sa réalisation, cette esquisse grandiose
d'applications spécifiées restera cependant virtuelle, non
sans exercer un grand pouvoir d'interpellation sur le lecteur.

Ayant ainsi proposé une description énumérative des
traits formels très variés auxquels Novalis a recours pour
faire subir à ses énoncés une modalisation hypothétique, il
faut rappeler que ces traits peuvent se combiner de manière
presque illimitée. L'auteur les utilise en fait souvent conjointement. Voici, à titre d'illustration, un extrait de l'esquisse d'une «Poétique du Mal» où Novalis en présente un
cumul impressionnant:

> # 653 ... Ne se pourrait-il pas que la maladie fût (*könnte ...
> nicht seyn*) le moyen d'une synthèse supérieure — [...] Peut-
> être que chaque maladie est le commencement nécessaire de
> l'univers de deux êtres [...]

---

(63) *OC*, II, p. 313. Texte allemand *SCH*, III, p. 336.

(64) Ici se combinent l'utilisation du subjonctif potentiel (wäre) et
l'acte révélateur (n'est que).

(65) *OC*, II, p. 322, traduction modifiée par W. M. Texte allemand *SCH*, III, p. 351.

Partout le meilleur bien ne commence-t-il pas par la maladie? [...]

Ou bien le Mal serait-il à éliminer (*ließe sich ... vertilgen*) du monde, comme la méchanceté. La poésie ne devrait-elle pas travailler éventuellement (*soll etwa*) à abolir malaise et déplaisir — comme la morale, le mal?

Du bon cœur à la vertu, la transition ne se fait-elle pas par le mal([66])?...

Ici tout un arsenal de traits formels est mobilisé pour énoncer l'hypothèse d'une Poétique du Mal qui est elle-même très complexe et radicalement ouverte dans le sens d'un inachèvement fragmentaire. Elle se construit à partir de deux idées de base: une mise en parallèle et en contact des domaines de la morale (*das Böse*) d'une part et de la médecine d'autre part (la maladie, *der Schmerz, die Unlust*) dans occupe une grande place dans l'œuvre de Novalis([67]). Et il en va de même pour le *Brouillon*. La maladie y constitue en quelque sorte un nœud de figuration dans lequel se recoupent bien des discours et qui acquiert de ce fait le statut

---

([66]) *OC*, II, p. 340, rétablissement de la ponctuation originelle par W.M. Texte allemand *SCH*, III, p. 389.

([67]) Pour motiver cet intérêt, on peut faire appel à un argument biographique: la maladie et la souffrance ont constitué une réalité existentielle incontournable pour Novalis. Qu'on pense à la maladie et à la mort de son frère Erasmus, de sa fiancée, Sophie von Kühn, à sa propre maladie. Mais là n'est pas le poids de notre argument; il y va bien davantage du traitement discursif de la maladie, de la possibilité d'en faire une figure de connection interdiscursive ainsi qu'un révélateur (cf. à ce sujet l'article de Heinrich Schipperges, «Krankwerden und Gesundsein bei Novalis», in Richard Brinkmann (hrsg.), *Romantik in Deutschland, op. cit.*, pp. 227-42 et le livre de John Neubauer, *Bifocal Vision. Novalis' Philosophy of Nature and Disease*, Chapel Hill, The University of North Carolina Press, 1971). Ce traitement discursif de la maladie est réutilisable, et sera en fait réutilisé par exemple par Christa Wolf, dans un contexte historique radicalement différent — mais non sans analogie avec la situation des romantiques — et loin de la morale chrétienne, dans son roman *Nachdenken über Christa T.*

d'un révélateur du fonctionnement discursif. Ici en particulier, sa mise en parallèle avec le mal moral (*das Böse*) propose d'«essayer» le discours de la morale chrétienne sur celui de la maladie, tout en laissant cette représentation interdiscursive dans l'indétermination constitutive du parler hypothétique: faut-il affirmer la maladie comme le moyen d'une synthèse supérieure s'y opposer pour l'éliminer de la face du monde? Ce que les deux possibilités ont en commun, c'est leur fonctionnement logique consistant à construire une position supérieure (synthèse, harmonie, ...) permettant de connecter les deux termes sémantiquement opposés et réciproquement exclusifs (*Wohllust/ Unlust*, vertu/méchanceté).

Ce que cette énumération descriptive des formes de la modalisation hypothétique de l'énoncé devrait avoir abondamment illustré, c'est l'importance de l'attitude énonciative qu'on peut résumer par le terme d'hypothèse. Cette attitude spécifique est en fait essentielle pour le *Brouillon*, elle est constitutive de la nature de projet expérimental de l'encyclopédie novalisienne. C'est dans cette «nature» que se joue ce qu'on pourrait appeler l'originalité historique de son entreprise, surtout si on la lit, comme nous l'avons fait, sur l'arrière-plan d'une histoire générique et d'une fonctionnalité pratique du genre, telle qu'Alain Rey par exemple l'a établie.

Faut-il donc relier toute l'entreprise du *Brouillon* à la question de l'hypothèse scientifique et, par là, l'encyclopédie romantique au geste de l'Homo Faber ainsi qu'à l'éthos du perfectionnement et du progrès constitutifs des Lumières? J'ai déjà montré que, dans une certaine mesure, la réponse doit être oui. Nous ne pouvons plus nous donner la facilité de penser le passage des Lumières au romantisme comme une rupture absolue, comme un recommencement historique. Ce passage est plus complexe, il comporte autant de continuité que de rupture, si on veut maintenir cette terminologie. Je préfère cependant parler d'une réutilisation qui effectue la transformation des éléments réutilisés. C'est dans ces termes que la problématique nous permettra d'aborder la question de l'événement discursif qu'est le *Brouillon*.

Nous avons vu que l'hypothèse représente une partie intégrale de la nouvelle scientificité, mais que son maniement par l'homme scientifique est délicat et risqué. Le moindre excès d'hypothèses invalide la procédure scientifique en la privant de ses assises empiriques. Il y a donc eu des hommes scientifiques qui ont combattu l'usage incontrôlé de l'hypothèse. Qu'on pense au célèbre *hypotheses non fingo* attribué à Newton. Novalis, quand il thématise la question de l'hypothèse, prend le contrepied de cette attitude prudemment empiriste. À ceux qui tirent de certains excès de l'hypothèse la conclusion qu'il faut éviter la pensée hypothétique tout court, parce qu'elle mine la procédure empiriquement scientifique, Novalis réplique que sans hypothèse il n'y a pas de connaissances, du moins pas de nouvelles découvertes, cognitives ou autres. C'est cet échange qu'il met en scène dans son cinquième Dialogue:

A. En fin de compte, mon cher, à quoi bon toutes ces hypothèses? Un seul fait véritablement observé vaut plus que la plus brillante de toutes les hypothèses. La production d'hypothèses (*hypothesiren*) est un jeu risqué — qui finit par se changer en un penchant passionnel pour le mensonge — et il se peut bien que rien n'ait autant nui aux meilleures têtes et aux sciences que cette fanfaronnade de l'entendement fantastique. Cette débauche scientifique affaiblit totalement le sens pour le vrai et nous fait perdre l'habitude de l'observation rigoureuse qui est, après tout, la seule base de tout développement et de toute découverte.

B. Les hypothèses sont des filets. Seul celui qui les tend, fera du butin./N'a-t-on pas découvert l'Amérique même par hypothèse?/Vive l'hypothèse avant toute chose — elle seule se renouvelle/infiniment, chaque fois qu'elle s'est vaincue elle-même./Et maintenant l'application utile en prose. Le sceptique, mon ami, n'a pas contribué plus au développement des sciences que l'empirisme vulgaire — Tout au plus, le sceptique obtient-il que l'amateur d'hypothèses se lasse du lieu où il se trouve et sent le sol chanceler sous ses pieds; quelle étrange façon de faire des progrès! Du moins y a-t-il là un mérite très indirect. Le véritable amateur d'hypothèses n'est autre que le véritable inventeur qui a une vision vague de la terre promise, avant même de la découvrir — par des

> comparaisons libres, par de multiples contacts et frottements
> de son expérience positive, il finit par trouver l'idée qui est
> en rapport négatif avec l'expérience positive, ce qui engage
> les deux dans une interdépendance permanente — et une
> nouvelle lumière céleste entoure la force ainsi née[68].

Certes, ce texte est dialogué, il met face à face deux voix,
deux attitudes, et il faut se garder de distribuer entre elles
vérité et erreur de manière à attribuer à l'une d'entre elles
l'autorité incontestée de représenter la voix de l'auteur
Novalis[69]. Et pourtant, il semble hors de doute que la
voix B, deuxième dans l'ordre de la prise de parole, a de
meilleurs arguments, corroborés par le fait qu'elle conclut
le dialogue et que son intervention reste par conséquent
sans réplique. En plus, ses arguments trouvent bien des
échos à travers l'œuvre de Novalis[70]. Les deux voix qui
s'opposent sont d'un côté celle de «l'empiriste ordinaire»
ou du «sceptique» (A) et, de l'autre, celle du «véritable
amateur d'hypothèses» ou de «l'inventeur» (B). Le premier conçoit une méfiance viscérale pour tout ce qui est
hypothétique, puisqu'il ne saurait y reconnaître que *Spiele-
rey*, jeu risqué, passion et raison fantaisiste, bref «débauche scientifique» et écart par rapport à la vérité scientifique
qui, comme nous l'avons vu chez Lavoisier, doit être basée
sur l'observation des faits. Le second loue l'activité hypothétique: elle seule est capable d'élargir les connaissances et
la notion du réel, grâce à une suspension provisoire de la
contrainte des faits, permettant un dépassement de l'expérience concrète.

Il y a pourtant un terrain commun, puisque, pour les
deux, l'enjeu est formulé dans les termes de l'idéologie des

---

(68) Traduction W. M., A. Guerne n'ayant pas inclus les dialo-
gues dans son édition des *Œuvres complètes*. Texte allemand *SCH*, II,
pp. 668-669.

(69) Pour une analyse de ce passage, on se reportera à Hannelore
Link (*op. cit.*, pp. 60-62) qui montre la complexité de son fonctionnement
textuel, surtout en ce qui a trait au jeu entre théorie énoncée et pratique de
l'énonciation, c'est-à-dire à sa performativité.

(70) Dans le *Brouillon*, en particulier ## 89 et 528.

Lumières: élargissement du savoir, progrès. La question principale consiste alors à savoir comment opérer ce «progrès», comment procéder pour assurer la production du nouveau. Pour l'interlocuteur B, l'auteur de l'hypothèse est identique avec l'inventeur. Concevoir des hypothèses est donc une activité directement reliée à celle d'inventer. Plus exactement, on n'invente ni ne découvre rien — l'exemple donné est celui de la découverte de l'Amérique — sans se faire au préalable une idée fictive, c'est-à-dire négative par rapport à une réalité donnée, de ce qui par l'invention-découverte deviendra réalité. Cette idée fictive, c'est l'hypothèse.

Contrairement à ce qui est le cas dans «l'empirisme ordinaire» (voix A), la production d'hypothèses est vue ici comme une opération non seulement indispensable, mais aussi positive et importante. Cette opération actualise un sens de la divination et postule la liberté de se détacher des données fixes de ce qui est. Elle procède par la projection d'une possibilité qui s'oppose au réel en le dépassant: «die Idee [...], die sich negativ zur positiven Erfahrung verhält». Finalement, cette projection possible d'un nouveau réel peut et doit être expérimentalement multipliée et variée dans une activité que nous avons appelée «possibilisation». Nous avons décrit cette activité comme faisant intégralement partie de la réalisation poétique du *Brouillon*, mais elle doit aussi trouver sa place, selon Novalis, dans l'expérimentation scientifique. C'est elle, justement, qui permet de relier activement poésie et expérimentation scientifique:

> # 89 DOCTRINE DE L'ART PHYSIQUE. Le génie de l'expérimentation, qu'ils sont rares ceux qui l'ont! Il y a chez l'expérimentateur véritable comme un obscur sentiment de la nature qui le conduit dans son opération d'autant plus sûrement que ses dispositions sont plus parfaites, et lui permet de découvrir et de définir avec la plus grande exactitude le phénomène déterminant. La nature en quelque sorte inspire son véritable amant et se révèle à travers lui d'autant plus parfaitement que sa constitution, à lui, est plus harmonique à la sienne. Le véritable amant de la nature se signale justement par son habileté à multiplier les expériences, à les

simplifier, à les combiner et les analyser, à les romantiser et les polariser, par son esprit d'invention pour des expériences nouvelles[71]...

Ce texte est tiré du *Brouillon*. Il est intéressant de voir que le postulat d'une multiplication et variation des expériences rapproche Novalis de la position que Diderot a développée dans les *Pensées sur l'interprétation de la nature*[72] où il a insisté sur l'importance de «la philosophie expérimentale» par rapport à «la philosophie rationnelle». «L'expérience multiplie ses mouvements à l'infini; elle est sans cesse en action» (p. 20), dit-il, et plus loin encore: «Les expériences doivent être répétées» (p. 41) et «À force de multiplier les essais, si l'on ne rencontre pas ce que l'on cherche, il peut arriver qu'on rencontre mieux» (p. 40).

Le parallélisme avec Diderot est susceptible d'être étendu encore; les deux auteurs postulent une espèce d'intuition ou de divination. Novalis: «Il y a chez l'expérimentateur véritable comme un obscur sentiment de la nature qui le conduit dans son opération»[73]. Diderot, pour sa part, accorde de l'importance à «cet esprit de divination

---

[71] *OC*, II, pp. 236-37, traduction modifiée par W. M. Texte allemand *SCH*, III, p. 256.

[72] Denis Diderot, in *Œuvres complètes de Diderot*, éd. J. Assézat, Paris, Garnier Frères, 1875, vol. II, pp. 7-59. Les indications de pages qui suivent les citations renvoient à cette édition. Il faudrait aussi rapprocher cette attitude de celle de Goethe. Dans son essai de 1792 «Der Versuch als Vermittler von Objekt und Subjekt» (in Johann Wolfgang Goethe, *Werke, Hamburger Ausgabe in 14 Bänden*, 8e édition, Munich, C. H. Beck, vol. 13, pp. 10-20), ce dernier a également postulé la multiplication et la variation des expériences scientifiques, mais moins en vue d'augmenter la capacité des «filets de l'hypothèse» dont parle Novalis que, au contraire, pour mieux contrôler les élans de l'hypothèse et les déformations dues à l'expérience isolée. Ce postulat est alors plutôt au service d'un éthos empiriste en sciences (ceux qui étudient la nature doivent *untersuchen was ist, nicht was behagt*, p. 10); sur le plan de la méthode, il s'oppose à toute conclusion basée sur des faits ou observations isolées, et plaide pour une intégration des données dans des séries d'expérimentations et, par là, dans une totalité plus complexe.

[73] *OC*, II, p. 236. Texte allemand *SCH*, III, p. 256, # 89.

par lequel on subodore, pour ainsi dire, des procédés inconnus, des expériences nouvelles, des résultats ignorés (p. 24). Finalement, les deux auteurs relient l'activité hypothétique et expérimentale à celle du «génie qui crée» (Diderot, p. 17). Novalis: «Le génie de l'expérimentation, qu'ils sont rares ceux qui l'ont! [...] Comme expérimentateur, il n'y a donc que le génie»([74]). L'expérimentation que Novalis qualifierait de «véritable» et qui implique toujours la formation d'hypothèses relève donc de la création, par conséquent son auteur doit avoir les qualités du génie.

Cependant, cette valorisation positive de l'hypothèse comme une phase décisive dans l'activité expérimentale n'admet pas d'évaluation unilatérale ni l'isolement de cette phase. Novalis prend soin de l'intégrer dans le contexte plus vaste et plus complexe d'une logique de l'expérimentation:

> # 528 LOGIQUE, etc. De même que, pour expérimenter, il faut que je mette en œuvre une idée universelle — un schéma idéal de l'expérimentation — une hypothèse brute, schématique, il faut de même que, pour démontrer — la démonstration étant une expérimentation idéale — je me fonde sur un schéma objectif brut — déterminable — stimulable. L'hypothèse est fournie par l'imagination subjective, le schéma par l'imagination objective. Un plan est un schéma subjectif, dans la mesure où va de l'avant l'expérience idéale et réelle — le schéma se diversifie et devient plus harmonieusement déterminé — et inversement, avec le perfectionnement et l'élévation du schéma, la tentative s'éclaire, se diversifie et passe à un degré supérieur.
>
> Une observation est d'autant plus observation qu'elle est plus spécifiante ou classifiante — et que ses classifications sont plus correctes. De même l'ordre correct dans la diversification appartient au niveau plus élevé([75]).

Deux principes logiques interviennent dans l'organisation de cette entrée. Il y a d'abord celui de l'action réciproque,

---

([74]) *Ibid.*

([75]) *ENC*, p. 143. Texte allemand *SCH*, III, p. 357.

rendu explicite par l'expression *und umgekehrt* (inversement): une série de dichotomies (expérimentation vs démonstration, schéma subjectif vs schéma objectif, expérience idéale vs expérience réelle) est traitée de manière à ce que le développement d'un des deux termes présuppose et conditionne celui de l'autre. Ensuite, le principe de la progression dynamique, marqué par *um so mehr... je... je* (d'autant plus que... plus... plus..), qui va du simple au complexe et d'un degré inférieur à un degré supérieur et qui est susceptible d'une mise en discours narrative. C'est inséré dans ce fonctionnement logique que l'hypothèse prend sa place. Elle est «schéma idéal» relevant de la «fantaisie subjective»; en tant que tel, elle sera apportée par l'expérimentateur à l'activité expérimentale, ce qui, dans un certain sens, confirme la méfiance que manifestent les empiristes pour la nature subjective de l'hypothèse. Mais, elle ne prendra d'actualité que dans un échange chiastique avec son équivalent objectif, la démonstration.

Il est évident que, dans une conceptualisation si générale, on quitte le domaine spécifique de «l'interprétation de la nature» auquel Diderot avait limité ses réflexions sur ce qu'il appelle «la philosophie expérimentale». Novalis situe la double activité expérimentation-démonstration à un niveau bien plus abstrait, embrassant de la sorte pratiquement toutes les activités humaines en les abordant dans ce qu'elles ont en commun en tant que logique de l'esprit humain. Cette logique s'applique en premier lieu à l'activité cognitive, mais comme, pour Novalis, connaître est une variante de «faire» et de «produire», il s'agit donc là aussi d'une logique de la production, c'est-à-dire d'une logique poïétique. Ou du moins, cette logique a-t-elle toujours aussi un aspect poïétique.

Nous sommes maintenant mieux en mesure de situer cet aspect spécifique. Il s'avère être intimement lié au moment hypothétique de l'activité expérimentale visant la connaissance, moment précis où la «fantaisie subjective» développe un «schéma idéal» qui se détache des données et structures réelles, entre en conflit avec ce réel en ayant un effet négatif qui dissout les structures de ce qui est, et fait apparaître la possibilité plurielle d'autres structures. Dans ce moment de l'hypothèse, le réel s'ouvre sur un possible qui le dépasse.

Dans le cinquième dialogue, Novalis a indiqué trois procédés pour opérer cette possibilisation: *freye Vergleichung* (comparaison libre), *mannigfache Berührung und Reibung* (contact et frottement multiple et varié). Les procédés ainsi identifiés ont en commun le principe d'un contact actif. On pourrait même affirmer qu'il ne s'agit en vérité que d'un seul procédé, mais qui est présenté dans trois modalités différentes selon l'ordre de dynamisation et de concrétisation croissante de leur application. Dans les trois modalités, il importe que ce principe mette en contact ce qui ordinairement, c'est-à-dire selon l'ordre donné des choses, est séparé [76].

Ce détour par la thématisation de l'hypothèse chez Novalis confirme ce que la description de la modalisation hypothétique des énoncés nous a déjà permis d'observer: on constate un intérêt extrêmement positif pour la formation hypothétique, et cette formation constitue un procédé capital et permanent dans le *Brouillon*. Or, elle peut bien relever de l'expérimentation scientifique au sens étroit du terme et renvoyer alors à un travail expérimental qui est à exécuter à l'extérieur du domaine discursif. Le domaine réel dans lequel l'hypothèse énoncée sera alors mise en œuvre, peut être celui de la physique, de la chimie ou de la technique:

> # 802 Recherches d'expériences purement chimiques et leur observation exacte. [...] Ne pourrait-on pas (*ließen sich nicht...*) améliorer encore beaucoup les instruments de chimie? Diversification et saisie exhaustive d'un phénomène

---

[76] Ce qui explique le terme d'«extravagance» que Diderot utilise pour désigner ces contacts inusités que l'expérimentateur provoque au moment de l'activité hypothétique: «Je dis extravagances; car quel autre nom donner à cet enchaînement de conjectures fondées sur des oppositions ou des ressemblances si éloignées, si imperceptibles, que les rêves d'un malade ne paraissent ni plus bizarres, ni plus décousues?» (*op. cit.*, p. 25).

en diversifiant les instruments qui se rapportent et coopèrent au phénomène en question([77])...

\# 1 043 Ne pourrait-on pas (*könnte man nicht...*) amener l'eau de façon intermittente sur la roue?...

Dans la plupart des cas, cependant, l'hypothèse vise en premier lieu l'ordre du discours et n'apporte de changement que dans la réalité discursive. Elle est, dans ce sens, à la fois hypothèse et expérimentation, puisque l'énonciation de l'hypothèse comporte déjà son application au matériau discursif.

L'expérimentation dont fait partie la modalisation hypothétique décrite ici relève donc de l'expérimentation interdiscursive, dans la mesure où elle suit le procédé de la mise en contact dynamique. Elle a ceci de particulier qu'elle ne réalise toujours que la phase initiale de cette expérimentation: l'ouverture d'un ordre donné sur l'hypothèse d'un ordre possible, ou de plusieurs ordres possibles. Contrairement à l'expérience scientifique, entreprise sous l'obligation de produire un résultat, celle que nous observons dans la matière discursive du *Brouillon* ne conclut pas. Elle ne fait qu'initier l'opération expérimentale. Empruntant ce terme à la terminologie grammaticale de la théorie des aspects verbaux, on pourrait parler d'une énonciation inchoative qui ne réalise que le geste initial de la dissolution du réel et son ouverture sur le possible, en laissant cependant au lecteur le soin de conclure.

Ceci est à relier à la fragmentarité, déjà observée et décrite, qui est la forme textuelle équivalant à cette énonciation inchoative. Pour illustrer le lien entre un parler hypothétique et la forme fragmentaire du texte, je m'appuyerai sur le texte du «Monologue»([78]). Ce texte, qui a déjà fait l'objet de plusieurs lectures herméneutiques et critiques([79]), thématise le langage, plus exactement différentes pratiques du langage. Trois niveaux d'énonciation

---

([77]) *OC*, II, p. 293, traduction modifiée par W. M. Texte allemand *SCH*, III, p. 426, \# 802.

([78]) *OC*, II, pp. 86-87. Texte allemand *SCH*, II, pp. 672-73.

se superposent en se suivant dans le déroulement de ce texte. Celui qui doit nous intéresser ici, c'est le troisième, mais avant de l'aborder plus en détail, il faut rapidement situer les deux premiers.

Dans sa première partie, le texte construit une dichotomie qui oppose thématiquement un «parler de quelque chose de précis» à un «parler pour parler». Dans le premier cas, un sujet humain se sert du langage, comme d'un instrument, pour dire quelque chose, et plus exactement pour dire vrai sur un état de choses donné; ce côté de la dichotomie est réalisé dans le texte par un paradigme de verbes transitifs de la parole. Dans la perspective subjective du sujet humain, il s'agit d'un vouloir-parler. Dans le deuxième cas, c'est le langage lui-même, en tant que sujet, qui se sert d'un locuteur humain pour exprimer «les plus originales et les plus merveilleuses vérités»; ce côté de la dichotomie est réalisé par un paradigme de verbes intransitifs de la parole; dans la perspective subjective du sujet humain, il est perçu comme un devoir-parler. Le premier parler est dit être faux, inauthentique; il met le locuteur en position d'erreur, tandis que le deuxième le met en position de vérité, qui se révélera coïncider avec celle de la poésie. Cette vérité est énoncée par un locuteur qui ne se met pas en scène au premier niveau d'énonciation.

Au deuxième niveau, quand le locuteur se manifeste en s'appropriant le discours par la forme du «je», c'est pour dénoncer, et par là pour dépasser l'erreur qu'il vient de commettre: avoir dit la vérité (contenu propositionnel) sur le langage en adoptant une pose pratique (attitude énonciative) qui est celle de l'erreur: «l'ayant voulu dire, j'ai dit quelque chose de complètement idiot, d'où toute poésie est exclue».

Après ce geste réflexif d'auto-correction et d'auto-dépassement, se réalisant dans les structures logiques de l'ironie romantique, quel parler le locuteur peut-il désor-

---

(79) Cf. en particulier celles de Ingrid Strohschneider-Kohrs, dans *Die romantische Ironie in Theorie und Gestaltung*, Tübingen, Niemeyer, 1960, et de Hannelore Link, *op. cit.*, pp. 87-91.

mais adopter pour rester dans la vérité du langage et de la poésie? C'est-à-dire pour accorder le contenu propositionnel avec son attitude énonciative? La réponse consiste essentiellement en une modalisation de l'énonciation:

> *Wie wenn ich* aber *reden müßte*? und dieser Sprachtrieb zu sprechen das Kennzeichen der Eingebung der Sprache, der Wirksamkeit der Sprache in mir *wäre*? und mein Wille nur auch alles *wollte*, was ich *müßte, so könnte dies* ja am Ende ohne mein Wissen und Glauben Poesie *sein* und ein Geheimniß der Sprache verständlich *machen*? und *so wär' ich* ein berufener Schriftsteller, denn ein Schriftsteller *ist wohl nur* ein Sprachbegeisterter([80])?

Je cite ce texte d'abord en allemand, car la comparaison avec la traduction française proposée par Armel Guerne permettra justement de faire ressortir ce qui me paraît décisif dans cette fin de texte:

> *Mais s'il avait fallu* quand même *que je le dise*? Et *si*, pressé de parler par la parole même, *j'avais reconnu* en moi ce signe de l'inspiration, *porté* ce caractère de l'œuvre efficace du verbe? et *si* ma volonté *n'avait aucunement voulu ce qu'il a fallu que je dise*? — *ne serait-ce pas qu'*au bout du compte, et sans que j'y fusse pour rien, *ce fût* de la poésie quand même, et qu'un mystère du langage *eût été rendu* intelligible? et *ne serais-je pas* un auteur-né, un écrivain de vocation, puisqu'il n'est d'écrivain qu'habité par la langue, qu'il est parfaitement et n'est que l'inspiré du verbe, un illuminé du langage([81])?

En allemand la phrase *Wie wenn ich aber reden müßte* comporte une modalisation hypothétique de l'énonciation,

---

([80]) *SCH*, II, pp. 672-673, souligné par W. M. Dans la dernière phrase du texte (*ein Schriftsteller ist wohl nur ein Sprachbegeisterter*) on retrouve l'énoncé nucléaire «X est Y», dans un geste de révélation (*ist nur*: n'est que) et avec une modalisation hypothétique par l'adverbe *wohl*. Ce dernier élément sera effacé dans la traduction d'Armel Guerne (*OC*, II, p. 87): «puisqu'il n'est d'écrivain qu'habité par la langue, qu'il est parfaitement et n'est que l'inspiré du verbe, un illuminé du langage?».

([81]) *OC*, II, pp. 86-87, souligné par W. M.

réalisée par une forme grammaticalement conditionnelle, mais à valeur potentielle([82]). Cette modalisation joue un rôle décisif dans le déroulement du texte. Sa force illocutoire en quelque sorte non-réalisée, restée à l'état de virtualité, ne lui confère pas moins l'importance d'un événement discursif. Car c'est ce statut ambivalent de geste exécuté et révoqué à la fois qui lui permet de dépasser l'erreur commise (niveau d'énonciation 1) et dénoncée ainsi que la dénonciation elle-même (niveau d'énonciation 2). Cette phrase apporte la possbilité hypothétique d'un nouveau parler qui ne soit plus dans l'erreur, tout en confirmant la vérité du contenu propositionnel de la première partie. Ce serait un parler dans lequel vouloir et devoir ne s'excluraient plus, coïncideraient même. Le locuteur assume donc ce troisième parler comme une possibilité encore à réaliser — ou du moins comme une possibilité dont la réalisation, dût-elle être déjà advenue, reste incertaine, ignorée par le locuteur — tout en se situant du côté de la parole authentique par l'usage d'un verbe intransitif (*reden*: parler).

Pour ce qui est de la structure textuelle, cette possibilisation en fin de texte opère une ouverture sur un parler à venir, ou plus précisément elle se termine sur un parler hypothétique qui est encore à mettre en acte. Ce qui est réalisé dans le texte renvoie à une suite à donner sous la forme d'une continuation extra-textuelle, dont l'hypothèse est cependant déjà inscrite dans le texte. Le «Monologue» offre ainsi un exemple de la forme et du fonctionnement logique du fragment romantique.

Or, la traduction française change tout cela par une double décision dans la troisième partie du texte. En fait, le *conjunctivus potentialis* (*Wie wenn ich... müßte*) est rendu par un *irrealis* (s'il avait... fallu que) et le verbe intransitif (*reden*) par un verbe transitif (le dire). Ces transformations

---

(82) Cette valeur potentielle est inscrite, de manière elliptique, dans la formule *Wie... aber*, combinée avec le présent du subjonctif et avec la forme interrogative. Si on voulait syntaxiquement expliciter cette ellipse, cela donnerait une phrase du type: «Que se passerait-il cependant si...?

355

ont des conséquences décisives: l'usage d'un verbe transitif de la parole par le locuteur au troisième niveau d'énonciation ne réintroduit pas seulement l'erreur déjà dénoncée et dépassée, mais son complément direct «le» — qui n'a pas d'équivalent dans le texte allemand — introduit une référence à ce qui précède, ce qui a pour effet, en quelque sorte, de «boucler» le texte au lieu de l'ouvrir. Le choix de la forme *irrealis* du subjonctif renforce encore cet effet en introduisant un désir irréalisable, une spéculation après coup sur une occasion manquée. D'utopique, la tonalité dominante du texte, et surtout de sa fin, se change en tragique. Il efface la potentialité hypothétique de la dernière partie, et avec elle la dynamique pragmatique du texte, c'est-à-dire son orientation vers un accomplissement ultérieur. C'est la fragmentarité-ouverture du texte qui est ainsi annulée.

C'est ainsi que, par voie négative, la traduction française met en relief les particularités de l'original allemand qui nous intéressent ici, surtout en ce qui a trait à la modalité d'énonciation. Il est vrai que, dans les entrées du *Brouillon* où l'inachèvement fragmentaire est souvent doublée d'une incomplétude grammaticale ou autre, la potentialité hypothétique s'insère rarement dans une structure textuelle aussi parachevée que celle du «Monologue». Mais il reste que la modalisation hypothétique de l'énonciation confère à tous les textes qui la contiennent cet aspect inchoatif d'une nouveauté dont la production est amorcée, mais reste encore à accomplir. Pourtant, en tant qu'expérimentation poïétique, cette production est déjà réelle. Elle se réalise effectivement dans la concrétude du matériau discursif en essayant de multiples contacts inédits.

C'est par cet aspect interdiscursif aussi que les entrées de Novalis se distinguent des notes de Lichtenberg. Dans son livre sur l'usage que fait Lichtenberg du subjonctif[83], Albrecht Schöne, spécialiste des questions ayant

---

(83) Albrecht Schöne, *Aufklärung aus dem Geist der Experimentalphysik. Lichtenbergsche Kunjunktive*, München, C. H. Beck, 1982.

trait à l'emploi littéraire du subjonctif [84], consacre un chapitre entier à Novalis. Il y procède par comparaison pour faire ressortir les ressemblances et les différences entre les deux auteurs dont les textes ont en commun un emploi particulièrement fréquent du subjonctif. Il constate que «les notes [de Novalis] sont à la fois étroitement apparentées et éloignées par rappport aux *Sudelbuchnotizen* [de Lichtenberg]» (p. 133).

Parmi les auteurs — scientifiques et philosophes — s'inscrivant dans le mouvement des Lumières, Lichtenberg fait exception par son emploi fréquent du subjonctif. Ce trait stylistique le rapproche de Novalis, par-dessus le fossé que l'historiographie littéraire maintient ouvert entre Lumières et romantisme. Les deux auteurs ont recours dans leurs écrits à ce que Schöne appelle «l'énergie spéculative» du subjonctif (p. 135) [85] qu'ils utilisent surtout de manière expérimentale et hypothétique. Leur emploi du mode subjonctif révèle ainsi une parenté d'esprit entre le représentant de l'époque avancée des Lumières et celui du premier romantisme [86].

Schöne explique cette parenté en partie par un élément commun dans la biographie des deux auteurs: leur formation scientifique. Pourtant, c'est justement dans leur manière divergente d'adhérer aux paradigmes scientifiques de l'époque que cette ressemblance se tourne en différence.

---

(84) On pense surtout à son article devenu un classique de la critique musilienne: «Zum Gebrauch des Konjunktivs bei Robert Musil», première publication dans *Euphorion*, 55, 1961, pp. 196-220. Traduction française: «L'emploi du subjonctif chez Robert Musil», in *L'Arc*, 74, 1978, pp. 41-62.

(85) Il me semble cependant que Schöne attribue cette «énergie spéculative» trop exclusivement au seul travail du mode subjonctif. Il ne tient pas suffisamment compte d'autres élements — tels qu'adverbes, verbes modaux, insertion contextuelle — dont nous avons pu observer l'effet concomitant, chez Novalis, avec le subjonctif. «L'énergie spéculative» se dégage d'un ensemble d'éléments et de leur emploi conjoint, plutôt que d'un seul parmi eux.

(86) Schöne parle de *Spätaufklärung* et de *Frühromantik*.

Lichtenberg inscrit dans ses textes un correctif d'ordre critique et sceptique ([87]) pour contrôler sinon révoquer ses envolées spéculatives sur les ailes du subjonctif hypothétique. Il postule la vérification expérimentale des hypothèses et admet que celles qui ne sont pas vérifiables parce que, comme le dit souvent Schöne, elles dépassent les moyens techniques des laboratoires, sont à rejeter dans le domaine de la fiction. Novalis par contre ne met pas, ou presque pas, ce frein à la production d'hypothèses. Au contraire, il leur accorde souvent une réalité plus qu'hypothétique en glissant, lors de leur réalisation discursive, dans le mode de l'indicatif. C'est ce que nous avons pu observer en analysant l'énoncé nucléaire «X est Y», réalisé sans modalisation explicite, mais pourvu d'une force illocutoire qu'on peut qualifier de thétique.

Dans l'analyse de Schöne tout se passe comme si la différence entre Lichtenberg et Novalis était déjà inscrite dans le cinquième dialogue de ce dernier: la position de Lichtenberg, sceptique et empirique, correspond à celle de l'interlocuteur A, tandis que Novalis, favorable à un recours pratiquement illimité au parler hypothétique, adopte la position de l'interlocuteur B. Or, il y a encore une différence, importante pour notre analyse du *Brouillon*, dont Schöne n'a guère tenu compte. La plupart des hypothèses énoncées par le physicien de Göttingen et analysées par Schöne décrivent des dispositifs expérimentaux auxquels il faut, du moins en principe, donner suite en-dehors du langage, en manipulant les données du monde physique auxquelles le discours fait référence. Quand tel

---

([87]) Voici comment Schöne situe Lichtenberg entre l'emploi du subjonctif sceptiquement conservateur par les moralistes français du XVIIe siècle et l'emploi spéculativement exalté par les romantiques: «Verdeutlicht sich also im Kontrast zu den Moralisten die hypothetisch-experimentelle Expansionskraft des (in der Konjunktivsprache sich äußernden) Lichtenbergschen Denkens, so im Vergleich mit diesen Romantikern sein selbstkritisch-skeptisches Bändigungsvermögen. Daß ihn (anders als jene) der Zweifel zur Hypothese treibt, und daß er zugleich doch (anders als diese) die Skepsis einsetzt zum Zuchtmeister der Spekulation, bestimmt die Position dieses Physikers: weist ihn als Aufklärer aus» (p. 141).

n'est pas le cas, Schöne le signale explicitement et parle alors du glissement de l'hypothèse — dans la mesure où elle reste irréalisable, non vérifiable — vers la fiction littéraire. Il consacre d'ailleurs des réflexions très intéressantes au passage de l'expérimentation scientifique à l'expérimentation mentale (*Gedankenexperiment*) et de là à la fiction littéraire [88].

Il n'est donc pas étonnant qu'un grand nombre d'exemples qu'il cite de Novalis sont du même type: l'esquisse d'une expérimentation qu'on pourrait et devrait réellement exécuter. Comme ces notations purement scientifiques — au sens empirique du terme — sont plutôt rares dans le *Brouillon*, Schöne a également eu recours aux recueils de textes plus spécifiquement scientifiques dans les Cahiers d'études de Freiberg [89]. Or, le travail principal dans le *Brouillon* n'est pas de cette nature. Il consiste moins à proposer des expériences scientifiques en produisant des hypothèses dont la postérité aurait à apporter les mises en application et les vérifications, qu'à expérimenter directement dans le matériau du discours. Par conséquent, le texte de l'encyclopédie novalisienne est hypothèse et expérimentation à la fois. Il est, comme le formule Novalis lui-même, «essai idéal et réel» [90]: «idéal», parce qu'il conçoit, propose, pose de nouvelles articulations et procédures de l'invention intellectuelle, «réel», parce qu'il les met en œuvre concrètement dans le matériau des discours antérieurs et contemporains qui sont à la portée de Novalis. Dans ce sens, l'énonciation hypothétique du *Brouillon*

---

[88] *Op. cit.*, pp. 85-87. Ernst Mach, dans son livre *Erkenntnis und Irrtum* (réimpression de la 5ᵉ édition de 1926, Darmstadt, Wissenschaftliche Buchgesellschaft, 1976, pp. 183-200) a également rapproché *Gedankenexperiment* et *Dichtung* et analysé les différences entre ces deux activités qui relèvent pour lui du domaine de la fiction.

[89] Cf. *SCH*, III, pp. 34-203. Il cite en particulier dans «Technische und Mechanische Bemerkungen», «Physikalische Fragmente», «Großes physikalisches Studienheft», «Aufzeichnungen vorwiegend naturwissenschaftlicher Art», «Alexander-von-Humboldt-Studien», «Gravitationslehre».

[90] Cf. *SCH*, III, p. 357.

est déjà expérimentation discursive, mais expérimentation dont l'impact, dont les conséquences concrètes sont encore à venir, s'il y a événement discursif. La manière dont Schöne aborde les «subjonctifs lichtenberguiens» ne lui permet pas vraiment d'aborder la pratique discursive de Novalis dans le *Brouillon* en tant qu'événement discursif, c'est-à-dire comme pouvant affecter en profondeur les règles de formation du faire discursif.

La modalisation utopique

Sous le nom d'énonciation utopique il s'agit maintenant d'analyser un dernier type de modalisation explicite de l'énoncé nucléaire. Il y va, cette fois-ci, d'un phénomène complexe du texte — déjà illustré, par ci par là, dans les exemples cités — qui est constitué par l'effet conjoint de deux composantes clairement repérables. La première est une modalisation proprement dite et le plus souvent réalisée à l'aide d'un verbe modal, la deuxième consiste en une modification temporelle de l'énoncé.

En s'appuyant sur le schématisme de l'énoncé nucléaire, on peut illustrer le fonctionnement de la modalisation utopique comme suit: dans un premier temps, l'énoncé «X est Y» subit une modalisation explicite du type «X doit être Y» ou «X doit devenir Y»; dans un deuxième temps, une dynamique temporelle s'y inscrit par la transformation de la forme verbale: «X sera Y» ou «X deviendra Y». Cette transformation temporelle pouvant également s'effectuer moyennant des éléments adverbiaux, voici comment le phénomène complexe se compose:

composante modale: X doit être/devenir   Y
composante temporelle: X sera/deviendra   Y

énonciation utopique: X doit un jour être/devenir Y

On s'intéresse donc ici à une énonciation utopique d'un type très particulier qui joue un rôle important dans la pratique discursive du *Brouillon*. Même s'il s'agit en principe d'un phénomène composite, les traits textuels dont il se compose peuvent aussi figurer séparément. Sa réalisation dans le texte peut se limiter à l'une ou à l'autre de ses composantes.

Sa dimension temporelle a déjà attiré l'attention des critiques. Lacoue-Labarthe et Nancy signalent «l'énonciation au futur»[91] qui, selon eux, est typique surtout du «plus ancien programme systématique de l'idéalisme allemand»[92]. Ce type d'énonciation, orienté vers un état à venir, peut s'observer dans le *Brouillon* sous différentes formes. Une première, très explicite, emprunte exactement la structure grammaticale de l'énoncé nucléaire:

> # 596 ... La physique parfaitement complète sera la doctrine universelle de l'art de la vie[93]...

Ce que le temps du verbe (futur) est chargé d'exprimer ici, Novalis le transpose souvent dans le contenu sémantique du verbe *werden* (devenir) qui comporte l'idée du passage d'un état à un autre, mais peut, en plus, être mis à la forme du futur:

> # 388 ... Dieu, liberté et immortalité deviendront un jour les bases de la physique spirituelle, tout comme le soleil, la lumière et la chaleur sont les bases de la physique terrestre[94].

Ici le verbe «devenir» est au futur, et cette projection dans un avenir indéterminé se trouve encore soulignée par l'expression adverbiale *einst* (un jour). Grâce au fait que, indépendamment de sa forme spécifique, le verbe *werden*

---

[91] Philippe Lacoue-Labarthe et Jean-Luc Nancy, *op. cit.*, p. 47.

[92] Dans leur ouvrage, Lacoue-Labarthe et Nancy proposent une traduction française de ce texte (*op. cit.*, pp. 52-53).

[93] *OC*, II, p. 330. Texte allemand *SCH*, III, p. 372.

[94] *OC*, II, p. 270. Texte allemand *SCH*, III, p. 311.

exprime toujours la dynamique d'une transformation, il est donc prédestiné à devenir le verbe de l'énonciation utopique par excellence.

En tant qu'utopiste, Novalis s'intéresse en fait davantage au processus du devenir, c'est-à-dire au passage d'un état présent à un état futur, qu'à la description anticipée d'un état futur. Il est plutôt rare qu'il élabore la vision d'un état de perfection à venir, en s'y référant comme s'il était déjà réalisé. En voici quelques exemples tirés du *Brouillon*:

> # 210 LITTÉRATURE FUTURE. — Quel beau temps ce sera, quand on ne lira plus rien d'autre que de belles compositions, des œuvres de l'art littéraire. Les autres livres ne sont tous que des moyens, qui s'oublient dès qu'ils cessent d'être des moyens utiles — ce que les livres ne restent pas longtemps[95].

> # 461 ... Ce n'est qu'au moment où le philosophe apparaît, tel Orphée, que le tout s'ordonne en masses régulières, communes et supérieures, formées, signifiantes — en véritables sciences[96]...

> # 686 ... Un jour, viendra le temps où, tel Pygmalion, chaque initié du monde meilleur verra le monde qu'il s'était créé, le monde qu'il avait rassemblé autour de lui s'éveiller dans la gloire d'une sublime aurore, et là seront récompensés sa longue et fidèle patience et son constant amour[97].

Le geste emphatiquement prophétique[98], qui prédit un avenir meilleur tout en le décrivant, qu'on peut observer dans ces entrées est plutôt rare chez Novalis. Cela ne veut point dire que le *Brouillon* ne soit pas utopique, bien au

---

[95] *OC*, II, p. 251. Texte allemand *SCH*, III, pp. 276-77.

[96] *ENC*, p. 337. Texte allemand *SCH*, III, p. 335.

[97] *OC*, II, p. 344. Texte allemand *SCH*, III, p. 398.

[98] Voici réunis, en allemand, les trois gestes cités: # 210: *Es wird eine schöne Zeit seyn, wo...*, # 461: *Erst dann, wenn...*, # 684: *Einst kommt die Zeit, wo...*

contraire, mais que sa dimension utopique se réalise par d'autres moyens textuels.

Pour commencer, elle est sémantiquement beaucoup moins explicite. Plutôt que de décrire l'état parfait projeté dans un avenir ou dans un ailleurs lointain, mais représenté fictionnellement comme s'il était réel, Novalis préfère dire en quoi l'état actuel et réel est imparfait et, par l'ajout d'éléments adverbiaux, suggérer que cet état n'est que provisoire, inséré dans une temporalité dynamique qui transformera l'imperfection actuelle en perfection future. Ses descriptions des réalités actuelles sont en fait souvent implicitement orientées vers la possibilité de leur dépassement, chose que nous avons déjà pu observer en nous penchant sur la modalisation hypothétique. Voici quelques exemples

> # 471 ARS LITTERARIA. Étrange que l'on ne possède encore aucune (*noch keine*) doctrine logique des devoirs du lecteur et aucune doctrine des droits de l'auteur. Idéal d'un lecteur[99].

> # 622 MÉDECINE Toute maladie, toute vie ne serait-elle pas simultanément — ou successivement — sthénique et asthénique — et les principes généraux de Brown ne seraient-ils pas les principes fondamentaux de toute maladie? Il manque encore (*es fehlen noch*) des principes concernant les stimuli, qui se rapportent également aux stimuli individuels — pleinement relation[100]...

---

(99) *ENC*, p. 305. Texte allemand *SCH*, III, p. 339. Pour *logische Pflichtenlehre des Lesers*, je préfère la traduction de Maurice de Gandillac (doctrine logique des devoirs du lecteur) à celle de Guerne (législation morale des devoirs du lecteur). Il n'est pas sûr que cette doctrine, dont Novalis constate le manque, soit d'ordre moral. Il me semble qu'il y va plutôt d'une «théorie de la lecture» comme elle a été développée dans notre siècle, par exemple par Roman Ingarden et par les membres de l'École de Constance. Dans ce sens, la remarque de Novalis aura vraiment été prophétique!

(100) *ENC*, p. 253. Cette partie de l'entrée # 622 n'a pas été traduite par A. Guerne. Texte allemand *SCH*, III, p. 377.

924 En ce qui concerne la plupart des résultats, Plotin fut déjà un idéaliste et un réaliste critique. La méthode de Fichte et de Kant n'est pas encore (*ist noch nicht*) exposée de façon complète et précise. Ils ne savent encore (*noch nicht*), ni l'un ni l'autre, expérimenter avec aisance et de façon diversifiée — ils manquent absolument de poésie — tout chez eux est encore (*ist noch*) si raide, si craintif.

La libre méthode d'engendrement de la vérité est encore susceptible d'être (*kann noch... werden*) beaucoup étendue et simplifiée — d'être, absolument parlant, perfectionnée. — Or, cet art authentique d'expérimenter est — la science de l'empirisme actif. (La tradition est devenue doctrine.) (Toute doctrine se réfère à l'art — à la pratique.)

Il faut pouvoir présentifier partout la vérité — partout la représenter (au sens actif, productif du terme)([101]).

1 122 Le mot même de *Stimmung* indique la nature musicale des choses qui président aux mouvements de l'âme. — L'acoustique de l'âme est encore (*ist noch*) un domaine obscur, mais très important peut-être. Vibrations harmoniques — et disharmoniques (ondes d'accord et de désaccord)([102]).

Que ce soit en littérature, en médecine, en philosophie ou en psychologie, Novalis décrit partout, et toujours avec les mêmes moyens textuels, l'imperfection d'une situation actuelle. Dans ces exemples la dimension utopique, à peine perceptible, s'inscrit en quelque sorte en creux dans la détermination négative de l'état actuel:

— l'état actuel est encore   + prédicat négatif
— l'état actuel n'est pas encore + prédicat positif

([101]) *ENC*, p. 99. Cette entrée est introuvable dans la traduction d'A. Guerne. Texte allemand *SCH*, III, p. 445. Dans la dernière partie de cette entrée on trouve déjà la modalisation impérative: man muss... qui consitute la deuxième composante de l'énonciation utopique.

([102]) *OC*, II, p. 360. Texte allemand *SCH*, III, p. 473.

Dans les deux cas est envisagé, sinon implicitement postulé, un état futur qualifié de manière plus positive que l'état actuel.

Ce dernier est donc assez systématiquement défini par sa négativité et par son manque. Pour le décrire, Novalis aligne régulièrement les trois adjectifs que l'on trouve dans une entrée sur l'état actuel de la médecine: *unvollkommenen, wirklichen, gegenwärtigen Zuständen*([103]). Ce qui appartient au moment présent et coïncide par conséquent avec la situation d'énonciation, ce qui constitue la réalité historique actuelle, est par définition incomplet, imparfait et se détache par implication d'un état antérieur qui n'est plus et d'un état postérieur qui n'est pas encore. La plus grande force pragmatique du texte est déployée pour faire advenir cet état futur qui doit apporter les remèdes aux imperfections présentes, résoudre les problèmes actuels, effectuer l'auto-dépassement du présent historique.

Souvent ce postulat devient explicite. Il prend alors la forme d'une modalisation, le plus souvent réalisée à l'aide d'un verbe modal. C'est ce qui constitue la deuxième composante de l'énonciation utopique. Et c'est ce que les critiques ont appelé soit «l'énonciation programmatique»([104]), soit le caractère exhortatif du texte novalisien([105]).

Le constat de la négativité présente sera donc immédiatement suivi de l'incitation à changer cet état en mieux:

> # 342 … Ce qu'on ne peut comprendre est en état d'imperfection (de nature); — il faut peu à peu le rendre compréhensible (*es soll allmälich begreiflich gemacht werden…*)([106])…

([103]) «… des états imparfaits, réels, actuels…», *SCH*, III, p. 317, #409.

([104]) Philippe Lacoue-Labarthe et Jean-Luc Nancy, *op. cit.*, p. 47.

([105]) Cf. Hannelore Link, *op. cit.*, qui parle de *Aufforderungscharakter* mais aussi de *Postulat*.

([106]) *OC*, II, p. 263. Texte allemand *SCH*, III, p. 302.

403 Il faut que l'homme prenne l'habitude, non pas seulement de plus puissantes incitations, mais aussi de vicissitudes accélérées (*muss... gewöhnt werden*)([107]).

407 L'excitabilité est avec la sensibilité en rapports similaires à ceux de l'âme avec le corps, — ou ceux de l'esprit avec l'homme ou avec le monde. Le monde est le macroanthropos. Il existe un esprit du monde comme il y a une âme du monde. L'âme doit devenir (*soll... werden*) esprit; le corps doit devenir monde. Le monde n'est pas achevé encore: il l'est aussi peu que l'esprit du monde. — Du Dieu un, doit venir et devenir (*aus... soll... werden*) un Dieu-Tout. Et d'un monde, un univers([108]). Physique ordinaire — physique supérieure. L'homme est de la prose ordinaire, qui doit devenir (*soll... werden*) prose supérieure — une prose universelle contenant tout...([109]).

492 ENCYCLOPÉDISTIQUE. L'important débat entre théorie et pratique est né, d'une part, du caractère incomplet de la théorie, car c'est bien à la nature tout entière que le praticien a affaire, d'autre part du fait que les praticiens ont manqué de réflexion et de perspicacité.

Une théorie complète — qui comporte également la théorie de la pratique, doit enfin (*muss endlich*) venir à bout de ce débat important([110]).

Dans tous ces exemples se fait jour une même urgence d'opérer une transformation de l'état actuel, se manifeste un même désir de changer les choses. Et pourtant ce désir n'est pas attribué à un sujet personnel — qu'il soit individuel ou collectif. On constate au contraire que cette urgence

---

([107]) *OC*, II, p. 272. Texte allemand *SCH*, III, p. 316.

([108]) En allemand il y a ici un parallélisme maintenu aussi au niveau du signifiant: *Aus Einem Gott soll ein Allgott werden. Aus einer Welt — ein Weltall.*

([109]) *OC*, II, p. 272-73. Texte allemand *SCH*, III, pp. 316-17.

([110]) *ENC*, p. 89. La dernière phrase a été omise par Wasmuth. Cette entrée est introuvable dans la traduction d'A. Guerne. Texte allemand *SCH*, III, p. 348.

s'exprime dans la forme impersonnelle que nous avons déjà décrite. L'incitation au changement semble ainsi inscrite comme une nécessité dans les choses et dans les situations elles-mêmes. Elle émane de la configuration encore défectueuse du réel actuel qui *doit* amener son propre dépassement.

Ce devoir-être et devoir-devenir, explicitement réalisé dans le texte par les verbes modaux *sollen* et *müßen* — dans la forme de l'indicatif du présent, donc comme une espèce d'impératif absolu — exprime au fond une double contrainte. Elle émane d'une part comme une espèce de conséquence logique incontournable de la pensée du système. C'est ce que Hannelore Link appelle *die Konsequenz des Gedankengangs*[111]. Mais, d'autre part, il s'agit également d'une contrainte d'ordre éthique: ce devoir exprime ce qui est à réaliser, le programme que les sujets humains sont appelés à accomplir. Novalis affirme par là une espèce d'impératif moral. Dans la même modalisation, les nécessités logique et éthique se rejoignent et se superposent donc. Le «devoir-devenir» du système logique coïncide avec le «devoir-faire» des sujets qui l'assumeront. Dans ce sens le *Brouillon* indique un travail nécessaire et à venir, et on peut d'ores et déjà se demander dans quelle mesure le processus de réception permettra de décider si les lecteurs réels ont pu ou voulu assumer cette tâche.

Dans ce qu'on appelle ici l'énonciation utopique, cette double nécessité se combine avec une projection dans l'avenir. Ce qui doit être ou devenir est aussi présenté comme ce qui sera. On trouve cette articulation conjointe du modal et du temporel souvent réalisée dans une séquence qui fait découler immédiatement ce qui doit être et sera de ce qui n'est pas encore, l'un étant comme l'image en creux de l'autre:

---

[111] «Le déroulement conséquent de l'activité pensante», (H. Link, *op. cit.*, p. 55).

237 DOCTRINE DE L'AVENIR DE LA VIE. Notre vie n'est pas un rêve — mais elle doit le devenir et en sera peut-être un([112]).

331 ... Les sciences appelées réfléchies ou indirectes ne sont, au sens général, pas des sciences combinatoires — mais elles doivent le devenir. Mémoire et raison sont actuellement isolées l'une de l'autre; elles doivent de part et d'autre se réunir([113])...

398 ... Nous ne sommes point Moi — mais nous devons et pouvons devenir Moi. Nous sommes des germes pour le devenir-Moi([114])...

433 ... L'histoire de tout homme doit être une Bible — sera une Bible([115])...

885 La cohérence générale, profonde et harmonieuse n'est pas, mais elle doit devenir([116])...

Toutes ces entrées et parties d'entrée reproduisent — avec des variations — la même juxtaposition de deux énoncés. On pourrait les transformer comme suit dans le schématisme de l'énoncé nucléaire:

```
        n'est pas encore Y
X                             mais X doit un jour devenir et sera Y
        est encore      -Y
```

Dans le texte du *Brouillon*, ce schéma connaît évidemment

([112]) *OC*, II, p. 253. Texte allemand *SCH*, III, p. 281. Dans cette entrée, grâce à l'ajout de *vielleicht* dans la dernière partie, les modalisations utopique et hypothétique se combinent.

([113]) *OC*, II, p. 261. Texte allemand *SCH*, III, p. 299.

([114]) Traduction W.M. Cette entrée n'a pas été traduite par A. Guerne. Texte allemand *SCH*, III, p. 314.

([115]) *OC*, II, p. 276, traduction modifiée par W. M. Texte allemand *SCH*, III, p. 321.

([116]) Traduction W. M. Cette entrée n'a pas été traduite par A. Guerne. Texte allemand *SCH*, III, p. 438.

des réalisations et élaborations bien plus complexes. En voici un exemple:

> # 479 ... La polarité est une incomplétude — il faut qu'un jour il n'y ait plus de polarité (*es soll keine Polarität einst seyn*). Elle intervient dans un système jusqu'à ce qu'il soit achevé. Du moins un jour elle pourra se réduire à un moyen (*wird sie einst nur Mittel seyn dürfen*), n'être plus que transitoire. Avec la polarité apparaît une séparation de ce qui est nécessairement lié — une hostilité — corrélation antinomique — c'est le règne du principe de contradiction — status naturalis, polaris, est bellum omnium contra omnes([117])...

Dans cet extrait d'une entrée intitulée PHYSIQUE, il y va de la polarité, c'est-à-dire de l'opposition binaire de termes, mais aussi de l'opposition de forces. Cette structure antagoniste est située spécifiquement en physique, mais il s'agit en réalité d'un principe logique bien plus général, concrétisé dans une discipline particulière. L'allusion à l'idée hobbesiennne d'un état naturel de guerre confirme cette généralité en concrétisant le schéma logique dans un domaine totalement différent, celui de la société humaine. Le principe de la polarité se révèle être en fait un principe d'articulation logique du discours, plutôt que la donnée d'une réalité particulière, qu'elle soit physique ou sociale. Au passage, Novalis ne manque pas de nommer ce principe: *der Satz des Widerspruchs*, le principe de la contradiction, la loi logique du tiers exclu.

C'est ce principe, cette loi qui est en jeu, et qu'il s'agit de dépasser. Au milieu du passage cité, on trouve en fait le double énoncé qui juxtapose le constat d'un état présent et la formulation à la fois temporelle et modale de la nécessité de faire advenir un état qui en opère la relève: «la polarité est une incomplétude — il faut un jour qu'il n'y ait plus de polarité». Le dépassement de la «polarité», c'est-à-dire de la logique du tiers exclu, est de nouveau présenté comme

---

([117]) *ENC*, p. 137. Cette entrée n'a pas été traduite par A. Guerne. Texte allemand *SCH*, III, p. 342.

une nécessité de système et comme une incitation urgente à donner concrètement suite à cette urgence. L'enjeu du parler utopique, sur le plan de la discursivité, n'est donc rien de moins que l'instauration d'une nouvelle logique discursive, et plus précisément le dépassement de la logique sur laquelle le faire discursif est encore largement obligé de s'appuyer tout en postulant son «anéantissement».

On commence maintenant à entrevoir la raison pourquoi Novalis évite l'utopie de type narratif ou descriptif. Puisque la logique discursive est elle-même l'enjeu utopique, il ne suffirait pas d'inventer de nouveaux contenus — un état parfait, une société idéale — et de les représenter dans une ancienne pratique discursive. Le texte du «Monologue» illustre bien comment le langage induit en erreur le locuteur qui procède de la sorte. Dans la mesure où le nouveau contenu est aussi une nouvelle pratique discursive, l'utopie novalisienne se joue alors dans la relation entre pratique et théorie discursives. Pour reprendre la métaphore juridique qui ne manquera pas de revêtir un aspect très réaliste dans ce contexte: le geste législateur qui instaure une nouvelle discursivité risque d'être invalidé par une écriture même de la loi, si cette écriture s'appuie sur des principes que la loi doit dépasser.

Dans le type d'utopisme qui s'inscrit dans le *Brouillon* il s'agit donc d'une modalité d'écriture utopique très particulière qui s'oppose à ce que Kant appelait les «robinsonades»[118]. Si on entend par «robinsonade» une modalité d'écriture utopique qui pose un monde idéal comme étant réel, qui a donc recours à la fiction pour réaliser sémantiquement ce monde idéal en le décrivant ou en le racontant de manière référentielle, alors ce que nous observons chez Novalis, en particulier dans le *Brouillon*, relève d'une écriture utopique radicalement différente. Contrairement au roman utopique du XVIIIe siècle — auquel s'ap-

---

[118] Par exemple dans «Mutmaßlicher Anfang der Menschheitsgeschichte», in Immanuel Kant, *Werke in sechs Bänden*, éd. par Wilhelm Weischedel, Darmstadt, Wissenschaftliche Buchgesellschaft, 1975, vol. VI, p. 101.

plique le terme de «robinsonade» assez globalement — il n'anticipe pas vraiment l'état idéal envisagé. Du moins n'en propose-t-il pas une réalisation sémantique, fût-elle fictionnelle.

Novalis est bien plus proche d'une forme de l'utopie pratiquée, entre autres, par Kant lui-même dans son projet philosophique de 1795 pour la paix éternelle. Ce projet adopte en fait la forme d'un projet de loi. Son texte comporte le geste législateur qui, par la force de son dire, entend avoir un impact réel sur la pratique sociale et politique. Ayant obtenu «force de loi», le texte légiférant, moyennant l'intervention des agents de l'institution judiciaire, peut en fait sanctionner et modifier les comportements dans une société. Nous avons déjà vu que le geste de législateur discursif n'est pas étranger à l'œuvre de Novalis, et au *Brouillon* en particulier. L'entrée # 479 confirme ceci en montrant comment l'auteur s'attaque concrètement à une des lois fondamentales de la logique discursive pour en postuler le dépassement.

Or, institutionnellement parlant, ni Kant ni Novalis ne sont législateurs. Les conditions qui leur permettraient d'assumer cette fonction ne sont aucunement remplies[119]. N'étant donc pas habilités à légiférer, dans un certain sens ils ursurpent cette fonction. Leur geste législatif, leur texte légiférant, quelque fidèle qu'il soit par ailleurs aux exigences formelles de l'écriture de la loi, n'aura jamais force de loi. Il faut cependant reconnaître aussi qu'ils ne se font pas d'illusion quant à leur «impuissance», ou — dans les termes de la théorie des actes de langage — quant au statut malheureux de leur acte de langage législatif. Leur geste de législation, ou ce qui en a les apparences

---

[119] Dans le cas de Kant, on pourrait se demander dans quelle mesure sa chaire à l'Université de Königsberg et sa réputation publique comme philosophe l'habilitent institutionnellement à «légiférer» que ce soit dans le domaine purement discursif, ou dans celui de l'interaction des individus et des états, comme il le fait dans son projet philosophique de 1795. On peut certainement faire valoir que Kant jouit dans ce contexte d'une certaine autorité morale publique à laquelle Novalis n'a jamais pu accéder de son vivant.

textuelles, s'effectue donc sous une modalisation fictionnelle. Ils font comme s'ils avaient pouvoir de légiférer,
c'est-à-dire d'amener par la force de leur texte qui la paix
éternelle, qui l'harmonie universelle. Ils font subir à l'acte
législatif la même modalisation que les auteurs de romans
utopiques font subir à la véridiction référentielle quand ils
décrivent un état idéal comme s'il était devenu réalité.
Pour le reste ces deux gestes de fictionalisation n'ont rien
en commun. La «robinsonade» adopte la pose de la véridiction fictionnelle qui n'en réalise pas moins le contenu
sémantique d'un état utopique, tandis que chez Kant et
Novalis la dimension utopique du discours se concentre sur
l'effectuation programmatique de l'entrée dans l'état
idéal. On retrouve donc ici, dans un nouveau contexte,
l'aspect inchoatif qui caractérise, du côté de la modalisation hypothétique, la dissolution du réel en possibles. Le
texte se veut doté d'une force intrinsèque susceptible d'effectuer le passage de l'état actuel, réel et imparfait à un état
futur, possible et parfait.

La fiction juridique de Kant, c'est-à-dire son projet de
loi pour instaurer la paix éternelle, s'appuie donc fictionnellement sur la force performative du discours juridique[120]. Chez Novalis, c'est dans la modalisation utopique des énoncés, décrite ici, qu'est investie la même force
en vue de produire des transformations concrètes. Dans
cette combinaison d'une projection future avec une nécessité logico-éthique, la pratique discursive se fait maximalement contraignante, indique la voie du changement tout en
effectuant pragmatiquement l'ouverture de cette voie.
Pour résumer l'ensemble complexe de cet aspect particulier
du texte novalisien, on pourrait avoir recours à la notion
d'illocution utopique.

Dans le *Brouillon*, Novalis a également manifesté de
façon thématique son intérêt pour un parler efficace et sa
recherche d'une attitude discursivement performative qui

---

(120) Cf. à ce sujet l'analyse des actes de langage juridiques par
Georges Legault dans sa thèse de doctorat *La structure performative du
langage juridique*, Montréal, Presses de l'Université de Montréal, 1977.

ait le pouvoir de contribuer à changer une réalité imparfaite. Son rappel et commentaire du verbe efficace du Créateur de la tradition chrétienne est certainement à situer dans ce contexte:

> # 319 GRAMMAIRE ET LOGIQUE. — Penser, c'est parler. Parler et agir, ou faire, sont une même opération seulement modifiée. Dieu dit: que la lumière soit, et elle fut ([121]).

L'énoncé novalisien «X doit devenir Y» (*soll werden*) est formellement proche du prototype biblique du discours créateur de réalité «que la lumière soit» qui se construit d'ailleurs avec le même verbe en allemand: *es werde Licht* ([122]). Mais l'exemple biblique tel qu'utilisé dans le texte de cette entrée n'est que l'illustration concrète d'un développement général qui est dit appartenir aux domaines grammatical et logique et qui anticipe en quelque sorte les fondements mêmes des actes de langage: le parler n'est que la modification d'un faire, dire est faire. Du moins Novalis, dans le *Brouillon*, cherche-t-il à réaliser un dire qui soit performatif. C'est ainsi que l'analyse des modalités d'énonciation nous ramène à la nature poïétique de l'écriture encyclopédique, aspect que nous avons déjà abordé à partir du traitement privilégié de la faculté de l'imagination comme principe producteur.

Thématiquement, Novalis aborde l'efficacité performative du faire discursif encore par une autre voie. Celle-ci relève de la tradition rhétorique, plus précisément de l'art de la persuasion entendue comme l'action exercée sur un interlocuteur moyennant la parole:

> # 484 PSYCHOLOGIE. Il existe divers degrés de parole et d'écriture pénétrants. Le degré suprême est de parler et

---

([121]) *OC*, II, p. 259. Texte allemand *SCH*, III, p. 297.

([122]) Parfois Novalis utilise les verbes *werden* et *sein* de manière absolue, c'est-à-dire sans attribut, comme dans *es werde Licht*; nous en avons trouvé un exemple dans l'entrée # 479: «... *es soll keine Polarität einst sein*...».

d'écrire de façon décisive — impérative — catégorique. On
peut déterminer les degrés selon les hommes qu'on a devant
soi[123].

Dans ce nouveau contexte, l'efficacité du parler, appelée
ici *eindringliches Sprechen und Schreiben* (parole et écriture pénétrantes), se trouve d'emblée insérée dans une
situation de communication qui met face à face deux inter-
locuteurs. S'il est vrai que la forme fragmentaire du
Brouillon constitue en soi une mise à contribution active
du lecteur, le texte n'interpelle cependant pas explicitement
un interlocuteur. Celui-ci se trouve plutôt inclus dans une
communauté appelée à assumer la nécessité logico-éthique
manifestée dans le texte. Dans ce sens, la mention d'un
parler impératif et catégorique comme étant le plus haut
degré du parler pénétrant décrit très adéquatement la
modalisation que nous venons d'examiner. Le *soll seyn* ou
soll werden comporte une interpellation effective bien
qu'implicite de celui qui lit le texte et qui est obligé de réa-
gir face à la nécessité dont il devient ainsi le dépositaire. Il
aura à décider s'il veut assumer l'obligation et la responsabilité qui se portent ainsi sur lui. Ce n'est qu'au moment de
la lecture que la force illocutoire de l'énoncé peut réaliser le
potentiel performatif qui s'y trouve inscrit. Cependant si le
lecteur réel refuse d'endosser l'habit du lecteur implicite,
c'est-à-dire de prendre à son compte la nécessité logico-
éthique produite par le texte, l'effet de la parole pénétrante
s'annule. C'est dans ces termes qu'on pourrait aborder
l'histoire de la réception du *Brouillon* et du romantisme en
général.

Finalement, il faut mentionner une dernière figure de
réflexion à laquelle Novalis doit beaucoup et qui permet de
mieux comprendre la manière dont il réaffirme la tradition
utopique sans donner dans la «robinsonade». Cette figure
nous ramène à la tradition chrétienne et plus particulièrement à la notion et perception chrétienne du temps:

---

(123) *ENC*, p. 269. Je préfère cette traduction à celle d'A. Guerne.
Texte allemand *SCH*, III, p. 346.

1 095 L'opinion de la négativité du christianisme est excellente. Elle élève le christianisme au rang de la fondation d'une force qui projette (*projectirende Kraft*) un nouvel univers, une nouvelle humanité — une véritable veste — un espace vivant, moral. [...]

Abstraction absolue — anéantissement de ce qui est actuel (*Annihilation des Jetzigen*) — apothéose de l'avenir, de ce monde véritable et meilleur, voilà le noyau des préceptes du christianisme([124])...

Dans cette entrée on trouve d'abord confirmée, comme appartenant en propre à la religion chrétienne, la négativité de tout ce qui est réalité actuelle. Nous avons en fait vu que, dans tous les domaines, l'état actuel est toujours déterminé par des prédicats négatifs. Mais cette négativité se trouve être nécessairement reliée à un état futur, meilleur, qui comporte l'obligation de sa réalisation. Ce n'est que la projection future qui confère du sens au moment de négativité. «L'apothéose de l'avenir» s'avère ainsi être le corollaire de «l'anéantissement de ce qui est actuel», ce sont les deux versants du même geste. Et ce geste est à la fois soutenu et orienté par la «force de projection» (*projectirende Kraft*) qui est celle aussi que nous trouvons au cœur même de l'énonciation utopique, même en dehors de tout contexte religieux. C'est la force d'une activité de projection qui se dégage de la combinaison d'une transformation modale et temporelle de l'énoncé nucléaire.

Cette force, cependant, n'est pas intrinsèquement liée à une forme spécifique de l'énonciation. Elle adopte bien d'autres modes de réalisation discursive dans le texte du *Brouillon*. Il faut surtout mentionner le fait que, parmi les disciplines scientifiques dont il envisage l'invention, Nova-

---

(124) *SCH*, III, pp. 468-69, traduction W. M. Le texte de cette entrée se trouve également dans la lettre du 20 janvier 1799 à Friedrich Schlegel (*SCH*, IV, pp. 273-74). D'une manière générale, elle est à rapprocher de l'échange de lettres entre Friedrich Schlegel et Novalis, en particulier des lettres de Friedrich Schlegel du 2 décembre 1798 (*SCH*, IV, p. 508) et du début du mois de mars 1799 (*SCH*, IV, p. 525).

lis propose une doctrine de l'avenir. Sa *Zukunftslehre* — préfiguration de la futurologie actuelle? — occupe une place non négligeable dans son encyclopédie. Elle figure sept fois comme titre d'une entrée. Il va sans dire que les entrées ainsi identifiées comportent une concentration des traits de l'énonciation utopique. Mais bien des réflexions explicites se rapportant à la doctrine de l'avenir, et surtout des développements dans l'esprit de cette nouvelle discipline, se trouvent dispersés dans tout le texte. D'une manière très générale, le *Brouillon* est un texte orienté vers l'avenir.

En réutilisant les termes de Novalis lui-même, on peut donc affirmer que l'énonciation utopique du *Brouillon* tient à la fois du verbe efficace, du parler pénétrant et de la force de projection, sans jamais donner dans la «robinsonade». Il appert maintenant que le lien que Maurice de Gandillac a établi entre l'encyclopédie et le principe espérance s'applique parfaitement à l'écriture encyclopédique de Novalis. À la spécificité poïétique de cette écriture s'ajoute donc une dimension utopique, l'une ayant pour effet de corroborer l'autre. En plus d'être productive en vertu de la force imaginante du sujet écrivant, elle devient aussi un faire utopique qui consiste non pas à anticiper un état idéal à venir, mais à doter le discours d'une force performative permettant d'effectuer le passage de l'imperfection actuelle à une perfection future. Dans ce sens la dimension utopique dans le *Brouillon*, réalisée de manière pragmatique comme une effectuation actuelle, se détache d'une forte tradition littéraire qui proposait une réalisation sémantique de l'utopie comme une représentation anticipée.

Malgré les différences qui séparent ces deux modalités d'écriture utopique, elles réaffirment toutes les deux l'éthos de la modernité. L'utopisme du texte novalisien participe de cet éthos. Il en est marqué tout en le reproduisant. Dans le chapitre sur la tradition du genre encyclopédique, cet éthos nous est apparu comme un puissant courant de pensée, et comme une attitude face au monde naturel et social, qui remonte au moins jusqu'au début du XVIIe siècle et trouve une de ses personnifications littéraires les plus parfaites dans le personnage du Capitaine des *Affinités électives* ([125]).

L'éthos de la modernité est fondé sur la foi en l'homme comme l'artisan de son propre sort historique. Il s'exprime par l'impératif de transformer le monde naturel et social pour se construire un environnement de plus en plus parfait. Il s'inscrit dans une pensée historique qui conçoit le présent comme la réalisation des projets du passé et l'avenir comme le temps prévu pour la réalisation des projets actuels. Au siècle des Lumières, l'éthos de la modernité s'est concrétisé dans un certain nombre de figures et de *topoi* qui circulaient par-dessus les frontières des différents types de discours: les deux idées principales étaient l'émancipation du sujet humain ainsi que sa maîtrise sur le monde pensé comme son objet. La perfectibilité de l'être humain, du point de vue ontogénétique ou phylogénétique, suscitait un grand intérêt pour la pédagogie, pour tout processus de formation, apprentissage, perfectionnement. La notion de progrès dominait la pensée historique, mais motivait aussi la dynamique des activités scientifiques et leur finalisation technique. La «marche de l'esprit humain», le perfectionnement des institutions et l'augmentation du bien-être individuel et collectif faisaient partie du programme des Lumières.

Il est assez généralement établi que l'idéologie du progrès, au XVIIIe siècle, est issue d'un schéma de pensée chrétien orienté vers une réalisation transcendante de la vie humaine ([126]). La sécularisation de cette structure de pen-

---

([125]) Son prototype pourrait avoir été l'Ulysse de Dante, dans le 26e chant de l'Enfer. Cf. aussi le livre de Hans Blumenberg, *Der Prozeß der theoretischen Neugierde*, Frankfurt a.M., Suhrkamp, 1973. Michael Nerlich offre une analyse historique, avec insistance sur les conditions socio-économiques, du paradigme de la modernité qu'il appelle «l'idéologie de l'aventure» (*Kritik der Abenteuer-Ideologie. Beitrag zur Erforschung der bürgerlichen Bewußtseinsbildung 1100-1750*), Berlin-Est, Akademie-Verlag, 1977, 2 volumes).

([126]) Cf. à ce sujet le livre de John Bagnell Bury, *Progress: An Inquiry Into Its Origin and Growth*, New York, Dover Publications, 1960.

sée a transposé la finalité transcendante en une finalité historique. L'au-delà s'est changé en un en deçà différé sur l'axe du temps historique. Ce qui s'est maintenu, cependant, à travers ce processus de sécularisation, c'est l'appel fait au sujet humain, désormais instauré sujet de sa propre histoire, pour qu'il contribue activement à faire advenir les temps meilleurs. L'exhortation à se détacher des choses actuelles et réelles en faveur d'une réalité future et supérieure. Nous avons vu que, moyennant la modalisation utopique, Novalis reproduit cette interpellation dans son texte de manière consistante. Il reproduit par là l'éthos de la modernité.

Par contre, en le reproduisant, il réinscrit ce geste, qui a été volontairement séparé de ses origines chrétiennes, dans un contexte qui récupère la dimension religieuse. Loin de concevoir le progrès scientifique en opposition avec la pensée religieuse, il opère une réintégration de l'un dans l'autre. Ce faisant, il va à contre-courant et rompt avec la tradition des Lumières qui avaient cherché à séparer les deux domaines. Ceci confirme nos observations sur la nature analytique du mouvement des Lumières, qui allait vers une différentiation fonctionnelle, vers une division du travail de plus en plus poussée, tendance à laquelle le mouvement romantique réagissait par un mouvement de réintégration.

Pourtant, notre analyse de la force utopique du *Brouillon* nous a bien montré que tout, chez Novalis, ne se laissait pas réduire à une réaction contre les Lumières, tout ne s'explique pas par une rupture par rapport au paradigme précédent ou à l'époque précédente. Bien au contraire, les continuités s'avèrent être aussi importantes que les discontinuités. L'exemple de l'éthos de la modernité qui se manifeste avec autant d'intensité et d'optimisme dans le *Brouillon* que dans les écrits des Lumières le montre bien.

On trouve en fait un grand nombre d'éléments textuels explicites qui réaffirment cette continuité en reprenant des traits spécifiques appartenant au discours des Lumières. Voici d'abord une réflexion sur la notion de la perfectibilité de l'homme, concept-clé dans l'anthropologie et dans la philosophie des Lumières:

633 HISTOIRE (PHILOSOPHIQUE). Savoir si l'espèce humaine va en progressant est une étrange question philosophique, à laquelle il n'y a pas de réponse; pourquoi ne pas demander aussi: est-ce que l'espèce humaine change? La question est plus élevée: il faut d'abord qu'il y ait changement, avant qu'il soit permis de conclure à l'amélioration ou à la détérioration [127].

Comme le fait remarquer Mähl [128], cette réflexion pourrait être inspirée par la lecture du texte de Kant sur *Der Streit der Fakultäten* de 1798. Une telle intertextualité n'exclut cependant pas que, à travers Kant, Novalis reprenne ici un concept-clé du discours des Lumières qui, par définition, ne dépend pas d'un auteur individuel. La portée de son intervention est donc plus vaste, de nature interdiscursive. Il propose de ramener la perfectibilité, interprétée par lui comme la possibilité de se perfectionner, à un terme plus abstrait, donc logiquement supérieur, qui représente l'intersection logique entre amélioration et détérioration: la faculté de changer. Cette opération ne révoque point la notion si importante pour les auteurs des Lumières, mais elle confirme l'ambivalence qu'y avait déjà inscrite Rousseau: la perfectibilité n'est pas en soi une faculté morale, le changement peut être positif ou négatif; mais pour assurer qu'il devienne positif, il faut exercer une force morale.

La figure qui est étymologiquement inscrite dans la notion de progrès reste plus consciente dans l'usage du mot allemand de *Fortschritt* qui veut littéralement dire «le pas en avant». Novalis utilise souvent aussi le verbe *fortschreiten* (avancer en marchant) métaphoriquement quand il parle d'une démarche méthodologique, pédagogique ou de processus ontogénétique ou phylogénétique [129], par exemple dans une phrase comme «L'homme progresse pas à pas...» [130].

---

[127] *OC*, II, p. 334. Texte allemand *SCH*, III, p. 381.

[128] *SCH*, III, p. 947.

[129] Par exemple dans les entrées ## 567, 633, 775.

[130] *OC*, II, p. 334. Texte allemand *SCH*, III, p. 387, #633.

La question de l'amélioration ou du perfectionnement de l'espèce humaine est abordée par Novalis à plusieurs reprises, et ceci dans des contextes et domaines concrets:

> # 409 ... L'augmentation et la culture (*Ausbildung der Sinne*) des sens ressort du grand problème et de la tâche capitale de l'amélioration, du perfectionnement du genre humain, de la graduelle élévation de l'humanité([131])...
>
> # 1 059 De l'esprit mercantile.
>
> L'esprit du commerce est l'esprit du monde. Il est d'ailleurs simplement le tout grand esprit, qui met tout en mouvement et qui relie tout, associe tout. Il éveille les provinces et les cités, les nations et les œuvres d'art. Il est l'esprit de la civilisation, du perfectionnement de l'espèce humaine([132])...

L'appliquant à deux domaines très différents, Novalis affirme ici l'idée d'une amélioration et d'un perfectionnement volontaires de l'espèce humaine. Ces textes pourraient figurer presque tels quels dans des ouvrages appartenant aux Lumières. Il reprend également à son compte le principe de la «faisabilité» qui instaure le sujet scientifique en *Homo faber*, dans une attitude presque démiurgique à l'égard de la nature:

> # 50 ... Physique pratique: art de modifier la nature, de produire des natures à discrétion([133])...

([131]) *OC*, II, p. 274. Texte allemand *SCH*, III, p. 318. Ce passage reprend une idée chère aux penseurs du XVIIIᵉ siècle et qui découle assez directement de la philosophie sensualiste: l'idée que les êtres vivants ont *Brouillon*, Novalis adopte la position discursive la plus proche de l'*Aufklärung* en postulant des progrès concrets. Ceci pourrait avoir en partie des l'idée corollaire qu'un travail volontaire et méthodique sur les sens — le texte allemand dit *Ausbildung der Sinne* — peut contribuer à l'amélioration et au perfectionnement de l'humanité.

([132]) *OC*, II, p. 355. Texte allemand *SCH*, III, p. 464. Cet éloge de l'esprit commerçant est à rapprocher du traitement positif que Novalis accorde aux commerçants comme personnages de fiction dans le deuxième chapitre de son roman *Henri d'Ofterdingen*.

([133]) *OC*, II, p. 228, traduction modifiée par W. M. Texte allemand *SCH*, III, p. 247.

Même si, ailleurs, Novalis prévoit «une physique future, dans un style plus élevé»([134]) qui devra intégrer l'être humain dans une espèce d'union morale avec le monde physique, ici il affirme, du moins comme une phase transitoire, la modification du monde naturel par le physicien, c'est-à-dire une relation typiquement moderne entre sujet cognitif et objet de connaissance, résumée par Jürgen Habermas dans l'expression *Verfügungswissen*.

Finalement, voici une entrée qui résume bien l'utilisation des éléments du discours des Lumières par Novalis:

> # 1131 Les sciences sont les conséquences des besoins — et du manque — par conséquent, le premier moyen de répondre à ce manque. Si nous voulons résumer les moyens requis pour réaliser nos désirs, il nous faut donc recourir aux sciences et considérer leur étude comme la voie la plus directe vers notre but. La thérapeutique (*die Heilkunde*) nous fournit de cette remarque générale une application du plus haut intérêt. Si nous nous interrogeons ici sur les perspectives offertes actuellement à l'humanité pour se libérer de ses maux corporels — on nous répondra en nous montrant l'état de la thérapeutique. Son développement et son extension déterminent le contre-poids au fardeau des maux corporels qui nous acccablent.
>
> À mesure que la thérapeutique deviendra davantage science des éléments de chaque homme — à mesure que la physique entière fera de plus grands progrès et que la thérapeutique utilisera davantage ces progrès — à mesure que les sciences dans leur ensemble contribueront de façon plus intime à favoriser leur intérêt commun, le bien de l'humanité, et accepteront davantage que la philosophie veille sur leur démarche et la guide — ce faix s'allégera et l'humanité respirera plus librement.
>
> Pour l'instant, que chacun tâche de s'approcher le plus vite possible des temps heureux en saisissant le mal à la racine, que chacun étudie la médecine, qu'il observe et poursuive des recherches — et qu'il attende plus de profit solide des

---

([134]) *OC*, II, p. 469, # 1 096.

lumières de sa raison (*die Aufklärung seines Kopfes*) que de toutes les gouttes et de tous les extraits([135]).

Ce texte est plutôt surprenant pour un auteur romantique. Sous la plume de Novalis se trouve rassemblé ici tout l'arsenal conceptuel et idéologique des Lumières, appliqué plus particulièrement à l'art médical comme garant du bien-être de l'humanité([136]): une théorie des sciences conçues comme la réponse aux besoins humains, l'activité scientifique promettant la libération du genre humain de ses maux actuels, le plaidoyer en faveur de la formation scientifique généralisée et de la diffusion des connaissances, l'appel moral à chaque individu pour qu'il s'insère activement dans ce mouvement progressif et pour qu'il prenne concrètement en charge l'intérêt collectif, le bien de l'humanité, la projection dans l'avenir d'un état de liberté et de bien-être, l'exhortation adressée au sujet individuel de s'émanciper rationnellement([137]) et de dépasser une conscience ou des pratiques basées sur des préjugés. Le tout est animé d'un éthos de la modernité très aigu, réalisé dans une énonciation personnelle plutôt rare chez Novalis, et dynamisé par l'expression d'un processus d'augmentation synchronisée (*je mehr... je grösser... je inniger... desto freyer*: à mesure que... à mesure que... à mesure que... + verbe au futur)([138]).

([135]) *ENC*, pp. 246-47. Je préfère cette traduction à celle d'A. Guerne. Texte allemand *SCH*, III, pp. 474-475.

([136]) La réflexion se situe au niveau de la plus grande généralité, mais offre en même temps une application concrète. Cette pulsation entre le général et le particulier détermine le déroulement argumentatif de bien des entrées du *Brouillon*.

([137]) C'est ici que le renvoi aux Lumières devient explicite dans l'expression *Aufklärung des Kopfs* qui n'est pas sans rappeler le célèbre *selbst denken* et le *sapere aude* qui entrent dans la définition des Lumières (Aufklärung) par Kant dans son écrit programmatique de 1783 «Réponse à la question: qu'est-ce que les lumières?» (Cf. Immanuel Kant, *Werke in sechs Bänden*, éd. Wilhelm Weischedel, Darmstadt, Wissenschaftliche Buchgesellschaft, 1975, vol. VI, pp. 51-61).

([138]) Cette forme est fréquente dans le *Brouillon* et a souvent l'ef-

Certes, cette entrée a un statut un peu spécial dans le *Brouillon*[139], elle reproduit l'idéologie des Lumières et l'éthos moderne dans une concentration rare d'éléments discursifs constitutifs de cette idéologie. Mais la réutilisation de ces éléments, ici comme ailleurs dans le *Brouillon*, est un fait incontournable. Entraîne-t-elle pour autant une réaffirmation de ce que, pour abréger, on appelle ici «l'idéologie des Lumières»?

Je soutiendrai que nous avons de nouveau affaire ici à un processus de réutilisation de matériaux discursifs en quelque sorte «pré-fabriqués», processus qui n'est pas que réaffirmation, car nous avons vu qu'il ne va pas sans la transformation des matériaux mêmes qui sont ainsi réactualisés. Dans une première phase, la lecture interdiscursive permet de découper et d'identifier les énoncés transposés et reproduits tels quels, mais ensuite il faut qu'elle rende compte des nouveaux actes discursifs effectués par l'insertion de ces énoncés dans le texte romantique du *Brouillon*. L'éthos de la modernité, en particulier, prend des accents bien différents du fait qu'il s'applique désormais à une utopie dont les contenus ne sont plus exclusivement l'utilité pratique, la faisabilité technique, le perfectionnement fonctionnaliste et différentiel de la machine sociale impliquant une séparation rigoureuse des domaines et des discours, mais l'intégration de tous les domaines, en particulier littéraire et scientifique, séculier et religieux, moral et technique. Si la maîtrise est maintenue comme un des objectifs, elle s'applique désormais autant au monde

---

fet de dynamiser la présentation d'une cohérence systématique qui relève alors plutôt du processus que de la situation statique.

(139) Ce statut peut être dû au fait que le sujet traité est le développement de la médecine, car c'est en parlant de médecine que, dans le *Brouillon*, Novalis adopte la position discursive la plus proche de l'*Aufklärung* en postulant des progrès concrets. Ceci pourrait avoir en partie des raisons biographiques, la maladie et la souffrance physique (*die Last der körperlichen Übel, die uns drücken...*) étant une réalité vécue par l'auteur lui-même, dans sa personne et dans son entourage immédiat. Mais cela n'enlève rien à la généralité de ce qui a été dit au sujet de la réutilisation romantique du discours des Lumières.

intérieur qu'extérieur. Si l'émancipation continue à être affirmée, elle vise maintenant en premier lieu un développement intérieur du sujet humain. La rationalité n'est plus le champ privilégié, voire exclusif où s'opère ce processus, mais elle se trouve à son tour intégrée dans un plus ample processus dont le dénominateur le plus vaste serait l'élévation morale de l'individu et son insertion harmonieuse dans un univers auquel il ne serait plus opposé ou préposé dans une attitude de maîtrise désormais perçue comme aliénante, mais dont il participerait comme une partie active et indispensable.

On constate donc dans l'utopie romantique une réaction aux excès et aux défauts de la mise en pratique du projet des Lumières, mais pas un désaveu de ses contenus. Elle apporte un correctif aux effets aliénants d'une domination qui se tourne contre l'être humain lui-même, d'une émancipation qui amoindrit le sujet humain en refoulant ses facultés autres que rationnelles. Bref, elle semble vouloir éviter que l'*Aufklärung* ne s'engage sur son versant négatif, tout en réaffirmant et en transformant ses idéaux. C'est ainsi qu'est maintenu le geste utopique de la modernité qui vise un meilleur monde et projette dans l'avenir sa réalisation dont l'être humain aura la responsabilité.

Cette persistance romantique du geste de la modernité avec un ajustement de ses contenus, pour peu qu'on la prenne au sérieux, a des conséquences pour la critique novalisienne.

Tout d'abord, il nous faut reconnaître au texte de Novalis une certaine historicité, non seulement par son appartenance à un moment historique précis — appelé ici le carrefour de 1800 — mais aussi en vertu de la réflexion historique qu'il y développe. Il est vrai que souvent la présentation historique n'y est que mode de présentation (*Darstellungsart*), une espèce de traduction figurale de quelque chose d'autre: le fonctionnement du système ou la méthode de pensée expérimentale. Mais expliquer toute l'historicité du texte par le statut figural de ses manifestations textuelles (en particulier de ses projections historico-utopiques)([140]) reviendrait à amputer le texte d'une dimension importante. Ce serait en fait opérer une réduction analogue, bien qu'inversée, à celle qu'on est en train de combattre et qui consiste en une réduction de l'œuvre novalisienne à ses contenus historiques, philosophiques, esthétiques, scientifiques. Le fait que les procédés discursifs de l'esprit poétique([141]), les méthodes expérimentales de la pensée chez Novalis ont longtemps été négligés par la critique ne nous autorise pas à commettre l'erreur contraire, à tout subordonner à leur mise en évidence. Les projections historiques qu'on trouve chez Novalis ne sont pas dénuées d'intérêt *realhistorisch*, comme le soutient Hannelore Link([142]). Nous avons essayé d'articuler cet intérêt dans la continuité avec la pensée des Lumières. Mais ces mêmes projections peuvent très bien *aussi* être engagées, à un autre niveau du faire discursif, dans la figuration de processus de pensée qui relèvent d'un autre registre. Il faut mentionner à ce sujet que Novalis suggère lui-même, à maintes reprises dans le *Brouillon*, que l'élaboration et la présentation d'une pensée de système peut se concrétiser dans différents registres discursifs: descriptif et narratif, logique et chronologique, analytique et historique. Ces deux registres apparaissent alors moins comme des figurations l'un de l'autre, que comme deux modalités discursives équivalentes, ce qui n'exclut d'ailleurs pas qu'il y ait une relation figurale entre les deux. Mais cette figuration, et ceci est important, ne joue pas à sens unique, n'accorde pas de supériorité à l'un des deux registres sur l'autre. Elle est réciproque selon le modèle logique de l'action réciproque (*Wechselwirkung*) et plus précisément selon ce que Novalis appelle *Wechselrepräsentation*: représentation

---

([140]) Cf. Hannelore Link, *op. cit.*, p. 55. Je donne ici une valeur générale à l'argument qu'elle développe en particulier au sujet de l'expression *am Ende* chez Novalis. Cette expression peut se traduire par «à la fin», «finalement», «en fin de compte» et peut renvoyer à la phase finale tant d'un processus historique que d'une démarche méthodologique. De manière générale, Hannelore Link a tendance à lire les éléments explicitement historiques chez Novalis unilatéralement comme des figurations du processus poétique.

([141]) Hannelore Link, *op. cit.*, p. 8.

([142]) *Op. cit.*, p. 55.

réciproque([143]). Même si cette figuration réciproque a pour effet de rendre conscient le processus de la figuration lui-même, en quelque sorte de l'auto-représenter([144]), ceci ne devrait pas avoir pour effet d'invalider l'historicité inscrite dans le *Brouillon*.

La lumière jetée par notre prise en considération analytique des modalités d'énonciation sur la «modernité» de Novalis fait participer ce travail critique d'une autre réévaluation de Novalis et du romantisme en général. Il fait réapparaître certaines continuités entre Lumières et romantisme et propose d'aborder historiquement le passage d'une époque à l'autre sur le mode de la réutilisation transformante plutôt que sur celui de la rupture. Déjà dans son livre publié en 1966([145]), Helmut Schanze s'est attaqué à l'idée reçue d'une rupture absolue entre Lumières et romantisme, opinion qui présente les deux époques comme la négation l'une de l'autre. En se situant au niveau de l'histoire des idées, il a mis en évidence des reprises et des continuités qui relient la pensée des premiers romantiques allemands à celle des philosophes des Lumières et particulièrement à l'entreprise de *L'Encyclopédie*. Dans le domaine de l'esthétique et de la théorie littéraire, ce sont les écrits de Peter Szondi qui ont rattaché les romantiques a leurs prédecesseurs ou à leurs contemporains classiques([146]). Mais le revirement le plus spectaculaire s'est

---

([143]) On trouve ce principe explicitement affirmé et postulé dans des énoncés du type: «Tout est symptôme de tout» (A. Guerne propose comme variante de traduction «Tout s'entre-symbolise», *OC*, II, p. 334. Texte allemand *SCH*, III, p. 381, # 633); ou bien: «Une science ne peut être réellement représentée que par une autre science» (*OC*, II, p. 227. Texte allemand *SCH*, III, p. 246, # 49).

([144]) C'est ce que développe Hannelore Link, *op. cit.*, pp. 51-55.

([145]) Helmut Schanze, *Romantik und Aufklärung. Untersuchungen zu Friedrich Schlegel und Novalis*, Nürnberg, Hans Carl, 1966.

([146]) Peter Szondi a en particulier mis en évidence la transformation que Friedrich Schlegel a fait subir aux catégories esthétiques développées par Schiller (cf. les volumes 2 et 3 de *Poetik und Geschichtsphilosophie. Studienausgabe der Vorlesungen*, Frankfurt a.M., Suhrkamp, 1974).

produit en RDA où le jugement négatif que Lukács portait contre les romantiques, et qui contrastait avec une évaluation positive des Lumières et du classicisme, fit longtemps autorité. Dès le début des années 60, cependant, Werner Krauss s'est attaché à un travail historique visant à documenter les continuités entre Lumières et romantisme, et plus particulièrement entre la Révolution — idée et fait historique — et les romantiques. Conséquemment, il a fallu réviser la présentation unilatéralement négative du romantisme comme un courant historiquement et idéologiquement réactionnaire. Claus Träger qui, encore en 1961, avait publié un article contre Novalis dans la tradition lukacsienne, a signé en 1975 un article dans lequel il reconnaît une *Ambitendenz,* une double tendance — à la fois progressiste, voire révolutionnaire, et réactionnaire — au mouvement romantique([147]). Cette réévaluation est basée en particulier sur la prise en considération des éléments utopiques et révolutionnaires du premier romantisme allemand. Il sera désormais possible, en RDA, de faire une réception plus nuancée du passé romantique en pensant le classicisme (y compris les Lumières) et le romantisme non plus comme deux entités historiques qui s'opposent l'une à l'autre jusqu'à s'exclure, mais comme une unité dialectique. Le romantisme qui apparaissait auparavant presque comme un développement contre le cours de l'histoire, se trouve de la sorte récupéré dans le déroulement de l'histoire.

Notre intervention critique sur Novalis s'inscrit donc dans une tendance récente de la réception du romantisme et contribue à mettre en évidence davantage les continuités que la rupture entre Lumières et romantisme. Ce qui nous intéresse tout particulièrement, cependant, c'est de comprendre le texte du *Brouillon* et plus généralement l'activité poético-encyclopédique de Novalis en tant qu'événement discursif, c'est-à-dire de l'insérer dans l'histoire de la trans-

---

([147]) Tous les textes mentionnés ici ont été repris dans le volume édité par Peter Klaus, *Romantikforschung seit 1945,* Königstein/TS, Verlagsgruppe Athenäum, Hain, Scriptor, Hanstein, 1980.

formation des formes discursives et de leurs règles de formation. Dans ce sens, les éléments observés s'avèrent être des continuités en tant que réinscriptions d'éléments préexistants, mais manifestent le travail du changement historique par leur participation à une nouvelle pratique discursive, fût-elle expérimentale, inchoative. Il s'agira donc d'articuler continuité (des matériaux réutilisés) et discontinuité (de l'acte discursif), et ceci selon le mode de la réutilisation qui est toujours aussi transformation de ce qui est réutilisé. C'est ainsi que l'éthos de la modernité se transforme sous la plume des romantiques, au point d'affecter les articulation profondes qui organisent le discours de la modernité. On pourrait dire que, dans un mouvement transgressif, animé donc par son propre éthos, la modernité s'attaque à ses propres fondements discursifs dans la recherche pratique d'un auto-dépassement.

Figures de la non-disjonction: transition, mélange, contact.

L'analyse de certaines modalités d'énonciation nous a permis de voir comment la théorie poïétique se traduit, sur le plan pragmatique, en une effectuation inchoative. En fait, la théorie non-mimétique de la poésie, basée sur la faculté de l'imagination, et plus spécifiquement sur le principe de «l'imagination productive», prône un usage du langage qui soit un «faire» au sens le plus actif et dynamique du terme. La parole poétique ne représente pas seulement ce qui existe, mais elle produit ce qui n'est pas encore. Dans ce sens, la poésie encyclopédique de Novalis est encore portée par l'élan de l'éthos de la modernité. Elle est orientée vers un monde à venir, nouveau et meilleur. Avec la différence, cependant, que le faire discursif n'a pas seulement à dire ce qui est à faire, ou ce qui sera à faire en dehors du langage, il n'est pas simple projection ou anticipation de ce monde meilleur, mais, dans une pratique nettement performative, il doit contribuer à faire advenir ce monde, à effectuer le passage vers une nouvelle réalité.

La qualité performative de cette pratique inchoative réside en grande partie dans les modalisations thétique, hypothétique et utopique de l'énonciation et dans la force illocutoire que comportent ces types de modalisation. Il s'agit maintenant de montrer comment d'autres éléments textuels participent du même travail d'effectuation inchoative, comment ils soutiennent la performativité discursive par une représentation figurale de ses mécanismes et de sa logique. Il y aurait donc — et c'est là l'hypothèse qui nous guidera dans cette exploration de quelques figures — un effet de convergence entre les niveaux pragmatique et sémantique du texte. Ce que les modalisations analysées réalisent de façon pragmatique, la figuration le traduit sémantiquement, sans qu'il y ait préséance ni priorité d'un niveau sur l'autre. Entre les deux niveaux il n'y a pas une relation de préfiguration, il s'agit de la double inscription d'un même élément, produisant une relation d'équivalence et un effet de coopération encore à déterminer entre les deux niveaux. En tout cas, l'existence de cette traduction intra-textuelle d'un même élément nous permet de penser que nous touchons ici à une configuration particulièrement forte, à une ligne de force du *Brouillon*.

Les figures de toutes sortes abondent dans l'écriture encyclopédique de Novalis. À moins de faire un travail qui porte exclusivement sur les figurations, il nous faut procéder de manière sélective. Nous avons retenu un nombre très limité de figures: celles de la transition, du mélange, du contact. Ce choix est déterminé par le critère d'équivalence avec les procédés performatifs déjà décrits.

Voici trois citations — elles datent toutes de l'époque du *Brouillon*, mais une seule est tirée du texte encyclopédique — pour illustrer la convergence entre les trois figures retenues pour l'analyse:

> De la philosophie et de son mode de présentation. Des constructions historiques. Il n'y a rien de plus poétique que toutes les transitions et tous les mélanges hétérogènes[148].

---

(148) Traduction W. M. Texte allemand *SCH*, III, p. 587. Ce texte est tiré de «Fragmente und Studien 1799-1800».

> Mon cher, vous n'êtes pas chimiste, autrement vous sauriez que le mélange véritable produit un tiers (*ein Drittes*) qui est tous les deux à la fois (*beydes zugleich*), et encore plus que les deux considérés séparément (*beydes einzeln*)([149]).
>
> # 295 ... (Sans séparation il n'y a pas de liaison. Le contact est à la fois séparation et liaison). 2 sont séparés et réunis par un troisième([150]).

«Transition» et «mélange» sont ici mentionnés par Novalis parmi les modes de représentation (*Darstellung*) de la philosophie; une qualité poétique intrinsèque (*nichts ist poetischer*) est attribuée à ces deux figures. Une troisième figure, «contact», se trouve reliée aux deux premières par sa capacité de concrétiser sémantiquement le même processus logique que les deux autres.

En fait, l'enjeu de ces trois figures, leur travail de figuration commun n'est pas tant sémantique que logique. Du moins permettent-elles, toutes les trois mais chacune à sa manière, de «figurer» ce problème: comment passer d'une logique à deux positions à une logique à trois positions? Comment construire, ou produire, une troisième position — inconnue, nouvelle — à partir de deux positions données? Comment développer une pratique discursive qui fonctionne logiquement selon le principe de la non-disjonction?

Posé de la sorte, le problème paraît d'une abstraction et d'une généralité extrêmes. Avant d'aborder ses concrétisations sémantiques dans les figures particulières, il est indiqué de le maintenir à ce niveau de généralité afin de circonscrire sa portée. En articulant ce problème, Novalis se trouve en fait engagé dans un travail d'envergure historique qui consiste à acquérir une nouvelle compréhension du processus historique lui-même, à développer une nouvelle

---

([149]) Traduction W. M. Texte allemand *SCH*, II, pp. 666-667. Ce texte est tiré du troisième dialogue.

([150]) Traduction W. M. Texte allemand *SCH*, III, p. 293. Ce texte n'a pas été traduit par Armel Guerne qui estimait qu'il «n'apporte rien d'indispensable» (cf. *OC*, II, p. 256).

théorie de la création poétique et à élaborer une nouvelle logique discursive. Dans les trois domaines, il n'en va pas seulement d'une approche théorique, mais aussi de la mise en pratique de ce qui est avancé, ce qui confère au traitement que Novalis accorde à ces questions un aspect performatif.

En tant que «construction historique», ce problème de passer de 2 à 3, ou plutôt de deux positions adverses à leur dépassement dans une troisième position capable de relever l'opposition des deux premières a le potentiel d'une théorie de l'histoire et pointe vers la machine logique de la dialectique hégélienne. La figure de la transition permet le mieux de concrétiser cet aspect historique, mais nous verrons que l'usage que Novalis en fait présente la marche de l'histoire sous un autre jour que Hegel.

La même problématique comporte également le noyau d'une théorie de la création poétique, ou plus précisément de la poésie comme principe de production, comme engendrement de la nouveauté. Cet aspect poétologique est tout particulièrement pris en charge par la figure du mélange qui devient un modèle métaphorique de la productivité tout court: le mélange de deux substances hétérogènes mais connues est susceptible de produire une troisième substance, inconnue parce que qualitativement différente des deux premières.

Finalement, l'enjeu de ces figures est aussi, et peut-être avant tout, d'ordre logique. Il y va toujours du dépassement d'une certaine logique discursive. Cet enjeu — nous l'avons déjà identifié à plusieurs reprises — devient ici tout à fait explicite par ce qu'on pourrait appeler une traduction numérique de la question: à partir de deux, le mélange produit un troisième (*ein Drittes*) qui contient et dépasse les deux. Le même fonctionnement logique se retrouve dans la figure du contact. Celle-ci représente la troisième position qui comporte la double affirmation simultanée de deux contenus sémantiques qui s'excluent: «séparation et union tout à la fois»

La lutte contre la loi du tiers exclu est un des objectifs explicites dans la poétique du premier romantisme allemand:

Détruire le principe de contradiction (*Satz des Widerspruchs*) telle est peut-être la plus haute tâche de la logique supérieure([151]).

Ce qui apparaît dans ce fragment de Novalis comme un programme, comme une tâche logique à accomplir, Friedrich Schlegel le présente comme un état déjà atteint, quand il dit, dans un fragment intercalé par lui dans la collection de fragments «Pollen» de Novalis:

Le principe de contradiction a irrémédiablement perdu sa validité, et il ne nous reste plus qu'à choisir si nous voulons nous en plaindre, ou reconnaître la nécessité en la changeant en acte libre([152]).

Tâche ou nécessité — il s'agit de la liberté «de se contredire toujours, et de relier des extrêmes opposés»([153]) et, ce faisant, de s'attaquer à une des lois fondamentales de la rationalité discursive, une loi que réaffirmait fortement le développement d'un discours scientifique moderne. En

---

([151]) *ENC*, p. 64. Texte allemand *SCH*, III, p. 570. Ce texte ne fait pas partie du texte du *Brouillon* établi par Mähl. Dans l'entrée # 479, nous avons déjà vu que Novalis considère le règne de la loi de la contradiction — il l'appelle aussi la polarité — comme l'indice d'une imperfection qui est à dépasser. Dans l'entrée # 702, il reprend la même réflexion en la tournant autrement: «S'il s'avérait que le principe de contradiction fût le fondement même de la faculté de penser, le principe suprême de la logique, cela nous indiquerait seulement qu'il n'y aurait pas grand chose à tirer de la seule logique et qu'à elle seule la faculté de penser ne serait pas d'une (grande) utilité — mais que nous aurions à chercher une autre faculté, et la théorie de cette faculté, qui, en tant qu'opposées à la faculté de penser et à la logique, ne seraient pas, à elles seules, moins inutiles qu'elles, mais qu'il faudrait mettre en relation avec elles pour obtenir ainsi une faculté composée — ainsi que des théories, des conduites et des résultats composés, réciproquement complémentaires, et ainsi de suite...» (*ENC*, p. 83. Cette entrée est introuvable dans la traduction d'A. Guerne. Texte allemand *SCH*, III, p. 402). Le postulat du dépassement est maintenu, mais si le principe de contradiction était intrinsèquement lié à la logique, c'est donc la logique elle-même qu'il faudrait dépasser!

([152]) Traduction W. M. Texte allemand *SCH*, II, p. 423.

([153]) *Ibid.*

tant que projet, cette lutte contre le *tertium non datur* prend des accents révolutionnaires dans la mesure où il s'agit de rompre avec une tradition contraignante et limitative pour créer une nouvelle pratique, conçue d'emblée et utopiquement comme supérieure. La connotation révolutionnaire de cet enjeu logique est encore renforcée par son association avec les questions de la liberté chez Friedrich Schlegel([154]) et du perfectionnement chez Novalis([155]).

Il est plutôt étonnant de voir que cette question logique devienne un cheval de bataille de la nouvelle poésie romantique. Celle-ci affirme, en fait, sa nouveauté, entre autres choses, par le postulat et par la pratique du tiers inclus. Elle réclame et crée par là l'alternative d'une pratique discursive — appartenant à une logique supérieure ou dépassant toute logique — par rapport aux discours contemporains qui asseyaient leur autonomie et spécificité justement sur l'affirmation de l'exclusion. Rappelons qu'Olshausen s'est fait l'écho de cette affirmation: un discours est ou bien scientifique ou bien poétique, mais il ne saurait être les deux à la fois. Ironiquement, la pratique du tiers inclus, qui devait selon les romantiques se généraliser dans tout l'univers discursif, est devenue aujourd'hui justement une des caractéristiques spécifiques qui sépare la littérature de la plupart des autres discours([156]). En même

---

([154]) Cf. *SCH*, II, 423.

([155]) Cf. *SCH*, III, p. 342, # 479: «... La polarité est une imperfection...».

([156]) Y compris le discours de la critique littéraire. Celui-ci a néanmoins bifurqué ces dernières décennies: d'une part il est devenu de plus en plus scientifique en s'inspirant, dans ses orientations structuraliste et sémiotique, d'un modèle scientifique obéissant assez strictement à la loi du tiers exclu; d'autre part, dans une tentative d'être épistémologiquement à la hauteur des complexités ou des ruses de son objet, et parfois par simple mimétisme, il a commencé à réinscrire un fonctionnement logique du tiers inclus. La théorie critique de la lecture, développée par Paul de Man, est certainement à considérer comme un des développements les plus intéressants dans ce contexte. Je ne mentionne, à titre d'indice, qu'un trait stylistique généralisé chez De Man: la double affirmation simultanée des termes opposés.

temps, il faut reconnaître que cette lutte à la fois théorique et pratique des premiers romantiques pour une nouvelle logique discursive pourrait bien être à l'origine du fait qu'on reconnaisse aujourd'hui la loi de la non-disjonction comme un des traits logiques du discours littéraire.

Le traitement extrêmement positif des figures de la transition, du mélange et du contact nous montrera maintenant comment, concrètement, cette lutte contre la loi du tiers exclu est menée par Novalis, et quels sont ses enjeux autres que logiques.

Novalis s'intéresse aux transitions dans beaucoup de domaines et de disciplines. Dans le *Brouillon*, il parle de transitions entre différentes langues (# 279), de la transition, en histoire, de période en période ou de la transition comme étant une période elle-même (# 1 051), des passages entre différentes figures (# 297). En encyclopédiste, il mentionne, dans le contexte de la classification des sciences, les transitions entre différentes disciplines, en particulier entre chimie et physique (## 275, 475, 802), dans le domaine esthétique, il étudie le passage d'un art à l'autre (# 102). Il formule les relations entre corps et âme en termes de transitions (## 126, 509, 1 011). Dans des processus de croissance et d'évolution, ce sont les transitions d'un stade ou d'un état à un autre (les saisons: # 1 124, les âges de l'homme: # 833) qui attirent son attention.

Les domaines dans lesquels son intérêt pour la transition se manifeste le plus souvent, ce sont la géologie (# 391), la minéralogie (# 473) et la cristallographie (## 872, 662, 1 051)([157]). Cela tient certainement d'une part à la place importante qui revient à ces disciplines dans une École des mines et d'autre part au fait que Novalis a beaucoup étudié les systèmes de classification des fossiles établis par le géologue Abraham Gottlob Werner, qui était son professeur à Freiberg([158]). Cependant, comme pour

---

([157]) Les entrées identifiées ici comme exemples ne constituent pas une énumération exhaustive des occurrences de la figure de la transition.

([158]) Cf. *SCH*, III, pp. 135-61, où il est surtout question de Abraham Gottlob Werner, *Von den äußerlichen Kennzeichen der Foßilien*,

les classifications des fossiles, c'est moins leurs applications à tel ou tel domaine que le principe général qui attirait son attention, ainsi les différentes transitions dans des domaines concrets ne l'intéressent que dans la mesure où la multiplication des exemples concrets lui permet d'en dégager une configuration générale. Mais, en échange, il ne peut élaborer ce schéma abstrait qu'en variant continuellement ses applications. Le travail de la figure s'accomplit dans ce va-et-vient entre l'abstraction extrême qui réduit la figuration sémantique à une charpente logique, et la multitude variée des concrétisations.

On peut observer cette mobilité multidisciplinaire du travail de la figure dans certaines entrées:

> # 1 051 Sur les transitions de cristaux à cristaux. Application de cette théorie aux métamorphoses des figures en général. L'acoustique n'aurait-elle pas une influence? La période de transition est absolument la plus nombreusement diverse([159]).

Ici le mouvement va du particulier au général, de la pluralité des transitions concrètes à l'idée générale qui peut en être tirée par un procédé d'abstraction. L'énoncé initial, qui adopte la forme syntaxiquement incomplète d'un titre, fait sans doute allusion au système oryctognostique de Werner([160]). Ensuite l'argument passe, dans un premier pas d'abstraction, à la théorie générale des figures. L'allusion hypothétique à l'acoustique ainsi que l'association avec la notion de figure semblent actualiser une deuxième intertextualité, reliant cette entrée à l'ouvrage de Chladenius sur les figures du son([161]), ouvrage auquel Novalis

---

Wien, 1785. D'après Mähl (*SCH*, III, p. 951) Novalis aurait également lu Carl Immanuel Löscher, *Übergansordnung bei der Kristallisation der Fossilien, wie sie auseinander entspringen und in einander übergehen*, Leipzig, Crusius, 1796.

([159]) *OC*, II, p. 355. Texte allemand *SCH*, p. 463.

([160]) Cf. les titres mentionnés dans la note # 11.

([161]) Ernst Florens Friedrich Chladni, *Entdeckungen über die Theorie des Klanges*, Leipzig, Weidmann und Reich, 1787.

renvoie indirectement dans plusieurs entrées. Mais que signifie l'idée générale qui est affirmée à la fin du texte: *Die Übergangsperiode ist durchaus die mannigfachste*?

D'abord, évidemment, elle attire l'attention sur la transition comme étant la période la plus variée, la plus digne d'attention puisqu'elle présente une structure particulièrement intéressante. Cela présuppose, en retour, que tout n'est pas transition et que la période de transition se détache d'autres périodes moins intéressantes. En fait on peut reconstruire la transition de façon narrative, en deux temps: d'abord est posée l'existence de deux unités discrètes ou de deux états stables; c'est la situation statique où règne l'opposition ou, comme dit Novalis, la polarité: corps vs âme, liquide vs solide, maladie vs santé, etc. Ensuite il faut exécuter un mouvement de l'un à l'autre, en franchissant de la sorte la ligne de séparation entre les deux termes; ce mouvement, au point précis où les deux termes séparés entrent en contact, crée la figure de la transition. L'opposition est devenue dynamique, elle permet désormais de penser le passage de l'un à l'autre et même la double affirmation entre deux pôles qui auparavant ne faisaient que s'exclure. Maintenant, ils se touchent dans cette singularité riche et intéressante qu'est la transition.

Dans sa variante temporelle, cette singularité est le moment de chevauchement de deux temps successifs. C'est le moment exceptionnel dans lequel deux temporalités — passé et futur — constituent une simultanéité fragile, mais poétiquement productrice en vertu de ses grandes potentialités. Cette configuration temporelle est souvent identifiée chez Novalis par l'adverbe *zugleich* (à la fois, en même temps) qui opère la double affirmation des termes opposés et correspond logiquement au «et... et». La variante spatiale donne à cette singularité le statut d'un lieu intermédiaire, situé entre (*zwischen*) deux espaces. La création de ce troisième lieu, ou non-lieu, se traduit logiquement par la double négation «ni... ni».

Vue de la sorte, la transition — et surtout dans sa réalisation temporelle — apparaît comme le paradigme du devenir, de tout devenir. En tant que lieu et moment où deux opposés se dépassent en une troisième position, ce

paradigme se rapproche de la structure de la synthèse hégélienne, mais le regard de Novalis sur ce paradigme et l'utilisation qu'il en fait sont très différents de ce qu'on trouve
chez Hegel. Novalis s'intéresse au devenir pur, à la transition en tant que telle, non pas en tant que processus historique qui finira par faire advenir la fin de l'histoire. La transition chez Novalis est essentiellement transgressive, moins
au sens moral que logique, le pas qui mène au-delà, non
pas celui qui rapproche de la fin([162]).

Dans ce sens, la figure de la transition comporte en
noyau l'articulation d'une théorie du changement historique. Elle serait alors plutôt à rapprocher de la théorie des
catastrophes de René Thom([163]) que de la dialectique
hégélienne. Ou encore de la notion de crise, telle que nous
l'utilisons ici. En s'intéressant aux moments et lieux de
transition plus qu'aux périodes ou zones qui les séparent,
aux formes intermédiaires et hybrides plus qu'aux formes
stables et homogènes des classifications scientifiques, et en
essayant de développer un modèle abstrait et général de la
transition, Novalis élabore en fait les rudiments d'une
théorie des catastrophes avant la lettre. Certes, contrairement à René Thom, il ne donne aucune priorité aux langages mathématique et topologique pour développer un
modèle général et l'appliquer ensuite aux différents domaines concrets, mais il occupe également l'espace entre le

---

(162) Dans ce sens je souscris à la remarque de Hannelore Link
qui voit dans la fréquente expression novalisienne *am Ende* (à la fin, en
fin de compte) plutôt l'indication d'une ultime conséquence logique que
la conclusion d'un processus temporel (*op. cit.*, p. 55). Il faut cependant
concéder que cette question est plus indécidable que la logique du discours
critique de Hannelore Link ne peut l'admettre, et que souvent les deux
sens (logique et temporel) sont superposés dans le même segment textuel.

(163) On trouve cette théorie par exemple dans *Modèles mathématiques de la morphogénèse. Recueil de textes sur la théorie des catastrophes et ses applications*, UGÉ, 1974, ou dans l'ouvrage plus récent *Paraboles et Catastrophes. Entretiens sur les mathématiques, la science et la
philosophie*, réalisés par Giulio Giorello et Simona Morini, Paris, Flammarion, 1983, en particulier le chapitre II: «La théorie des catastrophes»,
pp. 59-160.

général et le particulier. C'est en traversant cet espace dans les deux sens, qu'il opère une mise en contact permanente de différents champs discursifs, une interdiscursivité qui fait du *Brouillon* une écriture encyclopédique pas comme les autres qui, selon la tradition du genre encyclopédique, appliquent un ordre classificatoire au vu duquel les transitions ne sont que désordre.

Il y a pourtant un aspect capital chez Novalis, qui ne trouve pas d'équivalent chez René Thom: au-delà de la théorisation et de la description de la transition, Novalis inscrit dans son texte une pratique de la transition. On pourrait aussi le formuler ainsi: la théorie de la transition ne l'intéresse que dans la mesure où la compréhension du changement historique peut être convertie en une action concrète. Il s'agit d'opérer la transition historique qui s'impose dans l'actualité. C'est ici que l'analyse de la figure de la transition, ainsi que ses implications logiques, rejoignent l'analyse de la modalisation utopique.

En vérité, le moment de transition par excellence, c'est le présent historique. Ce moment de l'actualité peut être pensé comme la transition permanente, il constitue en tout cas le *hic et nunc* de la situation d'énonciation. C'est à cette situation concrète que Novalis applique l'éthos de la modernité en vue de la changer. Du coup, la figure de la transition, objet d'une description historique, logique, scientifique, se transforme en un modèle d'action: il ne s'agit plus seulement de la décrire et de la comprendre, mais bien d'effectuer la transition du présent à l'avenir.

Pour mieux situer cette énonciation-effectuation, il faut élargir notre présentation narrative de la transition. D'un récit en deux temps, il faut faire un récit en trois temps en l'insérant dans la théorie tripartite de l'histoire qui a dominé toute la pensée historique de l'Occident chrétien et qui a connu une élaboration particulièrement explicite dans l'idéalisme allemand. Voici une formulation concrète de cette tripartition tirée du texte du *Brouillon*:

> # 49 ... PHILOSOPHIE. À l'origine, faire et savoir sont confondus (*vermischt*) — puis ils se séparent (*trennen*), mais tout au bout ils doivent de nouveau se réunir (*vereinigt*)

et coopérer harmonieusement, sans toutefois se confondre([164]).

Si on part d'une antinomie, son évolution mythico-historique est à penser en trois temps:

1) État indifférencié
   (appelé le plus souvent *Chaos, Gemisch* ou *Vermischung*).
2) État de séparation
   (appelé *Polarität, Absonderung, Trennung*).
3) État d'union
   (appelé *Vereinigung, Verbindung, Harmonie, Mischung*).

Il est essentiel que la configuration initiale soit un ensemble à deux termes caractérisé par l'hétérogénéité, même si, dans l'état originel, les deux termes restent indifférenciés. En principe n'importe quel contenu sémantique peut concrétiser cette configuration, mais le fait que l'exemple cité développe l'antinomie entre faire ou agir (*thun*) d'un côté et savoir (*wissen*) de l'autre est significatif, parce qu'il illustre l'enjeu central de l'encyclopédie de Novalis: comment procéder pour que faire et savoir (*poïein* et *noîein*), qui sont séparés au moment de l'énonciation, soient de nouveau réunis (*vereinigt*) sans pour autant se confondre (*vermischen*).

L'écriture encyclopédique du *Brouillon*, dans la mesure où elle se veut poïétique, doit apporter la réponse à cette question. Elle doit effectuer la transition entre l'état de séparation et l'état de réunion. L'énonciation encyclopédique se situe donc exactement *entre* le présent et le futur et appartient, en conséquence, à la fois au présent et à l'avenir. Selon le schéma tripartite de l'histoire, l'écriture encyclopédique de Novalis est, et mieux encore elle *fait* la transition entre la deuxième et la troisième époque. Non

---

([164]) *OC*, II, p. 227. Texte allemand *SCH*, III, p. 246.

seulement elle décrit et théorise cette situation particulière qui est la sienne, mais elle développe une force illocutoire qui agit en vue d'opérer cette transition.

Novalis a-il eu l'intuition que cette effectuation discursive n'aurait pas l'efficacité historique voulue? A-t-il eu le pressentiment que son encyclopédie pouvait échouer dans sa mission historique([165])? Le fait est que, dès 1799, il a abandonné son projet encyclopédique pour se tourner vers un autre projet d'écriture totalisante, le roman. Le fait qu'il situe fictivement l'action d'*Henri d'Ofterdingen* dans un passé révolu, au Moyen Âge, pourrait être indicateur d'une certaine abdication du faire révolutionnaire, ou de la transformation de l'utopie moderne en une utopie nostalgique ([166]). Pourtant, il n'abandonne point la figure de la transition. Réalisée de manière thématique, elle continue à être l'objet d'une théorisation, prise en charge par la voix narrative:

> Une force spirituelle supérieure paraît vouloir percer à travers toutes les périodes de transition, comme dans un royaume pris entre deux empires([167]).

Dans ce passage, ainsi que dans son contexte immédiat, la figure de la transition donne à son tour lieu à une figura-

---

([165]) Ces questions rejoignent les remarques de John Neubauer sur la non-viabilité du projet encyclopédique et du passage à l'écriture romanesque (*Symbolismus und symbolische Logik*, München, Fink, 1978, pp. 136-140. En insistant sur la performativité de l'écriture encyclopédique, notre analyse montre cette question sous un jour différent.

([166]) Pour les questions ayant trait à la transformation de l'utopie politique chez Novalis, on consultera l'excellent ouvrage de Hans-Joachim Mähl, *Die Idee des goldenen Zeitalters im Werk des Novalis. Studien zur Wesensbestimmung der frühromantischen Utopie und zu ihren ideengeschichtlichen Voraussetzungen*, Heidelberg, Carl Winter, 1965. Il faut signaler que le terme «utopie nostalgique» n'est pas adéquat pour rendre compte de la complexité du texte romanesque qui comporte, entre autre choses, la figure d'un livre d'histoire décrivant le passé en même temps qu'il prédit l'avenir (cf. chap. V du roman).

([167]) *OC*, I, p. 89. Texte allemand *SCH*, I, p. 204.

tion secondaire([168]), mais elle continue d'occuper la place d'une singularité particulièrement intéressante. Concrétisée comme forme narrative, évidemment, elle déploiera une modalité de réalisation qui relève du programme générique du roman: le déroulement dans le temps d'une histoire qui est faite de transitions, et ceci — du moins dans la première partie du roman — dans une des concrétisations les plus traditionnelles qu'est le voyage.

En réalité, opposer la présentation narrative d'*Henri d'Ofterdingen* à la présentation systématique et analytique du *Brouillon* est inadéquat dans la mesure où l'opposition entre ces deux modes de présentation se trouve déjà inscrite dans le texte de l'encyclopédie. D'une part la conversion du système en histoire, et vice-versa, est un des grands thèmes du *Brouillon* et, d'autre part, la mise en ordre chronologique de développements systématiques est chose courante dans ce texte.

Mais revenons-en à l'obligation historique assumée par Novalis de faire la transition à ce qui n'est pas encore, en quelque sorte de créer l'avenir. Les premiers romantiques allemands ont emprunté au discours de la chimie le concept de mélange et l'ont utilisé par la suite, de manière transposée, pour représenter et rendre intelligible le processus de la production de nouveauté([169]). Le mélange chimique, en tant qu'opération, devient donc métaphore poétologique, est chargée de représenter le principe de la productivité poïétique. Nous avons déjà vu que ce choix n'était pas fortuit et que, grâce à l'idée que se faisaient les auteurs allemands de la chimie française et en particulier

---

([168]) On y trouve les images de l'interrègne, de la pénombre et du seuil, ainsi que la comparaison avec la transition géologique entre montagne et plaine. Le roman produit donc, à sa manière, une interdiscursivité qui n'a rien à envier à l'écriture encyclopédique.

([169]) Un livre qui traite de cette question de manière compréhensive et érudite, et auquel nous renvoyons de nouveau ici, nous permet d'être plus concis dans ces remarques sur le mélange chimique en tant que figure: Peter Kapitza, *Die frühromantische Theorie der Mischung. Über den Zusammenhang von romantischer Dichtung und zeitgenössischer Chemie*, München, Max Hueber Verlag, 1968.

du chimiste Lavoisier, le terme de mélange était d'emblée chargé de connotations révolutionnaires.

La figure du mélange actualise donc la même structure logique que celle de la transition: ... *daß durch echte Mischung ein Drittes entsteht, was beydes zugleich und mehr als beydes einzeln ist*([170]). Sa spécificité, cependant, réside dans le fait qu'elle met au premier plan le potentiel producteur de cette structure. Ce potentiel est figuré de manière scientifico-technique, ce qui ne manque pas de lui conférer des accents de modernité([171]), puisque le transfert figuratif met la catégorie de la création esthétique en contact avec ce qui est devenu faisable par une application technique des connaissances scientifiques.

Cet emploi de «mélange» existe indéniablement chez Novalis, bien que Friedrich Schlegel soit peut-être davantage responsable de sa large diffusion dans les écrits des premiers romantiques allemands. Il faut cependant tenir compte du fait que, chez Novalis, le maniement du concept *Mischung* — il faudrait dire plus prudemment: des termes dérivés du verbe *mischen* — se caractérise par une assez grande instabilité sémantique et prête à confusion. Une valorisation ambivalente de ces termes indique qu'il y a deux emplois différents: «mélanger» apparaît sous un jour tantôt positif, tantôt négatif. Il faut, en fait, relever deux usages nettement différents dans le groupe de termes dérivés de *mischen*.

Novalis parle d'abord d'un mélange qui efface la différence entre les termes qui y sont engagés, ou, plus littéralement, des substances qui sont ainsi activement mises en contact. Il s'agit, dans ce cas, d'une opération d'indifférenciation. Ce type de mélange apparaît presque toujours

---

([170]) *SCH*, II, p. 666-67.

([171]) Il faut signaler, cependant, que cette modernité inscrite dans la métaphore chimique cohabite avec des réminiscences alchimiques réactualisées, ce qui produit des effets de non-contemporanéité assez surprenants, qu'il vaudrait la peine d'analyser à part en faisant appel au concept opératoire de la réutilisation. Cf. le livre de Gérard Simon, *Kepler astrologue astronome*, Paris, Gallimard, 1979, qui traite de l'interaction d'éléments non-contemporains dans les écrits de Kepler.

sous un signe négatif. Dans le schéma tripartite de l'histoire, il correspond à la première période. Pour le désigner, Novalis utilisera de préférence les termes *Gemisch, vermischen*, mais aussi des termes — dont *Chaos* — qui ne sont pas dérivés du verbe *mischen*[172]. Un autre terme encore, *Gemenge* (conglomérat), est utilisé pour décrire un mélange d'une espèce très spéciale: le conglomérat résulte d'un mélange purement mécanique, il n'implique aucune réaction chimique et représente donc un processus et un produit inférieurs à ce qui est visé dans l'utilisation transférée du terme chimique de mélange par les romantiques.

Cette utilisation est en fait très particulière. Sans toucher à la question de savoir à quelle réalité scientifique elle correspond[173], nous avons maintenant commencé à la circonscrire en identifiant d'abord ce qui tombe à l'extérieur du champ sémantique visé. En deçà il y a le conglomérat qui, de facture purement mécanique, ne produit aucun changement qualitatif des deux (ou plusieurs) éléments mélangés, aucun troisième terme ne pouvant ainsi être atteint. Au-delà il y a le mélange indifférencié — fusion ou chaos — qui produit bien une nouvelle substance, mais en effaçant les caractéristiques des composantes, en les rendant irrécupérables.

Entre les deux se situe la zone intéressante, celle que Novalis a identifiée comme une chimie supérieure:

> # 50 ... La conception moderne des phénomènes de la nature était ou bien chimique, ou bien mécanique. (Newton et Euler avec la lumière.) Le physicien pratique et scientifique considère la nature comme autonome et se tranformant

---

(172) Dans une note de Friedrich Schlegel, datée de l'été 1788, on trouve, au sujet de Novalis, également cet emploi négatif. Schlegel utilise le terme *Gemisch* pour décrire le mélange indifférencié que ferait Novalis des ingrédients de sa pensée: «La philosophie de Hardenberg veut avaler la physique. Sa pratique est un mélange de Brown, Fichte, Sophie» (*SCH*, IV, p. 621, traduction W.M.).

(173) Nous renvoyons, pour cette question en particulier, au travail de Peter Kapitza, *op. cit.*

d'elle-même tout ensemble, et comme se tenant en harmo-
nieux accord avec l'esprit. Sa chimie est supérieure, alliant
et unissant les matières sans détruire leurs individualités,
produisant des corps républicains supérieurs([174])...

Ce passage est précédé d'une caractérisation de la chimie
comme art de la transformation des substances ou matières
(*Stoffveränderungskunst*), et de la physique, en particulier
la mécanique, comme art de la transformation des mouvements (*Bewegungsveränderungskunst*). Ce que Novalis
postule, c'est une troisième discipline — appelée par lui
physique pratique — qui combine les caractéristiques des
deux premières. L'enjeu de la question est, entre autres
choses, l'unification des deux paradigmes scientifiques de
l'époque, l'un mécanique et mathématique, l'autre chimique et dynamique([175]). Ce qui nous intéresse ici, c'est la
description spécifique de cette chimie supérieure. Elle doit
faire des mélanges d'une espèce très spéciale: reliant et
unifiant([176]) des substances de manière à ne pas détruire
leur individualité tout en produisant des corps supérieurs.

Cette formulation confirme tout à fait le postulat du
dépassement de la dualité (au départ sont toujours données
deux substances hétérogènes) vers une troisième position,
c'est-à-dire par la création d'une substance qualitativement
différente, sans que, pour autant, les termes de la dualité
ne soient «détruits». Elle a encore ceci d'intéressant qu'elle
met en jeu une interdiscursivité, appuyée sur les termes
«individualité» et «républicain», qui induit en interaction
— justement en les mélangeant — sciences naturelles et
sciences sociales et politiques en suggérant que cette logique du mélange s'applique dans les deux domaines, comme
elle préfigure aussi le type d'interdiscursivité dont ce passage est une illustration concrète. Ce texte formule la per-

---

([174]) *OC*, II, p. 228, traduction modifié par W.M. Texte allemand *SCH*, III, p. 247.

([175]) Selon l'opposition formulée par Kant en 1786, dans
Metaphysische Anfangsgründe der Naturwissenschaft (deuxième partie).

([176]) Armel Guerne traduit «alliant et unissant».

cée souhaitée par Novalis dans le développement des sciences, tout en proposant une formule générale pour la production du nouveau. Si on considère que l'expression «produire des corps républicains supérieurs», peu avant 1800, doit encore avoir une connotation révolutionnaire, on peut évaluer l'effet potentiellement brisant de cette espèce de mélange. Même si, en termes de changement politique et social, il n'a pas produit la conflagration dont parle Barthes dans cette remarque:

> Dans toute société, semble-t-il, la séparation des langages est respectée, comme si chacun d'eux était une substance chimique et ne pouvait entrer en contact avec un langage réputé contraire sans produire une déflagration sociale[177].

Se limitant au discursif, la pratique novalisienne du mélange ne semble pas atteindre la société. Mais au niveau de son impact sur les formations discursives, elle doit être évaluée comme un événement dans la mesure où elle effectue utopiquement ce qui ne devait avoir d'effet concret, y compris social et politique, qu'indirectement et à retardement.

Nous avons ainsi pu préciser ce que Novalis entend par *ächte Mischung*[178] (mélange véritable) et *heterogene Mischung*[179] (mélange hétérogène). Appliqué au schéma ternaire de l'histoire, ce type de mélange qui doit vaincre la séparation sans pour autant retomber dans la confusion ou l'indifférenciation chaotique, préfigure l'état de la troisième période, tout en servant de modèle d'action pour faire le passage de la deuxième à la troisième période. Dans ce sens, la dernière citation de Novalis permet déjà d'entrevoir également l'aspect pratique de ce qui a été

---

(177) Roland Barthes, *Sade, Fourier, Loyola*, Paris, Seuil, 1971, p. 152. Ce à quoi Barthes se réfère dans ce texte sous le terme de «langage» correspond assez exactement à ce que nous désignons ici par «les discours».

(178) Cf. *SCH*, III, p. 587.

(179) Cf. *SCH*, II, p. 666.

traité ici prioritairement comme une figure et comme un modèle d'intelligibilité pour le processus poïétique. Ce mélange d'un ordre supérieur permet, en réalité, aussi de rendre compte de la pratique discursive qui se veut production de nouveaux savoirs en tant que réutilisation de matériaux discursifs prédonnés, mais restés séparés jusqu'à l'élaboration, par Novalis, de la pratique poético-encyclopédique.

Dès le début de cette réflexion sur les figures de la transition, du mélange et du contact nous avons pu formuler l'hypothèse que ces trois figures coopèrent à concrétiser les mêmes enjeux logiques et dynamiques du discours encyclopédique de Novalis. À plusieurs reprises, elles apparaissent dans le contexte immédiat l'une de l'autre([180]) et sont reliées entre elles par un lien de quasi-synonymie. Plus que trois figures isolées, ou développées en parallèle, ou encore synonymes, elles forment une véritable configuration, dans laquelle il reste maintenant à déterminer la place et la fonction précises de la figure du contact. Dans la mesure où «transition» et «mélange» en tant qu'activités ou processus impliquent toujours la mise en contact de deux éléments hétérogènes, on peut affirmer que «contact» constitue le dénominateur commun des deux autres figures. Si on superpose ces deux figures, on obtient, comme leur connecteur sémantique, la figure du contact qui en acquiert un statut plus fondamental que les deux autres.

Certains usages de «contact» semblent pointer dans une autre direction. Quand Novalis, dans une même entrée([181]), juxtapose mélange et contact, et qu'il donne comme épithète «chimique» à mélange et «mécanique» à contact, on est tenté d'associer «contact» de manière fixe avec la science mécanique, de l'identifier comme apparte-

---

(180) Cf. *SCH*, III, p. 291, # 286 pour le lien entre mélange et contact; *SCH*, III, p. 587 pour le lien entre transition et mélange; *SCH*, III, p. 383, #634 pour le lien entre transition et contact.

(181) «PHILOSOPHIE. Produit de sujet et d'objet — de leur mélange chimique, de leur contact mécanique, etc.» (*SCH*, III, p. 291, # 286. Cette entrée n'a pas été traduite par A. Guerne).

nant, du moins par connotation, au paradigme scientifique mathématico-mécaniste. Mais une telle interprétation s'avère trop restrictive, voire erronée devant l'évidence de la démultiplication des applications concrètes de la même figure. Dans le *Brouillon*, on trouve en fait la figure du contact — et souvent sa figuralité s'amenuise dans un usage presque littéral — associée avec bien des domaines différents: la physiologie (# 477), la pédagogie (## 97, 455), la poétologie (# 97)[182], la chimie (# 159), le galvanisme (## 124, 513, 514, 1 102).

En pédagogie, par exemple, voici comment la formation du génie implique l'opération de la mise en contact:

> # 455 ENCYCLOPÉDISTIQUE PÉDAGOGIQUE ... Un génie doit être sollicité, excité, développé par des contacts géniaux des plus diverses sortes — et partant, tout homme doit l'être avec les productions du génie, à défaut du contact avec le génie vivant[183]...

Ou bien en chimie:

> # 159 CHIMIE. Divers modes de contact chimique et de relation chimique — par exemple dans les plantes et corps animaux monotoniques[184].

Ou bien encore en «galvanisme de l'esprit» — résultat d'une extension métaphorique du procédé galvanique — conçu comme une *Sympraxis* cosmique:

---

[182] La théorie romantique du *Witz* est en grande partie basée sur la notion de contact, ou plus activement: sur l'opération de la mise en contact. Le *Witz* apparaît alors comme la singularité discursive dans laquelle la mise en contact abrupte d'éléments hétérogènes dégage un potentiel créateur. Cette idée n'est que très peu développée dans le *Brouillon*. Il n'y a que cinq mentions du mot *Witz* dans tout le texte, dont celle-ci: «Le *Witz* est créateur — il fait des ressemblances» (*SCH*, III, p. 410, # 732).

[183] *OC*, II, p. 311, traduction modifiée par W.M. Texte allemand *SCH*, III, p. 332.

[184] *ENC*, p. 183. Cette entrée n'a pas été traduite par A. Guerne. Texte allemand *SCH*, III, p. 270.

124 PHYSIQUE SPIRITUELLE. Notre pensée n'est rien qu'une galvanisation, tout simplement — attouchement (*Berührung*) de l'esprit de la terre, de l'atmosphère spirituelle par un esprit céleste, supra-terrestre. Toute pensée, etc. est ainsi en soi déjà une *Sympraxis* au sens supérieur([185]).

On trouve donc ainsi des usages de «contact» dispersés dans les domaines les plus variés, ce qui est en soi déjà un indice de sa généralité en tant que structure ou modèle. Le lieu d'origine discursif de tous ces usages semble en réalité être le galvanisme, une discipline qui se trouve aux antipodes du mécanisme mathématique. Voici un exemple qui illustre ce lien originaire entre galvanisme et «théorie du contact» et qui, de ce fait relie la figure du contact intrinsèquement aux sciences de la vie:

513 PHYSIQUE. Toute fermentation est effet du galvanisme. (Théorie du contact à divers niveaux.) La fermentation organisée est le processus circulaire des humeurs([186]).

514 PHYSIQUE. Le simple phénomène d'excitation peut être analysé et synthétisé à l'infini. La théorie de l'irritation humaine ou animale part nécessairement d'un principe correspondant à ce phénomène. Le galvanisme mécanique cesse à la mort et ne laisse subsister que le galvanisme chimique. (C'est un mouvement graduel, qui s'appelle au sens strict vie)([187]).

---

(185) *OC*, II, p. 242, traduction modifiée par W.M. Texte allemand *SCH*, III, p. 263. *Berührung* est traduit par «attouchement», terme qui reproduit, sous une autre couverture lexicale en français, ce que nous appelons ici la figure du contact. Dans cette entrée il est à remarquer que le projet schlegelien-novalisien qui a donné lieu aux néologismes *Sympraxis, Symphilosophie, Sympoesie*, etc., relève aussi de la figure du contact. Ce projet propose la mise en contact dialoguante de deux sujets discursifs individuels dans une pratique philosophique, poétique, etc.

(186) *ENC*, p. 180. Cette entrée n'a pas été traduite par A. Guerne. Texte allemand *SCH*, III, p. 354.

(187) *ENC*, p. 169. Cette entrée n'a pas été traduite par A. Guerne. Texte allemand *SCH*, III, p. 355.

Si on attribue exceptionnellement une signification à l'ordre consécutif de ces deux entrées, on peut construire une chaîne de termes reliés entre eux selon une argumentation associative. Elle part de «galvanisme», passe par «théorie du contact», puis par «excitation» (*Reitzung*) et «galvanisme chimique»([188]) pour aboutir à «vie». C'est dire que le galvanisme est conçu comme une théorie du contact et que l'objet de cette théorie, en dernière instance, n'est autre que le phénomène de la vie. Il est à rappeler ici que, chez Ritter, le galvanisme est effectivement basé sur une mise en contact de substances hétérogènes([189]). Si deux substances suffisent pour produire une réaction chimique([190]), au sens d'un «mélange véritable», il faut un minimum de trois substances, mises en contact en série, pour former une chaîne galvanique efficace dans laquelle puisse naître le dynamisme énergétique de la vie. Par rapport à Ritter, déjà très spéculatif aux yeux de certains, qui a pourtant le réflexe de l'expérimentateur empirique de se méfier des hypothèses sans vérification expérimentale([191]), et qui va néanmoins jusqu'à évoquer la vision d'un univers-animal fonctionnant selon les lois galvaniques, Novalis semble vouloir donner une généralité encore plus grande au galvanisme:

([188]) Le «galvanisme mécanique» est concevable, mais il s'agit d'un galvanisme de degré inférieur, qu'on pourrait qualifier de passif dans la mesure où il ne produit pas la vie, il en dépend. Contrairement à la mécanique, la chimie est associée avec la productivité biologique et — par transfert figuratif — avec la créativité poétique.

([189]) Ritter parle, avec prudence, de *Raumfüllungs-Individuen* (individus remplissant l'espace) pour indiquer que ces deux substances doivent être de nature matérielle (*Beweis daß ein beständiger Galvanismus den Lebensproceß in dem Thierreich begleite*, Weimar, Verlag des Industrie-Comptoirs, 1798, p. 173).

([190]) *Ibid.*

([191]) Cf. *op. cit.*, pp. 167-71.

> Le galvanisme est beaucoup plus universel que ne le croit Ritter lui-même — et, ou bien tout est galvanisme, ou bien rien n'est galvanisme[192].

Le fait est que Novalis transfère souvent le galvanisme — en tant que théorie du contact — dans des domaines autres qu'électrique, chimique ou physiologique. Il parle par exemple du «galvanisme de l'esprit» ou du «galvanisme de l'argent»[193]. On a beau dire que ce ne sont là que des emplois «impropres» ou métaphoriques, ces métaphores n'en ont pas moins des implications épistémiques. Il y va d'un modèle d'intelligibilité, tiré originairement d'un domaine précis, mais appliqué par transfert pratiquement à tous les phénomènes du monde naturel et social. Cette remarque critique au sujet de Schelling confirme l'importance générale que Novalis attribue au «phénomène du contact»:

> # 1 102 Schelling ne part que du phénomène cosmique d'irritabilité — il considère le muscle comme fondement. Que fait-il du nerf — des vaisseaux sanguins — du sang et de la peau — de la matière cellulaire? Pourquoi ne part-il pas, lui, le chimiste, du processus — du phénomène du contact — de la chaîne[194].

Novalis n'est pas en désaccord avec l'hylozoïsme — latent ou explicite — d'un Schelling ou d'un Ritter, mais il aimerait en voir fondée l'intelligibilité, en dernière instance, sur le «phénomène du contact». Associé explicitement avec la chimie et implicitement avec le galvanisme, «contact»

---

[192] *ENC*, p. 170. Ce texte ne se trouve pas dans l'édition du *Brouillon* par Mähl.

[193] Cf. *SCH*, III, p. 270, # 165.

[194] *ENC*, p. 229. Ce texte n'a pas été traduit par A. Guerne. Texte allemand *SCH*, III, p. 470. Pour le dernier mot de cette entrée, Wasmuth lit *Kälte* (le froid), Mähl *Kette* (la chaîne). Sans vérification sur manuscrit, d'après l'argument développé ici sur le galvanisme (qui n'est cependant pas explicitement nommé dans le texte) *Kette* apparaît contextuellement comme beaucoup plus probable.

devient ici le phénomène fondamental d'une vision organologique de l'univers. L'intérêt de cette entrée, cependant,
tient au fait que «le phénomène du contact» s'y trouve rapproché de la notion de processus. Le contact ne relève pas
seulement de la situation, de l'état ou d'une topologie
d'éléments, mais il est de l'ordre du processus. Ceci
n'étonne pas quand on considère l'insistance de Ritter sur
les notions d'action (*Action*), d'activité (*Thätigkeit*) et
d'efficacité (*Wircksamkeit*) en parlant de la chaîne galvanique. Mais cela nous situe aussi loin que faire se peut d'une
interprétation purement mécanique de la notion de contact. Le «phénomène du contact», dans le *Brouillon*, est de
l'ordre du processus, c'est un «faire» pensé par Novalis
d'après la conceptualisation des sciences de la vie autour de
1800, et transposé de là, en tant que figure épistémique, à
tous les autres domaines. Dans cette perspective on comprend mieux aussi pourquoi, disposant de deux termes
(*Contact* et *Berührung*)([195]), Novalis donne la préférence
au deuxième qui se traduit d'ailleurs aussi par «attouchement» quand il s'agit du contact entre deux corps vivants.

L'intégration du sème «activité» dans la notion de
contact se confirme dans cette réflexion tirée d'une entrée
intitulée PHYSIOLOGIE:

> # 477 ... Le contact lui-même a des degrés et des grandeurs
> — et des directions, c'est-à-dire des figures. Des contacts
> inactifs ne sont pas des contacts au sens rigoureux du terme
> — ce ne sont que des contacts apparents. Contacts apparents
> et contacts effectifs ne sont pas toujours liés. Des contacts
> authentiques sont des irritations réciproques (*wechselseitige
> Erregungen*)([196]).

Pour «contact» Novalis procède ici de la même manière
que nous lui avons vu faire ailleurs pour «mélange» quand

([195]) Dans le *Brouillon*, on compte 45 occurrences de *berühren* et
Berührung (y compris les dérivés et composés) contre cinq seulement pour
Contact.

([196]) *ENC*, pp. 240-241. Cette entrée n'a pas été traduite par A.
Guerne. Texte allemand *SCH*, III, p. 341.

il fixait le terme tel qu'il en avait besoin pour son projet encyclopédique: pour nettoyer le terme «contact» de toute connotation d'inactivité, pour en faire un contact effectif ou efficace (*wircksame Berührung*), il a recours à l'épithète *ächt* (authentique ou véritable). Dans tout le texte du *Brouillon*, l'utilisation de cet adjectif renvoie à un travail de redéfinition et de réaménagement terminologique qui relève de la législation discursive. *Ächt* désigne donc ce qui est conforme à la logique du système novalisien ainsi qu'à sa pratique poïético-encyclopédique.

Après cette traversée analytique des trois figures de la mise en contact dynamique, nous sommes maintenant en mesure de résumer la manière dont leur action conjointe devient configuration. L'élaboration de cette action figurale convergente fait apparaître une grande mobilité interdiscursive qui affecte tous les discours et toutes les disciplines mis en scène dans le texte du *Brouillon*, mais sans les mélanger de façon indifférenciée, et tout en identifiant les champs d'appartenance originaire des matériaux discursifs destinés à assumer une fonction figurale. Subissant les opérations du transfert interdiscursif, de la figuration et de l'abstraction, les matériaux discursifs en question restent néanmoins retraçables, réactualisables dans toutes les étapes de leur migration et disponibles pour de nouveaux emplois. Procédant de la sorte, Novalis exécute des opérations qu'il a lui-même décrites, par exemple celle qui correspond au principe du «concept élargi» (*erweiterter Begriff*)([197]). Ce principe est basé sur le transfert d'une

---

([197]) Cf. *SCH*, III, p. 377, # 622. Voici, à titre d'exemple, comment Novalis propose de généraliser certains concepts mathématiques en les étendant à la philosophie et à la physique: «# 111 MATHÉMATIQUES. Concept universel de la multiplication — non seulement mathématique — de même de la division, de l'addition, etc. Particulièrement intéressante est cette considération philosophique des notions et des opérations jusqu'à présent exclusivement mathématiques — en ce qui concerne les puissances, les racines, les différentielles, les intégrales, les séries — les fonctions courbes et directes. Le théorème du binôme pourrait recevoir une signification encore de beaucoup supérieure — une application bien plus intéressante en physique — en ce qui concerne les polarités, etc...» (*ENC*, p. 119. Cette entrée n'a pas été traduite par A. Guerne. Texte allemand *SCH*, III, pp. 260-261).

notion concrète, appartenant à un discours spécifique, à un autre discours. Cette opération ne va pas sans élever le degré d'abstraction de cette notion et peut mener jusqu'à «l'universalisation d'un concept spécifique» ([198]).

Et pourtant — c'est là une des particularités de l'écriture encyclopédique novalisienne — les notions en question ne perdent jamais leur qualité de figure: le contact, quelque abstraite ou générale que devienne son application, continue à signifier aussi «attouchement» au sens le plus concret du terme. Tout en acquérant le degré d'abstraction d'un modèle d'intelligibilité, il ne perd pas sa figuralité, c'est ce que j'ai essayé de capter dans l'expression «figure épistémique».

Cette configuration permet donc à Novalis d'articuler dans et par les mêmes éléments textuels la connexion des niveaux pragmatique, sémantique et logique du discours. En tant que figure concrète, et liée à des champs d'application privilégiés, chacune des figures accomplit un travail spécifique:

— «transition» offre un modèle du changement historique,

— «mélange» offre un modèle de la production et de la création,

— «contact» offre un modèle du processus de la vie.

Mais, à un niveau plus abstrait et en tant que configuration, elles font aussi un travail commun, par rapport auquel elles sont donc échangeables. Elles offrent un modèle épistémique très général qui s'est révélé être toujours aussi un modèle pragmatique. En même temps qu'elles permettent de savoir comment sont faits les objets les plus divers à connaître, elles peuvent être interprétées comme des instructions sur la manière de procéder pour faire ou pour changer ces objets. Connaître et faire sont ainsi modélisés et figurés conjointement comme des structures dynamisées qui font le passage de deux à trois. Plus exactement, ces structures mettent en contact deux termes de manière à produire un troisième terme qui soit qualitati-

---

([198]) *OC*, II, p. 296. Texte allemand *SCH*, III, p. 431, #828.

vement différent des deux premiers et non-réductible à eux ni à leur somme. C'est donc aussi un modèle de générativité, de production ou de création, selon la perspective qu'on adopte.

Jusqu'ici on pourrait être porté à croire que Novalis nous propose essentiellement un modèle pour connaître et transformer le monde extra-discursif. Or, ce modèle n'est pas seulement épistémique (ce qui correspond à la fonction première de l'encyclopédie) et pragmatique (ce qui correspond à la fonction de l'encyclopédistique qui dit comment faire l'encyclopédie). Il est aussi modèle poétique dans la mesure où il offre une compréhension figurée de la pratique discursive qu'est et que doit devenir l'encyclopédie. Plus exactement, il rend compte également du faire encyclopédique non seulement en tant que collection, reproduction et diffusion des savoirs existants, mais aussi en tant que production de nouveaux savoirs. Dans ce sens précis «transition», «mélange» et «contact» figurent et modélisent le faire en tant que pratique discursive, ils constituent un modèle poïétique. Novalis confirme cette dimension poïétique de la mise en contact:

> # 199 ENCYCLOPÉDISTIQUE. Nous devons les plus grandes vérités d'aujourd'hui au contact entre les morceaux, longtemps séparés, de la science totale. Hemsterhuis[199].

Cette entrée est intéressante à plusieurs égards. Pour commencer, elle part d'une relation intertextuelle avec l'œuvre du philosophe hollandais Hemsterhuis, mais le contexte dans lequel il est cité ici montre que cette relation dépasse de loin ce lien déterminant de texte à texte et s'inscrit dans la problématique plus vaste, systématique, que nous venons de développer. Elle articule un développement historique en deux temps: autrefois (les morceaux de la science totale sont longtemps restés séparés), aujourd'hui (la mise en contact de ces morceaux a produit de grandes vérités, c'est-

---

[199] *ENC*, p. 51. Cette entrée n'a pas été traduite par A. Guerne. Texte allemand *SCH*, III, p. 275.

à-dire de nouvelles connaissances), avec la possibilité d'une projection utopique: à l'avenir, en continuant cette mise en contact, on produira encore beaucoup de nouvelles vérités. Implicitement, il en résulte l'impératif de multiplier et de systématiser cette mise en contact.

Cette entrée montre comment la figure de la mise en contact productive devient également un modèle possible de l'écriture encyclopédique du *Brouillon*, celui qui rend tout particulièrement compte de sa dimension interdiscursive. Référée au schéma historique, cette écriture est à situer entre le moment identifié dans l'entrée # 199 comme «aujourd'hui» et l'anticipation d'un moment à venir. Elle propose déjà au niveau pratique les mises en contact de tous genres, en quelque sorte pour expérimenter la production des nouvelles vérités à venir. Elle est l'application du modèle à la fois épistémique, pragmatique et poïétique contenu dans la configuration décrite. Dans ce sens, le *Brouillon* nous offre l'exemple-type d'une écriture performative qui met en œuvre, sur le plan pratique, ce dont il est question sur le plan théorique.

En réalité, le texte du *Brouillon* est interdiscursif de part en part. Il met systématiquement en contact des matériaux discursifs appartenant en propre à des champs discursifs différents et séparés. Il pratique donc régulièrement la transition, le mélange et la mise en contact de l'hétérogène, en transgressant de la sorte un ordre du discours basé sur la différentiation fonctionnelle des formes discursives et de leurs usages. Potentiellement, il met donc continuellement en scène l'événement discursif susceptible de changer cet ordre.

Cette pratique se manifeste à des niveaux différents du texte, et par des moyens et procédés très variés. À travers notre analyse du *Brouillon*, nous avons eu l'occasion d'illustrer la plupart de ces procédés dont voici une liste récapitulative:

1) Les titres mixtes.

Souvent, dans les titres d'entrée, Novalis combine ou met en contact deux disciplines par un procédé très simple: il transforme le nom de l'une des deux en adjectif et l'adjoint au nom de l'autre: # 319 Politique physique. Ce procédé ouvre la voie à une démultiplication presque illimitée des savoirs[200], du moins au niveau de ce que d'Alembert, dans le *Discours préliminaire à l'Encyclopédie*, appelle «la mappemonde des connaissances humaines».

2) L'échange des prédicats.

Ce procédé dépasse l'étendue limitée des titres et peut se loger n'importe où dans le texte des entrées. Il part également de l'existence de deux disciplines distinctes et par conséquent séparées, qu'on peut définir par des prédicats fixes. La mise en contact, c'est-à-dire l'action interdiscursive, s'opère alors par la croisée de ces prédicats. Dans l'entrée # 50, pour ne citer qu'un exemple, Novalis pose et dépasse l'oppositon fondamentale entre chimie et mécanique en postulant une «chimie de la mécanique et une mécanique de la chimie» qu'il décrit ensuite par le chiasme systématique des prédicats des deux sciences[201].

3) Les séries combinatoires.

Le même type de procédé peut s'étendre à des ensembles textuels plus vastes et constituer alors des séries combinatoires. Nous avons analysé ce procédé dans l'entrée # 327 où l'enjeu est la transformation dynamique d'un système de classification statique, l'arbre des sciences traditionnel. Les prédicats des trois facultés humaines fondatrices d'un ordre encyclopédique sont échangés jusqu'à ce que chaque faculté se soit vu adjoindre les prédicats de toutes les autres. Il s'agit là d'une série fermée qui part d'un ensemble limité d'éléments. Mais il y a aussi les séries ouvertes, l'indice de leur ouverture étant souvent le «etc.» comme marque textuelle et comme invitation au lecteur à continuer la série[202].

---

[200] Dont un nombre très limité est actuellement réalisé au niveau des titres: # 317 Politique physique, # 435 Physiologie poétique, # 547 Mathématique musicale, # 638 Philosophie pathologique, pour n'en mentionner que quelques-uns.

[201] *OC*, II, p. 228. Texte allemand *SCH*, III, p. 247.

[202] Juste un exemple pour documenter comment ce procédé crée potentiellement de nouveaux savoirs: «# 104 ENCYCLOPÉDISTIQUE. S'il existe une philosophie de la vie, on peut donc également postuler

4) La mise en contact par glissement associatif.

Souvent la mise en contact de différents discours s'opère de manière imperceptible, par un glissement associatif des termes. Prenant encore l'exemple de l'entrée # 50, nous avons observé que le fonctionnement de la «chimie supérieure» est décrit en partie à l'aide de termes appartenant au langage politique. Cette transition imperceptible entre chimie et politique — le «mélange véritable» devenant «corps républicain» — effectue une mise en contact de deux entités hétérogènes qu'on ne saurait subsumer sous la métaphore bien qu'elle implique une relation analogique. Ce procédé est omniprésent dans le *Brouillon* et se manifeste de diverses façons.

5) La mise en contact du non-contemporain.

L'hétérogénéité des matériaux mis en contact ne se définit pas seulement par la différentiation contemporaine des discours, mais aussi en termes de leur transformation historique. La combinaison d'éléments différents, sinon incompatibles sur l'axe du temps est un procédé important chez Novalis. Ainsi le *Brouillon* contient-il, par exemple, des éléments tirés des développements les plus récents de la chimie à côté d'éléments alchimiques réutilisés par Novalis.

De manière plus générale, on observe un intérêt très grand chez Novalis pour ce qui appartient à l'épistémè préclassique des ressemblances généralisées et de leur articulation systématique([203]). Il serait trop simple, sinon réducteur d'interpréter une telle non-contemporanéité des matériaux ainsi juxtaposés comme une rechute dans un passé révolu. Il y va plutôt de la réutilisation stratégique d'éléments anciens, relevant de règles de formation devenues désuètes et historiquement résiduelles, afin de rompre l'emprise d'un discours dominant et de produire ce qui est

---

l'existence d'une philologie de la vie, d'une mathématique, d'une poétique et d'une histoire de la vie» (*OC*, II, traduction modifiée par W.M. Texte allemand *SCH*, III, p. 260).

(203) C'est surtout dans ses réflexions dans le domaine appelé aujourd'hui la sémiotique que Novalis réutilise des éléments qui remontent aux grands systèmes analogiques de la Renaissance.

historiquement nouveau. Cette réaffirmation pratique d'éléments résiduels avec, ou contre, les éléments d'une pratique dominante s'entend, selon la logique du contact dynamique, comme une tentative expérimentale visant à dépasser cette domination et à favoriser l'émergence d'une pratique nouvelle et différente. La réutilisation de l'ancien est ainsi au service de la production du nouveau. Ceci nous donne à voir un aspect du romantisme qui ne permet plus de le définir simplement par la recherche d'une originalité absolue au niveau des formes et des contenus.

Tous ces procédés, réunis ici sous la figure de la mise en contact dynamique de l'hétérogène, pourraient avoir encore un autre dénominateur commun. Ceci devient tout à fait explicite quand on prend en considération une deuxième version de l'entrée # 199, que Novalis nous a laissée parmi les études sur Hemsterhuis de 1797:

> Nous devons les plus grandes vérités de nos jours à ces combinaisons de membres, restés longtemps séparés, de la science totale([204]).

Le texte est pratiquement identique à celui du *Brouillon*, à une exception près: à la place de «contact» on trouve «combinaisons». Est-ce à dire que ces deux termes sont à considérer comme des synomymes? Ou que «contact», originairement associé avec les sciences de la vie, subsume aussi des procédés mathématiques? Il serait peut-être indiqué de parler, ici, de synonymie figurale, de figures relevant de domaines différents et accomplissant le même travail. La combinatoire offre, en fait, la possibilité de figurer les mêmes enjeux (épistémique, pragmatique et poïétique) sur un mode tout à fait différent. La logique mathématique qu'elle met en jeu n'a, apparemment, rien à faire avec le contact galvanique. Et pourtant, la figure combinatoire a en commun avec la figure biologique de modéliser la production du nouveau par la redistribution, par une différente mise en contact des éléments déjà donnés. Novalis

---

([204]) *SCH*, II, p. 368, traduction W.M.

s'intéresse tout particulièrement à cet aspect de la combinatoire. Il s'agit de trouver, de produire les membres inconnus d'un système [205]:

> # 566 MATHÉMATIQUE. Dans la combinatoire, on trouve le principe d'intégrité (*Vollständigkeit*) — de même que dans l'analyse — ou art de trouver des éléments inconnus à partir d'éléments donnés — (mais cet art présuppose un problème ou une équation, etc., corrects et intégraux) [206]...

Les mathématiques aussi — et en particulier la combinatoire — peuvent devenir un modèle pour rendre intelligible le processus poïétique, pour figurer la production du nouveau à partir d'éléments donnés. En partant de l'*ars combinatoria* comme discipline mathématique, on arrive ainsi à l'*ars inveniendi* comme discipline poétique. On touche ici à une tradition différente de celle de la figuration biologique, mais qui joue un rôle tout aussi important chez Novalis, comme l'a bien montré John Neubauer dans son livre consacré à la logique symbolique [207].

À nouveau, comme c'était le cas pour la générativité du système encyclopédique où nous avons observé la coopération de «germe» et de «formule», c'est une double figuralité mettant en contact les domaines de la mathématique et de la biologie qui converge vers cette qualité essentielle de la poésie encyclopédique de Novalis: sa productivité, sa capacité de faire advenir ce qui est encore inconnu. Et plus précisément, de le faire advenir moyennant un traitement interdiscursif des matériaux discursifs pré-donnés, ces «morceaux restés longtemps séparés».

---

[205] Cf. aussi l'entrée # 648, *SCH*, III, p. 387.

[206] *ENC*, p. 121. Cette entrée n'a pas été traduite par A. Guerne. Texte allemand *SCH*, III, p. 364.

[207] John Neubauer, *op. cit.*

Le système

L'intérêt extrêmement positif que Novalis manifeste, à travers le *Brouillon*, pour le potentiel poïétique des figures de la mise en contact confirme que ce potentiel est un enjeu central de son encyclopédie. Si tel est le cas, la conclusion pratique à en tirer pourrait être une invitation à tout encyclopédiste de provoquer autant de contacts productifs que possible. Or, il ne s'agit pas de combiner de manière indifférenciée. Toutes les combinaisons ne sont pas encyclopédiquement bonnes. Il y a des combinaisons bien formées et d'autres qui ne le sont pas, le critère étant la conformité à la logique du système. C'est leur intégration au système qui rend l'activité interdiscursive, c'est-à-dire les transitions, les mélanges et les contacts entre différents discours, opérative du point de vue encyclopédique. Le *Brouillon* contient donc une logique systémique qui organise l'œuvre encyclopédique et dont il s'agit maintenant de présenter les articulations principales.

La notion de système est capitale dans le texte du *Brouillon*[208]. L'usage du terme *System* par Novalis ne se réfère toutefois pas toujours au système qui est à l'œuvre dans son encyclopédie, souvent il expose et critique «le système» d'autres auteurs. Nous proposons maintenant de reconstruire son propre système en nous appuyant sur sa présentation thématique dispersée dans le texte. On constatera que l'articulation systématique de l'encyclopédie de Novalis a été élaborée en étroite interaction avec la *Doctrine de la science* de Fichte, qui représente sans aucun doute, en ce qui a trait au système, le lien intertextuel le plus développé du *Brouillon*. C'est de Fichte que Novalis a en quelque sorte hérité l'orientation transcendantale de son projet. C'est à Fichte aussi qu'est à relier le fait que les unités maniées par Novalis pour les intégrer dans une pensée de système, sont le plus souvent identifiées comme étant

---

(208) On compte 124 mentions du substantif *System*, et 154 mentions si on y ajoute tous les dérivés tels que *Systematik, systematisch, systematisieren*.

des sciences. Chez Novalis, toutefois, il faut prendre
«sciences» dans un sens très vaste: ce sont les différentes
disciplines constituées — et à constituer — du connaître,
du savoir et du faire.

Après tout ce qui précède, il est à prévoir que ce
système sera d'une extrême complexité et mobilité. Il serait
donc illusoire de prétendre à l'exhaustivité dans sa description. Il s'agit plutôt de présenter ses grandes lignes, en termes d'axes structurants d'une part et d'opérations constitutives d'autre part. En fait, nous procéderons en deux
temps, présentant d'abord les structures du système, ce qui
correspond à l'organisation encyclopédique du *Brouillon*,
et nous concentrant ensuite sur les opérations, ce qui correspond à l'aspect encyclopédistique.

Le système en tant que structure

La mise en ordre systématique de tous les matériaux
recueillis dans le texte encyclopédique est confiée en premier lieu à une espèce de charpente constituée de quatre
axes structurants. Deux de ces axes seront identifiés par des
métaphores spatiales: l'axe vertical et l'axe horizontal. S'y
ajoutent l'axe monadique et l'axe analogique.

L'axe vertical

La métaphore spatiale pour identifier cet axe est elle-
même empruntée au texte du *Brouillon* où elle est extrêmement fréquente. Dans ses multiples essais de classification,
Novalis distingue assez systématiquement, à l'intérieur de
la même discipline[209], un niveau élevé ou supérieur[210]
et un niveau inférieur ou commun. Cet axe vertical trace
un espace métaphorique que l'encyclopédiste parcourt de
bas en haut et de haut en bas, en exécutant des opérations

---

[209] Cf. par exemple ## 399, 400, 407.

[210] En allemand Novalis utilise de préférence le comparatif
höher.

dont nous aurons à parler lors de la description de la dynamique du système. Ce double mouvement est déjà décrit dans les «Études fichtéennes» des années 1795-96:

> Chaque science peut aller du bas vers le haut ou du haut vers le bas — le premier étant le mouvement de la synthèse, le second celui de l'analyse.
>
> Toute philosophie peut, en tant que science, parcourir ces deux chemins [211].

Généralement parlant, on peut faire correspondre à cette opposition du haut et du bas d'autres oppositions plus abstraites qui jouent un rôle important dans le texte: général vs particulier, abstrait vs concret, théorique vs empirique, synthétique vs analytique. C'est le modèle fichtéen qui transparaît à travers toutes ces variations et qui devient parfois explicite:

> # 624 La doctrine de la science, ou philosophie pure, est le schéma relationnel des sciences en général [212].

En d'autres termes, si la doctrine de la science est philosophie, elle est suffisamment «élevée» pour construire le schème de la mise en relation de toutes les sciences. Mais — et ceci est important pour Novalis — elle n'en est pas moins science elle aussi, en quelque sorte une science à la deuxième puissance: «science de la science» [213]. Cette formulation n'est pas sans ouvrir un lien intertextuel sur la forme de la réflexion fichtéenne que Novalis a commentée dans ces termes:

> # 993 Sur le phénomène de la réflexion: le cas de la force de réflexion qui se saute elle-même sur ses propres épaules [214]...

---

[211] *SCH*, II, p. 192, traduction W.M.

[212] *ENC*, p. 94. Cette entrée n'a pas été traduite par A. Guerne. Texte allemand *SCH*, III, p. 378.

[213] Cf. *SCH*, III, p. 439, # 886.

Cette formulation figurée du processus réflexif suggère que l'espace de la verticalité est articulée hiérarchiquement en niveaux logiques qui se superposent dans un mouvement d'auto-dépassement. Tel est effectivement le cas, mais on ne pourrait identifier le niveau le plus élevé, celui de la Doctrine de la science comme une méta-science, une théorie de la science, c'est-à-dire une pratique philosophique qui se situe au-dessus et, par là, à distance de son objet, la science. Il est important que, chez Novalis, toute pratique qui s'inscrit sur l'axe vertical intègre toujours aussi son autre pôle. En fait, on ne se déplace sur cet axe que par transformations continues. Les «sauts» de la réflexion ne sont que les degrés de cette transformation. Toute philosophie est aussi science, toute science aussi philosophie, mais à des degrés différents. D'une part: «Chaque science est en elle-même une philosophie spécifiée»([215]); et d'autre part: «Par philosophie, on a presque toujours entendu seulement une puissance supérieure de scientificité en général — mais rien de spécifique»([216]).

Philosophie et science, bien que situées sur cet axe vertical à des élévations différentes, ne sont donc jamais vraiment séparées, ni en termes de supériorité logique, ni en termes d'altérité fonctionnelle, puisque l'une contient toujours l'autre, jusqu'à un certain degré. La différence est, en réalité, une de degrés: *Gradunterschied*([217]).

Par cette notion de degré, la relation entre philosophie et science est liée au dynamisme utopique de tous les conte-

---

([214]) *OC*, II, p. 351, traduction modifiée par W. M. Texte allemand *SCH*, III, p. 456.

([215]) *SCH*, III, p. 378, # 623, traduction W. M. Ce texte n'a pas été traduit par A. Guerne.

([216]) *OC*, II, p. 252. Texte allemand *SCH*, III, p. 278, # 221. Cf. le même double mouvement dans l'entrée 343: «PHILOSOPHIE. Toute science n'est peut-être qu'une variation de la philosophie. La philosophie est en quelque sorte la substance de la science...» (*OC*, II, p. 263, traduction modifiée W. M. Texte allemand *SCH*, III, p. 302).

([217]) *Grad* est un terme important dans le Brouillon. Il est traduit tantôt par «degré» (adjectif: graduel), tantôt par «niveau».

nus énoncés dans le *Brouillon*: qu'il s'agisse d'une élévation de la force organique (# 446), de l'élévation éthique
(## 292, 299), du développement des facultés perceptives et
sensorielles (# 409), d'une «intensification des incitations»
(# 446), de la «formation et augmentation de l'âme»
(# 409), tous ces processus convergent vers la *Graderhöhung der Menschheit* (# 409), en traduction littérale: une
élévation graduelle de l'humanité, c'est-à-dire un perfectionnement qualitatif intégrant les facultés physiques,
psychiques et intellectuelles de l'humanité. Cet objectif —
nous l'avons vu — représente la réaffirmation transformée
de l'idéal des Lumières qui consistait en une activation historique de la perfectibilité humaine.

L'axe horizontal

L'axe horizontal, tout aussi important que celui sur
lequel s'inscrit «l'élévation graduelle», n'est cependant pas
aussi explicitement développé sur le plan thématique. Il est
d'autant plus présent dans la pratique encyclopédique par
une connexion entre toutes les sciences différentes, connexion qui, en tant qu'opération, deviendra «application».
Cet axe horizontal est essentiellement constitué par des
liens de transversalité qui s'établissent entre des unités du
système du même niveau ou degré.

Dans notre chapitre sur la poétique de l'encyclopédie
il est apparu que l'ouverture de cette dimension transversale dans le système encyclopédique représente une rupture
avec la tradition de la classification arborescente, de même
qu'avec toute conception purement classificatoire de
l'encyclopédie. Ce geste historiquement significatif de
Novalis installe au sein même de l'encyclopédie, qui s'était
jusque là contentée de rapporter et d'organiser les savoirs
existants, le principe de la générativité, le pouvoir de produire de nouveaux savoirs. La mise en contact de ce qui est
longtemps resté séparé s'opère sur l'axe horizontal et peut
produire ce qui est historiquement imprévu, inconnu, nouveau. Étant donné que tous les liens tranversaux sont en
principe praticables et que leur activation est pensée
comme une productivité, il est possible d'utiliser la figure

épistémique proposée par Deleuze et Guattari pour parler, au sujet du *Brouillon* et plus spécifiquement de son opérativité horizontale, d'une productivité rhizomatique.

Cette activation de l'axe horizontal est potentiellement illimitée. Elle ne respecte en tout cas aucune des classifications préalablement établies, par exemple celle qui distingue entre sciences historiques (faculté de la mémoire), sciences naturelles (raison) et arts (imagination). Mais pas non plus celles qui ne verront le jour qu'après la mort de Novalis, comme par exemple la distinction proposée et élaborée par Dilthey entre les sciences de la nature et les sciences de l'esprit. Une des connexions transversales que Novalis ne cesse de pratiquer dans le *Brouillon*, c'est justement celle qui met en contact l'objet physique et l'objet spirituel.

L'axe monadique

Ce que nous appelons ici le monadisme du système encyclopédique de Novalis met essentiellement en jeu la relation entre partie et tout, de même que celle entre partie et partie. Il y a, certes, des interactions entre la philosophie de Leibniz et les écrits de Novalis, mais elles sont plus intenses dans le domaine de l'art combinatoire que dans celui de la monadologie. Aussi notre emploi de ce terme ne renvoie-t-il pas exclusivement à cette intertextualité, et surtout n'est-il pas philosophique en premier lieu. Nous rendons compte de cet axe monadique du système plutôt en termes de générativité et de tropologie qu'en termes philosophiques.

La relation entre partie et tout est très importante, la cohérence du système repose largement sur elle. Son modèle figuré relève prioritairement du domaine de l'organicité:

> # 518 PHYSIOLOGIE. Plus un corps organique est organiquement divisé en petits éléments — plus il est formé, etc. La plus infime parcelle possède nécessairement, elle aussi, la totale formation, le total mouvement, la totale liberté organiques([218]).

---

(218) *ENC*, p. 232. Cette entrée n'a pas été traduite par A. Guerne. Texte allemand *SCH*, III, p. 355.

Ou encore d'une réflexion sur l'individu ou sur la personne, à laquelle contribuent beaucoup d'entrées, et dont voici un échantillon:

> # 63 DOCTRINE DE LA PERSONNE. Une personne vraiment synthétique est une personne qui est en même temps plusieurs personnes — un génie. Chaque personne est le germe d'un infini génie. Elle sait et peut, quoique partagée en plusieurs, être une personne unique. L'analyse véritable de la personne, en tant que telle, produit des personnes — la personne ne peut se spécifier, se démembrer et se diviser qu'en personnes[219].

Ainsi développée en physiologie et en «doctrine de la personne», la relation monadique entre la partie et le tout est applicable au système encyclopédique en général où elle se charge d'une complexité plus grande. Voici, énoncées séparément, les différentes composantes de cette relation:
— la partie représente le tout,
— la partie peut être prise pour le tout,
— la partie ressemble au tout,
— la partie peut générer le tout.
Deux types de relation se dégagent de cet ensemble. Premièrement, la relation générative; nous avons vu qu'elle est essentielle dans le *Brouillon*, surtout reliée, au niveau textuel, à sa fragmentarité. Elle peut être poussée jusqu'à une formulation paradoxale: si la partie est capable d'engendrer le tout (cf. la figure du germe), alors elle contient le tout. Ceci demande à être expliqué: la partie, en tant que réalisation partielle, contient cependant le tout en tant qu'idée ou projet. Nous retrouvons ici l'idée de «l'échantillon idéal et réel». Deuxièmement, la relation tropologique; étant donné que la partie doit contenir une structure identique à celle du tout et qu'elle peut, en cette qualité, être

---

(219) *OC*, II, p. 231, traduction modifiée par W. M. J'ai en particulier rétabli, pour rendre *Person* chez Novalis, l'utilisation d'un seul terme français: «personne», contrairement à A. Guerne qui a recours à trois mots différents «personne», «personnage» et «personnalité». Texte allemand *SCH*, III, p. 250.

substituée au tout, elle combine donc les relations de la ressemblance et du *pars pro toto*. Par rapport au tout, auquel elle peut se substituer, elle est synecdoque métaphorique. En principe chaque partie du système entretient cette complexe relation avec le tout.

L'axe analogique

La relation analogique, qu'on retrouve pratiquement dans tous les autres axes structurants du système, doit être considérée comme le ciment logique de toute l'encyclopédie novalisienne. Du moins en trouve-t-on, au niveau textuel, les marques partout. En analysant l'énoncé nucléaire, nous y avons observé une tendance à glisser vers l'analogie. Le mot de comparaison *wie* (comme) rendait cette tendance souvent explicite en s'intercalant entre la copule et l'attribut et transformant de la sorte l'énoncé d'identification (X est Y) en un énoncé de comparaison (X est comme Y). Fréquemment aussi Novalis développe la comparaison dans des constructions plus complexes, en créant par exemple des analogies à quatre termes: «Le soleil est en astronomie ce que Dieu est en métaphysique»[220]. Ou bien: «La métaphysique est à la logique ce que l'éthique est à la jurisprudence»[221]. Sur le plan syntaxique et argumentatif, beaucoup de phrases et des entrées entières sont articulées par une charpente analogique à peine perceptible quant à sa réalisation lexicale, mais décisive pour le déroulement de l'argument (par exemple *wie... so*, comme... ainsi). Parfois il suffit d'un seul pivot analogique pour faire basculer la réflexion développée dans une longue entrée d'un domaine donné à un autre domaine qui est totalement différent du premier[222]. Sur le plan sémantique, c'est le

---

[220] *SCH*, III, p. 311, # 388.

[221] *SCH*, III, p. 339, # 472. Les exemples de cette construction sont très nombreux dans le *Brouillon*.

[222] C'est le cas dans l'entrée # 442 où le pivot logique *so wie* (ainsi que, de même que) relie une réflexion sur les «degrés de la vie» à une spéculation sur le processus d'intégration d'un étranger dans une structure étatique.

verbe *entsprechen* (correspondre) qui fait le même type de travail. Ce verbe n'exprime pas seulement une relation logique de correspondance entre structures ou configurations, mais il implique aussi, dans la plupart des cas, une relation ontologique, suggérant que les objets analogiquement mis en contact auraient une zone d'intersection au niveau de leur être. Par un côté l'analogie a donc la fonction d'un instrument purement logique permettant d'opérer des mises en relation dans le contexte d'une expérimentation infinie:

> #431 ENCYCLOPÉDISTIQUE. Analogistique. L'Analogie prise comme instrument, décrite comme telle et montrée dans ses innombrables utilisations diverses[223].

Mais, de l'autre côté, l'analogie est plus qu'un simple «principe heuristique»[224], surtout quant elle réactive des structures de pensée et un usage presque magique des signes qui semblent restituer «la ressemblance comme expérience fondamentale et forme première du savoir»[225]. Finalement, une forte affirmation de l'analogie se marque également par une massive thématisation de l'analogie elle-même dans des termes comme *Analogon, Entsprechung*

---

[223] *OC*, II, p. 276, traduction modifiée par W. M. Texte allemand *SCH*, III, p. 321.

[224] Comme le soutient Johannes Hegener dans son ouvrage *Die Poetisierung der Wissenschaften bei Novalis*, Bonn, Bouvier, 1975, p. 92.

[225] C'est dans ces termes que Michel Foucault résume un des traits principaux de l'épistémè de la renaissance (*Les mots et les choses*, Paris, Gallimard, 1966, p. 66). Les efforts entrepris par des auteurs nettement postérieurs à Novalis — en sciences et en littérature — pour libérer l'analogie de ses implications ontologiques confirment rétrospectivement l'existence de ces implications. Ernst Mach, par exemple, crée deux termes différents: *Ähnlichkeit* (similitude) véhicule des implications ontologiques, tandis que *Analogie* n'est que pur outil logique (*Erkenntnis und Irrtum. Skizzen zur Psychologie der Forschung*, Darmstadt, Wissenschaftliche Buchgesellschaft, 1976, pp. 220-231). Robert Musil, de son côté, développe dans son roman *L'Homme sans qualités* une théorie de la représentation sans similitude, de «l'image sans ressemblance» (*Bildsein ohne Ähnlichkeit*) qui soit exclusivement basée sur des correspondances d'ordre pratique et logique (Paris, Seuil, 1957, vol. IV, pp. 146-147).

(correspondance), *Ähnlichkeit* (similitude, ressemblance), *Verwandtschaft* (parenté, affinité) ainsi que — comme on vient de le voir dans l'entrée # 431 — dans l'esquisse d'une discipline appelée «analogistique».

Toutefois, ce qui fait la particularité du *Brouillon*, dans la mesure où il se dit et se veut scientifique, en plus d'être philosophique et poétique, ce n'est pas tant la discussion sur l'analogie qu'il contient que l'usage abondant que Novalis en fait. Rappelons que cet usage est jugé excessif par Olshausen et, par conséquent, identifié comme non-scientifique et rejeté dans la poésie qui doit être séparée de la science. L'analogie est considérée comme une zone molle de la logique scientifique: «Les conclusions basées sur la ressemblance ou sur l'analogie, ne font pas partie de la logique au sens propre du terme, du moins pas de la logique formelle»[226]. Et pourtant l'analogie est indispensable à la formation d'hypothèses, tout en présentant le danger d'une opération problématique, puisque difficile à soumettre à un contrôle objectif.

Conjointement et souvent en interaction, ces quatre principes de mise en ordre encyclopédique déterminent la structure spécifique du système novalisien. C'est sur ces quatre axes structurants que s'opère l'intégration systémique de tous les matériaux recueillis par l'encyclopédiste. C'est sur ces axes également que s'inscrivent les opérations permettant d'activer l'aspect dynamique du système. Tel que décrit jusqu'ici, il n'est qu'architecture statique assurant la cohérence logique de l'encyclopédie. Il s'agit maintenant de présenter son côté dynamique.

Le système en tant qu'opérativité

Avoir présenté de la sorte le système comme un édifice structuré mais statique relève du tour de force analytique, c'est-à-dire cela n'a été possibile qu'en retranchant provisoirement ce qui lui est essentiel. D'ailleurs, déjà dans la

---

[226] Ernst Mach, *op. cit.*, p. 225.

description des grands axes structurants, il a été nécessaire d'expliquer leur constitution par les processus mêmes qui se déroulent sur ces axes. C'est que le système encyclopédique est par définition en devenir, un système en train de se constituer dans la pratique qui en fonde l'existence même. Ce système est processus. C'est dans ce sens que nous parlerons d'opérations constitutives. C'est cette même caractéristique qui est à la base de l'expression utilisée par Lacoue-Labarthe et Nancy: *work in progress* ([227]). Si on adopte une telle expression pour décrire le système en devenir, il faut cependant maintenir la différence entre «œuvre» et «texte».

Deux indices de cette dynamique du système peuvent se repérer à même le texte. D'abord la fréquence de la construction

$$je \text{ (+ comparatif)} \ldots\ldots desto/umso \text{ (+ comparatif)}$$

insiste sur la progression synchronisée de deux ou de plusieurs processus ([228]), dont l'un est la fonction de l'autre. Cette construction peut se traduire par «plus... plus» ou par «(au fur et) à mesure que». Ensuite, la prédilection que montre Novalis pour l'utilisation — et parfois même pour la création — de verbes en *-isiren*, dans la plupart des cas à partir de substantifs. Il traduit de la sorte un état en processus et transpose son système de la catégorie de l'être à celles du faire et du devenir. Voici quelques exemples: *Poetik* devient *poetisiren*, *Romantik* devient *romantisiren*, *Potenz* devient *potenciren*.

([227]) Philippe Lacoue-Labarthe et Jean-Luc Nancy, *op. cit.*, p. 69.

([228]) Exceptionnellement, cette construction s'étend à plus de deux membres. Voici l'exemple d'une entrée entièrement basée sur cette construction logique: «Plus sont notables les effets que l'âme est capable de produire, plus elle a et prend de force; moins sont sensibles, plus sont imperceptibles les effets que peuvent produire la matière, le monde, le corps, dans le sens rigoureux, plus aussi ils sont forts. Autrement dit, plus ils divergent l'un et l'autre en cela (âme et corps), d'autant mieux ils sont formés tous deux. Le corps doit devenir âme, l'âme devenir corps, chacun par l'autre; — ils y gagnent tous deux» (*OC*, II, p. 319. Texte allemand *SCH*, III, p. 352).

À chaque axe structurant correspondent certaines opérations, ce qui s'applique surtout aux axes vertical et horizontal, qui sont au fond constitués par des opérations spécifiques.

Opérations de l'axe vertical: *universalisiren, specificiren, potenciren*

Les opérations sur l'axe vertical sont à double vecteur. Elles s'articulent toujours comme un mouvement en deux sens, vers le haut et vers le bas. Le processus qui, métaphoriquement parlant, est élévation, va vers l'abstraction, vers des niveaux de réflexion de plus en plus généraux et élargit le champ considéré, tandis que le processus en sens inverse va vers la science empirique, vers le concret et rétrécit le champ considéré. «Universaliser» n'est qu'un des termes que Novalis utilise pour désigner le mouvement d'élévation systémique:

> # 828 ... Universaliser ou philosophiser une image ou une notion spécifique, ce n'est pas autre chose que l'éthériser, la volatiliser: distillation d'un spécifique, ou spiritualisation d'un individu[229].

Cette opération s'inscrivant sur l'axe structurant qui situe en haut la philosophie comme domaine universel et en bas la science comme domaine particulier s'appelle en conséquence «universaliser» ou «philosophiser»[230]. Les métaphores dont Novalis se sert ici, et qui renvoient au laboratoire de chimie, sinon d'alchimie, indiquent qu'il actualise également la polarité matériel vs spirituel[231].

---

[229] *OC*, II, p. 296. Texte allemand *SCH*, III, p. 431.

[230] En allemand *philosophistisiren* pourrait bien être un néologisme, et n'apparaît d'ailleurs qu'à ce seul endroit dans le *Brouillon*, contre cinq occurrences de *philosophiren*.

[231] En allemand, il s'agit de *Ätherisiren, Verluftigen, Vergeisten*. Il est possible que les deux significations de l'homonymie allemande *Geist* (= esprit et alcool) soient actualisée dans *Vergeisten*, comme le suggère le traducteur en explicitant les deux possibilités: distillation et spiritualisation.

En outre, il est à remarquer qu'il ne décrit pas l'une des deux opérations «verticales» sans mentionner l'existence de l'autre, et ceci par la formule qui rappelle le principe de l'action réciproque (*Wechselwirkung*): «le procédé inverse existe aussi», ce qui indique que les deux procédés [232] sont pensés non seulement comme symétriques, mais surtout aussi comme intimement liés d'après la logique du système, au point de devenir fonction l'un de l'autre.

Le principe de l'action réciproque [233], soit dit en passant, peut devenir actif sur tous les axes du système. Il sert à dissoudre les antinomies en les dynamisant: dans un mouvement chiastique, chaque terme d'une opposition tend à absorber l'autre, ce qui permet à Novalis de les affirmer simultanément sans tomber dans le paradoxe logique. Comme dans les figures de la transition, du mélange et du contact, l'enjeu de cette opération logique consiste donc aussi dans le passage de deux positions antagonistes à une troisième position, c'est-à-dire dans l'élaboration pratique d'une logique du tiers inclus.

Quand il y a universalisation, il doit donc aussi y avoir spécification. Je traduis de la sorte *specificiren*, le terme technique qui désigne chez Novalis le mouvement qui va de haut en bas dans le système [234].

---

(232) Le terme allemand est *Process*.

(233) Novalis exprime par le terme *Wechsel* le principe de la réciprocité et l'utilise souvent comme un préfixe: *Wechselproceß, Wechselrepräsentation, Wechselverbindung.*

(234) Il illustre le procédé de la spécification de manière intéressante et presque amusante en l'appliquant à la question kantienne du jugement synthétique a priori: «# 650 On peut exprimer de bien des façons plus spéciales la question que pose Kant, savoir si sont possibles des jugements synthétiques a priori. Ainsi par exemple:

La philosophie est-elle un art (une dogmatique, une science)?

Existe-t-il un art de découverte sans données, un art absolu de la découverte?

Des maladies se peuvent-elles faire à volonté?

Peut-on «penser» des vers selon des règles, et une folie, un délire selon des principes de base?

Un mouvement perpétuel est-il possible?

Un génie est-il possible — et peut-on définir le génie?

Y a-t-il pour le cercle une quadrature faisable?

L'entrée # 487 apporte des précisions pour une meilleure compréhension du procédé de l'universalisation:

PHILOSOPHIE ENCYCLOPÉDISTIQUE. La philosophie d'une science naît de l'auto-critique et de l'auto-système de la science. (Une science est appliquée lorsqu'elle sert à une autre science de modèle analogue et de stimulus pour son ipso-développement.) Il suffit d'un simple passage à la puissance supérieure pour qu'une science devienne élément et fonction dans une série supérieure, la série philosophique... ([235]).

L'élévation d'une science au statut de philosophie se réalise par un procédé que Novalis appelle ici *Selbstcritik* et *Selbstsystem* en indiquant ainsi le processus qui permet à une science de se critiquer (au sens de la philosophie critique) et de constituer son propre système. Le triple usage du préfixe *Selbst-* ([236]) est important. Il relie l'activité scientifique au transcendantalisme en postulant que l'activité scientifique (spécifique) elle-même contient le potentiel de «s'élever» en menant une réflexion sur ses propres concepts, procédés et méthodes. En d'autres termes, le niveau théorique et systématique des sciences ne doit pas y être apporté par une imposition par le haut, par des spécialistes théoriciens, mais être développé à partir de la pratique même, et rester toujours en contact avec elle, par un processus de réflexion. Théorie et pratique d'une même science, ou de la science en général, ne doivent pas être séparées. Chaque science doit donner accès à sa propre philosophie. L'homme scientifique doit être capable d'accéder au niveau philosophique de la science.

La magie est-elle possible?
Est-ce que Dieu, la liberté et l'immortalité se peuvent démontrer?
Y a-t-il une comptabilité de l'infini? etc.» (*OC*, II, p. 339. Texte allemand *SCH*, III, p. 388).

([235]) *ENC*, p. 93. A. Guerne (*OC*, II, p. 317) n'a traduit que trois lignes de cette entrée, en indiquant par des points de suspension que sa traduction n'est pas complète, mais sans justifier sa manière de procéder. Texte allemand *SCH*, III, p. 346.

([236]) Traduit deux fois par auto-, une fois par ipso-.

Ce procédé s'appelle *potenciren*, terme emprunté au langage mathématique et correctement traduit par Maurice de Gandillac, comme «passage à la puissance supérieure». Le terme *potenciren* joue un rôle assez important dans le premier romantisme allemand. Avec les notions de critique et d'ironie, il partage et reproduit la structure de la réflexion fichtéenne. Il représente une des applications de la philosophie idéaliste au domaine poétologique[237], avec, comme particularité novalisienne, le transit du terme philosophique par une figuration mathématique.

Opérations sur l'axe horizontal

L'entrée #487 contient également une mention de ce qui est à considérer comme l'opération «horizontale» par excellence: «Une science est appliquée lorsqu'elle sert à une autre science de modèle analogue et de stimulus pour son ipso-développement»[238]. Il s'agit donc de l'application d'une science à une autre science, plus exactement d'une science déjà constituée à une science encore à constituer. Sur l'axe vertical, les deux sciences en question se situent au même niveau de spécificité/universalité.

Une précision terminologique s'impose ici. Cette opération «horizontale» s'appelle bien application, mais il ne faut pas la confondre avec la mise en pratique utilitaire du savoir scientifique, c'est-à-dire, pour pousser la nuance décisive jusqu'à une différence qui engage l'opposition entre Lumières et romantisme, avec une application qui a

---

(237) Cf. à ce sujet l'étude de Walter Benjamin sur «Der Begriff der Kunstkritik in der deutschen Romantik», in Walter Benjamin, *Gesammelte Schriften*, Frankfurt a.M., Suhrkamp, 1974, vol. I, 1, pp. 7-122.

(238) La traduction de cette phrase par Maurice de Gandillac est insuffisante, puisqu'elle laisse de côté deux éléments de la version allemande *specifische Selbst(Nach)entwicklung*. «Ipso-développement» traduit Selbstentwicklung, mais ce développement, en plus d'être dû au déploiement du potentiel réflexif de la science en question, n'est pas pure abstraction, mais *spécifique* (*specifisch*) de cette science en particulier, tout en *reproduisant* (*Nach-Entwicklung*), par application analogue, le modèle d'une autre science spécifique.

pour objectif non pas la création de nouvelles sciences, mais l'utilisation technico-pratique de celles qui existent déjà. Bien des auteurs romantiques ont associé ce type d'utilitarisme avec une mentalité de Philistins à laquelle s'oppose et dont se détache l'attitude du poète romantique:

> # 468 PHILOSOPHIE. Le critère de l'applicabilité — est le caractère distinctif de l'utilité logique. Philistins logiques et artistes logiques([239]).

Novalis se situe clairement du côté des artistes logiques. L'application des sciences les unes aux autres, dans le système novalisien, est en fait à rattacher au principe poïétique de l'encyclopédie dans la mesure où, dans ce type d'application, l'accent est mis sur le potentiel producteur du procédé. Il y va de la création de nouvelles sciences. C'est grâce à cette opération que le système peut générer des sciences encore inconnues et de nouveaux savoirs, et ceci de manière presque illimitée.

Le système donne ainsi lieu à une prolifération potentiellement infinie, dont la réalisation est à situer dans un avenir utopique, puisque le texte ne réalise, ne peut réaliser qu'une infime partie de ce potentiel et restera donc nécessairement fragmentaire par rapport à l'idée et à la potentialité du système. À la fin de certaines entrées, on peut très concrètement observer comment système et texte sont articulés ensemble. Souvent, après avoir traité une question spécifique, Novalis termine sa réflexion en l'ouvrant sur des applications à faire. Comme nous avons pu l'observer dans la troisième partie de l'entrée-type hypothétiquement contruite, la fin du texte coïncide avec le début d'un travail systémique qu'il reste à accomplir d'après une logique développée dans la même entrée. Ainsi l'entrée # 638, pour ne citer qu'un exemple parmi beaucoup, s'achève-t-elle par la remarque suivante: «Application à des maladies». La fin du texte de l'entrée s'ouvre donc sur un début d'applica-

---

(239) *ENC*, p. 67. Cette entrée n'a pas été traduite par A. Guerne. Texte allemand *SCH*, III, p. 337.

tion et adresse de la sorte au lecteur l'incitation d'entrer dans l'opérativité du système pour en exécuter la prochaine opération.

L'application, et surtout la pluralité de ses possibilités, prend de l'importance encore sous une autre perspective. Comme sa mise en œuvre systématique a pour effet de relier potentiellement chaque unité du système à toutes les autres, elle contribue très concrètement à l'intégration systémique. Et ceci sur un mode transitif. Elle fonde en fait la transitivité du système: tout point du réseau systémique est en principe relié à tous les autres points et, par conséquent, est aussi accessible à partir de chacun d'eux. Il s'agit là d'une transitivité, au sens logique du terme, qui assure, de façon dynamique, la cohérence systémique.

Si on combine ce procédé de l'application, qui, à un niveau donné, peut proliférer dans tous les sens, avec les opérations se déroulant sur l'axe vertical, on obtient une mobilité et interconnexion maximale. Tout terme, tout concept, toute science peut être soumis à une pulsation extrême entre «concret» et «abstrait», entre «particulier» et «général», en même temps qu'il est possible de l'appliquer à tous les autres. Il sera donc aussi possible de parcourir tout le système en y entrant à n'importe quelle position.

Mais ce n'est pas tout, en termes d'intégration et de cohérence dynamique du système. L'application actualise également la relation de partie à tout. Il est possible d'appliquer une partie au tout, et vice versa, comme il est possible d'appliquer les parties du système les unes aux autres:

> # 460 ENCYCLOPÉDISTIQUE. Le système appliqué aux parties, les parties au système, les parties aux parties. L'État appliqué aux membres, les membres à l'État, et les membres aux membres. L'homme total appliqué aux membres et parties, les membres et parties à l'homme, et les membres et parties les uns aux autres ([240])...

En plus de décliner en quelque sorte la combinaison de la relation monadique avec l'opération de l'application, cette

---

([240]) *OC*, II, p. 312. Texte allemand *SCH*, III, p. 333.

entrée propose immédiatement de transposer ces relations et opérations abstraites dans des domaines concrets.

Finalement et surtout, l'application implique toujours une relation analogique, puisque, comme le dit Novalis, dans l'application, toute science peut servir de «modèle analogique» pour le développement d'une autre science. En projetant de la sorte l'application sur tous les axes structurants du système, on finit par obtenir un degré maximal d'intégration et de transitivité systémiques. C'est cette opération complexe, c'est-à-dire la mise en œuvre conjointe et simultanée de toutes les opérations, qu'il faut appeler «encyclopédiser»[241]. Il est intéressant, cependant, d'observer que Novalis ne parle jamais d'encyclopédiser le système, mais bien de «l'encyclopédisation d'une science»[242]. Encyclopédiser une science signifie alors mettre une seule unité du système en contact avec toutes les autres en suivant toutes les règles d'intégration systémique qui décident du statut bien-formé de cette opération complexe. Or il est bien évident que, conçu de la sorte, l'achèvement encyclopédique d'une seule unité équivaudrait à l'achèvement du système. Car la réalisation d'une unité présuppose en fait la réalisation du système entier, et vice-versa.

Cet état idéal peut être envisagé, mais il relève du fantasme du livre total, ou tout au plus de la description anticipatrice. Mais jamais il ne saurait se traduire en réalisation textuelle. Il n'est donc pas étonnant que la description d'une «science véritable» prend un aspect programmatique et se termine par une phrase énoncée avec modalisation utopique:

> #155 ENCYCLOPÉDISTIQUE. Double universalité de chaque science véritable. L'une, quand je me sers de toutes les autres sciences pour le développement complet de la science singulière; l'autre, quand je fais d'elle une science universelle et ne la subordonne qu'à elle-même, regardant toutes les autres sciences comme ses propres modifications.

---

[241] Novalis n'utilise ce terme que rarement (## 161, 282, 292), bien qu'il décrive assez souvent ce qu'il désigne.

[242] Cf. entrée # 161.

Le premier essai dans le second sens a été entrepris par Fichte avec la philosophie. Il doit être entrepris dans toutes les sciences[243].

On reconnaît bien ici les opérations dont l'action concertée serait «l'encyclopédisation». Plusieurs procédés d'intégration systémique sont possibles: rendre une science universelle soit en y appliquant toutes les autres en les utilisant comme ses modèles analogues, ce qui actualise l'axe horizontal, soit en l'élevant au niveau de généralité qui lui permet de contenir toutes les autres, ce qui actualise à la fois l'axe vertical et la relation monadique de partie à tout.

Voici encore une entrée qui formule différemment la même action concertée de toutes les opérations pour «accomplir parfaitement une science» conformément au système encyclopédique:

> # 176 ENCYCLOPÉDISTIQUE. Une poétique universelle et système achevé, intégral de la poésie. Une science est parfaitement accomplie, 1. quand elle est appliquée à tout — 2. quand tout s'y applique — 3. lorsque, considérée en tant qu'univers, comme une totalité absolue, elle est subordonnée à elle-même en tant qu'individu absolu, en même temps que toutes les autres sciences et tous les autres arts lui sont subordonnés en tant qu'individus relatifs[244].

Cette entrée apporte encore des précisions. D'abord elle confirme l'équivalence entre le «système achevé» et une «science accomplie», qui représente un cas-limite de la synecdoque métaphorique, puisque la partie qui figure le tout est elle-même devenue le tout en termes d'extension et de structure. Mais surtout, cette entrée établit explicitement l'équivalence entre système encyclopédique et système poétique ou poétique universelle.

Le lien étroit, la quasi-synonymie entre encyclopédie et poésie finit maintenant par s'éclairer. Dans la mesure où «encyclopédiser» signifie une mise en contact généralisée

---

(243) *OC*, II, pp. 246-247. Texte allemand *SCH*, III, p. 269.

(244) *OC*, II, p. 248. Texte allemand *SCH*, III, p. 272.

selon les règles logiques du système encyclopédique, et que la mise en contact de l'hétérogène s'est révélé être le principe poïétique le plus actif du *Brouillon*, le travail encyclopédique doit être poétique et le travail poétique est nécessairement encyclopédique. C'est dans la superposition, voire dans l'interaction dynamique de ces deux pratiques que réside une des plus grandes originalités de Novalis, puisque ce geste transforme et la tradition encyclopédique et la tradition poétique: leur entrée en contact dynamique crée une troisième pratique, différente des deux premières, basée sur l'interdiscursivité active et sur la production de nouvelles «combinaisons» ou de nouveaux «mélanges».

Cette production apparaît limitée ou illimitée selon la figuration adoptée. Si on la pense comme une combinatoire mathématique, alors elle est impressionnante, mais limitée, puisque la combinatoire part d'un nombre fini d'éléments donnés et que leur potentiel de combinaisons nouvelles est épuisable. En tant que mélange chimique également, le système est en principe fermé, puisque le nombre des éléments ou substances à mélanger est en principe fini. Dans les deux cas, il est envisageable qu'un jour une science sera encyclopédiquement accomplie, que le nombre de possibilités sera épuisé par la réalisation de toutes les combinaisons et de tous les mélanges.

Et pourtant, le processus n'aura pas de fin, le texte encyclopédico-poétique restera toujours fragmentaire, le système ne sera jamais logiquement saturé par les produits réels qui en émanent. Le texte encyclopédique ne sera jamais qu'un «échantillon idéal et réel». On peut invoquer deux raisons pour expliquer cette certitude. Une raison interne relevant de la poétologie romantique qui tient, à son tour, de l'idéalisme philosophique: c'est que l'écart entre les catégories de l'idéal et du réel y est posé de manière apriorique. La réalisation, en quelque sorte par décret philosophique, ne sera jamais qu'une approximation [245].

---

(245) Le principe de l'approximation joue un rôle assez important dans la poétologie du premier romantisme, par exemple dans les textes publiés dans l'*Athenäum*. Dans le *Brouillon* on le trouve thématisé dans les entrées ## 61, 314, 601, 702, 745, 799.

ROMANTISME ET CRISES DE LA MODERNITÉ

L'autre raison n'est pas entièrement conforme à la logique poétique du romantisme, mais elle a l'avantage de la rendre historiquement viable, de lui conférer une crédibilité historique au-delà de son moment d'énonciation, c'est-à-dire de rendre la réception des écrits romantiques encore aujourd'hui intéressante et significative. Partant de la constatation novalisienne que les vérités d'une actualité historique donnée sont dues à la mise en contact de ce qui était déjà donné, mais resté séparé, dans le passé, et interprétant ce processus de la production du nouveau selon la logique de l'interdiscursivité, admettant donc que le stock des formes et matériaux discursifs historiquement disponibles est non seulement presque inépuisable, mais surtout aussi renouvelable, force nous est d'admettre que le processus de mise en contact interdiscursif est illimité. En d'autres termes, dans la poétique encyclopédique de Novalis il y a aussi la possibilité de penser le processus historique sans fin comme une transition permanente ou encore comme une mise en contact toujours renouvelée.

Mais on constate également, dans le *Brouillon*, une impossibilité de fixer une quelconque hiérarchie entre les différents discours constituant le système discursif. Ou en termes positifs: le système discursif envisagé et expérimentalement pratiqué de l'encyclopédie est doué d'une mobilité maximale. À la limite, tout peut s'y transformer en tout. On observe bien une tendance explicite à accorder à la poésie soit la place la plus «élevée», soit la dernière place en termes d'une évolution présentée de façon narrative:

684 Toute science devient poésie — après qu'elle est devenue philosophie([246]).

717 ... La variété des méthodes s'accroît — finalement le penseur est capable de tout faire à partir de tout. Le philosophe devient poète. Le poète n'est que le degré suprême du penseur...([247]).

([246]) *OC*, II, p. 343. Texte allemand *SCH*, III, p. 396.

([247]) *ENC*, p. 104. Texte allemand *SCH*, III, p. 406.

Mais une telle préséance d'une pratique sur une autre, ou sur toutes les autres, ne saurait être établie de manière fixe, étant donné les principes d'action réciproque, de transversalité et de transitivité qui caractérisent l'opérativité systémique. Toute relation peut se renverser, toute position peut se déplacer sur d'autres positions, chaque partie contient le tout.

Et pourtant, la poésie a un statut spécial dans le système, puisque c'est sa tranformation particulière en tant que discours spécialisé qui a entraîné celle du système globalement. L'intervention de Novalis dans l'ordre du discours environnant est en fait partie du domaine littéraire. Dans un geste de résistance qui a vite pris l'ampleur d'un contre-projet, il s'est opposé à l'initiative des sciences qui promouvaient leur champ d'activité en dégradant et isolant la pratique littéraire. Novalis a en quelque sorte misé sur une révolution littéraire de tout le système discursif, y compris les sciences. De discours sectoriel et spécialisé, il a promu la littérature, sous le nom de poésie, au rang de principe général du faire discursif. Quel meilleur champ d'application pour une telle promotion du poétique que l'encyclopédie! Tant au niveau du postulat législateur qu'au niveau de sa mise en pratique expérimentale dans le *Brouillon*, la poésie est devenue le prédicat général de tout le système discursif. Il a «poétisé» ce système justement par l'application conjointe de toutes les opérations encyclopédistiques. C'est ainsi qu'il a élevé la poésie au rang de principe englobant de tous les autres discours. Elle ne désigne donc plus une région spécifique, bien délimitée par sa différence fonctionnelle et formelle, sur la mappemonde des pratiques discursives.

La non-disjonction, qu'elle soit concrètement pratiquée selon les figures de la transition, du mélange ou du contact, ou selon la logique de l'action réciproque, n'est plus le trait distinctif d'un discours local, chargé d'institutionnaliser, et par là de contenir, l'interdiscursivité, ce qui la rendrait inoffensive pour l'ordre du discours. En généralisant la mise en contact de l'hétérogène, qui comporte un potentiel à la fois de désordre (eu égard à l'ancien système) et de productivité (eu égard à un nouveau système en émergence), il opère la dissolution de cette différentiation des pratiques discursives. Novalis a renversé la relation de contenu à contenant qui caractérisait jusque-là la manière spécifique dont la pratique poétique était rattachée au système discursif. Sortie ainsi de son «ghetto» discursif, la poésie devient le principe et l'agent généralisé de la transformation du système, et ceci dans une pratique encyclopédique qui s'articule déjà dans l'interdiscursivité la plus vaste possible.

La description analytique de certains traits textuels du *Brouillon* a ainsi débouché sur un aperçu des régularités du fonctionnement systématique de l'encyclopédie novalisienne. En retour, la connaissance abstraite du système ne saurait être isolée de la mise en pratique textuelle de ce système. Texte et système: chacun des deux termes renvoie à l'autre. Cette non-disjonction, sinon interaction, a été, tout au long de ce travail, l'enjeu de notre analyse qui se refusait de donner dans l'une ou l'autre des attitudes unilatérales qu'a longtemps pratiquées la critique: soit, dans une attitude empiriste, appuyée sur les sciences du langage, ne considérer comme objet que les réalités morphologiques du texte, soit, dans une attitude idéaliste, en extraire les contenus (pensée, système) et les considérer séparément.

En essayant de combiner ces deux composantes, nous espérons avoir tracé un cheminement cognitif permettant de mettre à jour, en quelque sorte par interpolation, un objet difficile à concrétiser, car il n'est ni d'ordre purement positif (par exemple l'ensemble des énoncés réellement donnés: la chose dite) ni d'ordre purement immanent ou transcendant (par exemple la mise en ordre des choses dites, leur organisation ou le mécanisme de leur génération). Cet objet qui se situerait ainsi *entre* ces deux volets de notre approche, c'est l'événement discursif. Il tient de la chose dite qui s'est matérialisée dans le texte, mais ce qui lui confère sa valeur historique d'opérateur de changement au niveau des règles de formation des choses encore à dire est d'un ordre plus immatériel.

Si on entend «événement discursif» dans le sens ainsi esquissé, le *Brouillon* de Novalis nous en offre un bon exemple, du moins potentiellement. C'est qu'il provoque, produit l'événement dans la mesure où il pousse les notions de texte et de système à la limite de leur fonctionnement.

Dès le début de notre travail, nous avons dû constater que, appliquée au *Brouillon*, la notion de texte désignant un des objets en études littéraires fait problème. Caractérisé par les prédicats de la fragmentarité constitutive (inachèvement sytémique), de la performativité (non-séparation et simultanéité de théorie et de pratique) et de la générativité (potentiel et formule immanents de production textuelle future), le texte du *Brouillon* est doublement débordé. D'une part il est radicalement ouvert, en aval et en amont, et renvoie non seulement à des textes environnants, mais surtout à des textes encore à produire. D'autre part, ces mêmes qualités nous obligent à le transférer continuellement de la catégorie de l'objet matériel à celle du processus. Ce sont tout particulièrement ses modalisations énonciatives qui opèrent ce glissement puisqu'elles effectuent sans cesse la possibilisation, la transition du présent réel au futur possible.

Du côté du système, nous avons dû constater la même impossibilité de stabiliser l'objet, par exemple en un réseau de relations et de fonctions. Certes, on peut identifier les axes structurants au niveau thématique, mais seulement pour découvrir qu'ils ne sont jamais donnés. Ils sont en état permanent de constitution moyennant un ensemble d'opérations interconnectées au plus haut degré. Le système s'avère être, de la sorte, en état de devenir permanent. Il ne saurait être abordé cognitivement que par un glissement du concept de système à celui de processus. Et, comme nous l'avons observé du côté du texte, il s'agit, du côté du système également, d'un processus radicalement ouvert sur de futures réalisation constitutives. Tout agencé logiquement, tout intégré dans son opérativité, tout totalisant conceptuellement que soit le système, il n'est cependant pas fermé et s'ouvre sur un devenir illimité (inscrit surtout dans le travail de l'application).

Ce double mouvement par lequel le *Brouillon* nous oblige à utiliser «texte» et «système» d'une façon qui excède ces deux notions, converge donc vers une troisième notion: processus. Nous avons décrit certains modes d'inscription du processus dans l'encyclopédie de Novalis. C'est dans la perspective de cette matérialisation écrite, qui est usage de signes langagiers, que le processus est pratique discursive. Et c'est dans la même perspective aussi que l'encyclopédie nous intéresse en tant que pratique historique, et ce sur deux plans différents, dans la mesure où l'on peut les distinguer analytiquement: le processus du *Brouillon* devient faire discursif, et par là historique, en tant qu'acte discursif ponctuel et limité d'une part, et en tant qu'événement discursif, de l'autre. L'acte discursif est limité, car il appartient à un sujet et à un moment de production identifiables. L'événement discursif, attaché également à un état historiquement donné du système discursif, comporte un potentiel d'effectuation qui ne doit se réaliser historiquement que dans la postérité. C'est au niveau de l'acte discursif, celui qui nous autorise à parler du projet de Novalis, de sa pratique, de son intervention dans une tradition, qu'est maintenue une autorité restreinte de l'auteur sur son discours. Ce maintien n'équivaut cependant pas à une rechute dans une conception idéaliste du sujet du discours, étant donné que l'aspect systématique et l'aspect fortuit du travail d'encyclopédiste se sont montrés indissociables, que le partage entre le choix délibéré des matériaux recueillis et réutilisés par Novalis et la détermination de ces choix par des contraintes objectives et par des formes dominantes s'est avérée difficile à tracer.

En fin de parcours, notre réflexion se situe surtout au niveau de l'événement discursif. À ce niveau, le sujet n'est plus Novalis, mais le *Brouillon*. Il s'agit en quelque sorte d'évaluer l'efficacité historique du *Brouillon*. Quel est son impact au niveau des règles de fonctionnement du faire discursif? Dans quelle mesure intervient-il dans le processus historique de la transformation des formes discursives? L'événement discursif se situe donc au niveau transindividuel, sinon impersonnel et rejoint des processus historiques qui dépassent la durée de la vie de l'auteur, la situation contingente de la production du texte. C'est à ce niveau, en fait, que le texte nous interpelle, en tant qu'interprètes de la fin du XXe siècle.

Chapitre VII

Conclusion:
l'événement discursif

Généralisée au point d'atteindre l'envergure d'un événement discursif en tant que poïésis encyclopédique, la littérature que peut-elle réellement? En guise de conclusion, il nous faut mener une réflexion sur cette question. Commençons par la formuler plus directement et plus concrètement: quel est l'impact, quelle est l'efficacité historique de l'événement discursif qu'est le *Brouillon* et, dans une certaine mesure, de tout le premier romantisme allemand dont il fait partie?

À un premier niveau d'évidence, il faut bien admettre que cette efficacité historique est minime, si ce n'est inexistante. Non seulement l'encyclopédie de Novalis a-t-elle échoué comme nouveau paradigme scientifique, et n'a-t-elle produit comme résultat en tant qu'expérimentation interdiscursive que le texte fragmenté du *Brouillon*, mais elle n'a même pas trouvé sa place dans l'histoire des encyclopédies[1]. En tant que législation discursive, elle est restée lettre morte, n'a jamais obtenu «force de loi».

---

[1] Du moins pas dans celle qui rend compte en premier lieu des encyclopédies matériellement réalisées, comme par exemple celle d'Alain Rey, *op. cit.*

Même dans le domaine plus restreint de la critique novalisienne, le *Brouillon* a longtemps occupé une place très modeste, pour ne pas dire négligeable. Il n'a guère eu l'honneur de figurer, à côté des *Hymnes à la nuit* et d'*Henri d'Ofterdingen*, parmi les grandes œuvres littéraires de Novalis et a tout au plus servi de réservoir, presqu'inépuisable, de citations à prélever pour quelque fin que ce soit. Ce n'est qu'assez récemment qu'il a été sérieusement pris en considération par les critiques de Novalis [2].

Faut-il en conclure que la pratique du mélange et de la mise en contact de tous les discours, et tout particulièrement de la philosophie, de la science et de la littérature a valu à Novalis l'oubli, le mépris ou le rejet des spécialistes ainsi que des historiens de ces trois disciplines? Se contenter de répondre par l'affirmative, serait conclure un peu hâtivement cette étude sur l'intégration de poésie et d'encyclopédie chez Novalis. Ce serait se contenter de rester au premier niveau d'évidence que nous avons pourtant, tout au long de cette étude, tâché de dépasser par une approche analytique et par un questionnement critique des évidences. Il faut donc, une dernière fois, affiner notre question critique — celle de l'efficacité historique d'un texte — afin de nous donner une chance d'appréhender la dimension historique d'un objet si difficile à cerner.

Nous avons en fait observé que le *Brouillon* a tendance à glisser entre les mailles de notre filet de concepts opératoires, que ce soit en tant que texte ou en tant qu'œuvre encyclopédique. Voilà pourquoi il a fallu déplacer la problématique en visant un nouvel objet: discours, pratique discursive, événement discursif. Ce déplacement à l'intérieur de notre propre discours critique n'a peut-être pas non plus produit les résultats positifs que d'aucuns auraient pu attendre. C'est que le discours n'est pas pour nous un objet positif, ni homogène. Mais ce déplacement peut avoir eu une valeur heuristique et nous aura permis de voir, dans le *Brouillon*, ce qui semble être resté invisible pour une grande partie de la critique. Cette invisibilité révèle un

---

[2]   Par exemple par Hegener, Neubauer, Schreiber, *op. cit.*

enjeu majeur du *Brouillon* qui est d'ordre épistémique: les discours critiques ou historiques reposant sur des principes de formation discursive qui s'y trouvent systématiquement transgressés et enfreints, sont-il capables de décrire le *Brouillon* autrement que comme un objet mal-formé, comme un objet en désordre, comme un non-objet? Notre objet, le *Brouillon* de Novalis, qui excède tout concept cognitif qui se voudrait dominant, voire exclusif (texte, œuvre, discours) adresse de la sorte une forte mise en cause à notre propre discours et aux habitudes acquises qui le constituent.

Pour cerner l'efficacité historique d'un tel objet, il nous faut donc retravailler notre propre grille conceptuelle. Il faut commencer par éliminer les réponses trop faciles et, avec elles, leurs présupposés. D'un côté, il y a la facilité qui réduit tout le processus historique au faire discursif, attribue à tout acte de discours la force du verbe efficace et croit — ou désire — qu'on puisse changer la face du monde par décret discursif. Nous avons vu que cette tentation n'est pas étrangère au *Brouillon*, mais que Novalis, en évitant la «robinsonade» de même que ce qui devait plus tard devenir le geste du manifeste avant-gardiste, ne lui a pas donné libre cours. Dans un article récent, David Savan a donné un nom a cette facilité: idéalisme sémiotique([3]).

De l'autre côté, on n'attribue de valeur historique qu'à ce qui a lieu en-dehors du langage, et réduit de la sorte le faire discursif à un pur reflet du processus historique. Cette facilité nous amènerait à déconnecter tout à fait Novalis du cours de l'histoire ou à nous contenter de résumer sa position historique par l'étiquette «réactionnaire». L'importance historique de Novalis serait alors nulle, si ce n'est négative, puisqu'il se contente d'une activité d'écrivain que, par dessus le marché, il inscrit contre le cours de l'histoire. Une telle facilité nous empêcherait de contribuer au travail historique qui consiste à élaborer la signification du *Brouillon* pour nous.

([3])   David Savan, «Toward a Refutation of Semiotic Idealism» in *RS/SI*, vol. III (1983), pp. 1-8.

Essayant d'éviter et de dépasser ces deux positions extrêmes, il nous faut donc faire preuve de plus de complexité, pour peu que nous voulions participer à cette élaboration de la signification historique. La notion d'événement discursif peut nous permettre de faire un pas dans cette direction. L'événement discursif propose la jonction entre histoire (événement) et usage des signes (discours): c'est l'acte discursif qui a ceci de particulier qu'il comporte le potentiel d'affecter la pratique discursive au niveau des règles de formation. On peut décrire ce potentiel au niveau du geste législateur (ce que Novalis a voulu instaurer par sa pratique encyclopédique). Nous l'avons également décrit au niveau de l'énonciation comme une force illocutoire d'une manifestation très spécifique, appelée illocution utopique, qui a ce double statut à cheval entre le vouloir et le faire historique. Nous avons essayé d'en capter la spécificité dans l'expression «effectuation inchoative».

Mais le déploiement réellement historique de ce potentiel — ou alors son annulation historique — ne peut s'effectuer véritablement que dans le processus de réception du texte en question. En observant ce processus, il s'agit à nouveau d'éviter les facilités: le réduire au bilan des apologistes et des détracteurs, à la comptabilité de l'enthousiasme et du rejet. Ou encore ramener le processus de réception au choix entre «retour du romantisme» et «retour au romantisme». Ce qui intéresse davantage, c'est d'observer les moments d'activation ou de réactualisation — fût-elle conflictuelle, voire négative — du potentiel critique et utopique du *Brouillon* en tant qu'événement discursif. Sachant que ce potentiel ne saurait être perçu, à partir de certaines positions discursives, que comme désordre, menace ou mise en cause, nous pouvons donc interpréter comme des indices de l'efficacité historique du *Brouillon* toutes les interventions critiques ou interprétatives qui essaient de neutraliser ce potentiel ou de le rendre historiquement inoffensif. Rappelons-en quatre qui ont déjà été mentionnées au cours de l'analyse:

1) Waldemar Olshausen perçoit l'ordre du discours, avec lequel il s'identifie, tout particulièrement menacé par le mélange de science et poésie. Dans sa réaction il tend,

conséquemment, à rétablir la séparation discursive entre science et poésie et à loger Novalis exclusivement dans la case «poésie».

2) Fruman, pour sa part, est indigné du non-respect de la distinction entre plagiat et originalité et de l'impossibilité de créditer mérite et responsabilité à l'auteur individuel à qui ils sont dus. Il rétablira donc cette distinction tout en dénonçant la fausse prétention à l'originalité, qu'il est obligé d'appeler plagiat, chez Coleridge [4].

3) Les éditeurs du *Brouillon* ont vu les présupposés de leur propre travail mis en cause par l'informité de l'objet. Ils ont tous réagi de la même manière en renflouant conceptuellement, sinon idéologiquement, les matériaux textuels amorphes pour constituer un objet bien formé et pour le distinguer du non-objet.

4) Sous l'égide de Georges Lukács, la critique littéraire en RDA a réagi à l'affirmation de contenus historiquement résiduels — et, bien sûr, aussi à l'usage nationaliste et national-socialiste qu'on a pu faire de ces contenus — c'est-à-dire au mélange de ce qui était perçu par elle comme historiquement progressif ou révolutionnaire et de ce qui était régressif ou rétrograde, donc au mélange du non-contemporain, en rétablissant la distinction politique entre révolutionnaire et réactionnaire et, par conséquent, en logeant Novalis dans la case «réactionnaire» [5].

Toutes ces réactions touchent Novalis plus ou moins directement, il est vrai, mais elles s'adressent toujours à des particularités discursives que nous avons décrites comme propres au *Brouillon*. Elles témoignent d'abord de la force d'interpellation, du sérieux de la menace perçue

---

[4]   Certes, il ne s'agit pas d'une étude portant sur Novalis directement, mais elle a une valeur exemplaire dans la mesure où elle s'attaque à une des particularités du discours romantique qui est constitutive de l'encyclopédie novalisienne: la non-délimitation entre le discours ou le système propre et le discours ou le système d'autrui.

[5]   Cf. un article qui représente cette attitude de manière programmatique: Claus Träger, «Novalis und die ideologische Restauration. Über den romantischen Ursprung einer methodischen Apologetik» in *Sinn und Form* 13 (1961), pp. 618-60.

par les critiques à différentes époques, dans différents contextes. La pratique novalisiennne — ou son équivalent chez Coleridge — ne laisse pas indifférent. C'est qu'elle a le potentiel de déstabiliser les assises conceptuelles et idéologiques, de questionner les habitudes discursives des critiques eux-mêmes. Toutes ces réactions critiques constituent, à nos yeux, une confirmation indirecte de l'événement discursif qu'est le *Brouillon*. Elles sont toutes de nature défensive et se soldent par un rejet, par une remise en place, c'est-à-dire par le rétablissement d'un ordre menacé. Et elles indiquent ainsi que le système discursif dans lequel ces critiques œuvrent a été agressé par la différence radicale du *Brouillon*, et plus généralement d'une certaine pratique romantique. C'est en particulier l'effet de la non-disjonction, ou du mélange, qui est perçu comme désordre et, par conséquent, rejeté.

Dans l'intermède historique, nous avons vu que Novalis a articulé son malaise par rapport au développement historique et sa résistance à l'émergence d'un ordre discursif qui s'affirmait dominant par la différenciation fonctionnelle et formelle de plus en plus nette des champs discursifs. Ce développement allait de pair avec une valorisation qui promouvait surtout le domaine scientifique, et ceci au détriment de la théologie et de la littérature. Cette dernière était déconsidérée, et par conséquent résolument subordonnée, par les sciences et devait s'en tenir à une zone discursive bien délimitée. Son potentiel de folie discursive subissait ainsi l'internement. Novalis s'opposait à cette division du travail discursif par une conceptualisation et figuration intégrationnistes et, en conséquence, par le mélange ou la mise en contact active de ce qui devait être séparé. Il résistait à la «régionalisation» de la littérature en généralisant le principe poétique et en rétablissant en même temps sa valeur de poïésis. Mais ce faisant, il continuait d'affirmer les contenus de la modernité qui, par ailleurs, semblait avoir emprunté le chemin de la différenciation fonctionnelle: la perfectibilité humaine, l'émancipation du sujet individuel et collectif, le perfectionnement de la société et de ses conditions matérielles par l'intervention humaine. Dans un certain sens on peut même affirmer que

Novalis élargissait les postulats de la modernité en les inté-
riorisant, ou en insistant sur l'intégration de l'instance
sujet et de l'instance objet, ou encore en luttant contre ce
qu'on appelle aujourd'hui l'instrumentalisation de la raison. Même indépendamment des contenus affirmés, la
dimension utopique de son travail reproduit de manière
univoque ce que nous avons identifié ici comme l'éthos de
la modernité.

Le travail de Novalis ne saurait donc se réduire à une
simple réaction à la modernité historique. Nous l'inter-
prétons bien plutôt comme l'expression d'une crise de la
modernité et, en tant que telle, comme appartenant encore
à cette modernité. Cette crise dénonce un certain détourne-
ment des objectifs modernes dans leur application réelle, et
radicalise ces objectifs en les réaffirmant dans une pratique
qui se veut qualitativement et intégralement émancipatoire: *Graderhöhung der Menschheit*. Dans cette pratique,
Novalis n'enfreint pas seulement les lois de la séparation
des domaines discursifs, mais, en vue de renouveler et d'intégrer l'élan émancipatoire, il réutilise aussi des matériaux
discursifs ayant été opératoires dans un fonctionnement
social antérieur à l'émergence de la modernité et ayant été
critiqués, à la période des Lumières, comme des préjugés
contraires à l'esprit de la modernité. Cette réutilisation
rend la pratique discursive de Novalis ambivalente. Du
moins si on ne considère que les matériaux et qu'on les
identifie avec l'usage historiquement périmé qui en avait
été fait auparavant. Si on ne distingue pas le premier contexte d'élaboration, le matériau et les différentes positions
discursives à partir desquelles le matériau peut s'énoncer,
c'est-à-dire être réutilisé, alors on est bien obligé d'identifier une telle réutilisation comme réactionnaire, ou du
moins comme historiquement rétrograde. Mais on se prive,
du même coup, de reconnaître le potentiel de résistance et
de nouveauté que son énonciation non-contemporaine
peut produire.

Plaider pour la complexité d'une telle lecture ne veut
point dire effacer toute l'ambivalence dont la pratique discursive de Novalis est frappée, ignorer la difficulté de dissocier le matériau et la position discursive dans la réutilisa-

ROMANTISME ET CRISES DE LA MODERNITÉ

tion. Surtout cela ne veut pas dire glorifier le discours romantique en impliquant que nous devons y faire retour, ou le faire revenir parmi nous dans notre actualité historique. Il s'agit plutôt de dégager le potentiel de signification positive qu'il peut contenir pour nous. En faire une réception historiquement productive. Une telle réception présuppose un cadre historique.

Nous avons parlé ici d'une modernité historique et culturelle qui remonte au début du XVIIe siècle, et qui entre une première fois en crise à la fin du XVIIIe siècle. Cette crise, cependant, ne marque pas la fin de cette modernité. Loin de là, j'estime que cette modernité n'a connu son triomphe historique qu'au XIXe siècle, quand ce qui se préparait du vivant de Novalis comme la prise de pouvoir d'un certain paradigme de scientificité est devenu domination historique. Notre pratique de vie est encore largement déterminée par cette même modernité. Mais cette modernité, qui est devenue la nôtre et qu'on doit donc concevoir comme un phénomène historique de longue durée, ne cesse d'être entrecoupée, parasitée par des crises qui relèvent alors des phénomènes de courte durée ou de durée moyenne. Nous parlerons donc au pluriel des crises de la modernité. C'est dans ce cadre — une modernité porteuse depuis 1800 de plusieurs crises — que la réception du romantisme peut prendre son actualité historique[6]. Ces moments de crise se ressemblent nécessairement dans la mesure où ils s'articulent contre et avec les éléments constitutifs de la même modernité, mais ils sont dissemblables en tant qu'émergeant de différents contextes historiques concrets.

---

(6) Le même type d'analyse historique a guidé les éditeurs d'un recueil d'article récent: Cornelia Klinger et Ruthard Stäblein (éds.), *Identitätskrise und Surrogatidentitäten. Zur Wiederkehr einer romantischen Konstellation*, Frankfurt, Campus Verlag et Paris, Éditions de la Maison des Sciences de l'Homme, 1989. Proche de l'orientation de ce volume (cf. son introduction pp. 7-15), notre étude du *Brouillon* s'en écarte cependant par l'interprétation du «retour d'une constellation romantique» comme une réutilisation active qui, en vertu de la problématique discursive, ne saurait produire un «retour du même».

Nombreux sont les penseurs et les auteurs contemporains qui attribuent à l'actuelle crise de la modernité une signification décisive, historiquement terminale. Il parlent alors de lā fin de la modernité, ou de la postmodernité. C'est une interprétation historique parmi d'autres. Dans sa prétention à la vérité historique, elle est à la fois confirmée et invalidée par le fait que toutes les crises de la modernité ont été vécues et interprétées comme la fin possible de la modernité. Cette «fin de la modernité» — du moins comme thème et cri de ralliement — dure depuis plus d'un siècle.

Nous n'avons pas à décider ici de l'achèvement de la fin de la modernité. Notre propos historique est plus modeste: c'est dans le cadre des crises de la modernité que le *Brouillon* peut prendre sens, acquérir une signification historique très actuelle, réaliser son potentiel d'événement discursif. Ce cadre fournit, en fait, le contexte pour une réception plus active et plus positive et peut, d'autre part, aussi expliquer une tendance contemporaine vers une telle réception. Il me semble que l'intensification actuelle de la crise de la modernité a créé les conditions, à bien des égards, pour une réception plus positive de cet objet si désordonné et par là menaçant. L'événement discursif du *Brouillon* a une chance, aujourd'hui, de devenir historiquement effectif, et ceci dans une opération interprétative que j'appellerai «travail historique» en donnant ainsi à la notion de *Wirkungsgeschichte* de Gadamer un sens particulièrement actif.

Dans cette opération interprétative, il ne s'agit pas d'une réaffirmation des contenus spécifiques du texte novalisien. Ceux-ci sont dans une large mesure historiquement périmés, qu'on prenne la théorie médicale de l'irritabilité brownienne, les principes du galvanisme, la conception de la chimie comme une *Mischkunst*, un art du mélange, l'organisme animal comme modèle d'intelligibilité généralisé, etc. Ce qui n'est pas périmé, par contre, c'est le postulat d'un changement au niveau de la logique qui permet d'articuler différents contenus dans différents discours, cette logique tendant, aujourd'hui à nouveau, à la transversalité et à la non-disjonction. Ce qui n'est pas périmé non plus, c'est la force illocutoire de l'énonciation novalisienne qui marque le désir du changement, ou la recherche d'une alternative historique. C'est comme si les actes de langage, dont nous avons repéré les marques dans le texte du *Brouillon*, étaient restés en suspens, comme si leur effectuation pragmatique avait pu être différée jusqu'à ce qu'un interlocuteur apparaisse dans des conditions historiques adéquates, celles de notre crise de la modernité. Évidemment, parler d'un acte de langage dont l'effectuation heureuse serait différée de presque deux siècles, c'est excéder le cadre conceptuel des actes de langage, quelqu'approximatif qu'ait été, par ailleurs, l'usage que nous en avons fait.

Sans renoncer à sa dimension pragmatique, c'est-à-dire à la composante «faire» dans le dire, à l'acte ou l'événement enregistré dans le texte, nous proposons donc de penser cette effectuation contemporaine du potentiel événementiel du *Brouillon* comme une interprétation. La notion d'interprétation est à prendre dans un sens particulier, constitué par l'interaction de trois aspects: d'abord l'interprétation est production de sens pour nous; ensuite, elle est à son tour production de texte, réécriture; finalement, elle est application à une situation concrète, et en tant que telle, elle comporte un potentiel émancipatoire dans la mesure où elle peut changer la conscience du sujet interprétant. Pratiquement, dans le cas de la lecture du *Brouillon*, cette opération interprétative est l'effectuation événementielle ou le travail historique. C'est la lecture d'une crise pré-industrielle de la modernité en vue de mieux comprendre notre crise post-industrielle de la modernité. L'objectif visé est une meilleure compréhension de notre identité historique. Dans ce type d'interprétation, ce qui n'a pas eu son heure historique, ce qui est resté potentiel à développer, ce qui a gardé le statut d'une alternative historique non effectuée, pourra alors alimenter, sinon orienter la recherche contemporaine d'alternatives à une modernité encore dominante mais essoufflée, dont les suites fâcheuses commencent à peser plus lourd que les avantages([7]).

([7]) Pour illustrer la «contreproductivité» de la modernité, deux renvois seulement: sur le plan philosophique d'un paradigme anthropolo-

Je mentionnerai deux cas concrets qui montrent comment l'actualité du paradigme alternatif dont le *Brouillon* fait partie s'articule aujourd'hui, sans qu'il s'agisse simplement d'un retour romantique.

Je rattacherai le premier exemple à deux livres récents qui sont à relier à la recherche actuelle d'alternatives dans le domaine de la science: 1) Gernot Böhme, *Alternativen der Wissenschaft*([8]) et 2) un recueil d'articles intitulé *Goethe and the Sciences: A Reappraisal*([9]). Dans les deux cas, la problématique contemporaine — scientifique, politique, éthique — est abordée à travers la relecture de textes historiques. Chez Böhme, il s'agit d'apporter «le témoignage d'une tentative de maîtriser les sciences que nous avons»([10]). La question des alternatives actuelles est articulée moyennant des dossiers textuels illustrant des alternatives historiques qui ont existé en marge de la lignée dominante du développement scientifique. Le recueil sur Goethe opère la même mise en contact de l'actualité et du passé, mais en sens inverse: il s'agit essentiellement d'une réévaluation historique qui aboutit, presqu'accidentellement, à des questions contemporaines. Dans les deux cas, le geste qui va au-delà de la critique de l'activité et de l'institution scientifique contemporaine et qui s'avance vers

---

gique, il faut signaler le travail de Horkheimer et Adorno (*Dialektik der Aufklärung*, 1947, Frankfurt a.M., Fischer Verlag, 1969); sur le plan de l'analyse des institutions il y a la critique illichienne que Jean-Pierre Dupuy résume dans l'introduction à son *Ordres et désordres. Enquête sur un nouveau paradigme* (Paris, Seuil, 1982, p. 12): «La critique des grandes institutions de la société industrielle passe nécessairement par la reconnaissance de leurs effets non voulus, non intentionnels, «contre-intuitifs», qui surprennent jusqu'à ceux qui s'en prétendent les maîtres. Passés certains seuils critiques de développement, elles produisent le contraire de ce que tous attendent d'elles: la médecine rend malade, l'école abêtit, le transport immobilise et les communications rendent sourd et muet.»

([8])   Frankfurt a.M., Suhrkamp, 1980.

([9])   Édité par Frederick Amrine, Francis J. Zucker et Harvey Wheeler, Dordrecht, Reidel, 1987.

([10])   *Op. cit.*, p. 14, traduction W.M.

l'élaboration d'une alternative passe par la relecture de textes historiques. Ces relectures sont des interprétations-applications dans le sens exposé plus haut. Elles partent de la question de savoir en quoi et comment l'activité scientifique d'un Goethe, par exemple[11], — dissidente par rapport au paradigme newtonien dominant — prend du sens pour nous aujourd'hui qui cherchons des alternatives à la science moderne.

En réalité, la question est même plus fondamentale, puisqu'elle ne peut présupposer que l'alternative à la science moderne soit à son tour «scientifique». Trois interprétations possible de l'activité scientifique de Goethe — et *mutatis mutandis* de Novalis — sont ainsi proposées:

1) La science de Goethe n'est pas une alternative scientifique du tout.

2) La science de Goethe représente un développement alternatif à l'intérieur de la science moderne.

3) La science de Goethe est une alternative scientifique à la science moderne[12].

Comme Novalis, Goethe a œuvré à cheval entre science et littérature, même s'il n'a pas écrit ou essayé d'écrire une encyclopédie. Il n'a cependant pas «mélangé» les deux domaines de la même manière que le faisait Novalis. Mais, à toutes fins pratiques, la critique novalisienne a également apporté les trois types de réponses. La première par Olshausen qui chasse Novalis du domaine scientifique pour le situer en poésie. La seconde par des critiques comme Schulz, Kapitza, Neubauer qui ont réhabilité, du moins dans un domaine limité, les compétences scientifiques de Novalis. La troisième serait-ce la nôtre? — oui, si on élargit la question, car en réalité, il n'y va pas, chez Novalis, seulement de l'alternative science ou non-science, mais de la non-disjonction en général, et mieux encore de l'intégration des différentes activités discursives. Cette intégration postule et pratique une transformation bien

---

[11] L'exemple de Goethe, qui est devenu une figure exemplaire dans ce contexte, est aussi traité par Gernot Böhme, *op. cit.*, pp. 121-53.

[12] Cf. Amrine, Zucker, Wheeler (éds), *op. cit.*, pp. 373-79.

plus radicale, puisque globale et affectant tout le système discursif.

Le mécontentement actuel par rapport à la division du travail discursif et le malaise que créent ses conséquences pratiques font en sorte que la radicalité du postulat et de l'expérimentation novalisiens gagnent aujourd'hui en actualité. Interprété en vue d'une application à notre actualité historique, le *Brouillon*, en tant qu'alternative écartée et historiquement non-réalisée, acquiert aujourd'hui une certaine réalité historique. L'alternative, issue d'un premier moment de crise, rejoint le courant dominant de l'histoire là où la modernité entre à nouveau en crise, plus sérieusement, plus définitivement peut-être. L'alternative d'alors, restée lettre historiquement morte, possibilité en friche, éclaire concrètement notre recherche d'alternatives à la modernité. C'est dans ce sens que la lecture de Novalis, et du *Brouillon* en particulier, a de l'avenir tout en gagnant de la réalité historique.

Si notre deuxième exemple nous ramène encore une fois en RDA, c'est parce que la réception du romantisme s'est déroulée dans ce pays dans des conditions plus surveillées qu'ailleurs. Cela confère à ce deuxième exemple une plus grande valeur d'exemplarité, sans pour autant limiter sa validité. Nous avons déjà mentionné le processus qui, à partir des années 60, a créé la possibilité de questionner le monopole qui avait été accordé pendant de longues années à Georges Lukács en matières d'interprétation de la littérature romantique. Nuancer sa lecture unilatéralement négative des romantiques en dégageant le potentiel révolutionnaire du premier romantisme allemand, en y reconnaissant une double tendance (à la fois réactionnaire et révolutionnaire), en admettant que l'activité exclusivement esthético-artistique n'était pas le fait d'une fuite de la réalité sociale mais bien d'une impossibilité historique et politique, c'était le travail accompli, non sans luttes, pendant les années 60 et le début des années 70. C'était aussi le fruit d'une période de libéralisation idéologique.

À peine le principe de cette lecture partiellement positive des romantiques fut-il acquis que la libéralisation fut brusquement freinée. Ce changement devait créer une

situation qui, bien plus concrètement que n'importe où ailleurs, ressemblait à la situation de crise dans laquelle
s'étaient trouvés autour de 1800 les auteurs romantiques.
Voici le témoignage de Christa Wolf:

> J'ai écrit *Aucun lieu. Nulle part*([13]) en 1977. C'était à un
> moment où il me paraissait nécessaire d'examiner les condi-
> tions de l'échec, d'étudier les rapports entre le désespoir
> social et l'échec en littérature. J'éprouvais alors le sentiment
> intense d'être le dos au mur et de ne pouvoir avancer dans
> aucune direction. Il me fallait traverser une certaine période
> pendant laquelle toutes les possibilités d'agir semblaient
> avoir disparu.
>
> 1976 représente une césure dans le développement de la poli-
> tique culturelle chez nous, césure marquée à l'extérieur par
> le fait que Bierman fut expatrié. Il en résultait une polarisa-
> tion parmi tous ceux qui travaillent dans le domaine cul-
> turel, dans diverses disciplines: un groupe d'auteurs s'est
> rendu à l'évidence qu'on ne voulait plus de leur collabora-
> tion directe telle qu'ils l'entendaient eux-mêmes dans leur
> propre sens de la responsabilité. Et pourtant nous étions
> socialistes, nous vivions en RDA en socialistes, car c'est là
> que nous voulions intervenir, collaborer. Le sentiment
> d'être entièrement relégués à la littérature a jeté chacun dans
> un état de crise qui prenait des dimensions existentielles.
> Pour moi-même, il en a résulté, entre autres choses, un
> intérêt actif pour le matériau biographique par exemple
> d'une Günderrode ou d'un Kleist. Il m'aurait été strictement
> impossible de travailler ce problème avec un matériau con-
> temporain. [...] J'ai choisi ces deux figures pour expérimen-
> ter la portée de leur problématique pour moi-même([14]).

De la crise concrète de l'artiste dans une société qui se veut
résolument moderne à l'interprétation-application des tex-

([13]) Il s'agit d'une fiction historique qui met en scène une rencontre entre deux auteurs de l'époque romantique: Karoline von Günderrode
et Heinrich von Kleist.

([14]) *Christa Wolf, Materialienbuch*, éd. par Klaus Sauer, nouvelle
édition augmentée, Darmstadt et Neuwied, Luchterhand, 1983, pp. 68-
69, traduction W. M.

tes romantiques: le lien ne saurait être établi plus explícite-
ment. Et le sens d'application ne saurait être plus concret,
car il ne s'agit plus uniquement d'une interprétation académique où l'enjeu est la gestion du sens des œuvres du
passé, mais une réécriture, une réutilisation active des
textes romantiques, dont l'enjeu est tout à fait pratique,
tant sur le plan individuel que sur le plan collectif. Il est
vrai que c'est dans ce contexte spécifique que la lecture-
application des romantiques dans notre propre crise de la
modernité a pu prendre son urgence la plus poignante.
Mais il ne faut pas en conclure que ce soit l'affaire exclusive des interprètes et des artistes de la RDA. Christa Wolf
a elle-même formulé la crise dans des termes suffisamment
généraux pour que nous nous y reconnaissions nous aussi:

> Transis de désenchantement et pétrifiés, nous voici face à
> face avec les rêves objectifiés de cette pensée instrumentale
> qui continue à se réclamer de la raison mais qui, depuis
> longtemps déjà, s'est détachée du postulat émancipatoire
> formulé par les penseurs des Lumières qui envisageaient un
> état de majorité pour l'humanité. À son entrée dans l'ère
> industrielle, cette pensée s'est changée en pur délire utili-
> taire[15].

Encore une fois, ce n'est pas le retour aux romantiques qui
nous sortira de cette crise. Mais la prise en considération
sérieuse et la lecture active de leurs textes, surtout de ceux
qui ont déjà articulé une crise analogue et cherché des
issues à cette crise — comme c'est le cas du *Brouillon* de
Novalis — pourront nous aider à mieux nous situer dans
notre actualité historique et dans la trajectoire de la modernité problématique qui est encore la nôtre.

[15] Christa Wolf, *Lesen und Schreiben*, nouvelle édition augmentée, Darmstadt et Neuwied, Luchterhand, 1984, p. 320, traduction par
W. M.

Bibliographie

ADLER, J. J. D., *A Study in the Chemistry of Goethe's Novel «Die Wahlverwandtschaften»*, thèse de doctorat, Université de Londres, 1977.

D'ALEMBERT, *Discours préliminaire de l'Encyclopédie*, Paris, Gonthier, 1965.

— *Œuvres*, nouvelle édition augmentée en 5 volumes, Paris, A. Belin, 1821-22.

Allgemeines Journal der Chemie, éd. par Alexander Nikolaus Scherer, Zweites Heft, 1798.

AMPÈRE, A.-M., *Essai sur la philosophie des sciences, ou exposition analytique d'une classification naturelle de toutes les connaissances humaines*, 2 volumes, Paris, Bachelier, 1834.

AMRINE, F. et al. (éds.), *Goethe and the Sciences: A Reappraisal*, Dordrecht, Reidel, 1987.

ANDERSON, W., «The Rhetoric of Scientific Language: An Example from Lavoisier», in *MLN*, n° 96 (1981), pp. 746-70.

Athenäum, eine Zeitschrift von August Wilhelm Schlegel und Friedrich Schlegel, Éd. Curt Grützmacher, 2 volumes, Hamburg, Rowohlt, 1969.

AUSTIN, J. L., *How to Do Things with Words*, Oxford, Oxford University Press, 1962.

— *Quand dire, c'est faire* (trad. par Gilles Lane), Paris, Seuil, 1970.

AYRAULT, R., *Genèse du romantisme allemand*, 4 volumes, Paris, Aubier-Montaigne, 1961-76.

BAADER, F. X., *Vom Wärmestoff, seiner Vertheilung,*

Bindung und Entbindung vorzüglich beim Brennen der Körper. Wien et Leipzig, Johann Paul Kraußische Buchhandlung, 1786.

— *Über das pythagoräische Quadrat in der Natur, oder die vier Weltgegenden*, s.l., 1798.

BACHELARD, G., *La naissance de l'esprit scientifique*, 8ᵉ édition, Paris, Librairie Vrin, 1972.

BACON, F., «De la dignité et de l'accroissement des sciences», in *Œuvres de Bacon*, 1ᵉʳᵉ série, Paris, Charpentier, 1845.

BARTHES, R., «De l'œuvre au texte», in *Revue d'Esthétique*, XXIV, 3 (1971), pp. 225-232.

— *Sade, Fourier, Loyola*, Paris, Seuil, 1971.

— *Roland Barthes par Roland Barthes*, Paris, Seuil, 1975.

— «Théorie du texte», in *Encyclopædia Universalis*, Paris, Encyclopédie Universalis Éditeur, 1985, vol. XVII, pp. 996-1000.

BENJAMIN, W., *Der Begriff der Kunstkritik in der deutschen Romantik*, in *Gesammelte Schriften*, éd. par Rolf Tiedemann et Hermann Schweppenhäuser, volume I, 1, Frankfurt a.M., Suhrkamp, 1974, pp. 7-122.

BEONIO-BROCCHIERI FUMAGALLI, M. T., *Le enciclopedie dell'occidente medievale*, Torino, Loescher, 1981.

BLANCHOT, M., «Nietzsche et l'écriture fragmentaire», in *L'entretien infini*, Paris, Gallimard, 1969, pp. 227-55.

BLUMENBERG, H., *Der Prozeß der theoretischen Neugierde*, Frankfurt a.M., Suhrkamp, 1973.

— *Die Lesbarkeit der Welt*, Frankfurt a.M., Suhrkamp, 1986.

BÖHME, G., *Alternativen der Wissenschaft*, Frankfurt a.M., Suhrkamp, 1980.

BOHNERT, H. G. et KOCHEN, M., «The Automated Multilevel Encyclopædia as a New Mode of Scientific Communication», in *ADI Proceedings*, Automation and Scientific Communication. Short Papers Contributed to the Theme Sessions of the American Documentation Institute at Chicago, oct. 6-11, 1963, pp. 269-270.

BOLLACK, J. et WISMANN, H., *Héraclite ou la séparation*, Paris, Minuit, 1972.

BORGES, J. L., *El Aleph*, 1957, Buenos Aires, Emecé Editores, 1965.

— *Aleph* (trad. par Roger Caillois et René L.-F. Durand), Paris, Gallimard, 1967.

— *Ficciones*, 1956, Buenos Aires, Emecé Editores, 1968.

LE BOT, M., et al., *Junggesellenmaschinen/Les machines célibataires*, Venise, Alfieri Edizioni artistiche, 1975.

BREUER, D., *Einführung in die pragmatische Text-theorie*, München, Fink, 1974.

BRINKMANN, R. (éd.), *Romantik in Deutschland. Ein interdisziplinäres Symposium*, Stuttgart, J. B. Metzlersche Verlagsbuchhandlung, 1978.

BUFFON, *Les Époques de la Nature*, éd. par Jacques Roger, Paris, Mémoires du Museum National d'Histoire Naturelle, 1962.

BÜHL, W. L., *Krisentheorien. Politik, Wirtschaft und Gesellschaft im Übergang*, Darmstadt, Wissenschaftliche Buchgesellschaft, 1984.

BURY, J. B., *Progress: An Inquiry Into Its Origin and Growth*, New York, Dover Publications, 1960.

CHARLES, M., *L'Arbre et la source*, Paris, Seuil, 1985.

CHLADNI, E. F. F., *Entdeckungen über die Theorie des Klanges*, Leipzig, Weidmann und Reich, 1787.

COLLISON, R., *Encyclopædias. Their History Throughout the Ages*, New York, Hafner, 1964.

Communications, numéro spécial sur «La notion de crise», n° 25 (1976).

DÄLLENBACH, L. et HART, NIBBRIG C. L. (éds.), *Fragment und Totalität*, Frankfurt a.M., Suhrkamp, 1984.

DELAPORTE, FRANÇOIS, *Le second règne de la nature. Essai sur les questions de la végétalité au XVIIIᵉ siècle*, Paris, Flammarion, 1979.

DELEUZE, G., *Foucault*, Paris, Minuit, 1986.

DELEUZE, G. et GUATTARI, F., *Rhizome, Introduction*, Paris, Minuit, 1976.

DELON, M., *L'Idée d'énergie au tournant des Lumières (1770-1820)*, Paris, Presses Universitaires de France, 1988.

DE MAN, P., *Allegories of Reading*, New Haven, Yale University Press, 1979.

DERRIDA, J., *La dissémination*, Paris, Seuil, 1972.

— «L'archéologie du frivole», in CONDILLAC, *Essai sur l'origine des connaissances humaines*, Paris, Éditions Galilée, 1973.

— *Éperons. Les styles de Nietzsche*, Paris, Flammarion et Venise, Corbo e Fiori Editori, 1976.

DIDEROT, D., «De l'interprétation de la nature», in *Œuvres complètes*, Éd. Assézat, 2e volume, Paris, Garnier Frères, 1875, pp. 9-62.

DIERSE, U., *Enzyklopädie. Zur Geschichte eines philosophischen und wissenschaftstheoretischen Begriffs*, Bonn, Bouvier, 1977.

DUPUY, J.-P., *Ordres et désordres. Enquête sur un nouveau paradigme*, Paris, Seuil, 1982.

DYCK, M., *Novalis and Mathematics. A Study of Friedrich von Hardenberg's Fragments on Mathematics and its Relations to Magic, Music, Religion, Philosophy and Literature*, Chapel Hill, The University of North Carolina Press, 1960.

EICHNER, H., «The Rise of Modern Science and the Genesis of Romanticism», in *PMLA*, nº 97, 1 (1982), pp. 8-30.

ESCARPIT, R. (éd.), *Le littéraire et le social*, Paris, Flammarion, 1970.

FICHTE, J. G., *Über den Begriff der Wissenschaftslehre* (1794), in Studientextausgabe, Stuttgart-Bad Cannstatt, Frommann, 1969.

FOUCAULT, M., *Les mots et les choses. Une archéologie des sciences humaines*, Paris, Gallimard, 1966.

— *L'archéologie du savoir*, Paris, Gallimard, 1969.

— *L'Ordre du discours*, Paris, Gallimard, 1971.

FREUD, S., «Das Unheimliche», 1919, in *Studienausgabe*, volume IV, Frankfurt a.M., S. Fischer Verlag, 1970, pp. 241-274.

FRUMAN, N., *Coleridge, The Damaged Archangel*, New York, George Braziller, 1971.

GADAMER, H.-G., *Wahrheit und Methode*, Tübingen, J. C. B. Mohr, 2e édition, 1965.

— *Vérité et Méthode, Les grandes lignes d'une herméneutique philosophique*, Paris, Seuil, 1976.

GAILLARD, F., «L'imaginaire du concept: Bachelard, une épistémologie de la pureté», in *MLN*, 101, 1 (1986), pp. 895-911.

— «Histoire de peur», in *Littérature*, n° 64 (1986), pp. 13-22.

— «La science: Modèle ou vérité? Réflexions sur l'Avant-propos à la 'Comédie Humaine'», manuscrit.

GALILEI, G., *Opere*, Milano-Napoli, Ricciardi, 1953.

GANDILLAC, M. DE (éd.), *La pensée encyclopédique au Moyen Âge*, Neuchâtel, La Baconnière, 1966.

GILMAN McCANN, H., *Chemistry Transformed: The Paradigmatic Shift from Phlogiston to Oxygen*, Norwood, Ablex Publishing Corporation, 1978.

GODZICH, W., «Emergent Literature and the Field of Comparative Literature», in KOELB, K. et NOAKES, S. (éds.), *The comparative perspective on literature*, Ithaca, Cornell University Press, 1988, pp. 18-36.

— «La littérature manifeste», préface à Jeanne Demers et Line Mc Murray. *L'enjeu du manifeste. Le manifeste en jeu*, Montréal, Le Préambule, 1986, pp. 7-19.

GOETHE, J. W., *Les Affinités électives*, trad. par Pierre de Colombier, Paris, Gallimard, 1980.

— *Werke*, Hamburger Ausgabe, München, C. H. Beck, 1981.

GÓMEZ-MORIANA, A., *La subversion du discours rituel*, Montréal, Le Préambule, 1985.

GREN, F. A. C., *Grundriß der Naturlehre*, Halle, Hemmerde et Schwetschke, 1797.

GUERLAC, H., *Antoine-Laurent Lavoisier: Chemist and Revolutionary*, New York, Scribner's, 1975.

GUMBRECHT, H.-U., «Literaturgeschichte — Fragment einer geschwundenen Totalität», in DÄLLENBACH, L. et HART NIBBRIG, C. L. (éds.), *Fragment und Totalität*, Frankfurt a.M., Suhrkamp, 1984, pp. 30-45.

HABERMAS, J., «Vorbereitende Bemerkungen zu einer

Theorie der kommunikativen Kompetenz», in HABER-MAS, J. et LUHMANN, N., *Theorie der Gesellschaft oder Sozialtechnologie*, Frankfurt a.M., Suhrkamp, 1971, pp. 101-41.

— *Connaissance et intérêt*, traduit par Gérard Clémençon, Paris, Gallimard, 1976.

— *Erkenntnis und Interesse*, (1968), Frankfurt a.M., Suhrkamp, 1977.

HAERING, T., *Novalis als Philosoph*, Stuttgart, Kohlhammer, 1954.

HAMBURGER, K., «Novalis und die Mathematik», in *Philosophie der Dichter, Novalis, Schiller, Rilke*, Stuttgart, Kohlhammer, 1966, pp. 11-82.

HAY, L., «Le texte n'existe pas. Réflexions sur la critique génétique», in *Poétique*, n° 62 (1985), pp. 147-58.

HEGEL, G. W. F., *Enzyklopädie der philosophischen Wissenschaften im Grundrisse*, in *Gesammelte Werke*, Hamburg, Meiner, 1968ss.

HEGENER, J., *Die Poetisierung der Wissenschaften bei Novalis*, Bonn, Bouvier, 1975.

HERDER, J. G., *Abhandlung über den Ursprung der Sprache*, Stuttgart, Reclam, 1966.

HEYNDELS, R., *La pensée fragmentée. Discontinuité formelle et question du sens (Pascal, Diderot, Hölderlin et la modernité)*, Bruxelles, Mardaga, 1985.

HOFFMANN, E. T. A., *Contes d'Hoffmann* (édition intégrale des contes réalisée sous la direction d'Albert Béguin), Paris, Club des Libraires de France, 1964.

— *Die Serapions-Brüder. Gesammelte Erzählungen und Märchen*, 1er volume, München, Winkler Verlag, 1966.

HORKHEIMER, M. et ADORNO, T. W., *Dialektik der Aufklärung. Philosophische Fragmente*, 1947, Frankfurt a. M., Fischer Verlag, 1969.

HOUZEL, C., OVAERT, J.-L. et RAYMOND, P., *Philosophie et calcul de l'infini*, Paris, Maspéro, 1976.

HUFBAUER, K., *The Formation of the German Chemical Community*, Berkeley, University of California Press, 1982.

HUMBOLDT, A. VON, *Aphorismen aus der chemischen*

Physiologie der Pflanzen, Leipzig, Voß und Compagnie, 1794.
— *Versuche über die gereizte Muskel- und Nervenfaser*, 2 volumes, Posen et Berlin, 1795.

JAKOBSON, R., «On Linguistic Aspects of Translation», in *Selected Writings*, La Haye-Paris, Mouton, volume II, 1971, pp. 260-271.
JOLLES, A., *Formes simples*, Paris, Seuil, 1972.

KAFKER, F. A. (éd.), *Notable Encyclopædias of the Seventeenth and Eighteenth Centuries: Nine Successors of the «Encyclopédie»*, Oxford, The Voltaire Foundation at the Taylor Institute, 1981.
KANT, I., *Werke in sechs Bänden*, éd. par Wilhelm Weischedel, 1956. Réimpression Darmstadt, Wissenschaftliche Buchgesellschaft, 1975.
KAPITZA, P., *Die frühromantische Theorie der Mischung*, München, Hueber, 1968.
KESTING, M,, «Aspekte des absoluten Buches bei Novalis und Mallarmé», in *Euphorion*, n° 68 (1974), pp. 420-36.
KITTLER, F. et TURK, H. (éds.), *Urszenen. Literaturwissenschaft als Diskursanalyse und Diskurskritik*, Frankfurt a.M., Suhrkamp, 1977.
KLAUS, P. (éd.), *Romantikforschung seit 1945*, Königstein/TS, Verlagsgruppe Athenäum, Hain, Scriptor, Hanstein, 1980.
KLINGER, C. et STÄBLEIN, R. (éds.), *Identitätskrise und Surrogatidentitäten. Zur Wiederkehr einer romantischen Konstellation*, Frankfurt, Campus Verlag et Paris, Éditions de la Maison des Sciences de l'Homme, 1989.
KRAUSS, W., «Französische Aufklärung und deutsche Romantik», in *Perspektiven und Probleme. Zur französischen und deutschen Aufklärung und andere Aufsätze*, Neuwied-Berlin, Luchterhand, 1965, pp. 266-284.
KRUG, W. T., *Versuch einer Systematischen Enzyklopädie der Wissenschaften*, 1ère partie, Wittenberg-Leipzig,

Winkelmannsche Buchhandlung et Johann Ambrosius Barth, 1796, 2ᵉ partie, Jena, J. G. Voigt, 1797.

KUHN, T. S., *The Structure of Scientific Revolutions*, Chicago, Chicago University Press, 1962.

LACOUE-LABARTHE, P. et NANCY, J.-L., *L'Absolu littéraire. Théorie de la littérature du romantisme allemand*, Paris, Seuil, 1978.

LAMBERT, J. H., *Neues Organon oder Gedanken über die Erforschung und Bezeichnung des Wahren und dessen Unterscheidung vom Irrthum und Schein*, Leipzig, 1764.

Langages, numéro spécial sur «Analyse du discours, nouveaux parcours», nᵒ 81 (mars 1986).

LAUREILHE, M.-T., *Le Thesaurus. Son rôle, sa structure, son élaboration*, Lyon, Presses de l'École nationale supérieure des bibliothèques, 1977.

LAVOISIER, *Pages choisies*, Paris, Éditions Sociales, 1974.

— *Œuvres*, 6 volumes, Paris, Imprimerie Impériale, 1862-93.

LEGAULT, G. A., *La structure performative du langage juridique*, Montréal, Presses de l'Université de Montréal, 1977.

LEPENIES, W., *Das Ende der Naturgeschichte. Wandel kultureller Selbstverständlichkeiten in den Wissenschaften des 18. und 19. Jahrhunderts*, 1976, Frankfurt a.M., Suhrkamp, 1978.

— «Hommes de science et écrivains. Les fonctions conservatoires de la littérature», in *Information sur les sciences sociales*, XVIII, 1 (1979), pp. 45-58.

LEVERE, T. H., «Coleridge, Chemistry and the Philosophy of Nature», in *Studies in Romanticism*, nᵒ 16 (1977), pp. 349-379.

— *Poetry Realized in Nature. Samuel Taylor Coleridge and Early Nineteenth-Century Science*, Cambridge, Cambridge University Press, 1981.

LÉVY, T., *Figures de l'infini. Les mathématiques au miroir des cultures*, Paris, Seuil, 1987.

LINK, H., *Abstraktion und Poesie im Werk des Novalis*, Stuttgart, Kohlhammer, 1971.

LINK, J., *Die Struktur des literarischen Symbols*, München, Fink, 1975.

— *Elementare Literatur und generative Diskursanalyse*, München, Fink, 1983.

LÖSCHER, C. I., *Übergangsordnung bei der Kristallisation der Fossilien, wie sie auseinander entspringen und in einander übergehen*, Leipzig, Crusius, 1796.

LUKÁCS, G., «Die Romantik als Wendung in der deutschen Literatur», 1945, réimprimé in *Kurze Skizze einer Geschichte einer neueren deutschen Literatur*, Neuwied-Berlin, Luchterhand, 1963, pp. 64-87.

LYOTARD, J.-F., *La condition postmoderne. Rapport sur le savoir*, Paris, Minuit, 1979.

MACH, E., *Erkenntnis und Irrtum. Skizzen zur Psychologie der Forschung*, 1926, réimpression: Darmstadt, Wissenschaftliche Buchgesellschaft, 1976.

MÄHL, H.-J., *Die Idee des goldenen Zeitalters im Werk des Novalis. Studien zur Wesensbestimmung der frühromantischen Utopie und zu ihren ideengeschichtlichen Voraussetzungen*, Heidelberg, Carl Winter, 1965.

— «Novalis und Plotin. Untersuchungen zu einer neuen Edition und Interpretation des 'Allgemeinen Brouillon'» 1963, in Gerhard Schulz (éd.), *Novalis. Beiträge zu Werk und Persönlichkeit Friedrich von Hardenbergs*, Darmstadt, Wissenschaftliche Buchgesellschaft, 1970, pp. 357-423.

MAHONEY, D. F., *Die Poetisierung der Natur bei Novalis. Beweggründe, Gestaltung, Folgen*, Bonn, Bouvier, 1980.

MAINGUENEAU, D., *Initiation aux méthodes de l'analyse du discours*, Paris, Hachette, 1976.

— *Genèses du discours*, Bruxelles, Mardaga, 1984.

MONTINARI, M., «Nietzsches Nachlaß von 1885 bis 1888, oder Textkritik und Wille zur Macht», in SALA—QUARDA, J. (éd.), *Nietzsche*, Darmstadt, Wissenschaftliche Buchgesellschaft, 1980, pp. 323-349.

MOSER, W., «Les discours dans 'Le discours préliminaire'», in *The Romanic Review*, vol. LXVII, 2 (1976), pp. 102-116.

— «Musil à Paris», in *Critique*, n° 433-34 (1983), pp. 459-476.

— «Buffon: exégète entre théologie et géologie», in *Strumenti critici*, vol. II, 1 (1987), pp. 17-42.

MÜLLER, B., *Novalis — Der Dichter als Mittler*, Bern-Frankfurt-New York, Peter Lang, 1984.

MULLEN, P. C., «The Romantic as Scientist: Lorenz Oken», in *Studies in Romanticism*, n° 16 (1977), pp. 381-399.

MUSIL, R,, *Tagebücher, Aphorismen, Essays und Reden*, éd. par Adolph Frisé. Hamburg, Rowohlt, 1955.

— *L'Homme sans qualités*, 4 volumes, Paris, Seuil, 1957.

— *Tagebücher*, éd. par Adolph Frisé, 2 volumes, Hamburg, Rowohlt, 1976.

— *Journaux*, traduits par Philippe Jaccottet, 2 volumes, Paris, Seuil, 1981.

NANCY, J.-L., «Logodaedalus. (Kant écrivain)», in *Poétique*, n° 21 (1975), pp. 24-52.

NERLICH, MICHAEL, *Kritik der Abenteuer-Ideologie. Beitrag zur Erforschung der bürgerlichen Bewusstseinsbildung 1100-1750*, 2 volumes, Berlin-Est, Akademie-Verlag, 1977.

NEUBAUER, J., *Bifocal Vision. Novalis' Philosophy of Nature and Disease*, Chapel Hill, The University of North Carolina Press, 1971.

— *Symbolismus und symbolische Logik*, München, Fink, 1978.

NICOLSON, M. H., *The Breaking of the Circle. Studies in the Effect of the «New Science» upon Seventeenth Century Poetry*, New York, Columbia University Press, 1965.

NIETZSCHE, F., *Werke in drei Bänden*, éd. par Karl Schlechta, München, Carl Hanser Verlag, 1966.

OKEN, L., *Lehrbuch der Naturphilosophie*, 3 volumes, Jena, 1809-11.

OLSHAUSEN, W., *Friedrich von Hardenbergs (Novalis') Beziehungen zur Naturwissenschaft seiner Zeit*,

Leipzig, 1905.

PASCAL, B., *Œuvres complètes*, éd. par Jacques Chevalier, Paris, Gallimard, 1964.

PEYRET, J.-F., «Musil ou les contradictions de la modernité», in *Critique*, n° 339-40 (1975), pp. 846-863.

PLETT, H. F., *Textwissenschaft und Textanalyse*, Heidelberg, Quelle & Meyer, 1975.

POSTER, M., «Kant's Crooked Stick», in *The Psychoanalytic Review*, n° 63 (1974), pp. 475-480.

PREITZ, M. (éd.), *Friedrich Schlegel und Novalis. Eine Romantikerfreundschaft in ihren Briefen*, Darmstadt, Wissenschaftliche Buchgesellschaft, 1957.

QUENEAU, R., *Bords, mathématiciens, précurseurs, encyclopédistes*, Paris, Hermann, 1963.

RESCHER, N., «The Systematization of Knowledge», in *International Classification*, IV, 2 (1977), pp. 73-75.

REISS, T. J., *The Discourse of Modernism*, Ithaca, Cornell University Press, 1982.

REY, A., *Encyclopédies et dictionnaires*, Paris, Presses Universitaires de France, 1982.

RITTER, J. W., *Beweis, dass ein beständiger Galvanismus den Lebensprocess in dem Tierreich begleite*, Weimar, Industrie-Comptoir, 1798.

ROBIN, R., *Histoire et linguistique*, Paris, Colin, 1973.

ROSSI, P., *Clavis universalis: arti mnemoniche e logica combinatoria da Lullo a Leibniz*, Milano-Napoli, Ricciardi, 1960.

ROUSSEAU, G. S., «Literature and Science: The State of the Field», in *Isis*, n° 69 (1978), pp. 583-592.

SAUER, K. (éd.), *Christa Wolf, Materialienbuch*, nouvelle édition augmentée, Darmstadt et Neuwied, Luchterhand, 1983.

SAVAN, D., «Toward a Refutation of Semiotic Idealism», in *RS/SI*, n° 3 (1983), pp. 1-8.

SCHANZE, H., *Romantik und Aufklärung. Untersuchungen zu Friedrich Schlegel und Novalis*, Nürnberg, Hans

Carl, 1966.

SCHELLING, F. W. J. VON, *Ideen zu einer Philosophie der Natur, als künftige Grundlage eines allgemeinen Natursystems*, 1797.

— *Von der Weltseele, eine Hypothese der höheren Physik zur Erklärung des allgemeinen Organismus*, Hamburg, Perthes, 1798.

SCHERER, A. N., *Grundzüge der neueren chemischen Theorie*, Jena, J. C. G. Göpfert, 1795.

— *Nachträge zu den Grundzügen neuerer chemischen Theorie*, Jena, 1796.

SCHERER, J., *Le «Livre» de Mallarmé*, (1957), nouvelle édition revue et augmentée, Paris, Gallimard, 1977.

SCHLANGER, J. E., *Les métaphores de l'organisme*, Paris, Vrin, 1971.

— *Penser la bouche pleine*, Paris-La Haye, Mouton, 1975.

— *L'invention intellectuelle*, Paris, Fayard, 1983.

SCHLEGEL, F., *Kritische Friedrich Schlegel Ausgabe*, éd. par Ernst Behler, Jean-Jacques Anstett et Hans Eichner, München-Paderborn-Wien-Zürich, Schöningh, 1958 et ss.

SCHLEIERMACHER, F. D. E., *Hermeneutik*, éd. par Heinz Kimmerle, Heidelberg, Carl Winter, 1959.

— *Hermeneutik und Kritik*, éd. et introduction par Manfred Frank, Frankfurt a.M., Suhrkamp, 1977.

SCHLIEBEN-LANGE, B., *Traditionen des Sprechens. Elemente einer pragmatischen Sprachgeschichtsschreibung*, Stuttgart, Kohlhammer, 1983.

SCHMIDT, S. J., *Texttheorie*, München, Fink, 1976.

SCHÖNE, A., «L'emploi du subjonctif chez Robert Musil», version allemande 1961, in *L'Arc*, n° 74 (1978), pp. 41-62.

— *Aufklärung aus dem Geist der Experimentalphysik. Lichtenbergsche Konjunktive*, München, C. H. Beck, 1982.

SCHREIBER, J., *Roman und absolutes Buch in der Frühromantik (Novalis / Schlegel)*, Frankfurt-Bern-New York, Peter Lang, 1983.

SCHULZ, G., «Die Berufslaufbahn Friedrich von Hardenbergs (Novalis)», in *Novalis. Beiträge zu Werk und*

Persönlichkeit Friedrich von Hardenbergs, éd. par Gerhard Schulz, Darmstadt, Wissenschaftliche Buchgesellschaft, 1970, pp. 283-356.

SERRES, M., *Genèse*, Paris, Grasset et Fasquelle, 1982.

SHELLEY, P. B., «A Defense of Poetry», in *The Complete Works of Percy Bysshe Shelley*, éd. par Roger Ingpen et Walter E. Peck, volume VI: *Prose*, New York, Gordian Press, 1965, pp. 105-140.

SILMAN, T., *Probleme der Textlinguistik*, Heidelberg, Quelle & Meyer, 1974.

SIMON, G., *Kepler astrologue astronome*, Paris, Gallimard, 1979.

SOERGEL, D., «An Automated Encyclopædia — A Solution of the Information Problem?», in *International Classification*, n° IV, 1 (1977), pp. 4-10 et n° IV, 2 (1977), pp. 81-89.

STADLER, U., «Ränder — Übergänge — Sprünge. Über das Verhältnis von Alltag, Phantasie und Poesie bei Friedrich von Hardenberg (Novalis)», in *Akten des VI. Internationalen Germanisten-Kongreßes Basel 1980*, Bern, Peter Lang, 1980, pp. 412-421.

STIERLE, K., *Text als Handlung*, München, Fink, 1975.

STRIEDTER, J., *Die Fragmente des Novalis als «Präfiguration» seiner Dichtung*, 1953, München, Fink, 1985.

STROHSCHNEIDER-KOHRS, I., *Die romantische Ironie in Theorie und Gestaltung*, Tübingen, Niemeyer, 1980.

SZONDI, P., «Antike und Moderne in der Ästhetik der Goethezeit», in *Poetik und Geschichtsphilosophie I. Studienausgabe der Vorlesungen*, volume 2, Frankfurt a.M., Suhrkamp, 1974, pp. 1-265.

— «Von der normativen zur spekulativen Gattungspoetik», in *Poetik und Geschichtsphilosophie II. Studienausgabe der Vorlesungen*, volume 3, Frankfurt a.M., Suhrkamp, 1974, pp. 1-183.

TAFFARELLI, J.-L., *Les systèmes de classification des ouvrages encyclopédiques*, Villeurbanne, École nationale supérieure des bibliothèques, 1980.

TEGA, W., *L'unità del sapere e l'ideale enciclopedico nel pensiero moderno*, Bologna, Il Mulino, 1983.

THOM, R., *Modèles mathématiques de la morphogénèse. Recueil de textes sur la théorie des catastrophes et ses applications*, Paris, Union Générale d'Éditions, 1974.
— *Paraboles et catastrophes. Entretiens sur les mathématiques, la science et la philosophie* réalisés par Giulio Giorello et Simona Morini, Paris, Flammarion, 1983.
TIEDEMANN, D., *Geist der spekulativen Philosophie*, 6 volumes, Marburg, Neue Akademische Buchhandlung, 1791-97.
TRÄGER, C., «Novalis und die ideologische Restauration. Über den romantischen Ursprung einer methodischen Apologetik», in *Sinn und Form*, n° 13 (1961), pp. 618-660.
— «Ursprünge und Stellung der Romantik», in *Weimarer Beiträge*, n° 21 (1975), pp. 37-73.

WERNER, A. G., *Von den äußerlichen Kennzeichen der Foßilien*, Wien, 1785.
WETZELS, W. D., *J. W. Ritter Physik im Wirkungsfeld der Romantik*, Berlin, de Gruyter, 1973.
WOLF, C., *Lesen und Schreiben*, nouvelle édition augmentée, Darmstadt-Neuwied, Luchterhand, 1984.

Table onomastique

277
STIERLE, K., 60
STRIEDTER, J., 283
STROHSCHNEIDER-KOHRS, I., 353
SZONDI, P., 386

TAFFARELLI, J.-L., 82-83, 115-118, 124, 135, 149, 186
TEGA, W., 117-118, 125
THOM, R., 220, 397, 398
TIECK, L., 89, 196
TIEDEMANN, D., 167, 278
TRÄGER, C., 387, 449

TURK, H., 64, 71

WASMUTH, E., 12-14, 17, 24, 27-29, 32, 34-37, 39-41, 44, 46-47, 49, 54, 119, 366, 410
WERNER, A. G., 198, 293, 308, 394-395
WETZELS, W. D., 250
WHEELER, H., 455-456
WISMANN, H., 22
WOLF, C., 343, 458-459

ZUCKER, F. J., 455-456

Table des matières

**La collection «L'Univers des discours» est dirigée
par Antonio Gómez-Moriana et Danièle Trottier**

Déjà parus dans cette collection:

La subversion du discours rituel, par Antonio Gómez-Moriana

L'Enjeu du manifeste, le manifeste en jeu, par Jeanne Demers
et Lyne McMurray

Jeu textuel et profanation, par Danièle Trottier

*Relations de l'expédition Malaspina aux confins de l'Empire
espagnol. L'échec du voyage*, par Catherine Poupeney Hart

Le discours maghrébin: dynamique textuelle chez Albert Memmi,
par Robert Elbaz

Écrire en France au XIXe siècle. Actes du Colloque de Rome 1987,
par Graziella Pagliano et Antonio Gómez-Moriana (éds.)

Le paradigme inquiet: Pirandello et le champ de la modernité,
par Wladimir Krysinski

*Le voleur de parcours: Identité et cosmopolitisme
dans la littérature québécoise contemporaine*, par Simon Harel

Le discours de presse, par Maryse Souchard

*Le roman québécois de 1960 à 1975. Idéologie et représentation
littéraire*, par Jozef Kwaterko

*Romantisme et crises de la modernité. Poésie et encyclopédie
dans le Brouillon de Novalis*, par Walter Moser

Apprendre à lire des fables. Une approche sémio-cognitive,
par Christian Vandendorpe

1889. Un état du discours social, par Marc Angenot

Le roman mémoriel: de l'histoire à l'écriture du hors-lieu,
par Régine Robin

À paraître prochainement:

Le biologique et le social, par Nadia Khouri

*Voyage en néobaroquie ou sociocritique de la [dé]raison
polyphonique*, par Pierrette Malcuzynski

Récits et actions. Pour une théorie de la lecture,
par Bertrand Gervais

La dimension hylique du roman, par Javier Garcia-Mendez

PT   Moser, Walter, 1942-
2291   Romantisme et crises
.Z5   de la modernité
M67
1989

71461

Le présent ouvrage
publié par les
Éditions du Préambule
a été achevé d'imprimer
le 20e jour de novembre
de l'an mil neuf cent quatre-vingt-neuf
sur les presses
de l'imprimerie Gagné,
Louiseville (Québec)

Dépôt légal: 4e trimestre 1989
Bibliothèque nationale du Québec
ISBN: 2-89133-103-6

Composition et mise en pages:
LHR, Candiac